La caisse dans tous ses états

Mario Pelletier

La caisse dans tous ses états

L'histoire mouvementée
de la Caisse de dépôt et placement du Québec

CARTE BLANCHE

Photo de la couverture: iStockPhoto

Les Éditions Carte blanche
1209, avenue Bernard Ouest, bureau 200
Outremont (Québec)
H2V 1V7
Téléphone: 514-276-1298 • Télécopieur: 514-276-1349
carteblanche@vl.videotron.ca
www.carteblanche.qc.ca

Distribution au Canada: Fides
514-745-4290

Distribution au Canada: SOCADIS
514-331-3300

Dépôt légal: 2e trimestre 2009
Bibliothèque nationale du Québec
ISBN 978-2-89590-147-1

PROLOGUE

Au moment où le débat faisait rage au Québec sur la perte désastreuse de 40 milliards de dollars par la Caisse de dépôt en 2008, plus de 70 % des Québécois (selon un sondage Léger Marketing publié le 9 mars 2009) réclamaient des explications. Ils étaient frustrés de n'avoir pas obtenu de réponse à une question simple: « Pourquoi la Caisse de dépôt a-t-elle fait nettement moins bien que les autres grandes caisses de retraite au Canada ? »

Ce livre tente d'apporter, sinon LA réponse, du moins des éléments de réponse à cette question, en révélant des choses qui n'ont jamais été dites sur l'administration Rousseau et qui vont à l'encontre de bien des idées reçues.

L'investissement excessif dans des produits dérivés douteux comme le papier commercial non bancaire, entre autres, n'est pas tombé du ciel par accident. Il résulte d'une orientation, d'une politique, en somme du changement de culture radical qui s'est produit à la Caisse avec l'arrivée d'Henri-Paul Rousseau en 2002.

Pour fournir une perspective historique complète, j'ai cru bon de redonner la majeure partie de mon livre antérieur, Dix milliards par jour, qui couvre l'histoire de la Caisse jusqu'au début de ce siècle, peu avant le départ de Jean-Claude Scraire. Ceux qui ne s'intéressent qu'à la nouvelle période, l'ère Rousseau, peuvent se rendre d'emblée aux derniers chapitres, qui décrivent ce que la Caisse est devenue depuis 2002, jusqu'à la nomination de Michael Sabia en mars 2009.

Mario Pelletier
Avril 2009

CHAPITRE 1

La Caisse émane de la Révolution tranquille

C'était un jour gris de janvier 1966, rue McGill, à Montréal, dans le vieil édifice du Canadien National, qui date de l'époque du Grand Tronc. De son pas raide de militaire, Claude Prieur arpente d'un air pensif ce bureau vide qu'il vient de louer.

Il s'assied enfin, tire de sa mallette une feuille de papier, puis un stylo, qu'il contemple un moment en souriant sous sa moustache drue de général à la retraite. Ce stylo, ma foi, il vient directement du bureau du premier ministre ! Il l'a apporté par inadvertance après sa rencontre avec Jean Lesage, à Québec, quelques jours auparavant. Il rit maintenant sans retenue, car ce stylo qui ne lui appartient pas, représente en ce moment le seul actif de l'entreprise ambitieuse qu'on vient de lui confier. C'est ce qui s'appelle vraiment partir de zéro.

Le premier ministre Lesage ne lui a pas doré la pilule, il l'a prévenu que le secteur public c'était plus mortifiant et compliqué que l'entreprise privée. Il s'en doute, il est prêt. Même s'il a été élevé dans le sérail du capitalisme canadien en étudiant à la Faculté de commerce de l'Université de Toronto puis en travaillant une quinzaine d'années pour la compagnie Sun Life, le brigadier général Claude Prieur a aussi été formé à la dure école de l'armée. Il est capable de tenir le fort, et il le tiendra. Faites-lui confiance, Monsieur le premier ministre.

Le fait est que pendant le premier mois, Prieur sera à lui seul ou presque la Caisse de dépôt et placement du Québec. Il achètera des timbres à crédit, il accumulera les dépenses personnelles, il empruntera même pour commencer le plus tôt possible à mettre sur pied cette entreprise qui allait devenir multimilliardaire.

La caisse centrale d'État rêvée, conçue et planifiée par quelques technocrates du gouvernement Lesage, cette Caisse de dépôt et placement dont la loi constituante avait été votée à l'unanimité au Parlement de Québec six mois auparavant, ce pur produit des rêves économiques de la Révolution tranquille avait trouvé son homme, celui qu'il fallait pour la mettre au monde.

Tout avait commencé quatre ans auparavant, à l'automne 1961, dans un chalet de la Haute-Mauricie. Le vendredi soir 13 octobre, au bord du lac Masketsy, des militants et sympathisants libéraux sont réunis dans le spacieux chalet de l'homme d'affaires Frank Spénard, de Trois-Rivières. En cette fin de journée magnifique de l'été des Indiens, il y a là des juges et des avocats, pour la plupart, autour de Me François Nobert, avocat trifluvien qui vient d'être nommé président de la Fédération libérale du Québec. Tout ce beau monde, qui a dû gruger son os au temps de Duplessis, tient maintenant le haut du pavé. Ils rient haut et fort, ils se congratulent. Ils sont au pouvoir.

Après les agapes et libations d'usage, Me Nobert prend à part un de ses collègues qui a l'air intellectuel avec ses lunettes à la Roosevelt et sa fine moustache en pinceau: Wheeler Dupont, un ancien fonctionnaire versé dans les assurances, qui travaille alors au service du contentieux de l'Alliance, une compagnie d'assurance-vie. Nobert l'entraîne sur la longue véranda face au lac où ils marchent tous deux de long en large; il lui explique que le nouveau gouvernement Lesage a un problème à régler, un problème qui s'appelle les «fonds de pension[1]».

Le problème des fonds de retraite

En gros, dit-il, il s'agit de faire en sorte que le fonds de retraite du travailleur soit transférable d'une entreprise à l'autre. Et puisque les entreprises ne sont pas toutes dotées d'un tel régime, il faut que l'État crée un fonds central qui puisse recueillir les montants déjà versés par le travailleur qui change d'emploi. Le Parti libéral, poursuit Me Nobert, a promis dans son programme

1. L'anglicisme «fonds de pension», pour caisse ou fonds de retraite, était alors employé couramment.

électoral «l'établissement d'un fonds de pension provincial[2]», pour plaire aux centrales syndicales qui en parlaient depuis quelque temps. Effectivement, quelques mois après l'élection de «l'équipe du tonnerre» de Lesage, les centrales syndicales se sont déclarées heureuses que le gouvernement songe à légiférer sur les fonds de retraite. Bref, on cherche un avocat qui connaît les assurances, et on a pensé à lui, Wheeler Dupont, lui qui a été notamment surintendant-adjoint du Service provincial des assurances. Pourrait-il se charger du dossier et le mener à bien?

Wheeler Dupont n'a pas besoin de fixer longtemps les eaux sombres du lac Masketsy pour répondre. Ça l'intéresse, bien sûr. Ce fin lettré, cet humoriste, qui a mis son grain de sel et une bonne mesure d'enthousiasme dans toutes les causes nationales depuis une vingtaine d'années – sur les tribunes avec Duplessis, dans les salles paroissiales avec les apôtres de la Laurentienne – est encore prêt à partir en croisade. Pour la forme, il pose quelques conditions, qui sont tout de suite acceptées par Lesage quelques jours plus tard; de sorte que le lundi 20 novembre, Me Dupont est à pied d'œuvre, au ministère du Travail, après une brève rencontre avec le ministre René Hamel, un vieux copain.

Le dossier «fonds de pension» est encore fort maigre au ministère: un court mémoire de quatre pages, daté du 9 février 1961 et intitulé «Continuité des droits acquis dans les plans de pension privés». L'étude avait été réalisée par l'économiste François Bregha, à l'intention du ministre du Travail. Il s'agit de l'analyse d'un rapport remis à Lesage par la Canadian Life Insurance Officers Association.

Mais, entre-temps, les choses ont bougé au Canada. La transférabilité des caisses de retraite est devenue une préoccupation dans tout le pays, et le gouvernement fédéral songe à établir un régime universel sous sa houlette. En Ontario, dès avril 1960, le premier ministre Frost mettait sur pied un comité spécial pour étudier la question (*Ontario Committee on Portable Pensions*). Et dès février 1961, ce comité rédigeait un projet de loi – le Bill 165, *The Pension Benefits Act* – qu'on a distribué à toutes les provinces ainsi qu'aux compagnies d'assurances et de fiducie. Le projet ontarien était examiné en août suivant, à la Conférence des premiers ministres, à Charlottetown.

En janvier 1962, le gouvernement Diefenbaker à Ottawa annonce son intention de modifier la constitution pour établir un régime de rentes national

2. Réforme n° 28, ministère du Travail.

et contributif. L'Ontario propose de soumettre son propre projet de loi sur les *Portable pensions* et invite le Québec à envoyer un observateur. Wheeler Dupont est donc dépêché en Ontario dès le début de l'année pour assister aux séances du comité ontarien sur les régimes de retraite. Là, on examine les insuffisances et lacunes des régimes de rentes des salariés, on propose des moyens pour appliquer les régimes aux groupes de 15 employés ou plus qui en sont encore privés, on parle de gel des cotisations, de droit à une rente différée, etc. Fort bien, mais ce qui intéresse encore davantage le délégué québécois, c'est un régime de rentes universel, et surtout que le Québec ait le sien en propre. Sur ce terrain, cependant, Wheeler Dupont n'est pas seul.

Un commando de jeunes technocrates

Déjà, à Québec, sur la vieille colline parlementaire où la poussière du duplessisme est encore à peine balayée, une poignée de jeunes technocrates et quelques ministres s'activent pour concrétiser les idéaux de la Révolution tranquille; les projets s'ordonnent dans toutes les directions. Depuis l'été précédent (1961), René Lévesque, ministre des Richesses naturelles, a mis sur pied un petit commando intellectuel, formé de jeunes et brillants cerveaux comme Michel Bélanger, Éric Gourdeau, André Marier, Jacques Parizeau, qui sont en train de jeter les bases de la nationalisation de l'électricité. On pense aussi aux mines, au pétrole et, pourquoi pas! à l'épargne collective, par le biais des fonds de retraite. Bientôt, la superéquipe de René Lévesque viendra pousser à la roue qu'un Wheeler Dupont, pour le moment, s'affaire à ébranler tout seul.

En mars 1962, alors que Lévesque amorce sa campagne pour rallier les esprits au projet de nationalisation de l'électricité, Dupont reçoit une note du premier ministre lui laissant entendre que le Québec pourrait adopter une loi similaire à celle de l'Ontario, en ce qui concerne les régimes de retraite. Fort bien, mais pour Wheeler Dupont, les régimes «transférables» sont un amuse-gueule, un apéritif avant le plat de résistance qui s'appelle «régime universel». Lui, il est prêt à remuer mer et monde pour constituer un comité comme en Ontario, mais il ne dispose d'aucun moyen. Il a un mandat très large et plutôt vague, la collaboration du cabinet du premier ministre et, pour le reste, aucun budget. Le Conseil du Trésor ne veut pas engager un liard dans cette affaire. L'ancien propagandiste de la Laurentienne se bat les flancs, lance des cris de détresse, des appels au secours en direction des centrales syndicales, des associations industrielles, des chambres de commerce... Peine perdue, tout le monde préfère voir venir. Il ne lui reste qu'une ressource: se tourner vers une fonction publique qu'il connaît bien, où il a encore des accointances (il avait été fonctionnaire de 1936 à 1949), et y recruter des collaborateurs.

Après quelques démarches auprès du ministère de l'Industrie et du Commerce, Wheeler Dupont réussit à obtenir les services partiels – «sous forme de consultation», c'est tout ce que le ministre André Rousseau consent – de l'actuaire Gérald Alain et de l'économiste Émilien Landry, qui viennent de produire une étude le 15 décembre précédent sur le projet ontarien. C'est peu, mais c'est tout de même un début! Soulevé par un enthousiasme messianique, Wheeler Dupont voit dans les modestes origines de son comité des rentes transférables un divin enfant qui naît «dans l'humilité d'un Béthléem administratif et social, sans âne, sans bœuf, mais avec l'Étoile de l'espérance[3]». Les rois mages ne vont pas tarder à arriver. Ils se nomment André Marier, Claude Castonguay et Jacques Parizeau. Il y en aura d'autres, bien sûr, mais pour l'essentiel ces trois technocrates définiront dans les quelques années à venir le cadre économique, actuariel et financier de la future Caisse de dépôt et placement du Québec.

Jacques Parizeau, né à Outremont au sein d'une famille bourgeoise de vieille souche, est alors professeur aux Hautes Études Commerciales à Montréal. Il est revenu d'Europe en 1955, avec un doctorat de la fameuse London School of Economics. Après quelques travaux de recherche à Ottawa, notamment pour la Commission Porter sur le système bancaire, il a commencé à travailler pour le gouvernement québécois dans les derniers temps du régime unioniste, sous Antonio Barrette, où il faisait partie du comité chargé de réviser le Code du travail. L'arrivée au pouvoir des libéraux en 1960 n'a pas interrompu la collaboration du jeune économiste, bien au contraire: il est mis à contribution de plus en plus pour divers dossiers, dont la nationalisation de l'électricité.

Claude Castonguay, de son côté, s'apprête alors à offrir ses services d'actuaire-conseil au gouvernement Lesage. Né à Québec, fils d'un administrateur du journal *L'Action* qui est en même temps un littérateur autodidacte,

---

3. Cité dans *Bruidefon,* journal interne de la Régie des rentes du Québec, vol. 2, n° 1, mars 1973. Wheeler Dupont a relaté les divers épisodes de sa participation à la création de la Régie des rentes, dans une chronique régulière, parue dans ce journal entre mars 1972 et novembre 1974.

Castonguay a été, dès 1951, le premier professeur d'actuariat au Québec, à l'Université Laval. Il a travaillé également pour diverses compagnies d'assurances et, au début des années 1960, il n'attend que l'occasion pour mettre son talent et sa compétence peu commune au service de la Révolution tranquille.

André Marier, le moins connu des trois, parce qu'il est toujours resté dans l'ombre de la fonction publique, est à cette époque une sorte d'éminence grise de la nationalisation de l'électricité. C'est lui qui a mené les premières recherches, rédigé les premières études, conçu l'argumentation essentielle dont se serviront René Lévesque puis Jean Lesage pour rendre les Québécois maîtres chez eux dans le domaine des ressources hydrauliques. Marier est originaire de Québec, où il a étudié à la Faculté de commerce de l'Université Laval. Comme la plupart des jeunes francophones diplômés en économie à l'époque, il a commencé à travailler pour une compagnie anglophone, sous des patrons anglophones, à la CIL (Canadian Industries Ltd). En 1960, la Shawinigan Power lui propose un emploi qu'il refuse parce qu'il voit venir la nationalisation de l'électricité; et c'est justement le mandat d'explorer cette éventualité que René Lévesque va lui confier quelques semaines après les élections du 20 juin 1960.

À la fin de 1961, Marier a pour l'essentiel terminé ses études sur la nationalisation de l'électricité. En 1962, on l'attelle à une autre mission d'envergure: faire une étude systématique de l'industrie minière au Québec afin de jeter les bases d'une politique en ce domaine. En même temps, il travaille aux documents de base sur la planification pour le Conseil d'orientation économique, dont il fait partie avec les Parizeau, Bélanger, Morin et autres. Cet organisme économique datait du temps du premier ministre Godbout[4], de 1943 plus précisément, mais Maurice Duplessis, revenu au pouvoir en 1944, l'avait mis en veilleuse en lui coupant les vivres. Ce n'est qu'au début des années 1960, avec l'engouement de la planification à la française, que l'idée de le ressusciter vient aux jeunes mandarins qui gravitent autour de «l'équipe du tonnerre». En France, le gourou du Plan s'appelle Jacques Rueff, et il a un disciple émérite à l'Université Laval, René Tremblay, qui enseigne avec force graphiques, tableaux et autres projections chiffrées. Celui-ci, nommé par Lesage sous-ministre à l'industrie et au développement dès 1960, joue un rôle déterminant pour remettre sur pied le Conseil d'orientation économique. Au début de 1961, c'est chose faite.

4. Adélard Godbout, premier ministre libéral du Québec de juin à août 1936, puis de 1939 à 1944.

Le nouveau conseil comprend quinze membres, tous triés sur le volet et plutôt rassurants, des gens comme Maurice Joubert, Jean Marchand, Marcel Bélanger, Gérard Filion, Carl Goldenberg, Jean-Claude La Haye, Roland Parenteau, avec à leur tête René Paré, président de la société d'assurances Les Artisans[5]. Leur mission: remédier aux faiblesses structurelles de l'économie québécoise, dont l'expansion dépend en majeure partie de décisions prises à l'extérieur de la province, et concevoir une planification globale du développement des ressources naturelles du Québec. Vaste programme. Mais l'organisme est surtout formé de gens de l'extérieur qui, d'une part, sont loin des couloirs et coulisses de la fonction publique et qui, d'autre part, n'ont guère le temps de faire autre chose que d'assister aux réunions et d'entériner ou non les analyses et décisions préparées et arrêtées par d'autres. Aussi le Conseil d'orientation économique devient-il vite un organisme consultatif, une sorte d'assemblée des sages servant à accréditer les projets présentés au conseil des ministres.

Dans ce contexte, l'initiative est laissée forcément à une douzaine de comités chargés de telles ou telles recherches et analyses et relevant de divers ministères; et surtout, à un petit noyau de nouvelles recrues de la fonction publique mais déjà conseillers de haute volée, qui ont charge de superviser le travail des comités sous le nom de «groupe d'équilibre». Ce groupe se compose notamment de Michel Bélanger et André Marier, du ministère des Ressources naturelles, de Claude Morin, qui écrit les discours de Lesage, et de Jacques Parizeau. Ils sont tous dans la jeune trentaine, bardés de diplômes et zélateurs de l'intervention étatique, convaincus que l'État est le seul levier que possède la société canadienne-française pour sortir de son sous-développement chronique.

Ces mousquetaires du nouveau pouvoir québécois sont aussi, plus ou moins officiellement, au service de René Lévesque, le ministre en qui ils se reconnaissent pleinement. Ils foncent dans toutes les directions, se mêlent de tous les dossiers, de toutes les affaires du gouvernement, au nom d'une réforme globale des institutions dont la planification économique est le fer de lance. On les retrouve bientôt au Saint des Saints du Conseil d'orientation économique, qui devient en quelque sorte leur quartier général pour échanger

---

5. Le choix de René Paré s'imposait à la tête du Conseil d'orientation économique. Personnalité influente à l'époque, non seulement dans le milieu des affaires mais aussi dans les cercles nationalistes, le président de la Société des Artisans, compagnie d'assurances, était aussi président du conseil d'administration du *Devoir* et membre de l'occulte Ordre de Jacques Cartier. Il sera le premier président du conseil de la Société générale de financement (SGF) et de Sidbec.

des informations et se concerter. Leur lieu de réunion préféré est le Cercle universitaire de la vieille capitale.

André Marier est le premier de la bande à se mêler du dossier des régimes de rentes. De fait, en novembre 1962, quand le comité de Wheeler Dupont est officiellement constitué sous le nom de «Comité d'étude sur les caisses de retraite obligatoires et transférables[6]» (qui deviendra plus tard le Comité interministériel), il en fait partie. Les fonds de retraite constituent un réservoir important d'épargne, qui peut être fort utile au développement économique du Québec. Marier saura y voir.

Si, à ce moment-là, le rêve de Wheeler Dupont se limite à l'établissement d'un régime universel de rentes propre au Québec, d'autres songent déjà à l'immense réservoir de capitaux qu'un tel régime pourrait mettre à la disposition de l'État québécois, pourvu, bien sûr, que celui-ci veuille bien prendre les dispositions nécessaires, c'est-à-dire constituer une caisse centrale. Ainsi, au congrès de la Confédération des syndicats nationaux (CSN) qui vient d'avoir lieu le mois précédent (octobre 1962), le «comité sur les pensions reportables» (*sic*) de la centrale justifie ainsi la création d'une caisse d'État pour administrer le régime:

> La libération économique du Québec va exiger des sommes énormes et la caisse pourrait en fournir bien plus que la Société générale de financement. Cette caisse pourrait en quelques années constituer le plus bel instrument de planification économique dont une collectivité puisse rêver. Pour le Québec, cette caisse constituerait un levier de libération économique inégalable[7].

Par ailleurs, Jacques Parizeau mesure déjà, à cette époque, les limites et servitudes du système d'emprunt du gouvernement. Il a vu le syndicat financier[8] dirigé par Ames & Co. éconduire le gouvernement Lesage, lorsque celui-ci a sondé le terrain pour le financement de la nationalisation de l'électricité, au printemps 1962. La solidarité du syndicat, à forte dominante anglophone, avec la puissante compagnie d'électricité Shawinigan Water and

---

6. Outre André Marier et le président Wheeler Dupont, le comité se compose au départ d'Émilien Landry, de Gérald Alain, de Charles Miville-Deschênes, de Thaddeus Poznanski, actuaire d'origine polonaise, et d'Édouard Laurent, qui avait conçu notamment l'impôt sur le revenu du Québec sous Duplessis, en 1954.

7. Congrès de la CSN, octobre 1962, Rapport du comité sur les pensions reportables, chapitre V, «Administration et utilisation de la caisse provinciale».

8. Le syndicat financier dont il s'agit ici est un groupement de courtiers chargés de placer les titres du gouvernement sur le marché financier.

Power était par trop évidente. Parizeau a appris aussi de quelqu'un qui s'appelle Roland Giroux, financier et ami de Daniel Johnson[9] mais nationaliste avant tout, qu'on pouvait contourner le syndicat en s'adressant directement à New York.

Le 21 novembre 1962, une semaine après l'élection qui a reporté les libéraux au pouvoir sur le thème de la nationalisation de l'électricité, Parizeau s'est donc rendu à New York avec Michel Bélanger et a obtenu de la maison de courtage Halsey Stuart une ouverture de crédit de 350 millions de dollars pour le gouvernement du Québec. Pas mal pour deux néophytes comme eux! Sentant la soupe chaude, le syndicat Ames & Co. a aussitôt lâché la Shawinigan Water and Power et accepté que l'emprunt se fasse aux États-Unis par l'intermédiaire de la First Boston Bank, en invitant néanmoins Halsey Stuart à s'y joindre[10].

Parizeau sait donc désormais non seulement qu'on doit, mais qu'on peut sortir du carcan financier imposé par un syndicat anglophone qui s'est perpétué à peu près tel quel depuis Honoré Mercier, à la fin du XIXe siècle. Maurice Duplessis fut le seul premier ministre québécois à y échapper un tant soit peu en n'empruntant pas, au détriment par ailleurs du développement de la province[11]. Pour un État moderne qui doit emprunter de plus en plus, la solution n'est pas là évidemment, mais dans une sorte de réservoir de capitaux dont il puisse disposer au besoin. Ce réservoir peut venir d'une épargne canalisée par un régime de rentes, comme il en existe déjà un modèle en France: la Caisse des dépôts et consignations. C'est donc vers cet organisme multimilliardaire[12], établi depuis 1816, que Parizeau oriente peu à peu son collègue André Marier. Il faut en arriver à une institution semblable au

9. Daniel Johnson était alors chef de l'opposition au Parlement de Québec. Il avait été ministre dans le cabinet Duplessis, puis dans les cabinets Sauvé et Barrette, avant la chute de l'Union nationale en 1960. Devenu chef de l'opposition, il sera premier ministre du Québec en 1966 jusqu'à sa mort prématurée en 1968. Ses deux fils, Pierre-Marc et Daniel, accéderont aussi au poste de premier ministre pour de courtes périodes, le premier en 1985 pour le Parti québécois, l'autre en 1994 pour le Parti libéral.

10. De fait, les maisons de courtage new-yorkaises Halsey Stuart et Salomon Brothers sont venues s'ajouter à la First Boston National Bank pour le financement de la nationalisation de l'électricité.

11. Duplessis avait tenté de créer un syndicat concurrent dans les années 1950, mais l'effort fut trop timide pour porter fruit. Il permit cependant d'entrouvrir un peu la porte aux courtiers francophones.

12. En 1962, la Caisse des dépôts et consignations de France comptait des actifs de plus de 48 milliards de francs (48 477 milliards FF), soit environ 12 milliards de dollars canadiens.

Québec, tous deux le pressentent bien. Leurs collègues du «groupe d'équilibre» ont la même conviction, mais la voie n'est pas pavée d'avance. Il faudra «mettre le paquet» pour faire passer l'idée d'une caisse centrale, et c'est bien ce que le groupe compte faire.

Au départ, le comité présidé par Wheeler Dupont entreprend d'éplucher la loi ontarienne (Bill 110: *Pension Benefits Act*). Les membres du comité se rendent vite compte des insuffisances de cette loi pour les besoins du Québec, et notamment que l'accumulation des fonds de retraite continuerait de profiter aux grandes compagnies d'assurances et fiducies anglo-canadiennes ou américaines. Ils en arrivent graduellement aux trois grands principes, qui vont faire l'originalité du projet québécois: 1) un régime universel de rentes; 2) l'option de capitalisation (au lieu du «pay-as-you-go»), c'est-à-dire l'accumulation des fonds, au lieu de sorties d'argent au fur et à mesure des rentrées; et 3) une caisse centrale de dépôt.

Affrontement Québec-Ottawa

En 1963, les événements s'accélèrent. D'abord, le contexte politique change avec la victoire du Parti libéral aux élections fédérales du 8 avril. Lester B. Pearson devient premier ministre, ouvrant la voie à des relations plus souples du gouvernement d'Ottawa avec les provinces. C'est l'ère du fédéralisme coopératif, qui sera particulièrement propice aux aspirations de la Révolution tranquille.

À peine un mois après son élection, le 16 mai, le nouveau gouvernement fédéral manifeste son intention de créer un régime «national» de rentes universel et contributif: le *Canada Pension Plan*. Lesage a mis en garde les deux grands partis fédéraux à la télévision, quelques jours avant le scrutin, contre une intervention unilatérale d'Ottawa dans le domaine des rentes et affirmé péremptoirement que le Québec compte établir son propre régime; mais il attend les avis et rapports de ses «sages» avant d'aller plus avant. Ce qui ne saurait tarder, car Marier travaille fiévreusement à dresser l'armature économique et sociale du projet de rentes universelles du Québec, à la fois pour le Conseil d'orientation économique et pour le comité interministériel de Wheeler Dupont. D'autre part, Édouard Laurent travaille aussi intensément à déblayer le terrain juridique et constitutionnel.

Entre-temps, l'un des mousquetaires du «groupe d'équilibre», Claude Morin (cousin de Wheeler Dupont, en passant), est nommé en juin sous-ministre des relations fédérales-provinciales; et Lesage lui demande de s'occuper à ce titre du dossier des régimes de retraite. Une autre figure importante est aussi apparue dans le décor: Claude Castonguay. Il vient d'ouvrir un bureau d'actuaires-conseils à Québec, avec quelques associés, et sa carte de visite, envoyée au premier ministre Lesage, a rebondi sur le bureau de Wheeler Dupont. Celui-ci attrape la balle au bond, car il a un besoin urgent d'études actuarielles pour appuyer l'argumentation de son comité: il met aussitôt Castonguay à pied d'œuvre.

À Québec, on se sent de plus en plus pressé par le temps, car Ottawa vient de faire connaître les détails de son «Plan de pension». Un comité interministériel, dirigé par Tom Kent, a accouché du projet à toute vapeur, de sorte que la nouvelle ministre de la Santé et du Bien-être social, Judy LaMarsh, peut déposer une résolution au Parlement le 21 juin. Le même jour, à Québec, le Conseil d'orientation économique fait connaître sa position sur l'établissement d'une caisse publique de retraite. Au terme d'une analyse comparative des avantages d'une caisse privée et d'une caisse publique, il suggère «que le Gouvernement crée, dans le plus bref délai possible, une Caisse publique de retraite».

Le 5 juillet, André Marier remet au comité sur les fonds de retraite un document intitulé «Vers une politique de la vieillesse», où il fait le point sur la question des rentes en montrant les insuffisances et les lacunes des plans fédéral et ontarien et en posant la nécessité d'un régime québécois distinct, doté d'une caisse d'État. Il fait particulièrement ressortir le danger qu'à cause du faible niveau de développement des compagnies d'assurances et des fiducies canadiennes-françaises, les fonds de retraite qu'on laisserait à la gestion du secteur privé aboutiraient infailliblement en Ontario, au détriment des intérêts économiques du Québec.

Armé de ce document, Wheeler Dupont adresse un long mémoire à Jean Lesage le 8 juillet, où il affirme sans équivoque:

> Nos travaux nous ont conduits directement et inéluctablement à la Caisse publique de retraite. Pour nous, c'était la minute de vérité. (...)
>
> L'équipe corrobore les conclusions du Conseil d'orientation économique et désire appuyer sur le fait que si le Québec épousait un plan identique à celui de l'Ontario, les décisions relatives aux investissements n'auraient pas pour critère les objectifs économiques visés par le Québec, mais plutôt celui du plus haut rendement possible; ce qui, en pratique, signifie en fonction des intérêts «nationaux» ou internationaux des grands consortiums canado-américains. À ce jeu, Québec y trouve rarement son compte. (...)

Nous aussi, au terme d'un long et parfois douloureux pèlerinage, nous débouchons sur la place publique et vous recommandons unanimement: la Caisse d'État.

Il faut croire que ce mémoire ne passe pas inaperçu, car Wheeler Dupont racontera plus tard, avec son style coloré, que «dans la quinzaine qui suivit le dépôt de ce mémoire, certains corbeaux jouant à la baisse, ont croassé de terribles mesures contre notre projet. Mais la Colline parlementaire était trop haute pour entendre les vidangeurs en rase-mottes[13].» De toute évidence, les desseins du gouvernement québécois concernant les fonds de retraite commencent à soulever des craintes. Le projet de caisse d'État, notamment, heurte directement les intérêts des compagnies d'assurances et de fiducie.

Le 16 juillet, Michel Bélanger écrit à Claude Morin ce qu'il pense des effets de l'institution d'une caisse publique de retraite sur les milieux financiers traditionnels:

Il faut se résigner à considérer que le premier effet sur les milieux financiers sera défavorable. (...)

Les effets à long terme sont évidemment favorables. Rappelons cependant que les fonds recueillis ne devraient pas servir uniquement à financer le gouvernement. Au contraire, pour que l'épargne ainsi accumulée puisse servir véritablement à l'expansion économique, il faudrait aussi pouvoir acheter des obligations industrielles, des actions (avec les restrictions qu'impose une gestion dynamique et prudente), etc.[14]

Pendant ce temps, la réponse de Lesage se fait attendre. Wheeler Dupont est sur les dents, son comité est comme suspendu dans les airs. «Dans l'attente de la décision, racontera-t-il plus tard, André Marier est grave comme le pèlerin sur la route de Mandalay; Édouard Laurent demeure froid et diaphane, le colosse Gérald Alain crâne: "Si notre mémoire est refusé, je retourne à Los Angeles, à l'Occidental Life." Émilien Landry, modeste, garde un silence de carême. Optimiste, j'ai la conviction que ce que nous appelons "l'œuvre de notre vie" sera accepté par Jean Lesage[15].»

---

13. *Bruidefon*, journal interne de la Régie des rentes du Québec, vol. 3, nº 8, octobre 1974.

14. Note de service de Michel Bélanger, sous-ministre adjoint et directeur général de la Planification, à Claude Morin, sous-ministre des Affaires fédérales-provinciales; datée du 16 juillet 1963.

15. *Bruidefon*, *op. cit.*

Les 26 et 27 juillet, à Ottawa, à une conférence fédérale-provinciale sur les projets fédéraux de prêts aux municipalités et de régime universel de rentes, Lesage réaffirme sans ambages l'intention du gouvernement québécois d'instituer son propre régime. Il avertit les représentants fédéraux qu'ils feraient mieux de ne pas aller de l'avant avec leur *Pension Plan* au Parlement d'Ottawa tant que le Québec n'aura pas mis au point sa propre formule et qu'on n'aura pas assuré la transférabilité d'un régime à l'autre. Cette mise en garde l'entraîne dans une vive discussion avec une Judy LaMarsh qui se bat comme une croisée pour faire passer le premier projet de loi de sa carrière de ministre.

Enfin, le 2 août, la réponse du premier ministre québécois arrive, laconique, à Wheeler Dupont:

> À sa dernière réunion, le Conseil exécutif a décidé de donner suite à votre proposition de poursuivre l'étude de la constitution d'une caisse de retraite...

Dès lors, l'eau ne cesse d'arriver au moulin. Le 8 août, le Conseil d'orientation économique propose de regrouper divers fonds d'organismes gouvernementaux sous «l'administration unique d'une Caisse centrale de l'État». Le 3 septembre, les actuaires-conseils Castonguay, Lemay et associés déposent une «analyse actuarielle du projet de Régime de rentes du Québec».

Le 30 octobre 1963, la Confédération des syndicats nationaux (CSN) fait parvenir un mémoire au gouvernement sur l'établissement d'une caisse de retraite provinciale. Le mémoire conclut que «si la caisse devait être engloutie exclusivement dans des placements sans aucun profit ou peu rentables, la structure du plan en serait compromise; d'autre part, si la caisse devait être investie de la même manière que les caisses de retraite privées, le plan provincial ne jouerait plus le rôle économique qui lui est assigné. En conséquence, les décisions pour l'investissement devront être arrêtées en conformité avec l'orientation économique et les politiques générales de l'État.»

Le 20 novembre, Marcel Pépin, alors secrétaire général de la CSN, rencontre le comité au sujet du mémoire présenté par sa centrale. C'est Claude Castonguay qui signe le compte rendu de la réunion. À la fin, le syndicaliste indique que «la CSN s'attend à ce que la loi au sujet du régime de rentes soit adoptée à la prochaine session de la législature». Il mentionne même que «si l'adoption de la loi est retardée, il y aura une réaction très mauvaise de leur part et [que] la CSN recommandera alors la participation dans le régime de pensions [*sic*] du Canada».

Le projet s'étoffe et se précise de mois en mois. En novembre, le Conseil d'orientation économique affirme que la future caisse devra être «le principal instrument financier du Gouvernement». Le rapport poursuit:

> L'organisme dont on suggère ici la création atteindrait rapidement une telle taille qu'il importe de lui donner un statut qui, tout en lui permettant d'aider puissamment la réalisation du Plan, l'isole, jusqu'à un certain point, des aléas de la politique. Il serait souhaitable, en particulier, de donner au président de cet organisme un statut analogue à celui du gouverneur de la Banque du Canada.

Les 26 et 27 novembre, se tient à Ottawa la conférence fédérale-provinciale des premiers ministres sur la fiscalité, les programmes et les rentes. En même temps qu'il poursuit ses revendications fiscales – 100% des droits successoraux, 25% de l'impôt sur le revenu des particuliers et les profits des sociétés –, le Québec y réaffirme sa volonté d'établir son régime de rentes. On assiste à d'autres algarades entre Lesage et Judy LaMarsh. Le Québec semble de plus en plus faire cavalier seul dans la bataille des régimes de retraite; mais l'heure de l'affrontement ultime n'est pas encore arrivée. Les délégués provinciaux et fédéraux se donnent rendez-vous à Québec, le 31 mars suivant.

Entre-temps, tout est en train de se mettre en place pour que le projet de régime des rentes québécois devienne réalité dès 1964. À la fin de décembre, Lesage sonde Wheeler Dupont sur la possibilité de soumettre un projet de loi dès la prochaine session, c'est-à-dire dans les prochains mois. Wheeler Dupont répond que les membres de son comité jugent la chose fort possible «lors de la prochaine session, même si le fédéral n'a pas encore fait connaître ses décisions finales[16]...» Le Comité propose de présenter le projet en avril pour le voter en mai ou juin.

Dès le début de 1964, le 14 janvier, à l'occasion du discours inaugural de la troisième session, le gouvernement Lesage confirme son intention d'établir un régime de retraite universel et obligatoire, administré par l'État. Le 20 février, dans un discours qui retentit comme un manifeste, le premier ministre Pearson justifie les interventions du pouvoir central dans des domaines de compétence provinciale (soutien aux municipalités, aide aux étudiants, régime de rentes) par la nouvelle théorie du «fédéralisme coopératif». Il faut dépasser les querelles de juridiction, clame-t-il, pour se soucier

16. Lettre de Wheeler Dupont au premier ministre Lesage, datée du 24 décembre 1963.

davantage d'efficacité. «Il s'agit moins de savoir qui a juridiction pour agir que de savoir qui peut le mieux agir.» C'est bien beau, rétorque Jean-Marc Léger dans *Le Devoir*, mais «chacun sait ce qu'il advient de la coopération entre partenaires non égaux».

Lesage se tient coi, il attend son heure. Il vient d'affirmer, le 11 décembre, au Club de Réforme de Québec, que le régime confédératif ne saurait être «une camisole de force, ni un ensemble de règles conduisant à l'uniformité».

> Au contraire, ajoute-t-il, nous croyons qu'il peut et doit être flexible et qu'à l'intérieur de ce régime, le Québec, expression politique du Canada français, pourra vivre et s'épanouir comme il l'entend, sans empêcher le reste du Canada de vivre lui aussi à sa façon.

Pendant ce temps, les experts et technocrates ne chôment pas à Québec. On prépare une belle surprise du côté des régimes de rentes pour la conférence fédérale-provinciale de Québec. Les bouches des canons québécois seront chargées à bloc. De fait, c'est presque une atmosphère de guerre qui accueille les délégations fédérale et provinciales à Québec, ce mardi 31 mars. On a déployé une protection policière omniprésente au Château Frontenac, au Parlement et sur le passage des limousines, car il y a des alertes à la bombe et des manifestations nationalistes, de la part d'étudiants surtout, à tous les carrefours. On sent l'affrontement partout, et principalement dans la salle de l'Assemblée législative, où Lesage est à la tête d'une délégation impressionnante, où l'on distingue, bien en évidence à l'avant-plan, les ministres Paul Gérin-Lajoie et René Lévesque.

Dans ses mémoires, Judy LaMarsh décrira l'atmosphère de haute tension qui régnait à cette conférence, rehaussée encore par la présence de policiers de la GRC qui escortaient chaque politicien. Elle dépeindra les Lesage, Gérin-Lajoie et Lévesque comme une bande de durs qui voulaient désespérément trouver du fric pour financer leur gouvernement au bord de la faillite[17].

Ce 31 mars, la ministre commence par exposer la dernière version du *Canada Pension Plan*. Pearson, qui agit comme président d'assemblée, demande à Lesage s'il a quelque chose à ajouter. Le premier ministre québécois, d'un air souverain, brandit alors le rapport de 500 pages en deux volumes, préparé par le comité interministériel de Wheeler Dupont et qu'il

17. Judy La Marsh, *Memoirs of a Bird in a Gilded Cage*, McClelland & Stewart, Toronto, 1969, p. 125-26.

vient de recevoir en secret quelques jours auparavant. Les sourires éclatent dans la délégation québécoise, au fur et à mesure que Lesage lit un bref résumé du contenu du rapport, et notamment, ce qu'il ne manque pas de souligner, plusieurs clauses que le Plan fédéral ne comporte pas. La supériorité du régime québécois est si manifeste que la salle est comme en état de choc. Et les représentants québécois s'empressent de distribuer des exemplaires du rapport à la ronde.

Pour un haut fonctionnaire avisé comme Tom Kent, il apparaît tout de suite évident que le Plan fédéral vient de recevoir son coup de mort. Judy LaMarsh tente tant bien que mal de ravaler sa colère. Pearson, beau joueur, concède la victoire. Avec un sourire mi-figue, mi-raisin, il lance à Lesage: «Jean, may we opt in your plan?» (Jean, pouvons-nous nous joindre à votre régime?)[18].

L'atmosphère est au triomphe dans la délégation québécoise, et particulièrement dans le comité Dupont et parmi les mousquetaires du groupe d'équilibre, les Marier, Morin, Parizeau, Bélanger. Dans le sprint final pour produire le document massue qui a assommé l'adversaire fédéral, tout le monde a mis les mains à la pâte, y compris René Lévesque. Le ministre dynamo de la Révolution tranquille a, en effet, annoté le manuscrit à plusieurs endroits, entre autres raisons pour qu'il passe mieux la rampe auprès de Lesage et du conseil des ministres. Mais tout n'est pas encore joué. Si le projet de régime québécois est supérieur à celui d'Ottawa, encore faut-il le faire accepter pleinement par le fédéral. Et il y a bien des obstacles politiques à cette reconnaissance, dont le moindre n'est pas l'obstination d'une Judy LaMarsh, qui semble n'avoir gardé de ses lointaines origines françaises qu'un certain tempérament latin, une *furia francese*.

Officiellement, la conférence se termine sur un désaccord total. Tant du côté des répartitions fiscales et des programmes conjoints que des régimes de rentes, Ottawa et Québec sont aux antipodes l'un de l'autre. À tel point que Lesage et Pearson donnent des conférences de presse séparées, chacun de son côté. Un précédent. Pearson quitte Québec ébranlé, vaguement malade, à la tête d'une délégation fédérale désabusée, dont, pour comble de malheur, le départ est retardé à l'aéroport de l'Ancienne-Lorette par une alerte à la bombe!

---

18. Jean Lesage citera lui-même ce mot de Pearson à l'Assemblée législative, le 1er juin 1965, en évoquant avec humour «cette fameuse conférence fédérale-provinciale où il y eut [...] des mouvements divers».

Des caricatures féroces paraissent dans les journaux pour illustrer la foire d'empoigne qu'on a vue dans cette conférence fédérale-provinciale, l'une des premières à se tenir hors les murs d'Ottawa. L'une, en particulier, dans le *Toronto Star*, parodiant le fameux tableau de la mort de Wolfe de Benjamin West, montre Pearson expirant sous les murs de Québec. Il est assisté à son dernier soupir par Judy LaMarsh et Walter Gordon (ministre des Finances) en grenadiers anglais, et par Maurice Lamontage (secrétaire d'État) sous les traits d'un Amérindien.

Si les deux parties se sont quittées sur un désaccord officiel, Pearson a néanmoins accepté le principe que le Québec ait son propre régime et que le Canada Pension Plan s'aligne sur lui, quitte à s'entendre par la suite pour aplanir les différences entre les deux régimes. D'ailleurs, au moment où les premiers ministres donnaient leurs conférences de presse séparées et qu'une Judy LaMarsh s'arrachait les cheveux sur une Confédération en train de s'écrouler, le pragmatique Tom Kent s'abouchait en coulisse avec Claude Morin pour jeter les bases d'une conciliation des deux régimes.

La suite tient du roman policier. Durant le week-end, Maurice Sauvé, député fédéral qui a été organisateur électoral de Lesage en 1960, propose ses services à Pearson pour faire avancer le dossier. Avec Tom Kent, qui a mis quelques propositions par écrit, il s'envole pour Québec le lundi suivant. Ils s'inscrivent au Château Frontenac sous des noms d'emprunt. Le lendemain, ils ont des entretiens secrets avec Claude Morin. Puis, à l'Assemblée législative, où on les introduit par une porte dérobée, ils rencontrent Jean Lesage, accompagné de René Lévesque et Paul Gérin-Lajoie. Lévesque racontera plus tard:

> Me convoquant d'urgence à son bureau, Lesage me suggéra d'entrer discrètement par une porte dérobée; puis Paul Gérin-Lajoie s'amena à son tour par le même chemin. Tout exubérant, Lesage nous apprit que le fédéral consentait enfin à lâcher du lest, et que deux émissaires venaient tout juste d'arriver de l'Ancienne-Lorette – dans un avion soigneusement banalisé! Un peu plus et je me serais cru de retour en Corée[19]...

Nos agents secrets sont de retour le soir même à Ottawa. Ils se rendent directement Promenade Sussex, à la résidence du premier ministre, où Pearson est en conciliabule avec ses principaux ministres sur l'affaire québécoise. Après quelques débats, la formule d'entente rapportée en secret de Québec est approuvée.

19. René Lévesque, *Attendez que je me rappelle*, Montréal, Éditions Québec-Amérique, p. 255.

Il faut dire, ce qui complique un peu les choses, que la solution du différend sur les rentes est liée aux autres questions pendantes sur le partage fiscal et les programmes conjoints. Autrement dit, on essaie de régler en bloc, ajoutant par ci, retranchant par là, donnant donnant. Il reste beaucoup de détails à résoudre, de sorte que Claude Morin et Claude Castonguay sont dépêchés à Ottawa, le samedi du 11 avril, pour négocier avec les représentants fédéraux. Après avoir frôlé l'impasse, les négociations débouchent finalement à la fin de l'après-midi. Les négociateurs québécois sont aussitôt rapatriés à Québec dans un avion fédéral. Le lendemain, ils examinent avec Lesage les détails de la proposition fédérale qui vient d'arriver par télégramme. Au chapitre des rentes, on prévoit une pleine harmonisation des deux régimes, qui entreraient en vigueur le 1er janvier 1966, au plus tard.

Le mercredi suivant, 14 avril, Lesage présente le projet à son conseil des ministres, en présence de Morin et Castonguay. Les derniers détails sont réglés au téléphone entre Lesage et Pearson, de sorte que le 20 avril, les deux premiers ministres peuvent annoncer officiellement leur accord. Québec a désormais le feu vert pour mettre sur pied sa régie des rentes et sa caisse centrale des dépôts. Mais si la première est acquise, l'autre ne l'est pas nécessairement. Une question reste en suspens: le Québec se dotera-t-il d'une caisse centrale d'État pour gérer les fonds du régime des rentes, ou bien laissera-t-il cette initiative, ce pactole plutôt, au secteur privé?

Caisse d'État ou caisse privée?

Lesage est perplexe: d'une part, tout le mouvement et la logique de la Révolution tranquille le poussent dans le sens de la caisse d'État; d'autre part, son gouvernement, déjà abondamment taxé de socialisme pour ses nombreuses interventions dans le domaine économique, commence en cette année 1964 à être vulnérable sur sa droite. La couverture est tirée, du côté gauche, par ses meilleurs technocrates et ses ministres les plus progressistes et les plus influents sur l'opinion publique; et du côté droit, par tout un lobby de compagnies d'assurances et de fiducie, qui font des pieds et des mains pour que pareille institution ne voie jamais le jour.

Bref, Lesage n'est pas encore convaincu de la nécessité d'instaurer une caisse centrale publique. Les études sur cet organisme ont pourtant été menées parallèlement aux autres analyses actuarielles et économiques, au sein du Comité Dupont. Édouard Laurent, notamment, a scruté à la loupe le modèle français de la Caisse des dépôts et consignations et en a extrait la substantifique moelle pour le futur organisme québécois. Dans le rapport du Comité interministériel qui vient d'être déposé à la conférence fédérale-provinciale, toute une section (la Section 3) traite spécifiquement de la «Caisse des dépôts et placements». On justifie ainsi le nom québécois:

> Le Comité rejette le mot «consignations» utilisé par la loi française, parce que cette notion juridique pourrait contribuer dans les circonstances à jeter de la confusion dans les esprits. Il préfère préciser la fonction de la caisse, en utilisant le mot placement. C'est ainsi que le nom de l'organisme comporte une référence précise aux deux fonctions essentielles de la caisse, le dépôt et le placement.

La Caisse de dépôt était donc prête, dès ce moment, à sortir des limbes de l'Histoire. Seul manquait encore l'aval du numéro un de la Révolution tranquille. Le hasard voulut que ce fût à Paris, la bien nommée Ville lumière, que Lesage reçût l'illumination nécessaire. Et là encore, André Marier allait jouer un rôle prépondérant.

En effet, Marier fait partie de la délégation[20] qui accompagne le premier ministre québécois en France, au début de novembre 1964. Lesage vient conclure des accords importants de coopération culturelle France-Québec, et il doit être reçu à l'Élysée par le général de Gaulle. Il doit aussi sonder le terrain pour d'éventuels apports français dans le projet de sidérurgie québécoise, Sidbec. Des fonds qui pourraient peut-être venir de la Caisse des dépôts et consignations. Marier est là justement pour assurer ce genre de contacts.

Auparavant, le 2 octobre, Michel Bélanger avait écrit à Patrick Hyndman, conseiller économique à la Délégation générale du Québec à Paris, pour explorer la possibilité d'une rencontre de Lesage avec les dirigeants de la Caisse française. Le vendredi 6 novembre, dès l'arrivée de la délégation québécoise à Paris, André Marier s'entretient longuement avec M. Plescoff, l'adjoint de Bloch-Lainé, le directeur général de la Caisse des dépôts et consignations de France. On convient d'organiser une rencontre entre Bloch-Lainé[21] et Lesage au début de la semaine suivante. Marier sait très bien qu'il est illusoire de songer

20. De fait, Marier se trouvait déjà à Paris depuis quelques semaines, à titre de stagiaire de l'ASTEF, une administration chargée d'organiser des stages techniques et économiques en France et à laquelle le Québec venait d'avoir accès, par suite de la signature des premiers accords de coopération franco-québécoise, à l'été 1964.

21. Grand commis de l'État, François Bloch-Lainé a été directeur général de la Caisse française de 1952 à 1967. Il est mort le 25 février 2002, à 89 ans.

à des investissements de la Caisse française au Québec, celle-ci ne prêtant guère à l'extérieur du territoire français. Par contre, pour l'économiste qui travaille d'arrache-pied depuis deux ans, avec ses collègues du groupe d'équilibre, à faire passer l'idée d'une caisse publique, l'occasion est trop belle de montrer sur place à Jean Lesage les vertus d'un sain capitalisme d'État, tel que le pratique depuis Louis XVIII la Caisse des dépôts et consignations de France. Marier consacre donc tout son week-end à Paris à préparer un document d'information pour Lesage, sur le thème «le gouvernement du Québec a plusieurs raisons de s'intéresser à la Caisse des dépôts et consignations».

Au début de la semaine, Lesage a un entretien en tête-à-tête avec Bloch-Lainé, et celui-ci lui démontre tous les avantages qu'un gouvernement peut tirer, notamment au chapitre de la planification économique, d'un réservoir de fonds comme la Caisse des dépôts et consignations. Avec des actifs de 66 milliards de francs en 1964, cette caisse est devenue avec les années un instrument financier de premier ordre pour le gouvernement français, qui peut ainsi contrôler 50% des investissements publics. Et nous ne sommes pas des socialistes, Monsieur Lesage! Au contraire, la Caisse emploie de plus en plus ses ressources à stimuler l'entreprise privée.

Lesage revient convaincu. Il faut que l'État du Québec ait sa caisse de dépôt. Le 22 novembre, à un dîner bénéfice de la Fédération libérale, à Montréal, il souligne «l'apport économique formidable de la caisse de retraite»:

> C'est maintenant définitif que le projet de loi sera présenté à la prochaine session et que le système entrera en vigueur à partir du 1er janvier 1966, a-t-il dit. Il s'agit d'une mesure de sécurité sociale qui, en plus d'accroître le bien-être de notre population, contribuera grandement à accélérer notre rythme de croissance économique. Les études actuarielles prévoient que l'actif accumulé dépassera le milliard de dollars en 1970 et atteindra les dix milliards en 1993. On imagine facilement quelle signification peut avoir une telle somme non seulement comme coussin, mais surtout comme aiguillon de l'activité économique au Québec[22].

Dès lors, la machine se met en branle pour que la caisse soit sur pied au moment où le régime des rentes entrera en vigueur, au début de 1966. Dès décembre 1964, un comité spécial, présidé par Roland Parenteau, entreprend l'élaboration d'un projet de loi pour le printemps suivant[23]. Au début

---

22. *Le Devoir*, 23 novembre 1964.

23. Le rapport du comité fut remis au premier ministre le 4 mars 1965. Outre Roland Parenteau, le comité se composait de Claude Castonguay, Douglas H. Fullerton, Roger Létourneau, Jacques Parizeau et Ron Thomas.

de mars 1965, Bloch-Lainé rend la politesse à Lesage et vient le rencontrer à Québec. Au cours des conférences et interviews qu'il donne à Québec et à Montréal, le pdg de la Caisse française répète qu'il suit avec le plus vif intérêt le projet québécois, qui, dit-il, «sera pour nous un enseignement[24]».

Enfin, le 9 juin, dans un discours mémorable à l'Assemblée législative (qui n'a pas encore été baptisée «nationale»), Jean Lesage présente, en deuxième lecture, le projet de loi 51 sur la Caisse de dépôt et placement du Québec[25]. «La Caisse de dépôt et placement, lance-t-il avec un trémolo où l'on sent passer la solennité de l'instant dans l'enceinte parlementaire, est appelée à devenir l'instrument financier le plus important et le plus puissant que l'on ait eu jusqu'ici au Québec.» On entendrait voler une mouche dans l'assemblée. Le premier ministre enchaîne en décrivant les paramètres essentiels du nouvel organisme, ses pouvoirs et ses contraintes, ses caractéristiques, son rôle et sa politique de placement.

Lesage précise que la sécurité du rendement ne sera pas le seul objectif de la Caisse et que les millions, et les milliards à la longue, qu'elle administrera devront servir aussi au développement économique du Québec. Mais attention, dit-il, la Caisse «n'est pas destinée à subventionner le gouvernement, les municipalités ou les commissions scolaires et les entreprises». Elle ne sera jamais, par exemple, «le dépotoir d'obligations invendables». Il faudra qu'elle se conforme à des «critères de rentabilité convenables». Son indépendance à l'égard des pouvoirs publics sera garantie par le statut de son directeur général, nommé pour dix ans et révocable seulement par un vote du Parlement[26].

Par ailleurs, en ce qui concerne le financement du secteur privé, le premier ministre prend bien soin de préciser que la Caisse «n'est pas un entrepreneur, mais un réservoir de capitaux». Elle n'aura pas pour fonction «de créer des entreprises, mais elle aura les ressources et les pouvoirs nécessaires pour s'associer aux initiatives, aux projets de création ou d'expansion qui lui seront proposés». Elle ne saurait se substituer, à cet égard, à la Société générale de financement (SGF). Elle n'est pas destinée non plus à devenir une sorte de holding; aussi ne pourra-t-elle posséder plus de 30 pour cent des actions

24. *La Presse*, 9 mars 1965.

25. Ce discours, qui a été rédigé par Jacques Parizeau, sera la bible de la nouvelle institution.

26. Le parlement québécois comportait, à ce moment-là, deux chambres: l'Assemblée législative et le Conseil législatif, qui fut aboli par Daniel Johnson en 1967.

ordinaires d'une même société. Enfin, un point qui fera de la Caisse une sorte de chien de garde de l'entreprise québécoise: si la direction d'une compagnie risque de passer à l'étranger, mentionne Lesage, la Caisse de dépôt pourra alors «constituer un groupe dont elle sera au besoin le pivot».

Le 15 juillet 1965, la loi 51 créant la Caisse de dépôt et placement du Québec est officiellement adoptée. L'approbation est unanime à l'Assemblée. Paul Dozois, porte-parole de l'opposition et qui sera ministre des Finances un an plus tard, déclare: «Nous approuvons d'emblée le projet de loi créant la Caisse de dépôt et placement du Québec.» La loi instituant le Régime de rentes venait d'être adoptée avec la même unanimité, le 17 juin.

Jean Lesage avait manifesté un intérêt personnel dans l'établissement d'un régime universel de rentes. En 1950, député à Ottawa sous la houlette de Saint-Laurent, il avait coprésidé un comité mixte de la Chambre et du Sénat «sur les pensions de sécurité de la vieillesse»; et ce comité, où le jeune Lesage avait mis tout particulièrement sa griffe, avait recommandé l'institution d'un régime universel de sécurité de la vieillesse. Mais plus encore, le manque d'un système de sécurité sociale avait assombri son enfance dans un «foyer modeste», comme il en témoignera lui-même à l'Assemblée législative. Le 1er juin 1965, en présentant le projet de loi sur le régime des rentes, il racontera à quel point l'avait marqué la misère engendrée par l'insécurité financière, surtout au temps de la crise économique. «Oui, j'ai pleuré, Monsieur le Président, dira-t-il la voix chargée d'émotion... et ma mère a pleuré[27].»

Plus tard, une fois retiré de l'arène politique, le père de la Révolution tranquille affirmera que la création de la Caisse de dépôt a été «le plus grand service» qu'il ait rendu au Québec. L'avenir allait lui donner raison.

---

27. Débats de l'Assemblée législative du Québec, mardi 1er juin 1965.

CHAPITRE 2

Les années de fondation: Claude Prieur

Dès sa première année d'existence, la Caisse sera soumise à cette tension fondamentale: être à la fois un organisme financier, qui a des objectifs de stricte rentabilité financière, et un instrument de développement économique au service de l'État québécois.

Mais, au départ, 1966 est une année d'organisation pour la Caisse. Il faut tout bâtir de A à Z: établir les structures administratives, recruter le personnel, adopter des normes de régie interne, trouver et aménager des locaux, et... avant tout, choisir des dirigeants.

Un pdg qui vient du secteur privé

Le mercredi 5 janvier, à la sortie d'une séance du conseil des ministres, Jean Lesage divulgue le nom du premier président-directeur général de la Caisse de dépôt et placement du Québec: Claude Prieur, un cadre supérieur de la compagnie d'assurances Sun Life[1] – fait rare à l'époque pour un francophone – et brigadier général de l'Armée canadienne. Voilà à peu près tout ce qu'on savait de lui.

Jacques Parizeau a mentionné, dans un texte écrit en hommage à Prieur, les exigences qu'il fallait réunir pour assumer le poste de premier président-

1. La Sun Life était, à ce moment-là, une sorte d'école, de pépinière du milieu financier à Montréal.

directeur général de la Caisse: «Il fallait trouver, pour lancer la Caisse, un homme qui soit rompu au fonctionnement des marchés financiers, qui puisse rapidement établir sur ces marchés une autorité morale incontestable, qui soit donc peu sensible aux aventures si faciles lorsque l'argent entre à pleines portes, mais qui aussi puisse développer un sens exigeant des intérêts de l'État[2].»

> On le savait compétent, d'ajouter Parizeau. Il était peu connu en dehors du cercle où il travaillait. Il fallait courir un risque sur son aptitude à comprendre son nouveau rôle. Il aurait fallu le courir à l'égard de n'importe qui. Du premier président allaient dépendre la définition de la tâche et l'orientation de la Caisse pour des années à venir[3].

Le fait que Prieur vient d'une compagnie d'assurances contribue à rassurer un tant soit peu le milieu des affaires, et particulièrement le secteur des assurances et des fiducies qui ont exercé des pressions énormes pour que la Caisse ne voie jamais le jour. On verra d'ailleurs assez vite que ce conservateur de nature, cet homme issu de l'entreprise privée et formé à l'anglo-saxonne, allait réussir non seulement à bien s'adapter aux impératifs et conditions d'une société d'État mais aussi à «dépasser sa nature», pour ainsi dire, en pilotant les initiatives novatrices de la Caisse.

À 46 ans, Claude Prieur arrive à la tête de la nouvelle Caisse avec une précieuse expérience acquise à la Sun Life où, durant 26 ans, il a gravi peu à peu les échelons pour devenir responsable de l'administration du portefeuille des obligations pour toute l'Amérique du Nord. Il s'est aussi bâti une réputation enviable dans les milieux financiers. Né à Montréal le 4 septembre 1919, il a été élevé à Outremont, où il a fréquenté notamment l'Académie Querbes. Puis il a étudié à la Faculté des sciences économiques (Trinity College) de l'Université de Toronto, d'où il est sorti bachelier en commerce, en 1949.

Mais auparavant, Claude Prieur a fait son service militaire; en 1940, il s'est enrôlé dans l'Armée canadienne, a servi au Canada et en Grande-Bretagne durant la Seconde Guerre mondiale, et a atteint le grade de brigadier général (général de brigade). Il a aussi fait partie de la milice canadienne, de 1934 à 1965, juste avant sa nomination à la Caisse.

---

2. *Québec-Presse*, 15 avril 1973.
3. *Ibid.*

Un conseil d'administration de dix membres

En même temps que le président-directeur général, le premier ministre nomme, au début de 1966, un conseil d'administration de dix membres pour la Caisse. À la première réunion qui a lieu au Château Frontenac, le 31 janvier, on retrouve autour de la table, outre le président Prieur, Robert de Coster, président de la Régie des rentes, nommé d'office vice-président de la nouvelle institution.

Les autres membres du conseil représentent les intérêts du secteur privé, du secteur public et du gouvernement. Du côté du secteur privé, il y a d'abord A. Hamilton Bolton, président de Bolton, Tremblay & compagnie, conseillers en placements mobiliers. Bolton fait partie de plusieurs autres entreprises financières. Également du secteur privé, Raymond Lavoie, codirecteur général du Crédit foncier franco-canadien depuis 1963. Il est aussi membre du conseil d'administration de la Société générale de financement du Québec (SGF). Marcel Pépin, président de la Confédération des syndicats nationaux (CSN), représente, en tant que chef syndical, l'ensemble des travailleurs et les cotisants au régime de retraite en général. Montréalais de naissance, il a une maîtrise en sciences sociales (relations industrielles) de l'Université Laval. À la tête de la CSN, il vient de succéder à Jean Marchand, élu député aux élections fédérales du 8 novembre 1965.

Du côté du secteur public, on retrouve trois fonctionnaires qui sont « membres adjoints », c'est-à-dire qui n'ont pas droit de vote parce que leurs fonctions (au sein d'organismes qui empruntent à la Caisse) peuvent les mettre directement en conflit d'intérêts. Il s'agit de Marcel Cazavan[4], sous-ministre des Finances ; E.-A. Lemieux, directeur général des finances et de la comptabilité à Hydro-Québec ; et Maurice Turgeon, vice-président de la Commission municipale. Enfin, pour représenter plus directement le gouvernement, le directeur du Conseil d'orientation économique, Roland Parenteau, et le conseiller économique et financier du Conseil exécutif, Jacques Parizeau.

Partir de rien

La Caisse de dépôt et placement du Québec, au départ, c'est Claude Prieur tout seul, dans un bureau miteux du vieil édifice du CN, rue McGill.

---

4. Cazavan succédera à Prieur à la présidence de la Caisse, en 1973.

Pendant le premier mois, Prieur finance lui-même, de ses propres deniers[5], les débuts d'organisation de ce qui deviendra un jour la multimilliardaire Caisse de dépôt et placement du Québec. Il s'entoure d'un comptable et d'une secrétaire. Il contracte même un emprunt personnel auprès d'une banque pour faire face aux dépenses initiales, jusqu'à ce qu'arrive enfin le premier dépôt de la Régie des rentes. L'affaire est lancée! Prieur peut maintenant commencer à engager du personnel. Une tâche qui ne va pas de soi, car les candidats compétents et surtout bilingues n'abondent pas à ce moment-là dans le milieu montréalais, et on se les arrache. Il peut aussi, dès ce moment, commencer à faire ce pour quoi on l'a engagé: placer le mieux possible l'argent de la Régie des rentes, l'argent des contribuables québécois.

La première transaction a lieu le 14 février – la Caisse se paie un Valentin. Il s'agit de 500 000$ en obligations de la Banque internationale pour la reconstruction et le développement. Deux jours plus tard, le 16, la Régie des rentes effectue un premier dépôt de 1 million de dollars.

La deuxième réunion du conseil s'est tenue le 9 février 1966, à Montréal; plus précisément au 360 de la rue McGill, où la Caisse a aménagé des locaux temporaires. On y a discuté des trois grandes fonctions à pourvoir: le placement, la trésorerie et le secrétariat. On y a aussi débattu la grande question: la Caisse devrait-elle être située à Québec ou à Montréal? Le débat se poursuit à la troisième réunion, le 28 février, à Québec (où est établi le siège de la Régie des rentes et où sera aussi le siège social «officiel» de la Caisse). Prieur expose les avantages comparatifs de Montréal, centre financier incontournable, et de Québec, centre administratif, et la façon dont il entrevoit le partage des fonctions entre les deux. Il est convenu que les réunions du conseil auront lieu dans les deux villes, en alternance. Par contre, l'activité de la Caisse restera assez modeste à Québec, où l'on gérera surtout les investissements hypothécaires. Le 29 avril est approuvé le projet de location d'un étage à la Tour de la Bourse, Place Victoria. Le conseil s'y réunira pour la première fois le 13 juin suivant.

Après trois mois, la Caisse compte un actif de 50 millions de dollars. Et il semble que le petit noyau initial des spécialistes de la Caisse ait déjà réussi à impressionner la rue Saint-Jacques par son habileté et sa connaissance du marché des valeurs mobilières, si l'on se fie à l'hebdomadaire *Dernière Heure*.

---

5. On peut voir ici que le gouvernement du Québec a laissé la Caisse voler de ses propres ailes dès le départ, quand il n'y avait pas un sou vaillant dans ses coffres...

Le journal cite à ce propos une émission de titres à long terme de la Banque du Canada (25 millions de dollars), dont la Caisse a réussi à arracher une part importante et à un prix avantageux par la simple méthode du «premier arrivé, premier servi». Le jour de l'émission, en effet, les gens de la Caisse sont entrés en action de bon matin, de sorte qu'à neuf heures, quand les courtiers se sont mis au travail, la transaction était déjà bâclée. Selon l'hebdomadaire, la Caisse s'est limitée jusque-là à acheter des obligations fédérales, provinciales ou municipales, mais «la conjoncture s'est révélée très favorable aux premières opérations de l'institution, vu la rareté des capitaux et la hausse correspondante des taux d'intérêt sur le marché des obligations[6]».

Il était plus facile, au départ, de mettre le service des obligations sur pied. Prieur le fera lui-même remarquer plus tard au journal *Les Affaires*[7]: le placement en obligations de première qualité n'exigeait pas un aussi grand nombre d'analystes et d'experts que certains placements spécialisés comme les hypothèques ou les actions. C'est sans doute pourquoi ces deux services n'ont pas démarré dès la première année.

Le baptême du feu avec les élections

Ces premiers mois d'organisation sont relativement sereins pour la Caisse. Mais à peine a-t-elle dépassé le stade embryonnaire que les circonstances l'obligent à faire jouer ses jeunes muscles.

L'occasion survient avec l'élection surprise de l'Union nationale, le 5 juin 1966; la Caisse connaît alors son «baptême du feu». Heureusement, Claude Prieur n'est pas né de la dernière pluie: il a prévu le coup, qui se produit d'ailleurs dès le lendemain des élections. Ce lundi matin, en effet, des millions de dollars d'obligations du Québec sont en vente, dans le dessein évident de torpiller le marché des titres du Québec et de forcer le nouveau gouvernement à rentrer dans le rang. On escompte que, face à l'effondrement de son crédit, ce gouvernement pliera comme les autres devant les puissances financières qui règnent à Montréal, et surtout à Toronto.

6. «La Caisse de dépôt et placement a maintenant un actif de 50 millions $ et… un bon départ» (article signé J.B.), *Dernière Heure*, 15 mai 1966.

7. Jacques ROLLAND, «Bilan de la Caisse de dépôt et placement après 9 mois – interview avec Claude Prieur», *Les Affaires*, 24 octobre 1966.

Cependant, dans les semaines précédant le scrutin, le président de la Caisse a pris la précaution d'accumuler d'importantes réserves de liquidités. Aussi peut-il racheter aussitôt les obligations mises en vente. En dosant bien la manœuvre, tout de même, pour que les vendeurs prennent des pertes. Une nouvelle tentative d'intimidation a lieu le jour suivant, le mardi. Claude Prieur continue de racheter, mine de rien. Il s'avance puis prend du recul, deux pas en avant, un en arrière, tout juste ce qu'il faut pour faire perdre de l'argent aux vendeurs tout en leur enlevant l'espoir de réussir leur opération.

Le troisième jour, comme par enchantement, le marché retrouve sa stabilité. Les manipulateurs d'obligations ont compris. Ils savent dorénavant que le Québec a les moyens de se défendre, et que son gouvernement ne sera plus aussi «manipulable». «Sans que l'opinion publique s'en rende compte, commentera plus tard Jacques Parizeau, Claude Prieur venait de poser un des gestes les plus significatifs et les plus importants de l'émergence du Québec contemporain[8].»

Un indice plus discret mais plus direct de cette intervention nous est fourni dans les procès-verbaux de la Caisse. Lors d'une réunion du conseil le 13 juin, à la Tour de la Bourse, Prieur signale qu'au début de la semaine, «les obligations de la province de Québec ont fléchi de 3/8 à 1/2 point, par suite de l'indécision politique qui régnait au lendemain des élections provinciales du 5 juin. Le marché s'est raffermi vers la fin de semaine, mais dans l'intervalle, la politique de la Caisse fut non pas de maintenir le marché mais plutôt de maintenir *un* marché.» À mots couverts, Prieur fera aussi allusion à cette opération, dans son premier rapport annuel, en parlant de «concours particulier de circonstances» pour justifier la prédominance des titres du gouvernement et d'Hydro-Québec dans le portefeuille tout neuf de la Caisse. Celle-ci, de dire le pdg, «a profité d'une occasion qui lui était offerte de manifester tangiblement sa solidarité et son affinité au Québec, tout en favorisant ses intérêts propres et immédiats[9]». Car ces titres sont d'un bon rapport, après tout. Voilà ce qui s'appelle faire d'une pierre deux coups.

De toute façon, la Caisse a l'occasion de manifester son appui au gouvernement plus d'une fois cette année-là. Ainsi, le 19 septembre, l'organisme financier achète la majeure partie d'une nouvelle émission d'obligations du

8. Jacques PARIZEAU, «Claude Prieur, un grand commis de l'État», *Québec-Presse*, 15 avril 1973.

9. Caisse de dépôt et placement du Québec, *Rapport annuel 1966*.

Québec (25 millions $, sur une émission de 45 millions $). Le conseil d'administration, réuni ce même jour à Montréal, approuve la transaction en reconnaissant que la Caisse a le devoir d'accorder au gouvernement « un appui particulier durant cette période ».

Cette période, en effet, n'est pas facile pour le nouveau gouvernement unioniste. L'émission d'obligations est lancée dans un climat politique survolté, quelques jours après la première conférence fédérale-provinciale de Daniel Johnson à Ottawa. Celui-ci a brandi la menace de sécession (« égalité ou indépendance ») si le Québec n'obtient pas ce qu'il veut de la fédération, c'est-à-dire 100 % des impôts. Plusieurs ne manquent pas de voir un lien de cause à effet entre les menaces séparatistes de Johnson et le fait que le Québec doit consentir un taux de 6,75 % pour vendre ses obligations, le taux le plus élevé jamais atteint jusque-là par des obligations provinciales au Canada. Ce problème soulève une polémique qui ne s'éteindra pas de sitôt, relancée régulièrement par la montée du sentiment indépendantiste et les conflits avec Ottawa.

Mais la Caisse ne fait pas que s'occuper des obligations du Québec, cette année-là. Peu à peu, les structures se mettent en place, les opérations se développent. Le 29 août, le conseil d'administration a ouvert un nouveau champ de placement, en autorisant l'achat de débentures d'Asbestos Corporation, pour un maximum de deux millions de dollars. Le 22 août, Gérard J. Blondeau était nommé officiellement secrétaire, et Jean-Michel Paris directeur adjoint pour les placements en obligations. Le 28 novembre, un autre directeur adjoint est nommé, pour les placements en actions cette fois : Pierre Arbour. Avec Jean Laflamme qui était en fonction dès les premiers mois, ils sont les premiers cadres d'une entreprise qui compte déjà 23 employés à la fin de l'année.

Une équipe encore petite mais enthousiaste, réunie par une fierté visible de bâtir quelque chose d'important, de souverainement important pour le Québec. Et on ne compte pas les heures, surtout à la fin de l'année pour produire le premier rapport annuel, qu'on veut sur le modèle de celui de la Banque du Canada. Les Fêtes de cet hiver 1966-1967 sont consacrées, pour bien des employés, à des compilations fastidieuses (sans les moyens de l'informatique moderne), des corvées de soirées et de fins de semaine pour sortir le rapport annuel à temps[10]. La Caisse a bouclé sa première année avec un actif de 180 millions de dollars.

---

10. La publication du rapport annuel demeure, bon an mal an, une affaire d'envergure à la Caisse, à cause du court délai qui lui est imparti pour comptabiliser toutes ses opérations

Le problème des obligations du Québec

L'année 1967 s'ouvre sur des inquiétudes dans la presse au sujet de la forte baisse des obligations du Québec en 1966. Le journal *Les Affaires* se demande justement si certains facteurs politiques n'ont pas contribué à la hausse d'intérêts sur le loyer de l'argent prêté au Québec. Les derniers emprunts du Québec ont été mal accueillis à Bay Street où, selon le journaliste Jacques Rolland, «plusieurs institutions financières d'importance ont carrément refusé d'acheter[11]».

Le jour où paraît cet article, le 9 janvier 1967, le premier ministre Johnson se rend à Toronto, avec une importante délégation d'hommes d'affaires, de ministres et de hauts fonctionnaires québécois, pour rencontrer quelque 250 financiers et hommes d'affaires de la Ville Reine.

Cette rencontre a pour objet de rassurer la haute finance torontoise et canadienne-anglaise en général sur les objectifs du gouvernement québécois. Car plusieurs financiers suspectent Daniel Johnson de séparatisme. Accompagnent le premier ministre vingt-deux hommes d'affaires québécois de premier plan, dont Marcel Faribault, Jean-Louis Lévesque, Aubert Brillant, G.A. Hart et W.I.M. Turner.

Johnson a tenu aussi à amener avec lui le pdg de la Caisse, Claude Prieur, de même que le ministre des Finances Paul Dozois, le sous-ministre adjoint aux Finances Pierre Goyette, le conseiller économique Jacques Parizeau, le sous-ministre des Affaires fédérales-provinciales Claude Morin et le pdg d'Hydro-Québec, Jean Lessard.

Il semble que cette rencontre ait produit des résultats plutôt mitigés. Parmi les commentaires recueillis, un investisseur se plaint qu'il y ait déjà trop d'obligations du Québec sur le marché; qu'on en voie apparaître à Toronto ou à New York toutes les huit ou neuf semaines. Selon un autre, la plupart des gens trouvent qu'ils ont déjà assez de «Québecs» dans leurs portefeuilles et, même si on n'aime pas beaucoup en parler, dit-il, il y a aussi, en arrière-pensée chez beaucoup, la peur que le Québec se sépare à un moment donné.

---

et rendre compte de son activité. Le Caisse doit, en effet, déposer son rapport annuel à l'Assemblée nationale avant le 15 mars chaque année. Cela ne laisse qu'un délai de 75 jours environ pour la préparation des états financiers, alors que les autres organismes bénéficient d'un délai de 90 jours.

11. Jacques Rolland, «Forte baisse des obligations du Québec en 1966», *Les Affaires*, 9 janvier 1967.

L'économie se porte bien, la Caisse aussi

Malgré tout, la conjoncture économique est favorable cette année-là. C'est l'année de l'Expo, des grands projets. À la Bourse, les cours demeurent haussiers jusqu'à la fin du troisième trimestre, et Ottawa maintient une politique expansionniste.

À la Caisse, trois autres régies gouvernementales[12] sont habilitées à déposer, de sorte qu'à la fin de sa deuxième année, l'institution enregistrera un actif de 383 millions de dollars et des revenus de 18,7 millions. L'année 1967 est aussi marquée par l'ouverture de deux nouveaux portefeuilles : les actions et les hypothèques.

Le premier achat d'actions a lieu le 7 février 1967 : 3000 actions d'Alcan Aluminium, pour une valeur de 108 000 dollars. Le 5 juin suivant, autre transaction digne de mention, car elle mènera loin : premier achat d'actions de Couvrette et Provost ltée, entreprise qui, en fusionnant avec Denault ltée et Lamontagne ltée deux ans plus tard, formera la base de l'empire Provigo[13]. Selon Prieur, l'acquisition d'actions constitue pour la Caisse une façon de « participer concrètement à la croissance de l'économie, tout en protégeant dans une certaine mesure une partie de son actif contre l'érosion du pouvoir d'achat de la monnaie ». Ce n'est pas pour la forme que Prieur se justifie d'investir dans les actions. Il s'agit, en effet, de placements plutôt audacieux à l'époque pour un investisseur institutionnel comme la Caisse. Le 28 août, lors d'une réunion du conseil, pour bien marquer le point, le pdg souligne qu'un gain de capital de plus de 600 000 dollars a été réalisé jusque-là sur les transactions d'actions.

L'autre innovation de 1967 concerne le prêt hypothécaire (commercial et industriel). À la fin de l'année, la Caisse met sur pied un service spécialisé dans le domaine et des transactions s'amorcent. Du côté des obligations

---

12. La Régie de l'assurance-dépôts, la Régie de l'assurance-récolte et la Régie des marchés agricoles du Québec. Dès le départ, il était prévu que la Caisse accueillerait d'autres fonds que ceux de la Régie des rentes. Dans son discours de présentation en 1965, Jean Lesage avait mentionné que le gouvernement disposait « d'un assez grand nombre de comptes de placements dont plusieurs pourraient profiter d'une politique commune d'investissement ». Il était entendu aussi que la Caisse pourrait administrer des fonds provenant du « secteur non gouvernemental ».

13. En fait, la Caisse acheta des actions des trois entreprises en 1967. Elle acquit graduellement jusqu'à 10 % du capital-actions de chacune avant leur fusion. En 1970, l'entreprise regroupée prit le nom de Provigo, et la Caisse en sera de prime abord le principal actionnaire, avec 25 % des actions.

gouvernementales, son activité de soutien du marché s'affirme de plus en plus, surtout à un moment où les confrontations politiques s'exacerbent. En tout cas, dans le rapport annuel de 1967, Prieur ne se gêne pas pour dire que la Caisse a fourni un «appui massif» au gouvernement québécois.

Un climat politique turbulent

Si l'économie va bien, le climat politique est plutôt à la turbulence en cette année 1967. Le général de Gaulle est venu clamer «Vive le Québec libre!», le 24 juillet, au balcon de l'hôtel de ville de Montréal, et cela ne manque pas de se répercuter sur le marché des obligations du gouvernement.

En outre, le 18 septembre, René Lévesque rend publique sa nouvelle option politique, qui est souverainiste, donc menaçante pour les milieux financiers de Toronto. À la fin du mois, comme par hasard, l'émission d'actions de Churchill Falls (Labrador) Corporation essuie un échec sur le marché de Montréal. On se sert de la déclaration de Lévesque comme épouvantail à moineaux. Les réactions sont particulièrement vives dans les milieux anglophones de Montréal. On fait pression sur Johnson, qui est en vacances à Hawaï. Le 3 octobre, il publie une déclaration qu'on interprète comme un appui indubitable au fédéralisme et un certain retour en arrière par rapport aux positions politiques prises auparavant par le gouvernement du Québec.

Peu après, Charles B. Neapole, le président de la Bourse de Montréal – qui est aussi depuis juillet membre du conseil d'administration de la Caisse –, se commet publiquement pour souligner l'existence d'une fuite de capitaux hors Québec. Dans l'hebdomadaire *Sept-Jours*[14], Bernard Turcot parle du climat d'inquiétude qui nuit à l'économie du Québec. Selon lui, plusieurs courtiers rapportent que de plus en plus de leurs clients, individus ou sociétés, «refusent présentement d'acheter des obligations d'entreprises dont le siège social est situé au Québec ou liquident progressivement leurs investissements dans de telles entreprises». L'hebdomadaire donne la liste de sept grandes entreprises montréalaises dont les titres ont baissé depuis une semaine à la Bourse. Consolidated Paper, notamment, a perdu 2,5 points, et Domtar plus d'un point.

Le 13 octobre, à la suite de diverses rumeurs et déclarations plus ou moins alarmistes dans les journaux et à la veille du congrès libéral qui doit

14. Bernard Turcot, «Les signes d'inquiétude», *Sept-Jours*, 8-14 octobre 1967.

se pencher sur les propositions de René Lévesque mais en fait se prépare à l'exclure[15], les obligations du Québec «décrochent», comme par hasard, et l'écart entre les titres du Québec et ceux de l'Ontario grimpe à 60 points de base. L'écart ne cessera de grandir dans les semaines suivantes. Un article paru dans *The Economist*, le 21 octobre, fait état d'un exode de capitaux hors du Québec. Le magazine britannique l'impute à une recrudescence du séparatisme, alimentée par les propos d'un Jean-Noël Tremblay[16], en l'absence de Daniel Johnson (en train de récupérer de son épuisement à Hawaï), et aussi par ceux de René Lévesque qui, selon les termes mêmes du magazine, serait en train de brandir publiquement une «massue séparatiste[17]». Notons que le prestigieux magazine donne, au passage, un coup de chapeau à la Caisse, la qualifiant de société d'État bien gérée, qui a jusque-là poursuivi sa voie indépendamment des pressions nationalistes[18].

Le 1er novembre, remaniement ministériel à Québec: Marcel Faribault et Jean-Guy Cardinal entrent au conseil des ministres. On voit là une tentative de rapprochement avec les milieux financiers. On note dans la presse que l'exode des capitaux et la crise qu'il a engendrée semblent se résorber. On s'attendait à ce que la prochaine émission d'obligations du gouvernement se fasse à un taux prohibitif de 8%. Or elle s'écoule, en ce début de novembre, au taux de 7,5%. Mais si cette émission marche bien, le mérite en revient essentiellement à deux institutions québécoises: le Mouvement Desjardins, qui en a acheté pour plus de 10 millions de dollars, et la Caisse, pour près de 15 millions. À elles seules, les deux institutions ont absorbé la moitié de l'émission. Et si l'on y ajoute une tranche de 5 millions de dollars acquise par d'autres sociétés québécoises, les $^3/_5$ de l'émission se trouvent déjà écoulés.

La presse fait aussi état d'un emprunt de 60 millions de dollars contracté par le gouvernement québécois en décembre 1967. Le climat étant particulièrement mauvais, on avait annoncé un peu partout que l'emprunt ne passerait pas, sinon à un coût exorbitant. Or la Caisse en acquit aussitôt pour

15. L'ex-ministre Eric Kierans, alors président de la Fédération libérale, y joue un rôle majeur. Lui aussi évoquera l'échec de Churchill Falls pour souligner les dangers du séparatisme.

16. Alors ministre des Affaires culturelles et l'un des nationalistes les plus radicaux du cabinet Johnson.

17. «Lévesque now openly swinging a separatist sledgehammer.» L'article s'intitule «Canada's Bullet», *The Economist*, 21 octobre 1967.

18. «... a well-run Quebec public institution which has so far been able to steer a course independent from nationalist pressures, and has brought the best.» *The Economist*, *op. cit.*

25 millions de dollars, ce qui permit à l'émission de sortir sur le marché. Mais il semble que les 15 derniers millions de dollars d'obligations à long terme furent encore si difficiles à écouler qu'elle dut en acheter davantage. À nouveau, la Caisse avait non seulement rendu possible le lancement de l'émission gouvernementale, elle avait aussi maintenu le marché.

Dans son rapport annuel de 1967, présenté le 14 mars 1968 au ministre des Finances, Claude Prieur constate que le marché financier du Québec a été durement affecté en 1967, à cause de plus grandes difficultés à écouler les obligations québécoises sur le marché canadien. De fait, l'écart s'est creusé entre le rendement des obligations du Québec et celui des obligations de l'Ontario. Au cours des dernières semaines de 1967 et des premières de 1968, cet écart est passé de 2/5 de 1% à 1% environ, ce que la Caisse juge «non seulement anormal mais malsain». Prieur convient que la Caisse «ne dispose pas encore de la marge de manœuvre nécessaire pour éviter de tels mouvements». Mais elle peut chercher à corriger la situation, et elle le peut de plus en plus. C'est ce qu'elle fera systématiquement en 1968.

Après seulement deux ans d'existence, la Caisse de dépôt et placement du Québec s'était fait des muscles. Elle était de plus en plus à même de stabiliser le marché de la dette publique au Québec et de réduire la dépendance du gouvernement québécois face au grand capital anglophone.

Le super bas de laine

En avril 1968, le magazine *Maclean* consacre un article à la Caisse, sous le titre «4 milliards en 1986, du bas de laine à la Caisse», avec en exergue: «Cet organisme créé par le Québec pour faire fructifier l'argent de la Régie des rentes constitue la première trouée du Canada français dans le domaine du crédit.»

L'article mentionne de prime abord qu'un Pierre Arbour, à 32 ans, gère un portefeuille d'actions de plus de 50 millions de dollars; qu'un Gérard Cloutier, à 40 ans, gère un portefeuille d'obligations de 400 millions. On dit que l'actif total de la Caisse, qui atteindra le demi-milliard de dollars dans les quelques semaines à venir, dépassera quatre milliards en 1986[19]. «En 20 ans, ils auront mis sur pied cette entreprise de gestion dont la dimension

19. Une prédiction qui sera multipliée par sept, puisque l'actif de la Caisse dépassera 28 milliards de dollars en 1986.

sera égale à la somme de tout ce que le Canada français possède aujourd'hui dans le domaine financier.» On cite aussi le jeune député de Mercier, Robert Bourassa, qui aurait déclaré l'année précédente: «Notre grande priorité économique, c'est le crédit, et la Caisse est la seule trouée que nous y ayons effectuée.»

Mais les placements de la Caisse ne manquent pas de soulever des critiques, déjà. Certains craignent que l'argent sorte du super «bas de laine» québécois. Ainsi, à l'automne 1967, lorsque la Caisse a racheté un bloc d'actions de la Banque Canadienne Nationale à la firme Investors Syndicate, un gros fonds mutuel de Winnipeg, quelques esprits tordus lui ont reproché d'encourager la fuite des capitaux. La Caisse, arguait-on, a été «conçue pour servir au développement du Canada français», et voici qu'elle remet deux millions de dollars «entre les mains d'une entreprise de l'Ouest par un transfert d'actions[20]».

> Ce qui fait la faiblesse d'un grand nombre de petites entreprises, d'affirmer le pdg de la société financière dans son discours lors de l'inauguration du laboratoire de la compagnie Octo à Laval, et ce qui oblige la Caisse à refuser des demandes de prêts, c'est le manque d'assises administratives et la faiblesse de la capitalisation. La Caisse dispose de ressources financières très vastes et ne demande pas mieux que de participer à l'épanouissement de l'industrie du Québec. Mais, dit M. Prieur, seules des compagnies fondamentalement saines et actives sont considérées pour fins de placement privé[21].

Après deux ans donc, l'actif de la Caisse dépasse le demi-milliard de dollars et ses revenus atteignent 35 306 683$. Comme elle se veut attentive aux fluctuations du marché, la Caisse, tout en poursuivant sa politique d'investissement à long terme, décide d'augmenter «considérablement ses effets à court terme à compter du début de l'année[22]».

Du côté immobilier, le Service d'immeubles et d'hypothèques est mis sur pied à Québec, en septembre 1968. De fait, la Caisse est devenue «prêteur agréé» de la Société centrale d'hypothèque et de logement (SCHL), et c'est sous la garantie de cet organisme qu'elle consent plus de la moitié de ses prêts hypothécaires. Du côté des actions, Claude Prieur se plaint de n'avoir pas

---

20. Propos cités par Michel LAPALME, «4 milliards en 1986: du bas de laine à la Caisse», *Le Magazine Maclean*, avril 1968.

21. «Un des premiers placements de la Caisse: Octo, une industrie qui pourrait servir d'exemple», *Le Devoir*, 14 juin 1968.

22. Caisse de dépôt et placement du Québec, *Rapport annuel 1968*.

de quoi garnir son portefeuille. «La Caisse vise à élargir rapidement son portefeuille d'actions», dit-il, sauf que ça ne se fait pas en criant lapin! Il voudrait bien investir, mais où?

C'était le grand problème à ce moment-là: rares étaient les entreprises québécoises qui émettaient des actions sur le marché. La Caisse avait recensé à cette époque seulement seize entreprises canadiennes-françaises inscrites à la Bourse de Montréal, et quatorze à la Bourse canadienne[23]; et ces titres étaient de valeurs assez inégales. La Caisse jouera sur ce plan un rôle d'initiation et de promotion, en propulsant la moyenne entreprise québécoise sur les marchés financiers et en achetant souvent la majeure partie des premières émissions d'actions. Mais à l'époque, l'aide que la Caisse peut apporter au financement du secteur privé dépend très largement de la constitution de nouvelles entreprises ou de la fusion d'entreprises existantes. C'est pourquoi Prieur et son équipe se mettent vite aux aguets de tout ce qui bouge du côté industriel et commercial au Québec.

L'année 1968 voit aussi le premier placement privé[24] d'obligations auprès du gouvernement du Québec. C'est le 15 juin 1968, en effet, que la Caisse achète directement une émission de 60 millions de dollars de la Province. La participation de la Caisse aux nouvelles émissions d'obligations de la Province et d'Hydro-Québec se chiffrera pour l'année à 145 millions de dollars, soit 52,7% du total, à comparer à 40% en 1967. Par ailleurs, le 18 octobre 1968, la Caisse participe à l'émission d'obligations en monnaie canadienne de la Churchill Falls (Labrador) Corporation, à laquelle Hydro-Québec s'est associée pour l'aménagement hydroélectrique des chutes Churchill.

L'année suivante, 1969, se caractérise «à la fois par une baisse du cours des obligations et un fléchissement des principaux indices boursiers», au milieu de «restrictions fiscales et monétaires». À Montréal, une grève tumultueuse des pompiers et policiers, au début d'octobre, donne lieu à de violentes manifestations et à des émeutes. Dans cette conjoncture, la Caisse veille à garder de fortes liquidités toute l'année, ce qui permet une bonne marge de flexibilité à ses investissements. Elle peut ainsi négocier directement, au mois de mai, un placement de 50 millions de dollars avec le gouvernement du

---

23. Ce parquet pour les titres plus spéculatifs a été fusionné à la Bourse de Montréal, le 1er janvier 1974.

24. Cette forme de placements sans intermédiaires a l'avantage d'éviter les frais de courtage aux deux parties.

Québec et, en septembre, un placement de 25 millions avec Hydro-Québec, le premier placement privé de la Caisse auprès de cette société d'État.

Du côté immobilier, la Caisse continue de favoriser le financement de nouvelles constructions sous forme de prêts hypothécaires: des logements à loyer modéré, notamment. «Son activité dans ce secteur s'étend de Chandler à Hull, et de Sherbrooke à Val-d'Or et Chicoutimi[25].» Et son actif ne cesse de monter. Il frôle le milliard de dollars à la fin de l'année, et les revenus atteignent 55 825 222$.

Modification de la charte de la Caisse

L'année 1969 a vu également une première modification à la loi constitutive de la Caisse. Le 29 mai, accompagné de Jacques Parizeau (qui représente le premier ministre au conseil de la Caisse), Prieur est allé rencontrer le ministre des Finances Paul Dozois pour examiner le projet de loi à l'étude en vue de modifier ce qu'on appelait alors la «charte[26]» de la Caisse.

Le 13 juin 1969, cette nouvelle était sanctionnée. Elle modifiait la loi en précisant la nature de certains placements et en augmentant la limite autorisée de quelques autres. Elle permettait notamment à la Caisse de recevoir en dépôt des sommes d'argent provenant d'un régime supplémentaire de rentes auquel contribue une corporation scolaire ou un organisme dont les ressources proviennent, pour plus de la moitié, du fonds consolidé du revenu. Le 23 décembre, une nouvelle modification était apportée à la Loi sur la Caisse par la sanction de la Loi concernant les régimes supplémentaires de rentes établis par décrets de convention collective. La Caisse se voyait confier la gestion des fonds de différents régimes supplémentaires de rentes dans l'industrie de la construction.

Entre-temps, le Rapport Parizeau sur la réforme des institutions financières, remis le 8 août[27], vient proposer une refonte complète de la Loi des

25. Caisse de dépôt et placement du Québec, *Rapport annuel 1969*.

26. Depuis 1977, on ne parle plus de la «charte» de la Caisse mais de la «Loi sur la Caisse de dépôt et placement du Québec». Néanmoins, malgré certaines modifications au cours des années pour permettre une gestion plus flexible de l'actif, cette loi est demeurée fondamentalement la même depuis 1965; le discours en deuxième lecture de Jean Lesage est toujours, à cet égard, la bible des gestionnaires et administrateurs de l'institution.

27. Le comité, dirigé par Jacques Parizeau, avait été mis sur pied par le gouvernement Lesage, en décembre 1965. On avait alors, selon Claude Ryan (*Le Devoir*, 11 août 1969), «déposé

institutions financières. Il entrevoit notamment un rôle plus important pour la Caisse. On sait le rôle qu'a joué Jacques Parizeau dans la création de la Caisse, et il fait encore partie de son conseil d'administration en 1969[28]. Cependant, un article du *Globe and Mail* fait dire à Parizeau qu'il n'est pas question de transformer la Caisse ou d'autres agences du gouvernement en banque centrale du Québec[29]. Le Rapport Parizeau recommande plutôt qu'on permette à la Caisse d'investir davantage dans les entreprises, pour accélérer l'expansion économique du Québec.

Début de la polémique sur le syndicat financier

Mais un nouveau vent souffle sur le Québec. Usé prématurément, divisé de plus en plus depuis la mort subite de Daniel Johnson en septembre 1968, déchiré par les querelles linguistiques (1969 est l'année du conflit de Saint-Léonard et du projet de loi 63), le gouvernement de l'Union nationale a du plomb dans l'aile, et les rumeurs d'élections se précisent[30].

Dans ce contexte, un article de Gérald Godin sur la Caisse, dans le nouvel hebdomadaire de gauche *Québec-Presse*[31], marque le début d'une longue polémique sur le rôle occulte joué par un syndicat financier anglophone auprès du gouvernement québécois. Le titre pose au départ qu'avec un actif qui «dépassera bientôt le milliard», la Caisse «permet au gouvernement de se soustraire à l'emprise de la haute finance». «Il y a trois ans, commence l'auteur, dans une discussion avec René Lévesque qui était à l'époque ministre de la Santé, je lui posais la question: pouvez-vous me citer une mesure, une loi, un bill, un règlement ou quoi que ce soit qui ait remis en question au Québec l'empire politico-économique qu'exerce ici la minorité anglophone? Il me répondit: il y en a une, une seule: la Caisse de dépôt et placement du Québec.»

---

pêle-mêle sur la table du comité d'étude le cas des caisses d'épargne et de crédit, des sociétés de fiducie, des compagnies de prêt et de finance, des fonds mutuels et des clubs de placement».

28. Son mandat prend fin cette année-là. Il sera remplacé par Michel Bélanger.

29. Malcolm Reid et Frank Howard, «Author of reforms denies Caisse will be turned into central bank», *The Globe and Mail*, 9 août 1969.

30. Le 17 octobre, Robert Bourassa avait annoncé sa candidature à la direction du Parti libéral. Durant le même week-end, le Parti québécois tenait son deuxième congrès annuel.

31. Gérald Godin, «La Caisse permet au gouvernement de se soustraire à l'emprise de la haute finance», *Québec-Presse*, 7 décembre 1969.

Godin trace alors un bref historique de la dépendance du gouvernement québécois, notamment vis-à-vis d'un syndicat financier dirigé par A.E. Ames et la Banque de Montréal. Cette emprise remonte, selon lui, à Honoré Mercier; Duplessis aurait voulu y échapper en décidant de ne pas emprunter; et ce n'est qu'au début de la Révolution tranquille qu'on a commencé à secouer le joug en élaborant divers projets d'émancipation économique, dont celui de la Caisse. Dans un article complémentaire[32], Godin établit des rapports intéressants entre une émission d'obligations de 50 millions de dollars à l'automne 1969 et le problème des écoles de Saint-Léonard. Il mentionne que le 23 octobre 1969, le gouvernement Bertrand présentait à l'Assemblée nationale le bill 63, qui avait pour but principal de régler le cas de Saint-Léonard: c'est-à-dire, commente le journaliste, d'enlever l'épine au flanc des Canadiens anglais. Il poursuit:

> Une semaine plus tard, le 31 octobre, le groupe Banque de Montréal/A.E. Ames met sur le marché l'emprunt du Québec. La Caisse [...] achète pour 25 millions de dollars d'obligations. Il reste 25 millions de dollars à écouler.
>
> La vente est lente... Vingt-neuf jours plus tard, le bill 63 est adopté à l'Assemblée nationale. Le même jour, soit le 20 novembre, il y a une certaine hausse de la demande pour les obligations du gouvernement du Québec[33] [...]

Enfin, le milliard!

L'année 1970 s'ouvre en fanfare. Le 26 janvier, vers les onze heures du matin, l'actif de la Caisse franchit le cap du milliard de dollars sous gestion. On imagine la joie de Prieur, qui apprend la nouvelle au conseil d'administration réuni quelques heures plus tard.

---

32. Gérald Godin, «Une hypothèse: le bill 63 payable sur livraison», *Québec-Presse*, 7 décembre 1969.

33. À ce propos, René Lévesque raconte que, lors de la guérilla parlementaire qu'il a menée à l'époque contre le bill 63 avec des dissidents de l'UN, un J.J. Bertrand épuisé et au bord des larmes, se plaignant que même ses enfants étaient contre lui, l'aurait presque supplié unjour d'arrêter. Mais comme Lévesque lui renvoyait la balle, il aurait répondu: «Je ne peux pas.» «Cette promesse inconsidérée, commente Lévesque, qu'il avait faite à quelque cercle anglophone, il continua de mettre un point d'honneur à la remplir coûte que coûte et l'exécrable loi finit par passer.» (René Lévesque, *Attendez que je me rappelle*, Québec-Amérique, 1986, p. 318.)

Le secrétaire, Marcel Camu[34], se souvient de l'atmosphère d'allégresse qui régnait ce jour-là dans les bureaux d'habitude austères de la Caisse. On fêta l'événement avec le sentiment d'avoir franchi une étape symbolique, une sorte de traversée du mur du son financier. Désormais, la Caisse de dépôt et placement du Québec passait dans les «ligues majeures» de la finance, pour employer un langage sportif.

La Caisse est aussi devenue un instrument de pouvoir économique dont les politiciens ont de plus en plus conscience. Par exemple, le 7 avril au soir, à Radio-Canada, dans le cadre de la campagne électorale en cours au Québec, le chef libéral Robert Bourassa explique comment il compte créer 100 000 emplois s'il prend le pouvoir: il affirme qu'il se servira notamment de la Caisse. En novembre, devenu entre-temps premier ministre, Bourassa allait profiter de l'annonce d'un investissement de la Caisse dans le complexe sidérurgique Sidbec, pour déclarer que ces nouvelles sommes investies se traduiraient par la création de 600 nouveaux emplois[35]. De fait, la Caisse fera son premier achat d'obligations de Sidbec le 14 décembre 1970, pour un montant de 30 millions de dollars, les titres de cette société d'État étant garantis par le gouvernement du Québec.

Mais, auparavant, la polémique sur le syndicat financier, dont Gérald Godin avait lancé la première salve en décembre 1969, avait été relancée de plus belle par Jacques Parizeau le 21 janvier 1970. L'ancien conseiller économique du gouvernement, devenu depuis quelques mois membre du Parti québécois, laissait entendre qu'un syndicat financier dont le siège social est à Toronto avait cherché, au début des années 1960, à contrecarrer la nationalisation de l'électricité ainsi que la création de la SGF et de la Caisse.

Dès le lendemain, Jean Lesage s'empresse de réfuter ces propos, mentionnant que le financement de la nationalisation de l'électricité avait déjà été «assuré» sur le marché américain dès le printemps 1962. Par ailleurs, jetant un regard en arrière sur sa carrière lors d'une interview télévisée, le 27 janvier, l'ancien premier ministre affirme que la création de la Caisse a été «le plus grand service qu'il a rendu au Québec», car elle a, selon lui, «littéralement sauvé» la province de la banqueroute. «Si le gouvernement actuel n'avait pas

---

34. Marcel Camu a été nommé secrétaire le 15 juin 1970, pour succéder à Gérard J. Blondeau. Employé de la Caisse depuis 1966, il a occupé cette fonction jusqu'à sa retraite en avril 1989.

35. *La Presse*, 26 novembre 1970.

cette Caisse et placement comme source d'emprunts, indique-t-il, il y a belle lurette qu'aux points de vue budgétaire et financier le Québec serait en faillite[36]. »

Parizeau revient à la charge au début de février, en publiant un long article, qui constitue une petite histoire des relations du gouvernement québécois avec le syndicat financier depuis la Révolution tranquille. Le texte paraît en même temps dans *Le Devoir* et dans *La Presse*. Il montre l'influence que le syndicat financier a exercée lors de divers épisodes récents de l'histoire du Québec : la nationalisation de l'électricité, d'abord, où le syndicat, de prime abord allié de la Shawinigan Power, a dû faire machine arrière pour ne pas être contourné sur le marché américain, l'émission ratée de Churchill Falls, la déclaration d'Hawaï imposée à Daniel Johnson, etc.

En 1970 même, selon Parizeau, le syndicat financier a tenté de « casser la Caisse » peu après l'arrivée de Bourassa au pouvoir (le 29 avril). Cette opération d'intimidation menée par le syndicat auprès du nouveau gouvernement a eu pour effet de creuser immédiatement l'écart entre les titres du Québec et ceux de l'Ontario, un écart qui « aura été le plus élevé du siècle, un "spread énorme" », de dire Parizeau. « Et je n'ai pas très bien compris, ajoutera-t-il, pourquoi la Caisse n'avait pas bougé plus vite. Est-ce parce qu'ayant tellement investi dans des obligations à long terme, elle aurait encouru de grosses pertes en cherchant à ramasser les liquidités nécessaires ? Je ne sais pas. En tout cas, la réaction n'a pas été formidable cette fois-là[37]. »

Les effets de la Crise d'octobre

Il faut dire que l'expansion de la Caisse se poursuit cette année-là dans un climat politique tendu, marqué par le retour au pouvoir des libéraux mais surtout par la Crise d'octobre : enlèvement de l'attaché commercial britannique James Cross par le Front de libération du Québec, imposition des mesures de guerre par le gouvernement fédéral et assassinat du ministre Pierre Laporte.

À la mi-octobre, Claude Prieur affirme au *Petit Journal* que l'agitation terroriste n'a pas encore eu de conséquences sur l'économie[38]. Le marché des

36. *Le Soleil*, 28 janvier 1970.

37. Entrevue de l'auteur avec Jacques Parizeau, décembre 1987.

38. « Les événements actuels auront un effet sur l'économie du Québec », *Le Petit Journal*, 25 octobre 1970.

obligations, précise-t-il, est «un peu plus faible ces jours-ci», mais c'est à cause du grand nombre d'obligations sur le marché. «Nous ne savons pas encore comment le marché va réagir aux événements.» Selon certains témoignages, le brigadier général Prieur garderait une arme à feu sur lui durant tout le temps des événements d'octobre. En tout cas, un revolver est sans cesse à la disposition du pdg dans un coffre-fort de la Caisse, et c'est Jean Campeau à son entrée en fonction, en 1980, qui fera disparaître l'arme. D'après le secrétaire Marcel Camu, on a craint, à un moment donné, que le FLQ[39] rançonne la Caisse; mais, en 1970, l'institution et sa valeur financière sont encore mal connues du grand public.

Par contre, ceux qui la connaissent la suivent de près et ne manquent pas de l'épingler à l'occasion. Car si, au chapitre du financement de la dette publique, la Caisse est considérée de plus en plus, dans l'opinion publique, comme un nouveau champion du Québec, par contre, certains ne manquent pas de lui chercher des puces dans d'autres secteurs comme le prêt hypothécaire. À cet égard, un article à tendance diffamatoire paraît dans *Le Nouveau Samedi*, le 12 septembre 1970. La Caisse y est accusée de consentir des prêts hypothécaires «surtout aux juifs et aux anglophones» et de ne laisser que des «miettes» aux francophones[40].

Accablée d'opprobre ou couverte d'éloges, à travers les petites difficultés quotidiennes ou les grandes polémiques politiques, la Caisse, sous la gouverne énergique de Claude Prieur, n'en poursuit pas moins son petit bonhomme de chemin, ou plus exactement ses larges foulées dans la voie de l'excellence.

Le 17 juillet 1970, est sanctionnée la loi créant la Régie de l'assurance-maladie du Québec et l'habilitant à déposer à la Caisse. Du côté du conseil d'administration, le 28 septembre, le juge Gill Fortier est nommé président

39. Front de libération du Québec.

40. Évidemment anonyme, l'article se lit ainsi: «[...] La majorité des prêts hypothécaires, et cette affirmation peut être facilement vérifiée, sont faits à des organisations juives et anglophones. Le grand argentier de la Caisse de dépôt, M. Patrick Wells, vous fournira probablement des dizaines de raisons qui motivent ses décisions. M. Wells, paraît-il, n'a pas son pareil pour démêler à sa façon les fils de l'écheveau. Plus qu'une méthode, c'est un système. On sait d'autre part qu'un homme qui prête plus de 40 millions de dollars par année, et c'est le cas de M. Wells, commande un certain respect. Il occupe un poste de prestige puisqu'il est le distributeur des deniers de la collectivité. En tout cas, il serait intéressant de savoir dans quel pourcentage les nôtres profitent de la Caisse de dépôt. Si nous nous fions à notre informateur, un technocrate averti, ce ne sont pas les Canadiens français qui héritent de la part du lion. Là comme ailleurs, ils ramassent les miettes.» (*Le Nouveau Samedi*, 12 septembre 1970.)

de la Régie des rentes du Québec et devient d'office vice-président de la Caisse. Auparavant, au début de l'année, les mandats de Roland Parenteau et de Marcel Pepin étant expirés, Hervé Belzile, président de l'Alliance Compagnie Mutuelle d'assurance-vie, et Louis Laberge, président de la Fédération des travailleurs du Québec (FTQ), ont fait leur entrée au conseil de la Caisse.

Le 10 décembre, une mesure législative vient de nouveau modifier la constitution de la Caisse. Des changements aux pouvoirs d'intervention du côté immobilier, de même que d'autres points cruciaux comme la rémunération du personnel étaient à l'étude depuis le printemps précédent. Le 9 juin 1970, en effet, Prieur a écrit au premier ministre Bourassa (qui est aussi ministre des Finances) à ce sujet. Le lendemain il l'a rencontré brièvement à Québec, puis a eu un long entretien avec Raymond Garneau, alors ministre de la Fonction publique et ministre d'État aux Finances. Il a fait état à ce dernier « des difficultés qu'éprouve la Caisse à concilier ses besoins de per-sonnel hautement spécialisé avec les normes de rémunération de la Fonction publique ». Soit dit en passant, cette affaire de rémunération, jamais réglée, restera jusqu'à la fin l'une des plus douloureuses épines au flanc de Claude Prieur.

La Caisse comme syndicat financier?

Dès le début de l'année 1971, le 18 janvier, un emprunt de 60 millions de dollars contracté par le gouvernement du Québec relance le débat sur le prix élevé des obligations du Québec. En éditorial dans *Le Devoir* du 22 janvier, Paul Sauriol se demande avec inquiétude pourquoi le Québec doit payer plus cher que le Nouveau-Brunswick et la Nouvelle-Écosse pour ses émissions d'obligations. Il s'indigne que le gouvernement doive payer au syndicat financier une commission sur la totalité de l'émission, alors que la Caisse de dépôt et les caisses populaires Desjardins en achètent directement des tranches substantielles (15 millions de dollars dans ce cas-ci, pour la Caisse) :

> Si le gouvernement pouvait briser cette domination injustifiée, la province n'aurait pas besoin de payer des commissions à la haute finance pour emprunter l'argent de la Caisse de dépôt qui appartient à l'ensemble de la population. La masse des courtiers qui font vraiment le travail de vente, qui ont la clientèle, en bonne partie canadienne-française, intéressée à ces titres, pourraient remplir leur rôle de façon efficace, sans qu'on ait besoin de passer par l'intermédiaire

coûteux d'un grand syndicat qui ne semble pas être bien utile puisque le Québec paie ses emprunts plus cher que les autres provinces[41].

À son tour, le chef du Parti québécois, René Lévesque, vient tirer à boulets rouges sur le syndicat financier dans *Le Journal de Québec*.

> Les Québécois se font voler collectivement comme au coin d'un bois par ces groupes privilégiés auxquels notre sous-État provincial laisse le monopole exclusif du placement de ces emprunts. [...] Ce siphonnage parfaitement gratuit, il suffirait d'un minimum d'échine à la direction politique des Finances provinciales pour y mettre le holà[42].

Il faut croire que les coups portent, car justement le lendemain, 26 janvier, la «direction politique des Finances» se défend publiquement. Lors d'un dîner au Club Optimiste de Longueuil, le ministre Raymond Garneau consacre toute sa conférence à exposer et défendre la politique d'emprunt public du gouvernement. Il souligne qu'on doit tenir compte de plusieurs facteurs pour évaluer la différence dans le taux d'intérêt payé par les provinces, notamment la fréquence et le montant des émissions d'obligations publiques, le revenu par habitant, le taux de croissance de la dette, la situation politique, etc. Enfin, le ministre précise que le gouvernement ne paie évidemment aucune commission sur les emprunts directs qu'il contracte auprès de la Caisse. Dans le cas des emprunts publics où la Caisse est partie prenante pour une bonne part, le Québec, dit-il, «ne paie qu'une demi-commission sur les titres ainsi acquis par elle auprès des courtiers». Dans le compte rendu de cette conférence, *La Presse* fait remarquer que le ministre Garneau n'a pas levé le voile sur «la prime de perturbation politique qui, au dire de certains courtiers et hauts fonctionnaires, aurait été imposée au Québec depuis octobre dernier».

Paul Sauriol donne la réplique au ministre dans un «bloc-notes» en page éditoriale du *Devoir*, le 29 janvier. Il prétend que les raisons invoquées par Garneau n'expliquent pas les écarts qu'on retrouve régulièrement depuis plusieurs années entre les taux des obligations du Québec et ceux des autres provinces, dont l'Ontario. Quant au paiement d'une demi-commission sur les achats de la Caisse, c'est encore trop, selon lui. Et il ajoute que si l'étude entreprise par le ministère des Finances montrait que les maisons anglo-

---

41. Paul Sauriol, «Le coût élevé des emprunts du Québec», *Le Devoir*, 22 janvier 1971.
42. René Lévesque, «Les bas-côtés de la haute finance», *Le Journal de Québec*, 25 janvier 1971.

phones ne contribuent guère aux ventes, « il n'y aurait pas de raison de maintenir un système qui permet à ces entreprises de toucher des commissions sur des émissions en définitive vendues par d'autres[43] ».

L'affaire semble en rester là pour quelques mois. Mais Sauriol revient à la charge l'été suivant, à l'occasion d'une nouvelle émission, venant d'Hydro-Québec cette fois. L'émission est lancée le lundi 5 juillet, pour un montant de 50 millions de dollars. Mentionnant la part de 15 millions de dollars achetée par la Caisse, le journaliste s'insurge contre la commission payée là-dessus au syndicat financier. Même s'il s'agit d'une demi-commission, dit-il, elle s'élève quand même à la somme rondelette de 75 000 $, « que ces maisons de courtage ont touchés sans aucun travail appréciable de leur part » et que la Caisse aurait pu épargner. Il termine par une apostrophe indignée à la fois au syndicat et au gouvernement :

> Ce droit de péage à la haute finance devient un symbole de domination : les bénéficiaires devraient y renoncer d'eux-mêmes car cet abus ne sera pas toléré indéfiniment. Le gouvernement provincial devrait y mettre un terme sans quoi il risque de provoquer des réactions énergiques[44].

Quelques jours plus tard, Sauriol avance quelques idées pour « mettre fin à l'empire des grands courtiers anglophones ». Il propose de former un nouveau syndicat financier et d'y faire entrer la Caisse de dépôt et les Caisses populaires, à la mesure de leur participation. Au lieu du système actuel qui prébende une oligarchie sans commune mesure avec son activité réelle (les grands courtiers anglophones empochent de 65 % à 70 % des commissions en ne vendant que 10 % des titres), il conçoit un système plus souple où les commissions seraient établies et distribuées selon la participation à chaque émission[45]. Son collègue Denis Giroux (qui deviendra plus tard un cadre supérieur de la Caisse) vient apporter de l'eau au moulin, dans *Le Devoir* du 13 juillet. Il évoque « l'échec » de la dernière émission d'Hydro-Québec et fait état d'une « querelle linguistique » qu'elle aurait suscitée. Il appert que les maisons de courtage québécoises n'ont pu « négocier ou transiger l'émission d'Hydro-Québec à partir de documents écrits en français ». Giroux cite le nouveau système proposé par Sauriol, et propose « un modèle de syndicat

---

43. Paul SAURIOL, « Les emprunts du Québec », *Le Devoir*, 29 janvier 1971.

44. Paul SAURIOL, « Un scandale qui se répète », *Le Devoir*, 8 juillet 1971.

45. Paul SAURIOL, « Comment mettre fin à l'empire des grands courtiers anglophones ? », *Le Devoir*, 10 juillet 1971.

financier plus conforme à la réalité», où il répartit les diverses institutions financières selon l'importance de leur participation. La Caisse domine nettement le tableau, avec une participation de 22,5%, suivie de la Banque canadienne nationale, avec 6,5%. A.E. Ames arrive loin derrière, avec 2,0%[46].

Du français rue Saint-Jacques

La grogne ne se limite pas au milieu journalistique, ça bouge aussi du côté de la rue Saint-Jacques. En août, le courtier François Lessard, président fondateur de la maison de courtage Lessard et Associés, adresse une lettre de 34 pages au premier ministre Bourassa, pour lui souligner l'urgence de réformer le système d'émission et de vente des obligations du gouvernement et des organismes publics[47].

Le courtier, qui ne mâche pas ses mots, exhorte le gouvernement, en premier lieu, à prendre des mesures énergiques pour imposer le respect et l'usage de la langue française dans les milieux financiers du Québec. En second lieu, il propose de laisser tomber la formule du syndicat financier pour écouler les titres de l'État et de confier à la Caisse le soin d'assurer la vente des obligations du Québec.

Selon *La Patrie*, l'entourage de Robert Bourassa serait d'avis que M. Lessard «veut aller trop vite». L'hebdomadaire donne par ailleurs deux faits qui se sont produits au début des années 1960 et qui montrent l'emprise du syndicat sur le gouvernement québécois. Le premier, en 1963, lorsqu'Hydro-Québec a voulu former un nouveau syndicat composé principalement de maisons francophones: tentative qui échoua, parce que, dans une lettre du 23 décembre 1963, la Banque de Montréal «fit promettre aux courtiers de ne pas s'engager dans le nouveau syndicat financier». Le second événement eut lieu au début de 1964, selon le journal, et concerne une manœuvre d'intimidation réussie du syndicat:

> Lorsque le 7 janvier 1964, le cabinet libéral s'est réuni à Québec pour discuter de son rôle et de la possibilité de former un nouveau syndicat, la Banque de Montréal et Ames and Co. réunissaient à Montréal et à Toronto sept banques

46. Denis GIROUX, «Peu efficaces au Québec, les syndicats financiers auraient avantage à être repensés, remaniés», *Le Devoir*, 13 juillet 1971.

47. Sa lettre est reproduite dans *Le Devoir*, les 17 et 18 août.

et 61 maisons de courtage pour paralyser l'action du gouvernement. M. Lesage devait dire le lendemain : « La question du syndicat n'est pas réglée et cela pour des raisons qui, en aucun cas, ne peuvent mettre la responsabilité du gouvernement en cause. »

Le jeudi matin 26 août, en réponse à toutes ces critiques, le ministre Raymond Garneau déclare aux journalistes de la presse parlementaire que le gouvernement n'a pas l'intention de remplacer le syndicat financier ni de modifier les structures actuelles d'emprunt du gouvernement.

Cependant, un autre coup de canon éclate le 30 août, lorsque Jacques Parizeau publie dans *Le Devoir* un texte percutant sur « Les beaux restes du syndicat financier au Québec ». Prenant l'exemple des emprunts de 1970, qui se sont élevés à 1186 millions de dollars pour l'ensemble du secteur public québécois, il montre que le syndicat financier n'en a écoulé qu'à peine plus de 15 %. En fait, dit Parizeau, « le pouvoir de la direction syndicale n'est plus basé que sur deux éléments distincts : 1) sa capacité de vendre à des compagnies d'assurance-vie et à des fonds de retraite 70 ou 80 millions de dollars par an d'obligations à long terme ; 2) les résidus psychologiques de sa splendeur d'autrefois ».

Renchérissant à son tour sur la nécessité de réformer le système, l'économiste souligne que la Caisse est désormais mûre pour prendre la place d'un syndicat financier devenu désuet : « Et la Caisse doit, comme institution publique, accepter un certain nombre de responsabilités dont la première, la plus évidente, est celle d'organiser la distribution des titres de la dette publique, comme le fait la Banque du Canada pour les émissions du gouvernement fédéral. En somme, la direction syndicale doit être transférée à la Caisse. »

Le 8 septembre, un autre argument de poids tombe dans la balance. Le Comité Bouchard[48] publie un rapport préliminaire, dans lequel il recommande que le gouvernement prenne tous les moyens nécessaires pour que le Québec ait un accès plus facile aux diverses sources de fonds. Il propose de « diminuer la dépendance du Québec à l'égard de groupes particuliers de maisons non québécoises ». Il critique les restrictions à la concurrence qui

48. Comité mis sur pied par le gouvernement Bourassa le 25 juin 1970, peu après la publication du Rapport Moore (comité fédéral sur le commerce des valeurs mobilières au Canada) qui recommandait la « canadianisation » de l'activité mobilière et financière. Le Rapport Bouchard contredira le Rapport Moore.

viennent des syndicats financiers, rappelant ce qu'affirmait déjà le Rapport Porter:

> Les syndicats, une fois formés, tendent à se scléroser: les nouvelles maisons sont presque incapables d'y entrer, et les membres dynamiques et progressifs d'un syndicat ont autant de peine à faire augmenter leur participation.

Notons que le comité, présidé par Me Louis-Philippe Bouchard, sous-ministre des Institutions financières, Compagnies et Coopératives, comprend trois membres du conseil d'administration de la Caisse, soit le pdg Claude Prieur, Charles B. Neapole, président de la Bourse de Montréal, et Marcel Cazavan, sous-ministre des Finances.

Le 5 décembre, à quelques semaines du renouvellement annuel de l'accord syndical, l'hebdomadaire *Québec-Presse* publie un dossier de Jacques Keable sur l'affaire du syndicat financier et des emprunts du Québec. Le journaliste mentionne notamment qu'au cœur de la négociation pour le renouvellement de l'entente se trouvent deux hommes, deux personnages clés: Claude Prieur, de la Caisse, et Marcel Cazavan, du ministère des Finances.

Quelques jours plus tard, Raymond Garneau confie en entrevue qu'il y aurait plus d'inconvénients que d'avantages à écarter le syndicat financier avec lequel la province transige. Ce qui laisse entendre, selon le journaliste Normand Girard, que l'entente avec le syndicat sera reconduite[49]. Le ministre prétend se baser sur l'avis de spécialistes, notamment à la suite d'une «séance intensive de travail» sur le sujet le 17 octobre, entre les dirigeants d'Hydro-Québec, de la Caisse et du ministère des Finances. Y participaient MM. Giroux, Lemieux et Lafond, d'Hydro-Québec, Prieur et Cloutier, de la Caisse, Cazavan, Goyette et Campeau, du ministère des Finances. Notons que trois présidents successifs de la Caisse (Prieur, Cazavan et Campeau) se trouvaient réunis à cette occasion. Il s'agit probablement d'une des rares fois, sinon la seule, où les trois se sont retrouvés autour de la même table et, qui plus est, pour discuter du rôle de la Caisse dans le financement du Québec.

Garneau précise que si la Caisse se chargeait de la distribution des titres du gouvernement, elle se trouverait placée dans une sorte de conflit d'intérêts. Cela restera l'argument officiel des dirigeants de la Caisse pour ne pas

---

49. Normand Girard, «Les émissions d'obligations: Garneau croit qu'il n'y a pas avantage à changer le système», *Le Soleil*, 7 décembre 1971.

s'engager davantage dans le système d'émission des obligations du gouvernement québécois.

Remaniement du syndicat financier

L'affaire du syndicat financier est relancée de plus belle au début de 1972, lorsqu'on apprend les modifications que le gouvernement a imposées. De fait, ces modifications, si intéressantes qu'elles apparaissent, ne font pas taire les critiques qui n'en continuent pas moins de clamer que la tête du syndicat reste la même et que le siège en demeure à Toronto.

Québec fait accéder quatre sociétés de courtage francophones à la direction du syndicat et en écarte deux firmes anglophones. La gérance et la sous-gérance du syndicat seront donc désormais assurées par huit maisons francophones et huit anglophones. En outre, le gouvernement ne paiera plus de commissions sur les achats d'obligations faits par la Caisse. Les quatre maisons francophones ainsi promues sont: Morgan, Ostiguy et Hudon; Cliche et Associés; Tassé et Associés; et Molson, Rousseau et co. Elles assumeront la «sous-gérance» avec quatre firmes anglophones: Dominion Securities; Royal Securities; Nesbitt Thompson; et Greenshields Inc. Par contre, aucun changement en ce qui concerne le «groupe de gérance». Les huit firmes restent les mêmes: d'une part, Wood Gundy, la Banque Royale, René T. Leclerc et la Banque canadienne nationale; d'autre part, A.E. Ames, la Banque de Montréal, Lévesque et Beaubien, et la Banque Provinciale.

Ce réaménagement est loin de satisfaire l'opinion publique. Le chroniqueur financier de *La Presse*, Laurier Cloutier, en déduit que «les grosses maisons de courtage de Toronto continueront de contrôler le syndicat financier du Québec». Il se demande si le ministre Raymond Garneau n'a pas voulu jeter de la poudre aux yeux[50]. De son côté, l'éditorialiste Claude Lemelin du *Devoir* stigmatise la «timidité» du gouvernement à s'écarter «d'un ordre établi que l'évolution des dernières années a pourtant rendu tout à fait périmé[51]».

Mais si mineurs soient-ils aux yeux de plusieurs, les changements apportés au syndicat financier semblent donner, dès le départ, des résultats fort positifs. Car les 80 millions de dollars en obligations que le gouvernement

50. *La Presse*, 18 février 1972.
51. *Le Devoir*, 26 février 1972.

met en vente le 21 février – la plus importante émission du Québec sur le marché canadien jusque-là – s'enlèvent comme des petits pains chauds. En outre, malgré la difficulté du marché, les titres québécois se maintiennent à un bon prix et – miracle! – à un niveau presque égal à celui de l'Ontario, ce qui ne s'était pas vu depuis 1963. Il appert d'ailleurs que les maisons de courtage montréalaises ont abattu de la belle besogne, contrairement à leurs homologues torontoises, qui seraient restées «collées» avec leurs lots de «Québecs», comme le souligne Laurier Cloutier:

> La plupart des firmes québécoises ont vendu leur part des obligations du gouvernement du Québec en quelques heures mais les grandes maisons financières de Toronto, membres du syndicat financier, malgré la diminution du volume d'obligations qu'elles avaient à vendre par rapport à l'an dernier, n'ont pas encore réussi à trouver des clients pour $3 millions d'obligations à moyen terme, soit une partie importante des titres d'une échéance de 12 ans qu'elles devaient écouler. Le prix au marché de ces obligations en a probablement souffert malgré la bonne performance des maisons financières québécoises[52].

Le même Cloutier consacre un article de fond à la question dans le numéro d'avril de la revue *L'Actualité*[53]. Il affirme que «cette situation coloniale, qui continue de se perpétuer, coûte au moins une trentaine de millions de dollars par année à l'économie du Québec». Le gouvernement et Hydro-Québec, en premier lieu, paient 15 millions de dollars en trop à cause des intérêts excessifs qu'on leur impose. Ensuite, ces taux ayant un effet d'entraînement sur les emprunts contractés par les autres corps publics, ceux-ci paient à leur tour encore 15 millions de dollars en trop. Enfin, il faut ajouter, selon le journaliste, les quelque trois millions de dollars que les maisons de courtage québécoises perdent au profit de leurs homologues de Toronto[54].

En mai, le bilan de l'exercice financier, terminé le 31 mars 1972, montre que le gouvernement et Hydro-Québec ont emprunté 900 millions de

52. *La Presse*, 21 mars 1972.

53. Laurier Cloutier, «Le syndicat financier bloque l'économie du Québec», *L'Actualité*, avril 1972.

54. Le 23 août 1972, le Comité Bouchard, dont fait partie Claude Prieur, rend public le premier volume de son rapport final. On y souligne notamment la «situation privilégiée» dont jouissent les firmes ontariennes de courtage, situation qui, selon *Le Devoir* du 24 août 1972, «nuit à l'essor de maisons québécoises plus petites mais plus efficaces dans la vente de titres québécois et les reléguant à la vente d'obligations de commissions scolaires ou municipales». Une des recommandations du Comité Bouchard souligne l'urgence de corriger cette situation.

dollars au total. Là-dessus, 77 millions de dollars d'obligations à long terme ont été vendus par des sociétés financières canadiennes. Une conclusion évidente s'en dégage, selon le journaliste du *Soleil*, Jean-Paul Gagné, « le marché financier canadien hors Québec contribue très peu au financement des emprunts du Québec[55]. » Il est impossible, selon lui, de « connaître exactement la part écoulée par les maisons torontoises, mais il se pourrait qu'elle ne représente que 1 pour cent du total des emprunts du Québec ». La Caisse, pour sa part, a investi 158 millions de dollars.

Le 25 mai, le ministre Raymond Garneau réaffirme, à l'Assemblée nationale, que le gouvernement n'a pas l'intention d'abolir le syndicat financier. Il répond aux questions de l'opposition (Unité-Québec[58] et créditistes), à la suite d'une nouvelle lettre publique que le courtier François Lessard a fait parvenir la veille au premier ministre Bourassa, au sujet de l'unilinguisme anglais des milieux financiers. Le ministre mentionne que « la Caisse elle-même ne juge pas opportun d'agir comme un conseiller financier ». Il ajoute que le risque, par ailleurs, en serait assez grand puisque « les fonds de la Caisse de dépôt et placement sont [...] appelés à se stabiliser et à diminuer[57] ».

On a entendu un tout autre son de cloche un mois auparavant, dans un manifeste économique publié par le Parti québécois, « Quand nous serons vraiment chez nous ». Le parti de René Lévesque y entrevoit un rôle important pour la Caisse, entre autres, pour jeter les bases d'une Banque du Québec sur le modèle de la Banque du Canada. Le président de la Caisse ne semble pas penser grand-chose de cette proposition du PQ. Interrogé sur le rôle de la Caisse dans un Québec indépendant, il répond qu'il ne « faut pas se conter des histoires » et que « la Caisse ne peut pas faire grand-chose toute seule ». Ses 450 millions de dollars de disponibilités annuelles constituent, selon lui, « une bien petite marge de manœuvre[58] ».

Petite si l'on veut, c'est quand même une marge de manœuvre que le Québec n'avait pas dix ans auparavant, au moment de la nationalisation de l'électricité. Déjà, avec plus de deux milliards de dollars en valeurs d'actif, la Caisse est en mesure de prendre des initiatives importantes pour l'expansion et l'autonomie économiques du Québec.

---

55. Jean-Paul GAGNÉ, « Emprunts de $900 millions du gouvernement et de l'Hydro-Québec au cours du dernier exercice », *Le Soleil*, 19 mai 1972.

56. Nouveau nom (éphémère) de l'Union nationale, sous Gabriel Loubier.

57. *La Presse*, 26 mai 1972. Le ministre Garneau n'était pas grand prophète, à l'époque !

58. *Le Soleil*, 12 décembre 1972.

La québécisation du câble

Une de ces grandes initiatives interviendra dans un domaine d'avant-garde, la câblodistribution. Le 19 février 1971, Claude Prieur demande aux membres de son conseil d'administration l'autorisation d'acquérir, avec des partenaires, de 60% à 70% des actions de National Cablevision pour un coût d'environ 6 à 7 millions de dollars. Il mentionne que cette somme «servirait à acquérir les réseaux de câbles de Sherbrooke et peut-être celui de Trois-Rivières».

À la réunion du 19 avril suivant, on parle de l'éventualité d'une participation de La Laurentienne, de L'Assurance-Vie Desjardins, de La Sauvegarde et des Artisans au projet d'achat de cette entreprise dont le territoire d'exploitation comprend, entre autres, l'est de Montréal, Sherbrooke, Québec et Cap-de-la-Madeleine. National Cablevision appartient à deux groupes, CBS (Columbia Broadcasting System) et Evergreen Cablevision (dirigé par Fred Welsh, de Colombie-Britannique), dans des proportions respectives de 75% et 25%. Conformément à la loi, la transaction prévue limiterait la participation de ces deux groupes à 20% chacun. Les intérêts québécois en détiendraient 60%, dont 30% pour la Caisse.

Le projet de transaction est donc rendu public au début de juin et soumis à l'approbation du Conseil de la radiotélévision canadienne (CRTC). Certains, notamment du côté anglophone[59], voient à travers la Caisse se profiler une menace d'étatisation de l'industrie naissante, une nationalisation déguisée. Mais le directeur du *Devoir*, Claude Ryan, défend mordicus l'initiative:

> Nous cherchons en vain des intentions belliqueuses dans ce projet qu'ont conçu des institutions typiquement québécoises de se porter acquéreurs d'importants intérêts dans quelques entreprises de télévision par câble appelées à œuvrer au service des Québécois. Nous y voyons au contraire la promesse d'une participation originale de la collectivité à un secteur d'activité qui intéresse au plus haut point son avenir[60].

Le 28 juin, la Caisse et ses partenaires (six compagnies d'assurances) défendent leur projet devant le CRTC. Outre l'acquisition de 60% des actions de National Cablevision, ils demandent l'autorisation d'acquérir un réseau de câblodistribution de la région de Sherbrooke, qui appartient à la

---

59. *The Montreal Star*, qui a divulgué le premier la nouvelle de la transaction, y décèle le début d'une guerre du câble entre Ottawa et Québec.

60. Claude Ryan, «Le Québec câblé par des Québécois», *Le Devoir*, 3 juin 1971.

société britannique Rediffusion, ainsi que des réseaux des régions de Victoriaville, Arthabaska, Cap-de-la-Madeleine et Ascot, propriétés de Transvision Eastern Townships. Le conseiller juridique de la Caisse, Me Roger Beaulieu, expose la légitimité des prétentions de l'organisme québécois au président du CRTC, Pierre Juneau. Il ne croit pas que la législation fédérale interdise au CRTC «d'autoriser un organisme provincial à faire l'acquisition de parts minoritaires dans une société de radiodiffusion. La Caisse, dit-il, détient déjà des actions dans des sociétés de radiodiffusion, telles que Selkirk Holdings et Canadian Marconi[61].» Un mois plus tard, le 27 juillet, le CRTC donne le feu vert à la transaction. La Caisse se porte garante de la dette de National Cablevision, environ 12 millions de dollars. La nouvelle société desservira environ 45% des usagers du câble au Québec.

En fait de participation dans les entreprises, d'autres transactions importantes ont lieu cette année-là. Mentionnons l'entente de la Caisse avec les Entreprises Gelco (filiale de Power Corporation) pour acquérir une participation prépondérante dans la société SMA (Société de mathématiques appliquées) de Montréal. C'est aussi en 1971 que la Caisse acquiert 11% des actions de Normick Perron, importante entreprise de bois de sciage de l'Abitibi-Témiscamingue.

Des transactions semblables se produisent l'année suivante. Ainsi le 20 juin 1972, la Caisse achète un bloc important de 300 000 actions de la société Bombardier, une autre entreprise québécoise qui ira loin. Et le 13 novembre 1972, le conseil d'administration examinera la possibilité de former une compagnie de capital de risque. Mais il y a risque et risque. C'est en 1971, par exemple, que la Caisse remet en question la participation qu'elle envisageait de prendre dans Les Automobiles Manic (1970) ltée. La «Manic», cette voiture québécoise qui a fait tant de bruit depuis deux ans, s'avère une aventure sans lendemains. La Caisse veut bien donner un coup de pouce à l'entrepreneuriat québécois, mais elle n'est pas là pour subventionner les canards boiteux. Elle gardera la même attitude, quelques années plus tard, pour la télévision coopérative de l'Outaouais et pour la manufacture Tricofil de Saint-Jérôme.

En outre, la Caisse évite d'investir dans une entreprise comme Paragon, qui prête le flanc aux accusations de patronage parce qu'elle appartient aux

61. PRESSE CANADIENNE, «La Caisse face au CRTC à propos de la câblovision», *La Presse*, 29 juin 1971.

Simard de Sorel, la belle-famille du premier ministre Bourassa. La Caisse tient à son intégrité comme à la prunelle de ses yeux. Et plus elle étend ses ramifications, plus elle y veille, en même temps qu'elle prend conscience du rôle unique qu'elle est appelée à jouer. Ainsi, la présence croissante de la Caisse dans l'économie du Québec amène Prieur à préciser le rôle que l'organisme joue dans le développement des entreprises québécoises, le 29 avril 1971, lors d'un colloque à l'École des Hautes Études commerciales. Il mentionne notamment que la Caisse peut servir de conseiller financier aux petites entreprises. Lorsque l'institution s'associe à une petite ou à une moyenne entreprise, dit-il, elle «établit avec elle une relation d'affaires qui permet à l'entreprise de consulter à son gré et de façon continue les spécialistes de la Caisse. Ces compagnies bénéficient ainsi gratuitement de l'expérience de plusieurs spécialistes en finance[62].»

Il faut dire que la Caisse commence à se tailler une place au soleil parmi les grands investisseurs au Canada. En 1971, elle a acquis autant d'actions ordinaires que les seize plus grandes compagnies d'assurance-vie du Canada mises ensemble. Elle est devenue avec les années, par exemple, la plus grande actionnaire individuelle de la Banque canadienne nationale, de la Banque de la Cité et du District de Montréal ainsi que de Provigo, et la deuxième actionnaire de la Banque Provinciale[63].

Les revenus de la Caisse dépassent désormais les cent millions de dollars par année, pour un actif atteignant 1,783 milliard de dollars à la fin de 1971. Cette année-là, l'institution a doublé son portefeuille de titres d'emprunt de sociétés, dont la valeur est passée de 93,1 millions à 186,3 millions de dollars. La Caisse a profité aussi des cours favorables à la Bourse pour augmenter son portefeuille d'actions, qui a atteint une valeur de 280,9 millions de dollars. Ainsi, à la fin de 1971, le portefeuille-actions constitue 17,1% de la valeur comptable des placements à long terme de la Caisse, comparativement à 16,6% l'année précédente. En outre, bon an mal an, de nouveaux fonds prennent le chemin de la Caisse. Et la Régie des rentes réinvestit tous ses revenus de placement. Dans ce contexte, il n'est pas étonnant que l'institution prenne rapidement une ampleur qu'on n'avait pas prévue à l'origine.

62. *Les Affaires*, 3 mai 1971.

63. Faits et chiffres cités par Jacques Parizeau, *Québec-Presse*, 26 mars 1972.

Le cap des 2 milliards est franchi

L'année 1972 voit la Caisse franchir le cap des deux milliards de dollars en valeur d'actif (2,312 milliards). Un climat économique fortement expansionniste l'amène à accroître encore son portefeuille d'actions, qui devient de plus en plus impressionnant. En cinq ans, la Caisse s'est dotée « d'un des plus importants portefeuilles d'actions au pays[64] ».

La Caisse, fait remarquer Prieur, « doit détenir en portefeuille les actions d'un groupe représentatif des plus importantes compagnies canadiennes, mais elle ne néglige pas pour autant les entreprises de taille moyenne dont le potentiel lui paraît intéressant. Notamment, elle suit de près l'évolution des sociétés du Québec dont les titres sont inscrits en bourse et accorde une attention particulière aux actions des compagnies susceptibles d'y être inscrites à brève échéance. » En décembre, devant une association de comptables, Claude Prieur mentionne que la Caisse est la première actionnaire de la Banque Royale et de la Banque de Nouvelle-Écosse, et la deuxième de la Banque de Montréal et de la Banque Toronto Dominion.

Dans le secteur hypothécaire, la Caisse s'associe de plus en plus à de grands projets. En 1972, elle fournit la moitié du financement d'un complexe immobilier de plus de 70 millions de dollars à Hull. Il s'agit de Place du Centre (cinq édifices sur neuf acres) – face au Parlement d'Ottawa, de l'autre côté de la rivière des Outaouais – dont le projet a été dévoilé officiellement à Hull par le premier ministre Bourassa, le 20 septembre. En fait, depuis 1968, la Caisse a consacré des sommes importantes au financement hypothécaire de treize nouveaux centres commerciaux, dont onze se situent à l'extérieur des régions urbaines de Montréal et de Québec. Elle s'est aussi engagée à parti-ciper au financement de sept nouveaux établissements hôteliers.

Autre investissement immobilier d'importance à la fin de la période Prieur, les Jardins Mérici de Québec. Cet ensemble domiciliaire est situé à proximité du Parc des champs de bataille, sur un terrain qui appartient déjà à la Caisse. Prieur déclare qu'il « n'était pas question de laisser cet espace considérable (de plus d'un million de pieds carrés), le dernier de la région offrant une telle qualité stratégique, à la merci de promoteurs quelconques qui auraient pu gâter irrémédiablement ce secteur[65] ».

---

64. Caisse de dépôt et placement du Québec, *Rapport annuel* 1972.
65. *Le Rond-Point*, journal hebdomadaire de Sainte-Foy, 7 novembre 1972.

La Caisse donne un coup de pouce à l'entreprise privée sous diverses formes. Ainsi, son Service des placements privés effectue des «financements à caractère privé», par opposition aux émissions offertes au public. En règle générale, explique Prieur, ces placements sont négociés avec des entreprises de taille moyenne dont les actions sont détenues privément et n'ont qu'une circulation limitée.

À cette activité qui se développe tous azimuts, s'ajoutent de nouvelles contributions. En 1972, la Caisse accueille encore deux régimes supplémentaires de rentes: celui de la Société de développement de la Baie James et le Régime supplémentaire de retraite CSN-AHPQ (Association des hôpitaux du Québec) – ministère des Affaires sociales. En outre, la Commission des accidents du travail commence à déposer à partir de janvier 1973: un apport non négligeable de quelque 241 millions de dollars.

Des problèmes de recrutement

Mais, malgré cette expansion irrésistible de la Caisse, malgré le succès de plus en plus reconnu de son administration, la Caisse fait face à un problème de plus en plus aigu de recrutement de personnel. Le pdg Prieur le souligne en termes vigoureux dans le Rapport annuel de 1972:

> En dépit des efforts déployés jusqu'ici, la Caisse n'a pu parvenir à recruter en nombre suffisant les cadres, les spécialistes et le personnel de soutien dont elle a besoin pour faire face à l'accroissement de son actif et pour assumer les responsabilités que comportent les nouveaux mandats qu'elle se voit confier. Cette situation découle du fait qu'en matière de nomination et de rémunération du personnel, la Caisse est astreinte par sa charte à une réglementation nettement inadaptée aux conditions qui prévalent dans le milieu où elle exerce son activité.
>
> Le Conseil d'administration a saisi les autorités compétentes de ce grave problème et a reçu l'assurance que celles-ci allaient se pencher sur cette question incessamment.

Malheureusement, le premier président de la Caisse n'aura pas le temps de voir l'ombre d'une solution à ce problème.

En 1972, sans qu'il s'en rende compte, Claude Prieur est au zénith de sa carrière à la tête de la Caisse. En six ans, il a réussi à bien établir, et mieux encore qu'on ne s'y attendait généralement, un organisme qui est devenu en quelque sorte le fer de lance de la nouvelle force économique et financière du Québec.

Sans doute, on est loin alors de l'homme qui s'était retrouvé tout seul dans un bureau vétuste de la rue McGill, un certain jour de janvier 1966. Claude Prieur a fait du chemin depuis ce temps-là, et la Caisse aussi. Dans ses trajets quotidiens entre son domicile de Beaconsfield et son bureau de la Place Victoria, où on le salue maintenant avec autant de déférence que le président de la Bourse, peut-être songe-t-il parfois à l'étrange destin qui l'a propulsé, lui l'ex-cadre de la Sun Life, à la tête d'un organisme devenu presque un symbole nationaliste. La rançon du succès!

N'empêche qu'il doit se sentir tiraillé, certains jours, entre des radicaux, qui voudraient ni plus ni moins faire de la Caisse la Banque d'État du Québec, et des conservateurs dont le poil se hérisse à la moindre intervention de la Caisse sur le marché ou au sein de l'entreprise privée. Lui-même, dont la formation, la vie privée et le style doivent beaucoup à la culture anglaise, comment ne peut-il pas être écartelé entre cette affinité et son appartenance profonde au Québec francophone? Et ce n'est pas le seul aspect contradictoire chez lui. Homme de discipline, avec ce fond militaire dont il ne se départira jamais, il aime la correction, la bonne tenue: il ne tolère aucun débraillé dans les bureaux de la Caisse, ni barbes, ni mini-jupes. Par contre, il laisse sa porte ouverte à tout venant; on entre dans son bureau comme dans un moulin, ou presque.

S'il se laisse solliciter aisément, il a quand même ses habitudes, son rituel dont il ne déroge guère. Tous les matins, par exemple, à 10 h, il va jeter un coup d'œil dans la salle d'arbitrage pour s'informer des opérations menées par les quatre arbitragistes préposés aux obligations et aux actions. Le pdg de la Caisse tient à rester en contact avec la réalité du marché, pour ne pas prendre des orientations en l'air. Deux fois par jour, il vérifie ainsi l'état du marché comme un général consultant une carte d'état-major[66]. Mais comme un chef de troupe, Claude Prieur a aussi le sens de l'autorité. Ainsi, pour que les membres du conseil d'administration de la Caisse n'oublient pas pour qui ils travaillent, il a fait accrocher dans la salle du conseil une peinture à l'huile représentant le Parlement de Québec[67].

---

66. D'après un portrait de Claude Prieur, réalisé par le journaliste et caricaturiste Lou Seligson. Paru dans la série «Character Sketch», accompagné d'une caricature, *The Gazette*, 17 mai 1972.

67. Autres temps, autres mœurs: plus tard, au début de son mandat, Jean Campeau fera enlever cette toile, pour bien marquer l'autonomie de la Caisse par rapport au gouvernement.

En principe, à la fin de 1972, Claude Prieur a encore quatre ans devant lui pour pousser encore plus loin «sa» Caisse, mais le destin s'apprête à en décider autrement.

Une année sombre

L'année 1973 est sombre, à bien des égards, pour la Caisse. Claude Prieur est las de réclamer en vain une dérogation aux normes de la fonction publique pour les employés spécialisés de la Caisse. Il a l'impression de se battre contre des moulins à vent. Il est tellement excédé par la question qu'il fait inscrire ses griefs, comme on l'a vu, dans le rapport annuel de 1972, publié en mars 1973.

De fait, le président fondateur de la Caisse sollicite en vain des entrevues avec Robert Bourassa et Raymond Garneau à ce sujet, mais à Québec on ne cesse de louvoyer, d'atermoyer et de le renvoyer de Caïphe à Pilate. Cette question qui traîne depuis plusieurs années mine Claude Prieur, l'exaspère de plus en plus. On dit même qu'il est prêt à mettre son poste en jeu. Avant de partir en vacances à la mi-mars, il lance: «On verra ce que je vais faire en revenant.» Dès la sortie du rapport annuel, les journaux s'emparent de l'affaire, clament que la Caisse a des problèmes de recrutement de personnel. *Le Soleil* de Québec titre: «Des actifs de $2,2 milliards, un manque grave de personnel et un administrateur en prison[68].» L'administrateur emprisonné est Louis Laberge, écroué à Orsainville avec les deux autres chefs des centrales syndicales du Québec[69]. Quant au problème de recrutement de personnel, le directeur général adjoint Jean-Michel Paris confie au journaliste du *Soleil* que la moitié des postes sont vacants et que «la Caisse est sur le point de ne plus être en mesure de faire le travail qu'on lui a confié».

Le décès de Prieur

Puis soudain, le mercredi 11 avril, éclate la nouvelle fatidique: le président Claude Prieur est mort.

Il achevait ses vacances chez lui, à Beaconsfield. Dans l'après-midi, à la Caisse, on apprend qu'il a été admis d'urgence à l'hôpital Royal Victoria. Les rumeurs circulent. Infarctus? Thrombose? On ne sait pas encore qu'il

---

68. *Le Soleil*, 16 mars 1973.

69. Il ne sera de retour au conseil de la Caisse que le 19 juin suivant.

est mort, mais on se doute de la gravité de la situation. La secrétaire du pdg, Thérèse Coulombe, reçoit un appel vers 19 h, chez elle. Madame Prieur a demandé à son fils James d'avertir Mme Coulombe que son mari était décédé subitement dans l'après-midi. Une hémorragie cérébrale. Il est mort sur le coup. À l'hôpital, on n'a pu que constater le décès.

En plus, la secrétaire du pdg est malade, elle aussi. Le lendemain, au moment où elle s'apprête à se rendre au salon funéraire, elle est saisie d'une paralysie partielle. Le surlendemain, elle entre à l'hôpital où on l'opère pour un hématome (sous-dural) au cerveau. Elle a failli, elle aussi, être victime d'une hémorragie cérébrale… en même temps que son patron. Une coïncidence ahurissante, qui l'a beaucoup marquée[70].

La mort de Prieur, si inattendue alors que l'homme était dans la force de l'âge (53 ans), fut accueillie avec une grande consternation, non seulement à la Caisse, mais dans tous les milieux informés du Québec et du Canada. En sept ans, il avait accompli un travail de géant à la tête de la Caisse. Il était de la race de ces bâtisseurs d'empire, qui jettent les fondations, qui posent les structures, qui définissent les règles du jeu pour des années à venir.

Le brigadier général Prieur eut droit à des funérailles militaires à l'église Présentation de Dorval, dans la matinée du samedi 14 avril. On aurait pu tout aussi bien faire des funérailles d'État au premier président-directeur général de la Caisse de dépôt et placement du Québec, car il avait bien mérité de la patrie.

---

70. Madame Thérèse Coulombe représente en elle-même une sorte de condensé de l'histoire de la Caisse. Outre qu'elle a servi de secrétaire à tous les présidents-directeurs généraux qui se sont succédé jusqu'aux années 1990, elle était durant les années 1950 la secrétaire (à la Laurentienne) de nul autre que Wheeler Dupont, qui fut, comme on l'a vu, à l'origine de l'institution du régime des rentes et, par conséquent, de la Caisse.

CHAPITRE 3

Période de consolidation sous Cazavan

Pendant les mois qui suivent la mort du président fondateur de la Caisse, les spéculations vont bon train sur sa succession. Parmi les candidats les plus sérieux, on mentionne dans la presse Michel Bélanger, président de la Bourse de Montréal et ancien conseiller économique du gouvernement, et Claude Castonguay, ministre des Affaires sociales à qui on attribue l'intention de se retirer de la politique, à la faveur des élections qui s'annoncent pour l'automne.

Les deux hommes ont participé à la conception de la Caisse au début des années 1960. Michel Bélanger, qui représentait le gouvernement au conseil d'administration depuis 1969, vient tout juste de démissionner par suite de sa nomination à la présidence de la Bourse de Montréal. Et comme cette nomination est toute récente, il est peu plausible qu'il accepte le poste de pdg de la Caisse. Quant à Castonguay, les journaux le donnent pour le successeur de Prieur durant tout l'été 1973. Il entre effectivement à la Caisse cette année-là, mais comme membre du conseil d'administration, non comme pdg. D'ailleurs, il eût été étonnant que le premier ministre choisisse un homme tout frais sorti de la politique.

Bourassa choisit Cazavan

De fait, pour présider aux destinées de la Caisse, Bourassa ira chercher l'ancien sous-ministre des Finances, Marcel Cazavan. Celui-ci vient de s'installer à Ottawa depuis un an à peine, pour mettre sur pied la Corporation de développement du Canada. Il accepte de revenir à Montréal prendre la succession de Prieur.

La Caisse est loin de lui être étrangère. À titre de sous-ministre des Finances du Québec, il a fait partie de son conseil d'administration jusqu'en 1972. Il semble même qu'il ait eu son mot à dire dans le choix de Claude Prieur en 1965, alors qu'il venait d'arriver au ministère des Finances. En tout cas, Prieur le tenait en haute estime. Il n'aurait sans doute pas désapprouvé le choix de ce successeur.

Le 1er octobre donc, Marcel Cazavan entre officiellement en fonction, devenant le deuxième président-directeur général de la Caisse de dépôt et placement du Québec. Cazavan est du même âge que Prieur. Ils sont nés tous les deux en 1919, Prieur le 4 septembre et Cazavan le 21 octobre. Ce dernier a reçu d'abord une formation classique chez les jésuites, au collège Sainte-Marie puis au collège Jean-de-Brébeuf, à Outremont, où il eut notamment comme condisciple Pierre Elliott Trudeau.

Le jeune Cazavan a poursuivi sa formation à l'École des Hautes Études Commerciales, dont il ressortit comptable agréé. Son premier emploi a été au bureau des comptables Anderson et Valiquette, où on lui confia la vérification des maisons de courtage parce qu'il connaissait déjà le milieu à la suite des emplois d'été qu'il avait eus chez L.G. Beaubien. En 1947, il s'est retrouvé comptable à la Commission des tramways de Montréal, jusqu'à la dissolution de l'organisme au début des années 1950. Il devint alors l'adjoint de l'honorable Wilfrid Gagnon, propriétaire de la compagnie Aird et président des Brasseries Dow. Il travailla ensuite quelque temps chez Forget & Forget, puis à la Société de Placements ltée, dont il fut vice-président de 1960 à 1965.

C'est là que Jean Lesage l'appela un beau jour pour lui offrir le poste de sous-ministre des Finances. Après quelques hésitations, car la tâche n'était pas mince surtout à une époque où le gouvernement devait emprunter à tour de bras pour payer les réalisations de la Révolution tranquille, Cazavan accepta. C'était la première fois, semble-t-il, dans l'histoire du Québec qu'un Canadien français catholique accédait au poste de sous-ministre des Finances. Il s'était engagé pour cinq ans aux Finances, mais il accepta de prolonger son mandat jusqu'en 1972, lorsque le gouvernement fédéral lui offrit la vice-présidence de la Corporation de développement du Canada.

Si Prieur était discret, Cazavan l'est encore davantage. C'est un homme pondéré et modeste jusqu'à l'effacement. Il aime relever de nouveaux défis mais se dit dénué d'ambition. Il avouera au journaliste Maurice Chartrand qu'il n'a «pas plus recherché la succession de Claude Prieur, qu'il n'avait souhaité devenir sous-ministre des Finances[1]».

D'ailleurs, le même article mentionne qu'il ne tarit pas d'éloges pour «l'institution parfaitement rodée» dont il a hérité et que sa plus grande préoccupation est «de la faire évoluer sur sa lancée de départ et de conserver le personnel qualifié, recruté par son prédécesseur».

Quoi qu'il en soit, la différence de personnalité et de style entre Prieur et Cazavan ne manquera pas d'avoir des répercussions sur l'administration et l'orientation de la Caisse dans les années à venir. Pour le moment, en cet automne 1973, Cazavan entre en scène dans une période difficile.

Une conjoncture de crise

Même la conjoncture économique est mauvaise, cette année-là. À la Bourse, les cours ne cessent de chuter. Après avoir atteint un sommet sans précédent (1051,7) le 11 janvier 1973, l'indice Dow Jones de New York amorce une baisse qui dure presque toute l'année, entraînant à sa suite les indices boursiers canadiens. Les taux d'intérêt montent, les prix des matières premières aussi. C'est l'année du scandale du Watergate, de la guerre israélo-arabe et de l'embargo arabe sur le pétrole[2]. L'économie canadienne en subit directement le contrecoup.

À la fin d'octobre, on assiste à une brusque plongée des cours boursiers, ce qui place le monde occidental dans un climat de crise économique. Malgré ce contexte difficile, la Caisse ne cesse de prospérer. Son actif approche des trois milliards de dollars (2,895) à la fin de 1973, et ses revenus atteignent 172 445 180$. Cazavan affirmera plus tard que la Caisse a profité de ce contexte exceptionnel pour «acquérir une quantité appréciable d'actions de compagnies dans plusieurs secteurs industriels où elle désirait augmenter sa participation». Cette orientation était déjà prise cependant avant la mort de Prieur, car dès la fin de février, l'institution augmentait sensiblement ses achats d'action, notamment de sociétés susceptibles de bénéficier de la

1. Revue *Commerce*, janvier 1976.

2. «La hausse des taux d'intérêt à court terme, la pénurie de matières premières et les difficultés causées à l'administration américaine par l'imbroglio du Watergate, ont entretenu le pessimisme des investisseurs jusqu'en août [...]» (CDPQ, *Rapport annuel 1973*).

dévaluation du dollar. Et, dans un second temps, après l'entrée en fonction de Cazavan, la Caisse profita de la baisse des cours boursiers en novembre pour «compléter un ambitieux programme d'achats».

À part cette recrudescence d'investissements en actions, la Caisse contribue, par le biais de son Service des placements privés, à la formation de nouvelles sociétés québécoises. Le 23 février, par exemple, elle participe à la création de Placements Innocan ltée, une société de capital de risque. Par ailleurs, la Caisse accueille de nouveaux déposants presque chaque année. Au début de 1973, c'est d'abord la Commission des accidents de travail[3] qui devient le sixième organisme à confier la gestion de ses placements à la Caisse. Autre apport durant l'été 1973, le Régime de retraite des employés du gouvernement et des organismes publics[4] effectue son premier dépôt le 24 août.

Au conseil d'administration, on assiste à un roulement inusité en cette année tumultueuse. Après l'entrée en fonction de Cazavan, Claude Castonguay et Claude Forget viennent remplacer Charles B. Neapole, dont le mandat est expiré, et Michel-F. Bélanger, qui a été nommé, on l'a vu, à la présidence de la Bourse de Montréal. Par la suite, à peine nommé comme représentant du gouvernement, Claude Forget remet sa démission pour devenir député à l'Assemblée nationale, puis ministre dans le nouveau gouvernement Bourassa (réélu le 29 octobre). Enfin, peu après la fin de l'année, le juge Richard Beaulieu entre au conseil d'administration en remplacement du juge John F. Sheehan. Et à travers tout cela, le bouillant chef de la FTQ, Louis Laberge, refait surface au conseil à quelques reprises, après une absence de près de deux ans, due en bonne partie à son emprisonnement à Orsainville et à ses relations tendues avec le gouvernement.

La fraude du trésorier

Après la tragédie de la mort de Prieur et la morosité de l'économie, un scandale est venu jeter le comble à cette malheureuse année 1973.

Au début du mois d'août, à la suite d'un contrôle régulier de régie interne, on débusque des chèques dont la destination apparaît douteuse. Le 26 juillet, un chèque de 625 000$ a été émis à l'ordre de la Compagnie de

3. Devenue aujourd'hui la Commission de la santé et de la sécurité du travail (CSST).

4. Créé par une loi sanctionnée le 6 juillet 1973. Il faut souligner l'importance majeure de ce déposant, qui deviendra un des principaux pourvoyeurs de fonds de la Caisse.

gestion Laurentienne, qui appartient à l'homme d'affaires J. Marcel Gauthier, de Chicoutimi. En remontant la filière, les dirigeants de la Caisse trouvent un second chèque de 750 000$, tiré le 8 mars à l'ordre de «J. Constantine in trust» et Adimcoma ltée, une autre compagnie appartenant à J. Marcel Gauthier. Dans les deux cas, le directeur du Service actions, Pierre Arbour, n'a pas donné son aval. Sa signature au bas des chèques a été contrefaite. Mais l'autre signature est authentique, c'est celle du trésorier Jean-Marie Côté. Une sombre affaire! Les dirigeants de la Caisse sont effarés par leur découverte.

Jean-Marie Côté, 52 ans, est un vieil employé de la Caisse, depuis les débuts. Personne n'aurait jamais pensé... Pourquoi a-t-il fait cela? Pourquoi s'être fourré dans un si gigantesque pétrin? En réalité, Côté était pressuré depuis quelque temps par des dettes personnelles, qui s'élevaient à 86 000$, et dont il n'arrivait plus à supporter le fardeau. Le trésorier avait préparé son affaire de longue main. Il avait rencontré son ami Gauthier, sorte d'entrepreneur tous azimuts qui trempait dans des projets portuaires de plusieurs dizaines de millions à Chicoutimi. Gauthier avait besoin d'argent pour ses diverses compagnies et Côté pour payer ses dettes. Avec un peu d'astuce, ils pensaient sans doute pouvoir tous les deux régler leurs problèmes en puisant dans la corne d'abondance de la Caisse.

Aussitôt le pot aux roses mis au jour, le directeur général intérimaire Jean-Michel Paris ne fait ni une, ni deux. Il informe la Banque canadienne nationale, qui a honoré les deux chèques, que la Caisse leur réclamera le remboursement des chèques falsifiés (pour vérification insuffisante des signatures). Puis, il alerte la police et procède vite, mais avec prudence, pour que Côté ne prenne pas la clé des champs. Celui-ci est longuement interrogé le vendredi et le samedi (10 et 11 août) par les autorités de la banque, et notamment par Gilles A. Archambault, directeur de la sécurité, qui enregistre une déposition par écrit d'une dizaine de pages sur les circonstances des transactions illicites.

Le lendemain, le trésorier est arrêté, et la Caisse publie un communiqué, qui fait les manchettes des journaux le lundi matin, 13 août. Côté comparaît en correctionnelle le même jour. Il reste incarcéré durant trois jours et est libéré sous caution (deux cautionnements de 5000$ chacun), en attendant l'enquête préliminaire[5].

---

5. Cette enquête préliminaire se tiendra du 1er au 5 avril 1974, et le procès aura lieu en janvier suivant. Le 25 janvier 1975, Côté, ayant plaidé coupable, sera condamné à sept ans

Le 17 septembre, à Québec, lorsque Marcel Cazavan est présenté au conseil d'administration comme le nouveau président de la Caisse, la fraude du trésorier est à l'ordre du jour. On fait état des procédures entreprises pour récupérer les montants fraudés. Finalement, ce sera le 7 février suivant que Cazavan pourra apprendre aux membres du conseil que les assurances ont remboursé la Caisse[6].

Après cette sombre année 1973, la Caisse entre dans une période de progression sereine, du moins pour quelques années.

Le Soleil à vendre

Peu de temps après l'entrée en fonction de Cazavan, la Caisse est sollicitée pour un investissement qui ressemble à celui de Cablevision. Cette fois, il s'agit de l'achat du quotidien *Le Soleil* de Québec, appartenant à la famille Gilbert.

L'initiative est issue du gouvernement à l'automne 1973. Les libéraux viennent d'être réélus. Sensible aux nombreuses critiques qui ont cours sur la concentration de la presse, Robert Bourassa, avec l'aide de son ministre d'État Fernand Lalonde, s'affaire en catimini à mettre sur pied un cartel financier pour contrer une mainmise éventuelle de Power Corporation ou de Quebecor sur *Le Soleil*. D'ailleurs, en 1973, beaucoup de pièces ont bougé sur l'échiquier de la presse. En août, Power Corporation, déjà propriétaire de *La Presse*, a acquis le *Montréal-Matin*, tandis que le groupe FP Publications achetait *The Montreal Star*. Englobés par ces deux Léviathans, les deux quoti-diens allaient bientôt disparaître. D'autre part, en ce même mois d'août, un groupe d'affaires de Québec a acheté l'autre quotidien de la Vieille capitale, *L'Action*, pour le transformer en *Action-Québec*, puis en *À Propos*, puis en rien!

Il n'est pas étonnant, dans ce contexte, que la vente du *Soleil* soulève des inquiétudes. Le 14 décembre, une dépêche de la Presse canadienne annonce qu'un «groupe d'hommes d'affaires de Québec» a accepté de se porter

---

d'emprisonnement par le juge Émile Trottier. La sentence deviendra exécutoire le 30 juin suivant, après rejet de la procédure d'appel.

6. La Caisse, en fin de compte, n'a rien perdu dans l'affaire. C'est la Banque Canadienne Nationale qui a essuyé une perte de 100 000$ environ; et les compagnies d'assurances Hartford et Lloyd's ont déboursé 375 000$. Gauthier avait, au début de 1975, remboursé 900 000$. Somme toute, Côté n'aurait profité que de 70 000$ environ.

acquéreur du *Soleil*, et que Robert Bourassa a confirmé la nouvelle. Le montant de la transaction est de 8 millions$[7]. Il y aurait cinq partenaires qui se partageraient chacun 20% des actions, soit les deux frères Gilbert (Gabriel et Guy), la Caisse, des hommes d'affaires associés avec la Laurentienne ainsi que l'Union régionale de Québec des caisses populaires Desjardins.

Mais quelqu'un arrive à la dernière minute, comme un *deus ex machina*, et rafle le morceau. Il s'agit de Jacques Francœur, propriétaire de la modeste chaîne Uni-Média. En réalité, celui-ci a réglé les choses en quelques coups de téléphone à la mi-décembre: un appel à Gabriel Gilbert (pour les conditions d'achat du journal), un appel à Paul Desmarais (pour le transfert de l'option d'achat de Power), un autre à Robert Bourassa (pour le feu vert du gouvernement), un autre encore à la Banque Canadienne Nationale (pour le financement), et le tour est joué. L'affaire se trouve bel et bien bâclée le 14 janvier 1974. *Le Soleil* est vendu, en fin de compte, pour un maigre 200 000$ de plus que les 8 millions offerts par le groupe financier de Québec ainsi que par Quebecor. La Caisse, quant à elle, qui a bien d'autres sacs où mettre ses billes, referme le dossier, sans plus.

À quoi sert le syndicat financier?

Un dossier se ferme, un autre s'ouvre à nouveau: celui du syndicat financier, une pomme de discorde qui reste d'actualité.

Dans un article qui paraît le 14 décembre 1973, Laurier Cloutier révèle que depuis 1966 le marché financier canadien est resté fermé aux obligations du Québec. Pour arriver à cette constatation, le journaliste de *La Presse* a fouillé des documents publics, comme la Revue mensuelle de la Banque du Canada, les prospectus d'émission du gouvernement du Québec et d'Hydro-Québec, ainsi que divers rapports annuels (ministère des Institutions financières, Bureau du surintendant des assurances, Caisse de dépôt et placement du Québec, Commission des accidents du travail, etc.).

Ce sont quatre institutions québécoises, dont trois paragouvernementales, qui ont acheté la presque totalité des titres du Québec émis au Canada. De fait, entre le 31 décembre 1966 et le 31 décembre 1972, la Caisse, à elle seule, en a acquis pour 969 millions de dollars. Il semble que non seulement

7. La raison principale de ce chiffre, semble-t-il, est que la famille Gilbert comptait huit membres.

les sociétés financières de Toronto n'ont pas acheté d'obligations québécoises depuis 1966, mais elles auraient aussi cherché de toutes les façons à se débarrasser des obligations acquises antérieurement.

En tenant compte du fait que des dizaines d'autres sociétés et organismes financiers québécois ont accumulé des obligations du Québec dans leurs portefeuilles, le nombre obtenu dépasse de beaucoup le chiffre des emprunts publics contractés par le gouvernement provincial et Hydro-Québec. Selon le journaliste, cela ne peut s'expliquer que par des reventes, parfois massives, d'anciens titres québécois par des maisons de Toronto.

Cloutier indique comment les maisons torontoises réussissent à la fois à ne pas acquérir de nouvelles obligations du Québec et à se défaire des anciennes, tout en sauvant la face. Lors des nouvelles émissions, les financiers de Toronto achètent en échangeant d'anciens titres (c'est ainsi que les courtiers peuvent affirmer que les sociétés torontoises ont acheté pour tel ou tel pourcentage de l'émission). Puis les courtiers refilent aux caisses populaires les vieux titres ainsi obtenus. Cet aller-retour artificiel des obligations québécoises coûte des montants additionnels à nos institutions, selon le chroniqueur financier. Notamment, des commissions inutiles et des prix trop élevés.

Ces révélations amènent Parizeau à réenfourcher son cheval de bataille favori pour courir sus au syndicat financier. Il le fait d'abord, en disant ce qu'il en pense à Laurier Cloutier, qui lui a demandé sa réaction. « D'une part, dit-il, le Québec importe des capitaux des États-Unis et de divers marchés étrangers et, d'autre part, il en exporte à Toronto. On a considérablement facilité le financement de l'Ontario en nettoyant les portefeuilles des sociétés financières[8]. » Quelques jours plus tard, profitant de sa chronique financière dans *Québec-Presse*, Parizeau fulmine :

> Et tout ce ballet est agencé par un syndicat financier, passé maître dans l'utilisation de l'argent indigène, et dont la contribution propre à notre financement est maintenant rigoureusement égale à zéro. Cela prouve plus que jamais, selon lui, que ce syndicat financier est parfaitement inutile et qu'il faut le remplacer par la Caisse.

Fort bien, mais il faudrait peut-être demander son avis à la principale intéressée. Justement, qu'en pensent les dirigeants de la Caisse? On peut dire, à tout le moins, que si le gouvernement ne semble pas pressé de confier

8. *La Presse*, 14 décembre 1973.

un tel rôle à la Caisse, la Caisse l'est encore moins de l'accepter. Déjà, à l'automne 1971, quand la polémique faisait rage, quelques mois avant la décision du gouvernement d'accroître la présence des maisons francophones au sein du fameux syndicat, les dirigeants de la Caisse avaient laissé entendre que la perspective d'agir comme agent financier du gouvernement ne les enthousiasmait guère. Ils entrevoyaient des possibilités de conflits d'intérêts et des entraves à leur rôle primordial, qui est de rentabiliser au mieux le fonds des rentes du Québec. En gros, c'est: non, merci, on n'y tient pas. Que ce calice s'éloigne de nous. C'est-à-dire, à mots couverts: on ne veut pas être attaché plus qu'il ne faut au gros char de l'État.

La Caisse réussit mieux que le Canada Pension Plan

Pendant ce temps, la réussite de la Caisse s'impose même à l'extérieur du Québec. Sa croissance est devenue exemplaire parmi les institutions financières du pays.

Le 11 janvier 1974, par exemple, *La Presse* révèle que le rendement de la Caisse est meilleur que celui du Canada Pension Plan. Selon une étude réalisée par la Bourse de Toronto et l'Université Western Ontario, il appert qu'en sept ans d'existence des deux institutions, il y a quatre années où la Caisse a obtenu de meilleurs résultats que son homologue fédéral. En 1966, la première année, les rendements ont été à peu près équivalents; mais en 1968 et en 1972 notamment, la Caisse a obtenu des rendements supérieurs de plus de 4% à ceux de l'organisme fédéral.

Cet excellent rendement de la Caisse, dû en grande partie au fait qu'elle n'est pas astreinte à ne prêter qu'à l'État (comme son homologue fédéral), n'empêche pas le gouvernement Bourassa – qui a besoin de beaucoup d'argent pour ses projets hydro-électriques – de manifester envers elle des intentions d'étatisation. Ainsi, en novembre 1974, dans une entrevue accordée à deux journalistes du *Soleil*, le ministre Garneau déclare qu'il songe à modifier la politique de placement de la Caisse, «de façon à l'obliger à consacrer jusqu'à 100 pour cent de ses avoirs à l'achat de titres du gouvernement du Québec et d'Hydro-Québec[9]».

La réaction de Cazavan est prudente. L'article avait paru durant le week-end; le lundi suivant, 19 novembre, le pdg de la Caisse confie au journaliste

9. *Le Soleil*, 16 novembre 1974.

de *La Presse*, Rhéal Bercier, qu'il a pour le moins des «réserves» sur les intentions énoncées par le ministre des Finances mais qu'il reste ouvert à la discussion. Le même jour, à l'Assemblée nationale, l'opposition péquiste presse le gouvernement de dire si oui ou non la baie James «étouffe financièrement» le Québec et de préciser ses intentions quant à la Caisse. Bourassa affirme qu'il est d'accord avec son ministre des Finances au sujet de la Caisse. «Dans toutes les autres provinces, dit-il, les fonds de pension servent à financer les investissements publics.»

L'affirmation du chef du gouvernement crée un certain effarement. Car elle semble renier d'un coup tout ce pour quoi la Caisse a été créée, toute la différence qui lui a permis de prospérer autant et de contribuer de plus en plus à l'essor économique du Québec francophone. Le chef de l'opposition, Jacques-Yvan Morin[10], réussit à arracher au premier ministre la promesse qu'il n'y aura aucune modification à la politique de la Caisse sans que les parlementaires puissent en débattre.

La Caisse, dont le rendement impressionne de plus en plus d'année en année, devient une sorte de vache sacrée dans l'opinion publique. D'ailleurs, en 1974, son actif saute la barre des trois milliards de dollars[11], grâce à une hausse de plus de 500 millions. Quant à ses revenus de placement, ils excèdent, pour la première fois, les 200 millions de dollars, dans une conjoncture inflationniste[12]. Cette année-là, le portefeuille du fonds général comprend des actions de 169 sociétés[13], dont 155 sont inscrites en Bourse. La Caisse souligne, dans son rapport annuel, qu'elle n'achète que des actions d'entreprises canadiennes et qu'elle favorise l'exécution des transactions à la Bourse

10. Le chef de cabinet de Jacques-Yvan Morin, à cette époque, est un jeune avocat qui s'appelle Jean-Claude Scraire, le futur président de la Caisse.

11. À la fin de l'année, l'actif du fonds général s'établit à 3 163 506 290$, et le total de tous les fonds gérés par la Caisse à 3 565 629 889$.

12. «En 1974, l'inflation a dominé la conjoncture économique mondiale et provoqué des perturbations déroutantes. Au Canada comme dans les autres pays industrialisés, l'année a été caractérisée par des hausses rapides et sensibles de prix ainsi que par une rareté de certains produits et denrées. La cherté des produits pétroliers, notamment, a causé des déficits inquiétants dans la balance des paiements des pays importateurs. Ces déséquilibres ont engendré un net ralentissement de la croissance économique à l'échelle mondiale.» (CDPQ, *Rapport annuel 1974*.)

13. Par comparaison, à la fin de 1987, la Caisse comptera des investissements en actions et en obligations dans 195 entreprises, et en 2001, dans plus de 3500!

de Montréal, dont elle est devenue une sorte de locomotive. Elle commence néanmoins à lorgner du côté des États-Unis. Ses dirigeants se rendent bien compte qu'un jour ou l'autre, la Caisse aura fait le plein au Canada et qu'il lui faudra déboucher sur les marchés extérieurs pour placer l'argent qui ne cesse d'affluer dans ses coffres. Mais cela reste encore un vœu pieux. Il faudra attendre d'autres circonstances et d'autres hommes pour que la chose se concrétise.

Le Conseil veut faire le point

Mener une grosse barque comme la Caisse exige souvent qu'on s'arrête pour faire le point, pour voir où l'on s'en va, pour rectifier la position et changer de cap, le cas échéant. C'est, en tout cas, le besoin qu'a exprimé le conseil d'administration le 23 février 1973. Mais Claude Prieur n'a plus alors que quelques semaines à vivre, et son décès reporte le remue-méninges à plus tard.

La question revient sur le tapis l'année suivante. Cet examen en profondeur du rôle de la Caisse est devenu encore plus opportun avec le changement de direction, d'une part, et plus impérieux, d'autre part, au moment où le gouvernement québécois, qui s'engage dans les grands travaux de la Baie James, a des besoins énormes de capitaux. Les administrateurs de la Caisse se rassemblent donc en retraite fermée, les 27 et 28 avril 1974, dans une auberge de Mont-Gabriel, dans les Laurentides. On se penche sur la politique de placement, sur les structures d'organisation et sur une question qui se pose de plus en plus à mesure que la Caisse acquiert des participations importantes dans diverses compagnies: la Caisse doit-elle être représentée aux conseils d'administration de ces sociétés? Si oui, par qui et comment? La question est débattue en long et en large. Pour le moment, il semble que la sacro-sainte loi du vieux libéralisme économique assure encore un rempart inexpugnable au secteur privé contre l'envahissement de sociétés d'État comme la Caisse. Du moins, dans l'esprit des administrateurs de la Caisse, car ceux-ci ne se montrent pas favorables «à l'idée qu'un officier [*sic*] ou représentant de la Caisse siège au conseil d'administration d'une corporation privée ou publique», sauf pour des cas particuliers où cette représentation serait opportune, ajoutent-ils. Mais ils ne disent pas ce qui la rendrait opportune.

On convient cependant que la Caisse puisse, à l'occasion, proposer qu'un délégué de l'extérieur la représente au sein d'un conseil d'administration; et qu'elle puisse intervenir auprès de sociétés anglophones «pour qu'un ou des administrateurs de langue française soient nommés membres de leur conseil d'administration». Il s'agit de la promotion des Québécois francophones dans un milieu qui tendait à les écarter systématiquement. Déjà les choses ont pris une autre tournure depuis dix ans, en bonne partie grâce aux grandes sociétés d'État issues de la Révolution tranquille. La Caisse, elle, en moins de dix ans d'existence, s'est déjà révélée un levier extraordinaire à cet égard. Et ce n'est qu'un début.

L'automne arrive, et le Conseil se retrouve en séance spéciale le samedi 23 novembre. On examine un rapport de prospective, qui décrit l'évolution des fonds confiés à la Caisse, de 1966 à 1984. Il est intéressant de comparer ce qui est projeté alors avec ce qui arrivera en réalité. Cela donne une mesure de la croissance spectaculaire de la Caisse. Ainsi, le rapport de 1974 projette, pour le 31 décembre 1984, un portefeuille total de 8 milliards de dollars, alors qu'il s'élèvera, cette année-là, à 20,7 milliards. En dix ans, on le voit, le saut sera gigantesque et bien au-delà de toutes les prévisions.

Sur le rôle économique de la Caisse, le président souligne que la Caisse doit intensifier son action dans le regroupement d'entreprises. Mais comment? La création par la Caisse d'une compagnie de gestion (holding) faciliterait-elle son entrée en scène dans ce domaine? En tout cas, il semble que certains membres du Conseil verraient d'un bon œil une telle initiative.

Des initiatives immobilières controversées

La Caisse a commencé à s'engager dans l'immobilier (par le biais du financement hypothécaire) dès ses premières années d'existence. Au début des années 1970, cependant, les gros projets se multiplient, tant résidentiels que commerciaux: dans l'Outaouais où les édifices gouvernementaux se mettent à bourgeonner, à Québec en pleine métamorphose et dans Montréal qui se prépare aux Jeux olympiques de 1976.

La Caisse, forcément, y trouve des occasions de plus en plus intéressantes d'investissement. Mais s'il est un secteur qui prête plus que d'autres au tripotage, c'est l'immobilier; et parfois la Caisse se trouvera mêlée, bien malgré elle, à certaines polémiques à caractère politique. L'un de ses gros investissements ces années-là, comme on l'a vu, c'est Place du Centre à Hull: un projet de près de 100 millions de dollars, dont la Caisse assure environ 85% du financement. Cette participation ne va pas cependant sans provoquer des grincements de dents. On reproche à la Caisse d'être trop généreuse envers la société Cadillac Fairview. En février 1974, l'affaire devient sujet de diatribes à l'Assemblée nationale, où l'on accuse même la Caisse d'utiliser l'argent des Québécois «pour permettre aux étrangers de les administrer». Les députés de l'opposition laissent entendre, en commission parlementaire, que les libéraux auraient poussé l'institution à investir dans un projet qui ne constitue pas un bon placement pour elle. Le maire de Hull, Gilles Rocheleau, s'en mêle, accusant les péquistes de traîner dans la boue politique un projet vital pour sa ville; bref, la chicane prend parmi les honorables députés, qui en viennent presque aux mains.

Une autre entreprise immobilière de la Caisse suscite des critiques analogues: Place Dupuis. Que la Caisse finance la construction de ce complexe de 35 millions de dollars, rien là que de très normal. Qu'elle ait aussi acheté les terrains pour les concéder en bail emphytéotique (99 ans) aux promoteurs, c'est encore très régulier. Sauf qu'on découvre dans la presse que ces terrains avaient été acquis auparavant par des libéraux notoires, qui ont réalisé un profit substantiel en vendant à la Caisse. Les terrains (69 479 pieds carrés) avaient, en effet, été achetés en 1972 par la société Place Dupuis inc., au prix de 1,9 million de dollars, et la Caisse les rachetait le 2 août 1973 pour 2,4 millions. Une jolie plus-value d'un demi-million de dollars en un an. Le hic, c'est que parmi ceux qui empochent cette belle différence se trouvent des gens très proches du Parti libéral, notamment l'architecte Normand-C. Gagnon, dont le nom vient de rebondir à la Commission Cliche (devant les commissaires Robert Cliche, Brian Mulroney et Guy Chevrette, qui essaient de nettoyer les écuries d'Augias de la construction), et l'ex-éminence grise de Bourassa et organisateur en chef du Parti libéral, Paul Desrochers.

En ce printemps 1975, les journalistes découvrent que Desrochers et Gagnon étaient partenaires dans Sogena, la société mère de Place Dupuis inc. qui a acheté les terrains et réalisé un joli profit en les revendant à la Caisse[14]. Le pire pour cette dernière, c'est qu'on insinue dans la presse que Desrochers l'aurait manipulée directement. On relève que toutes les transactions concernant la Place Dupuis (achat des terrains, bail emphytéotique et première émission d'obligations) ont été conclues la même journée, le 2 août 1973, soit dans l'interrègne entre Prieur et Cazavan. On va jusqu'à prétendre

14. Selon une enquête réalisée par *La Presse*, Sogena comptait aussi parmi ses actionnaires Arthur Simard, cousin par alliance du premier ministre. *Cf.* «Il était de notoriété publique que Desrochers détenait des actions dans Sogena», *La Presse*, 9 mai 1975.

que Desrochers, dans les coulisses, aurait dirigé la Caisse durant cette période intérimaire.

Ce que la presse oublie de mentionner, cependant, c'est que la Caisse a été saisie du projet dès juillet 1971, et que les principales décisions d'investissement ont été prises sous Prieur. Il n'empêche, l'affaire semble trop juteuse pour que les journalistes et surtout les députés d'opposition, qui flairent une «combine libérale», la laissent tomber de sitôt. Interviewé par le journaliste Rhéal Bercier de *La Presse*, Cazavan affirme qu'il ignore s'il y a eu ingérence politique mais que la chose est «théoriquement plausible[15]». L'affaire rebondit à l'Assemblée nationale, où elle mettra Robert Bourassa dans l'embarras... durant quelques jours.

L'actif quadruple sous Cazavan

Au moment où Cazavan prend en main la Caisse, en octobre 1973, celle-ci compte un actif de deux milliards et demi de dollars environ. Un an plus tard, à la fin de 1974, l'actif sous gestion dépasse les trois milliards de dollars (3 163 506 290$ pour l'actif du fonds général, et 3 565 629 889$ pour la totalité des fonds sous gestion). Pour la première fois, les revenus de placement ont excédé les 200 millions de dollars.

Désormais, c'est par bonds de milliards de dollars que la Caisse progressera chaque année. Pour cette géante en devenir, les foulées sont de plus en plus grandes. Ainsi, en 1976, le total des biens sous gestion atteint 5,2 milliards de dollars; en 1977, 6,5 milliards; en 1978, 7,9 milliards; et en 1979, 9,25 milliards). Le rendement moyen, lui aussi, ne cesse de croître. Alors qu'il fluctuait autour de 6,5% durant les premières années, à partir de 1970 il franchit le cap des 7%; en 1975, il atteint 8,11%; en 1979, la dernière année de Cazavan, il s'établira à 9,69%.

Dans les années 1970, deux facteurs en particulier contribuent à accélérer l'expansion de la Caisse: d'abord l'apport de nouveaux déposants, puis un mouvement haussier qui persiste, en amplitude et en longueur, à la Bourse, de la fin de 1974 jusqu'au début des années 1980. On a vu que deux déposants importants s'étaient inscrits durant la seule année 1973. En 1978, un autre déposant majeur fait son entrée, la Régie de l'assurance-automobile, dont les contributions sont supérieures à celles de la Régie des rentes: une

15. «Une ingérence politique "théoriquement plausible"», *La Presse*, 30 avril 1975.

première dans l'histoire de la Caisse. Alors qu'au début des années 1970, la Régie des rentes contribuait pour plus de 80% des entrées de fonds, cette proportion était tombée à 21% en 1979: un renversement complet de situation.

À la fin de la décennie, d'après une enquête de la revue *Canadian Business* publiée en juillet 1979, la Caisse se classe, par son actif, au 5e rang des sociétés d'État au Canada; et, par son revenu net, au 2e rang, derrière la Banque du Canada.

Mais on observe une tendance qui soulève des inquiétudes durant ces années: la baisse relative des investissements en actions. À l'époque de Prieur, la Caisse misait de plus en plus sur cette forme d'investissement, plus risquée sans doute mais aussi plus dynamique et plus rentable que les obligations. Au début de 1973, dans les derniers mois de sa vie, Prieur avait même profité d'une conjoncture favorable à la Bourse pour accélérer le rythme des achats d'actions, notamment du côté des sociétés susceptibles de bénéficier de la dévaluation du dollar.

Ainsi donc, non seulement au début des années 1970 la Caisse gérait-elle le plus important portefeuille individuel d'actions de sociétés canadiennes au pays, mais ce portefeuille s'était accru graduellement au cours des années, jusqu'à représenter près de 20% de tous les placements de l'institution. Or, à partir de 1975, un net fléchissement s'y fait sentir, glissant jusqu'à 10,31% en 1979.

Du côté des placements dans les sociétés, la Caisse n'en continue pas moins de jouer un rôle moteur, surtout en ce qui concerne les regroupements, les fusions et la constitution de nouvelles entreprises québécoises. Sa participation dans Provigo se poursuit, ainsi que dans Bombardier, Power Corporation, Normick Perron, etc. Par ailleurs, sa politique de placement sans cesse en évolution lui permet «de considérer désormais des financements de moindre envergure et dont la limite inférieure se situerait à 250 000$».

Mais déjà, à ce moment, quelque chose a eu lieu qui va remettre en question, peu à peu, toute l'orientation de la Caisse. Un tremblement de terre qui s'appelle l'élection du Parti québécois, le 15 novembre 1976.

La Caisse sous le Parti québécois

Le changement de pouvoir à Québec amènera une remise en question profonde de la Caisse et de son activité, mais les changements ne se feront pas du jour au lendemain.

De fait, l'élection inattendue du parti indépendantiste de René Lévesque provoque au départ un mélange de stupéfaction et d'incrédulité dans les milieux politiques et financiers. De la part d'intérêts qui n'avaient pas hésité autrefois, et dans des circonstances bien moindres, à utiliser leur force de pression contre le seul gouvernement francophone en Amérique du Nord, on peut cependant craindre toutes sortes de réactions d'hostilité.

L'un de ceux qui en sont les plus conscients s'appelle Jacques Parizeau, l'ancien conseiller économique de Lesage et de Johnson et qui a joué, on le sait, un rôle de premier plan dans la conception et l'évolution de la Caisse. Parizeau est aussi le concepteur du volet économique de la souveraineté-association, le bras droit économique de Lévesque, en quelque sorte. Il doit assumer le portefeuille des Finances dans les jours qui suivent, et il connaît la musique.

Le 16 novembre au matin, à la première heure, il téléphone au président de la Caisse:

— Monsieur Cazavan, de combien de liquidités disposez-vous en ce moment?

— Mon cher, ne vous en faites pas, nous en avons pour au-delà de 600 millions de dollars, et c'est mobilisable dans l'heure!

Parizeau est rassuré. Ce magot est suffisant, au départ, pour contrecarrer les tentatives de reventes massives d'obligations du Québec. Mais il faut que ça se sache. Il passe donc une bonne partie de la journée «à faire un ramdam», comme il le dit, dans les milieux financiers, répétant partout: Messieurs, n'essayez pas, la Caisse a de l'argent. Et «pour la première fois dans l'histoire du Québec, dit-il, pour la première fois, ils n'ont pas essayé[16]!»

Dans son for intérieur, l'ancien technocrate de la Révolution tranquille, le compagnon politique de Lévesque, jubile: la Caisse est devenue un instrument majeur pour briser les anciennes servitudes. Mais la partie n'est pas gagnée pour autant.

---

16. Un autre facteur qui contribua à empêcher les manœuvres habituelles d'intimidation fut sans doute le prestige de Parizeau, dont on n'ignorait pas qu'il connaissait les rouages du financement et qu'il ne manquait pas de contacts dans les milieux financiers internationaux.

Le marché est nerveux

Dans les jours qui suivent la victoire du Parti québécois, l'atmosphère est plutôt à la stupeur et au désarroi. Les marchés boursiers manifestent quand même un peu d'humeur. Rien n'est plus nerveux qu'un million de dollars, selon ce qu'on dit dans les milieux financiers. Comme le rapportera plus tard Cazavan, la réaction est «vive mais ordonnée[17]». Ainsi, les 16 et 17 novembre, l'indice des valeurs industrielles de la Bourse de Toronto et l'indice général de la Bourse de Montréal accusent des baisses respectives de 4,46% et 4,27%; néanmoins, la situation se stabilise la troisième journée, où les marchés boursiers clôturent à la hausse.

Mais le plus important à observer, ce sont les répercussions sur les obligations du Québec. Bien sûr, il semble qu'on puisse éviter des reventes massives grâce au chien de garde qu'est la Caisse, mais que va-t-il se passer au niveau du taux d'intérêt?

Dans les dernières semaines avant les élections du 15 novembre, un mouvement à la hausse s'était fait sentir: l'écart, qui oscillait entre 10 et 20 points, était monté peu à peu jusqu'à 40 points. Et dès le lendemain du scrutin, selon *The Globe and Mail*, l'écart entre les «Québecs» et les «Ontarios» est passé de 36 à 43 points: un effet minime, presque insignifiant dans les circonstances. On signale cependant que les réductions de prix sur les titres du Québec au Canada et aux États-Unis proviennent d'un faible volume de transactions, ce qui témoigne d'une attitude attentiste. Dans l'ignorance de ce qui se passe vraiment, le marché préfère s'abstenir. C'est le *wait and see*.

De son côté, la Caisse évite d'intervenir trop visiblement pour ne pas énerver le marché[18]. Les regards sont tournés vers elle. Toute intervention massive de sa part pourrait constituer un signal d'alarme, un signe que les titres du Québec sont en train de «tomber». Dans ce contexte, les dirigeants du PQ multiplient les déclarations rassurantes. Lévesque constate le lendemain de l'élection que «le ciel ne nous est pas tombé sur la tête», et Parizeau déclare au *Globe and Mail* que le PQ n'a pas l'intention de mettre le monde sens dessus dessous. Ce que les milieux financiers, surtout étrangers, craignent plus que le souverainisme, c'est la tendance socialiste du Parti québécois.

---

17. Caisse de dépôt et placement du Québec, *Rapport annuel 1976*.

18. Le Rapport annuel 1976 fait tout de même état d'une intervention de la Caisse sur le marché secondaire, pour ordonner le marché des obligations du gouvernement.

Parizeau manœuvre prudemment. Il sait que le véritable test du PQ sur les marchés financiers aura lieu lors de la prochaine émission publique du gouvernement. De Toronto, on ne se gêne pas pour lui faire savoir, par la voix des journaux, qu'on l'attend de pied ferme. On ne cesse de citer des *bond market sources* (informateurs du marché des obligations), qui évoquent les difficultés qu'aura le gouvernement du Québec à vendre ses obligations à cause des «incertitudes créées par l'élection du PQ».

Le marché public, le nouveau ministre des Finances n'entend pas le fuir; au contraire, il veut prendre le taureau par les cornes, mais il prend soin de bien mesurer le terrain avant de s'y risquer. Partout la presse, et particulièrement du côté anglophone, fait état de la nervosité du marché des valeurs. Un article paru dans l'influent hebdomadaire new-yorkais *Barron's*, à la fin de novembre, a semé l'alarme en comparant Lévesque à Castro et Allende. Il fallait s'attendre à des réactions peu amicales du côté canadien, mais du côté américain, c'est une autre paire de manches... Le nouveau gouvernement québécois ne peut se permettre de laisser courir toutes ces rumeurs, qui font le jeu de Bay Street en menaçant de lui fermer des portes aux États-Unis. Il vaut mieux mettre cartes sur table tout de suite. C'est à ce moment-là que René Lévesque décide d'aller prononcer un discours à l'Economic Club de New York, le 25 janvier 1977, devant le gratin de la haute finance américaine.

Mais les propos du premier ministre, qui compare la victoire des forces indépendantistes au Québec à la Révolution américaine de 1776, ne calment pas les esprits, au contraire. Au début de février, les journaux soulignent que le crédit du Québec s'est fortement détérioré à New York. Entre-temps, la puissante compagnie d'assurances Sun Life vient jeter un énorme pavé dans la mare en manifestant son intention de déménager son siège social à Toronto. C'est Parizeau qui a annoncé lui-même la nouvelle au début de janvier, histoire de désamorcer la bombe ou plutôt de la retourner contre l'envoyeur avant qu'elle n'éclate. «Aucune compagnie, fulmine-t-il, n'a exporté aussi systématiquement l'épargne des Québécois.»

Dans les circonstances, et particulièrement avec les retombées du discours de New York, la pression s'accroît sur le grand argentier québécois. Il a demandé à ses fonctionnaires des Finances de préparer une émission d'obligations qui soit si attrayante que le marché ne puisse la refuser. Un jour, le directeur général des emprunts arrive dans son bureau avec une formule originale, qui le séduit d'emblée. Cette formule comporte une option à échéance à double volet: ainsi, au bout de cinq ans, l'investisseur peut garder l'obligation cinq autres années au même taux d'intérêt (9,25 %), ou 15 ans à 9,75 %[19]. De quoi attendre que le climat économique du Québec soit revenu au beau fixe.

Le fonctionnaire qui a proposé cette brillante formule s'appelle Jean Campeau. Il ne se doute pas qu'il vient dès lors de mettre le pied dans l'étrier qui le propulsera, quelques années plus tard, à la tête de la Caisse de dépôt et placement du Québec. Parizeau a déjà remarqué l'homme, mais cette fois il va le tirer du rang. Il le fait nommer sous-ministre adjoint. « Ça n'avait pas de bon sens, dira-t-il plus tard, cet homme-là empruntait à toutes fins utiles pour tout le Québec, pour la totalité des sociétés d'État, et il n'était que directeur de direction générale. Je me suis rendu compte aussi qu'il avait des vues absolument remarquables sur l'organisation financière du Québec[20]. »

Le 1er mars 1977, le gouvernement péquiste lance 175 millions de dollars d'obligations sur le marché, en retenant son souffle. L'émission s'écoule la journée même. Le test est concluant. S'il a préparé soigneusement le terrain et pris toutes les dispositions nécessaires avec les firmes de courtage pour ne pas rater son coup, Parizeau a quand même voulu que cette émission ait pleine valeur de sondage du marché ; il a donc demandé au préalable à la Caisse de s'abstenir d'y prendre part. La semaine suivante, pour compléter le programme d'emprunt du gouvernement, le ministre des Finances n'a qu'à se retourner pour puiser dans les coffres de la Caisse 125 millions de dollars, et le tour est joué.

C'est ainsi que la première émission publique d'obligations du gouvernement Lévesque s'avère un succès malgré tous les prophètes de malheur, surtout de Toronto. Et pour achever de clore le bec à ceux qui doutaient encore, en juin, la firme Standard and Poor de New York maintient la cote de crédit « AA » du gouvernement québécois.

Les yeux et les oreilles du premier ministre

Raffermi sur sa selle financière, le nouveau gouvernement va désormais pouvoir se pencher de plus près sur cette Caisse pour laquelle, on le sait, Parizeau a une prédilection particulière. La première chose à faire, naturellement, est de s'assurer des alliés dans la place. Les premiers gestes concrets

19. Les obligations extensibles de ce type sont devenues plus tard monnaie courante.
20. Entrevue de l'auteur avec Jacques Parizeau, décembre 1987.

en ce sens sont posés dès l'automne 1977, quand Michel Caron, qui a succédé à Pierre Goyette comme sous-ministre des Finances, et surtout André Marier entrent au conseil d'administration de la Caisse.

À cause de ses états de service, Marier se retrouve à représenter officieusement le premier ministre au conseil. Sa nomination est donc non seulement lourde de signification dans le nouveau contexte politique du Québec, elle sera aussi lourde de conséquences pour l'évolution de la Caisse dans les quelques années à venir. De fait, on a l'impression d'assister tout à coup à une sorte de reprise de la Révolution tranquille avec le retour des acteurs essentiels qui ont présidé à la conception de la Caisse: les Parizeau, Marier, Morin et même René Lévesque, sauf qu'ils n'ont plus besoin de manœuvrer en coulisse pour faire passer leurs idées. Ils sont maintenant aux commandes. Il y a donc tout lieu de croire que ces hommes, qui ont poussé à la roue jadis pour que la Caisse devienne l'instrument d'émancipation économique et financière du Québec, ne renieront pas leurs idéaux et qu'ils chercheront, par conséquent, à rendre la Caisse plus interventionniste.

À sa nomination, le 21 décembre 1977, André Marier arrive un peu en avant-garde, comme une sorte d'éclaireur détaché par le nouveau gouvernement pour les opérations à venir. Le premier ministre Lévesque n'a pas oublié le jeune économiste qui lui avait préparé les études préalables à la nationalisation de l'électricité dès 1960. Il l'a nommé lui-même au conseil de la Caisse, et c'est à lui que Marier devra rendre compte durant tout son mandat. André Marier se retrouve donc à la Caisse comme un poisson dans l'eau. Si on peut dire de la Caisse qu'à l'instar de la Confédération elle a eu plusieurs pères, Marier en est sûrement un. C'est lui qui, au début des années 1960, au sein du Comité Wheeler Dupont et pour le Conseil d'orientation économique, a défini les petites et les grandes lignes du rôle économique du futur organisme financier. En outre, il a été l'un des principaux rédacteurs du Rapport Tetley sur les investissements étrangers en 1973, lequel proposait notamment que la Caisse fasse sentir davantage son poids économique au Québec.

Il y a toujours eu un membre du conseil d'administration de la Caisse en liaison étroite avec le chef du gouvernement québécois: le précédent avait été Claude Castonguay, et avant lui Michel Bélanger, lequel avait succédé à Jacques Parizeau en 1969. Le 4 janvier 1978, au cours d'une conversation téléphonique, Parizeau indique donc à Marier qu'il lui faut être «les oreilles, les yeux et le bras du premier ministre» au conseil d'administration de la Caisse. Et Cazavan en a été dûment averti, ajoute-t-il.

Le 16 janvier, Marier assiste, pour la première fois, à une réunion du conseil d'administration de la Caisse. Trois jours plus tard, il s'entretient en tête à tête avec le premier ministre Lévesque au sujet de son mandat. Puis, le 26 janvier, il rencontre le directeur du département des investissements en actions, Pierre Arbour[21], qui le renseigne sur plusieurs aspects du fonctionnement de la Caisse. Il apprend notamment qu'il existerait «une sorte d'entente tacite» entre la direction générale de la Caisse et la plupart des membres du conseil, de sorte que ceux-ci «entérinent sans mot dire» tout ce que la direction décide.

Cela coïncide avec les observations de Marier. Il a déjà remarqué, en effet, lors de sa première présence au conseil, comme il le notera par la suite, que «la plupart des questions, ou bien sont escamotées dans une présentation de tableaux qui ne laissent rien paraître des transactions individuelles, ou bien sont déjà convenues à l'avance au cénacle». Marier apprend aussi que la méthode de placement en vigueur à la Caisse est «calquée sur le comportement d'ensemble de la Bourse», ce qui permet une certaine neutralité dans les positions vis-à-vis des entreprises. Il note que la Caisse a ainsi graduellement limité sa participation à 10% du capital des entreprises, alors qu'elle détenait des blocs de près de 30% dans des sociétés importantes comme Norcen, Nordair, la Banque d'Épargne, Provigo, etc.

Pour le technocrate de la Révolution tranquille, il est clair que la Caisse «n'a pas de sensibilité pour une perspective québécoise». Il citera au premier ministre l'exemple du choix d'International Nickel pour un placement de 40 millions de dollars: une compagnie qui n'a aucune installation au Québec[22] . Selon lui, la Caisse aurait dû opter pour une position forte dans Alcan, dont les titres sont sous-évalués sur le marché (en partie à cause de la situation politique, d'ailleurs). Marier croit aussi que la présence du président de la Régie des rentes comme vice-président de la Caisse donne à celle-ci un «conservatisme excessif», alors que 50% des dépôts proviennent d'institutions pour lesquelles la politique de placement pourrait être «plus agressive». Enfin, la Caisse pourrait, selon lui, accentuer son rôle de société privée de

21. Pierre Arbour, qui avait mis sur pied le département des placements en actions sous Prieur, dès la fin de 1966, n'avait plus alors qu'un rôle consultatif à la Caisse, notamment parce qu'il n'approuvait pas la ligne de conduite adoptée par Marcel Cavazan et Jean-Michel Paris, qui favorisaient les obligations au détriment des actions. Le même Arbour publiera un pamphlet virulent contre la Caisse en 1993.

22. Lettre d'André Marier au premier ministre René Lévesque, le 5 avril 1978.

gestion financière, en rassemblant à une même table plusieurs groupes financiers francophones (comme la Laurentienne, l'Alliance, le Mouvement Desjardins, etc.), qui n'ont pas l'habitude de montrer beaucoup de cohésion dans leurs actions.

Ayant ainsi étoffé le dossier, Marier soulève la question du rôle de la Caisse dans l'économie du Québec devant les membres du conseil, le 20 février. Il constate que la Caisse s'apprête à investir près d'un milliard et demi de dollars en 1978, et il se demande ce que cet investissement va «changer de significatif» dans l'économie québécoise.

Autrement dit, quels sont les objectifs qui inspirent les variations prévues dans le programme de placement pour l'année en cours? Il faut, selon Marier, «rapatrier le contrôle d'un certain nombre d'entreprises clés ayant leur siège social ou étant fortement implantées industriellement au Québec, au moins dans les secteurs essentiels». Il mentionne des grandes sociétés comme l'Alcan, Dominion Textile, Ivaco, Kruger.

Le 5 avril 1978, Marier écrit au premier ministre pour lui faire part de son opinion sur la politique de placement de la Caisse. Après avoir passé en revue les lacunes de la Caisse, surtout du côté des placements en actions dans des entreprises vitales pour l'économie québécoise, il conclut: «En somme, je maintiens que la Caisse a en pratique passé à côté de ce qui m'apparaît être son plus important rôle. Je comprends bien qu'il faille éviter à tout prix le risque de la déstabilisation mais je crois néanmoins que, par rapport à un enjeu aussi vital, la Caisse doit assumer sans équivoque le rôle qu'elle est en mesure de jouer. Cela peut très bien se faire progressivement et sans éclat. Je suis prêt à en débattre, bien sûr, mais si j'ai raison, je souhaite que, compte tenu de toutes les contingences d'opportunité, vous réaffirmiez cette vocation première de la Caisse, non pas publiquement, mais en mettant en branle les mécanismes qui permettraient d'en assurer discrètement la mise en œuvre.»

Après une critique aussi virulente, les «mécanismes» vont être mis en branle, il n'y a pas à s'y tromper. Et l'un d'eux sera le remplacement d'une bonne partie du conseil d'administration, à la faveur de fins de mandats qui ne seront pas renouvelés, cela va de soi. En outre, une modification de la charte de la Caisse vient d'être autorisée le 22 décembre 1977, par la sanction du projet de loi 97, qui permet notamment de porter de sept à neuf le nombre des administrateurs de la Caisse. Cela permettra l'afflux voulu de sang nouveau.

Par conséquent, le 18 octobre 1978, cinq nouveaux membres sont nommés au conseil d'administration: Eric Kierans, l'ancien ministre (et frère ennemi de René Lévesque: ô surprise[23]!); Fernand Paré, directeur général de la compagnie d'assurance-vie La Solidarité; Pierre Péladeau, président de Quebecor; Gaston Pelletier, directeur général adjoint du Crédit Foncier; et Alfred Rouleau, président des Caisses populaires Desjardins. D'autre part, le mandat de Louis Laberge est prolongé jusqu'en 1981. Déjà, avec cette nouvelle équipe, les tendances souhaitées par le gouvernement Lévesque vont s'affirmer de plus en plus vite.

Provigo suscite des inquiétudes

Parmi ces tendances, la participation de la Caisse dans d'importantes sociétés québécoises commence à devenir un sujet «brûlant» à la fin des années 1970. La Caisse a atteint déjà une taille telle que sa présence ne passe plus inaperçue; elle a le poids et l'autorité nécessaires pour infléchir bien des décisions économiques cruciales pour le Québec. C'est d'ailleurs ce qui va la mettre sur la sellette dans les années suivantes, et créer des tensions entre, d'une part, une direction générale plutôt conservatrice, préoccupée du rendement et de la sécurité des fonds de retraite plus que de mouvements audacieux sur l'échiquier économique et financier, et, d'autre part, un conseil d'administration qui pousse, en majorité, vers des interventions plus musclées.

Le cas Provigo illustre bien cette «souque-à-la-corde» de plus en plus serrée. La Caisse a joué un rôle déterminant dans la constitution du groupe Provigo, en achetant des actions de Couvrette et Provost ltée dès 1967, puis en augmentant graduellement sa participation les années suivantes. Le 17 mars 1975, par exemple, la Caisse décidait d'acquérir des débentures de Provigo pour 5 millions de dollars, afin d'aider l'entreprise à prendre le contrôle des neuf supermarchés JATO dans la région de Québec. En juin 1977, c'est encore la Caisse qui allait permettre à la compagnie d'Antoine Turmel de commencer à absorber M.Loeb Ltd (les magasins IGA) – une entreprise qui avait plus du double de la taille de Provigo – en lui cédant un important bloc de 25,3% des actions de Loeb[24].

23. De fait, c'est jacques Parizeau qui l'a choisi, geste de gratitude à l'endroit de l'ancien ministre à qui il devait, en grande partie, sa nomination comme conseiller économique de Lesage, en 1965.

24. La Caisse caressait depuis longtemps l'idée d'une fusion entre Loeb et Provigo. Le projet en avait même germé sous Prieur en 1971, quand la Caisse s'était vue en possession d'un important bloc d'actions de Loeb.

N'empêche, dans tout ce branle-bas, la Caisse doit veiller au grain. Ainsi, le 15 août 1977, le président Cazavan informe les membres de son conseil d'administration que les actions de Provigo détenues par la Caisse font l'objet de «convoitises» de la part de la direction de l'entreprise et d'autres intérêts privés. La Caisse se soucie particulièrement de la «garde du contrôle par des intérêts québécois». En fait, à l'arrière-plan, se profilent des manœuvres de la part du groupe Sobey. Celui-ci vient de se faire damer le pion par Provigo pour le contrôle de Loeb et il cherche, en revanche, à mettre la main sur Provigo.

Après un bras de fer qui dure plusieurs mois entre les Néo-Écossais et Turmel – avec des rebondissements juridiques auprès de la Commission des valeurs mobilières de l'Ontario (*Ontario Securities Commission*) –, on s'entend finalement, en avril 1979, pour un échange deux contre un, c'est-à-dire deux actions de Loeb contre une action de Provigo. Les Sobeys se retrouvent ainsi avec 24% des actions du géant alimentaire québécois. Quant à la part de la Caisse, elle est passée entre-temps de 22,6% à 19,8%.

Au conseil de la Caisse, plusieurs administrateurs s'inquiètent. Fernand Paré et André Marier font part de leurs appréhensions au sujet du maintien de la prépondérance québécoise dans Provigo, étant donné que le groupe Sobey est devenu le plus important actionnaire individuel de l'entreprise après l'échange d'actions de Loeb. Alors, dès octobre 1979, la Soquia (Société québécoise d'initiative agroalimentaire) obtient l'autorisation gouvernementale nécessaire pour acquérir des actions de Provigo. Elle demande conseil à la Caisse sur la procédure d'acquisition à suivre. La Caisse prend l'initiative d'acheter un premier bloc de 6% d'actions pour le compte de Soquia et les dépose dans un compte en fidéicommis[25]. Cette mesure assure, au moins dans l'immédiat, le maintien d'une prépondérance québécoise au sein du jeune empire Provigo.

Des fonds pour le développement économique

Pendant ce temps, le gouvernement québécois s'interroge sur l'opportunité de créer un nouvel organisme de financement dont les règles seraient moins

25. Entre novembre 1979 et mars 1982, Soquia acquit graduellement jusqu'à 7,5% des actions de Provigo, pour un investissement total de quelque 12 millions de dollars. (D'après le rapport annuel 1985-86 de Soquia.)

rigides et les pratiques moins conservatrices que celles de la Caisse. Car on reconnaît que l'institution doit quand même avoir le comportement d'une banque plutôt que d'une agence de développement.

On est alors à l'époque des grands sommets économiques, que le gouvernement Lévesque a décidé de convoquer pour assurer une concertation des divers intervenants. Le premier a eu lieu au Manoir Richelieu, du 24 au 27 mai 1977, rassemblant autour du premier ministre des décideurs aussi disparates que Louis Laberge, Paul Desmarais, Yvon Charbonneau, Brian Mulroney et autres. Le second sommet doit se tenir à Montebello, du 14 au 16 mars 1979. Dans ce climat d'effervescence (et préalablement au sommet de Montebello qui devra se pencher sur le rôle et l'avenir des sociétés d'État), le ministre de l'Industrie et du Commerce, Rodrigue Tremblay, propose d'établir une «Société nationale d'investissements», véritable banque d'affaires qui pourrait mettre des fonds importants au service du développement industriel du Québec.

Cette effervescence va jusqu'à pénétrer à l'intérieur des murs feutrés de la Caisse. Les pressions se font sentir de plus en plus, au sein même de l'organisme, pour l'orienter davantage du côté du développement économique. Les Paré, Kierans, Pelletier, Rouleau et Péladeau, qui viennent de prendre place à côté de Marier et des autres au conseil d'administration, rassemblent une brochette de compétences et d'expériences impressionnantes. Ils ont des opinions assez proches du gouvernement sur le développement économique du Québec, et ils ne sont pas du genre béni-oui-oui. Bref, un vent nouveau commence à souffler à la Caisse.

C'est dans ce contexte, ou plus probablement à cause de lui, que la haute administration de la Caisse décide de tenir une «session de planification» les 6 et 7 avril 1979, afin de «préciser l'orientation» pour les années 1980. Au chapitre des objectifs généraux, on reconnaît que, jusque-là, la gestion des fonds confiés à la Caisse a été «saine et profitable». Cependant, on décide qu'à l'avenir l'institution devra investir davantage dans «des opérations majeures destinées à servir la cause des intérêts collectifs québécois». Cela comprend des participations accrues dans les entreprises, des gestes à poser lors d'un changement de contrôle d'une compagnie et des interventions «lors d'une opération d'envergure pour le Québec».

La discussion sur le sujet se poursuit à une réunion subséquente du conseil, le 17 avril. Certaines vues commencent à prévaloir. La Caisse aide l'entreprise privée, fort bien. Mais ne pourrait-elle pas faire davantage avec les ressources immenses dont elle dispose? Elle pourrait jouer un rôle de leader, utiliser sa crédibilité pour influencer le milieu financier, prendre des initiatives. Bref, en atténuant quelque peu l'importance accordée à son rôle de gestionnaire et en accentuant davantage son rôle d'instrument économique, elle pourrait contribuer puissamment au maintien des centres de décision au Québec. Autre point délicat, qui met en cause l'intervention de l'État: la représentation de la Caisse au sein des conseils d'administration des entreprises. Certains membres du conseil vont jusqu'à dire que la Caisse devrait «faire pression» sur les grandes compagnies dont elle est une actionnaire importante, pour être représentée au sein de leur conseil d'administration; et l'administrateur délégué par la Caisse devrait détenir un «mandat spécifique».

Sur ces entrefaites se présente une occasion intéressante que la Caisse ne laissera pas passer: une occasion qui permettra à Cazavan de prouver à son conseil qu'il est capable d'interventions musclées.

Domtar sur un plateau d'argent

À la fin de 1978, la société Domtar, géant des pâtes et papier, l'un des fleurons les plus glorieux du capitalisme anglo-canadien (et plus spécifiquement anglo-québécois), s'était retrouvée l'objet d'une tentative de prise de contrôle de la part d'un autre géant du papier, MacMillan Bloedel. Belle bataille en perspective, mais voilà qu'un autre carnassier encore plus redoutable, Canadien Pacifique, flairant la proie possible, avait entrepris diverses manœuvres pour s'approprier MacMillan Bloedel, «MacBlo» pour les intimes: comme le grand squale qui vient dévorer le moyen qui a dévoré le plus petit.

Mais surprise! le «petit» se retourne tout à coup et se met en position d'avaler cinq fois plus gros que lui: MacMillan Bloedel est menacée à son tour, à la fois par Canadien Pacifique et par Domtar. Celle-ci a fait une offre alléchante d'échange d'actions saupoudrée d'un généreux paiement en espèces. La transaction est sur le point de se faire, lorsqu'intervient brusquement un bras politique. Craignant de perdre l'un des sièges sociaux les plus importants de sa province au profit de l'Est, le premier ministre Bennett de Colombie-Britannique crie holà! et arrête les enchères.

MacMillan Bloedel se retrouve avec un stock d'actions de Domtar sur les bras, dont elle n'a que faire. Mais ce bloc de 2,8 millions d'actions, qui vaut 75,6 millions de dollars, qui donc peut le racheter? Il y a la Caisse, bien sûr, la Caisse... Toutes sortes de suppositions ont été émises par les médias au sujet de ce qui aurait amené la Caisse à s'intéresser au dossier. En vérité, c'est Alex Hamilton lui-même, le pdg de Domtar, qui a suggéré à Cazavan de racheter le bloc d'actions pour le ramener au Québec. Et la transaction se fera de gré à gré, sans passer par l'intermédiaire de la Bourse.

La Caisse acquiert donc d'un seul coup le bloc de 2,8 millions d'actions que détenait MacMillan Bloedel. Avec ce bloc qui s'ajoute aux 402 000 actions qu'elle possédait déjà, la Caisse devient de loin le principal actionnaire de Domtar, avec 21,6% des actions. La nouvelle crée une petite commotion dans le milieu financier. On connaissait la puissance de la Caisse, mais cette fois elle vient d'en faire la preuve d'une façon éclatante. Comme d'habitude, les réactions sont partagées. La presse francophone applaudit un nouveau champion économique du Québec. La presse anglophone, elle, demeure perplexe. Le quotidien *The Gazette* s'empresse de faire dire à Cazavan que le gouvernement n'est pour rien dans l'affaire, que la Caisse a agi de son propre chef[26]. On veut écarter à tout prix le spectre de l'État. Mais, pour le moment, on se rassure en disant que la Caisse, toute publique qu'elle soit, n'a pas l'habitude d'intervenir dans les affaires des entreprises où elle investit.

Marcel Cazavan sent le besoin de réfléchir. La période des Fêtes arrive à point pour lui permettre de soupeser tout cela. Depuis deux ans, les relations sont devenues de plus en plus tendues avec un conseil d'administration qui n'épouse plus ses vues. Chaque réunion du conseil l'épuise. Il se sent mis sur la sellette, pris entre l'arbre et l'écorce: d'un côté, ses adjoints, ses plus proches collaborateurs, qui poussent dans la direction traditionnelle des sociétés de placement, une voie tranquille et sûre qui n'a rien de spectaculaire mais qui n'ameute personne; de l'autre, le conseil d'administration qui tire du côté d'une participation plus active au développement économique, d'un interventionnisme plus musclé dans le milieu des affaires.

À 60 ans, Marcel Cazavan a déjà assez prouvé sa valeur comme financier d'élite, pour le secteur privé et pour l'État; il n'a plus envie de jouer les matamores, de mettre sa santé en péril dans un conflit fondamental, qui devient de mois en mois plus intenable. En outre, le moment est peut-être opportun pour tirer son épingle du jeu. La situation de la Caisse n'a jamais été aussi brillante. Son actif est en voie de franchir le cap des 10 milliards de

26. Harvey ENCHIN, «Caisse acted alone in buying Domtar», *The Gazette*, 10 juillet 1979.

dollars (9,25 milliards, à la fin de 1979). Par son revenu net, elle se classe au deuxième rang des sociétés d'État canadiennes, derrière la Banque du Canada[27].

Enfin, la réputation de la Caisse à elle seule vaut de l'or. Le sérieux, la compétence et l'efficacité de sa gestion sont reconnus autant à Toronto qu'à Montréal. À la mi-janvier 1980, mentionnant que la Caisse possède le plus important portefeuille d'actions au Canada, *The Globe and Mail* souligne le fait qu'elle s'est acquis une réputation enviable à travers le pays. Le quotidien cite des présidents de grandes firmes de courtage à Toronto qui disent avoir le plus grand respect pour l'institution. On s'exclame: «Very professional. Very well organized» (très professionnelle – la Caisse – très bien organisée). Ou encore: «They take a highly responsible position and I have never heard anything but real respect for them.» («Ils agissent avec un sens élevé des responsabilités et je n'ai jamais entendu autre chose que des propos très respectueux à leur égard[28].») Bref, à la fin de cette décennie 1970, la Caisse est vraiment devenue le «superfiduciaire» des rentes du Québec, comme on se plaît à l'appeler dans les pages financières des journaux. On dit d'elle que «telle un diamant, elle brille de tous les côtés[29]».

Depuis qu'il a pris la relève de Claude Prieur en 1973, Marcel Cazavan peut se dire qu'il a bien gouverné la Caisse et maintenu le taux élevé de son rendement. Maintenant que la conjoncture socio-politique devient agitée (on est à l'époque du référendum sur le projet de souveraineté-association du PQ) et que les rapports avec le gouvernement se font plus ambigus, il peut encore se retirer la tête haute, avec les honneurs de la guerre, sur une question de principe: des taux d'intérêt préférentiels pour les emprunts du gouvernement.

Dès le début de 1980, la décision de Cazavan est prise. Il adresse sa lettre de démission au ministre des Finances à la mi-janvier. Le 21 janvier, elle est rendue publique. Avec cette deuxième présidence «inachevée», une autre époque prend fin pour la Caisse de dépôt et placement du Québec.

---

27. D'après une enquête de la revue *Canadian Business*, publiée en juillet 1979. À la fin de 1984, la Caisse passera au premier rang devant la Banque du Canada, avec un revenu net de plus de deux milliards de dollars.

28. Dennis SLOCUM, «The Caisse, arm of Quebec's pension plan, embraces largest Canadian stock portfolio», *The Globe and Mail*, 14 janvier 1980.

29. Cité par Laurier CLOUTIER, *in* «La Caisse de dépôt acquerra d'autres Domtar», *La Presse*, 10 sept. 1979.

CHAPITRE 4

Les années d'expansion: Jean Campeau

Le 21 janvier 1980, à Québec, peu après 14 heures, les membres du conseil d'administration de la Caisse de dépôt et placement du Québec ont peine à en croire leurs oreilles, quand Marcel Cazavan leur apprend que le gouvernement du Québec a accepté, quelques jours auparavant, sa démission à titre de président du conseil et de directeur général. Des «raisons personnelles», précise-t-il, l'ont amené à prendre cette décision. Il ajoute qu'il continuera à occuper son poste jusqu'à la désignation d'un successeur et qu'il demeurera ensuite au service de la Caisse, à titre de «conseiller spécial» auprès du nouveau président.

Hors les murs capitonnés de la salle du conseil, la nouvelle éclate comme une bombe. La démission du président de la Caisse prend tout le monde par surprise. Personne ne s'en doutait, pas même ses plus proches collaborateurs. Parizeau avouera plus tard que Cazavan lui avait déjà confié qu'il ne se rendrait pas au bout de son mandat, mais il ne s'attendait pas à ce que le président de la Caisse se retire aussi vite. Ce côté inattendu de la démission de Cazavan fait l'effet d'un scandale dans les milieux politiques et financiers. On ne peut admettre que le président de la Caisse ait démissionné de son propre chef; on y entrevoit toutes sortes de manœuvres de la part du gouvernement et du ministre Parizeau. À cette époque de haute tension politique entourant la campagne du référendum sur la souveraineté du Québec, on fait aisément flèche de tout bois. L'affaire Cazavan tombe donc à point nommé dans le carquois des opposants du PQ et des critiques de tout acabit.

On fait circuler diverses accusations et interprétations, qui toutes tendent à dire que le gouvernement Lévesque, et surtout le ministre Parizeau, ont forcé la main au démissionnaire, qu'ils lui ont tordu le bras pour qu'il se retire. Parizeau doit s'en défendre à l'Assemblée nationale. Et lorsqu'on apprendra que Marcel Cazavan reste à la Caisse comme conseiller spécial du nouveau président, et au même traitement que celui-ci, on soupçonnera encore le gouvernement de noirs desseins, d'avoir en somme «acheté» la démission de l'ex-président. Le débat se poursuivra à l'Assemblée nationale et en commission parlementaire jusqu'à l'été.

La nomination de Campeau

Le choix d'un nouveau président est cette fois beaucoup plus rapide qu'en 1973, après la mort de Prieur. Parizeau a un candidat tout prêt à sortir de sa manche: Jean Campeau, qui est alors l'un de ses principaux collaborateurs comme sous-ministre adjoint aux Finances. Le ministre l'a remarqué, on s'en souvient, dès 1976.

À la fin de janvier 1980, Campeau se trouve en mission au Japon pour le ministère des Finances, lorsqu'il reçoit un coup de téléphone à sept heures du matin, dans sa chambre d'hôtel à Tokyo. À peine réveillé et malgré l'effet d'écho causé par la distance, il reconnaît au bout du fil la voix du chef de cabinet de Parizeau. Celui-ci lui apprend tout de go que le ministre veut le voir à la tête de la Caisse. Le poste tente Campeau, bien sûr. À partir de là, les choses vont bon train. Parizeau pilote si bien la candidature de son sous-ministre adjoint que, le 20 février, un mois à peine après la démission de Cazavan, Jean Campeau est désigné par le gouvernement comme le nouveau président-directeur général de la Caisse de dépôt et placement du Québec.

Le troisième président de la Caisse est d'origine plus modeste que ses prédécesseurs. Né en 1931, il a grandi dans la paroisse Sainte-Cécile, quartier Villeray, à Montréal. Entre Claude Prieur, issu de la bourgeoisie d'Outremont, et Jean Campeau, venu d'un milieu ouvrier, s'est imposé le grand mouvement de promotion sociale des Québécois francophones à partir des années 1950. Et c'est ainsi que Campeau, le fils d'ouvrier, s'est vite retrouvé, après ses études aux HÉC, dans le même sérail financier, dans le même circuit d'élite que ses prédécesseurs.

Il entre, par exemple, au service du courtier René T. Leclerc en 1955, et son emploi l'amène peu à peu à rencontrer un certain Marcel Cazavan, qui travaille alors à la Société de Placements ltée. En 1963, Campeau devient vice-président de la compagnie Zodiac, puis président de sa filiale manufacturière Canada Flooring. Après sept ans dans l'industrie manufacturière, il revient au courtage des valeurs mobilières chez Dominion Securities, mais il reçoit bientôt un appel de Marcel Cazavan (alors sous-ministre) qui lui propose un poste au ministère des Finances. Il y entre en 1971.

À titre de directeur de la Dette au ministère, Campeau a eu aussi l'occasion, dès le départ, de négocier avec le premier président de la Caisse, Claude Prieur. Campeau est promu peu après directeur général de la Dette et de l'Encaisse, poste qu'il occupait quand Parizeau a pris le fauteuil de ministre des Finances en 1976. D'une façon générale, on peut dire que les expériences antérieures de Jean Campeau l'ont bien préparé à prendre les rênes de la Caisse. Au ministère des Finances, il s'est « surspécialisé » dans les obligations du secteur public[1], à tel point que ces titres de créance n'avaient plus de secret pour lui. D'ailleurs, au début de 1979, Jean Campeau avait été l'un des maîtres d'œuvre, avec André Bisson (qui était alors premier vice-président de la Banque de Nouvelle-Écosse), du premier prêt en eurodollars libellé en français. Une première mondiale. Il s'agissait d'un prêt de 300 millions de dollars au gouvernement du Québec, et la somme avait été réunie par un consortium de 15 banques européennes et nord-américaines, piloté par la Banque de Nouvelle-Écosse. Pour marquer l'événement, le ministre Parizeau avait organisé une cérémonie de signatures au Salon rouge de l'Assemblée nationale.

Le 1er mars 1980, le nouveau patron de la Caisse entre officiellement en fonction. Il signale aux membres du conseil son intention de les tenir renseignés sur les principaux faits et gestes de l'institution ; il veut aussi « démystifier l'image de la Caisse » et mieux la faire connaître. Une sorte de « glasnost » avant la lettre. Mais Campeau n'arrive pas dans un contexte facile, c'est le moins qu'on puisse dire. C'est l'époque du référendum, et une première pelure de banane se présente sous ses pieds, avec ce qu'on pourrait appeler l'affaire Kierans.

1. Il s'est d'abord occupé des emprunts des hôpitaux, des cégeps et des universités. Sont venus ensuite s'ajouter les emprunts du gouvernement et ceux de toutes les sociétés d'État garantis par le gouvernement.

L'affaire Kierans

Eric Kierans était entré au conseil de la Caisse en 1978, comme on l'a vu. Cet ancien ministre, qui a fait partie de l'équipe de choc de la Révolution tranquille sous Lesage et qui s'est avéré, en même temps, une sorte de frère ennemi de René Lévesque en étant le principal instigateur de son expulsion du Parti libéral en 1967, n'aime pas ce qui se passe à la Caisse depuis quelque temps. Dans l'atmosphère de polarisation politique du référendum, il soupçonne une inféodation croissante de la Caisse au gouvernement souverainiste de Lévesque. Il craint que Parizeau veuille se servir des fonds de retraite des Québécois pour éponger le déficit du gouvernement. Non, décidément, Eric Kierans n'aime pas ce qui se passe à la Caisse! Quand il s'aperçoit, ce 17 mars 1980, qu'on augmente à 1,5 milliard de dollars les prêts accordés au secteur public (comparativement à 1,2 milliard de dollars l'année précédente), il voit rouge. Il quitte la réunion précipitamment, déjà décidé à s'opposer.

À la réunion suivante du conseil, le 21 avril, Kierans s'amène «armé pour la chasse à l'ours[2]», comme il le dira lui-même. La question des taux d'intérêt, qui est reportée depuis déjà plusieurs mois, commence à être pressante. Il faut en finir. Il faut en arriver à une décision. Le document remis aux membres du conseil chiffre le coût des emprunts du gouvernement du Québec et d'Hydro-Québec au cours du dernier exercice, et l'épargne qu'auraient pu réaliser ces deux emprunteurs s'ils avaient pu emprunter à des conditions analogues à celles du Heritage Fund de l'Alberta. Il indique aussi ce qu'il en aurait coûté à la Caisse pour prêter au gouvernement et à Hydro-Québec aux mêmes taux que le Heritage Fund.

À ce chapitre, le président Campeau précise que l'abaissement du taux d'intérêt de 12,7% (celui qui prévaut sur le marché) à 12,5% (celui du Heritage Fund) aura une portée plutôt minime sur les revenus de la Caisse. Le manque à gagner sera de 5 millions de dollars sur des revenus globaux de 837 millions de dollars: une perte relative de moins d'un demi de 1%. Selon Campeau, en ramenant ses taux au niveau du Heritage Fund, la Caisse ne fait pas de faveur au gouvernement du Québec. Elle reconnaît simplement que le crédit du Québec est aussi bon que celui de n'importe quelle autre province, et que l'écart de rendement entre les titres québécois et ceux de

2. Cité par Wendie KERR, «Policy shift revives row over Caisse's role», *The Globe and Mail*, 11 avril 1981.

l'Ontario n'est pas justifié. D'ailleurs, Jean Campeau connaît bien les manipulations des courtiers, il parle d'expérience.

Eric Kierans ne l'entend pas ainsi. Pour lui, les taux du marché reflètent l'état de l'économie, la santé financière de telle ou telle province. Il lui semble évident que le Québec, avec une dette de 2,3 milliards de dollars et un produit intérieur brut de 61 milliards de dollars, ne peut espérer emprunter au même taux que l'Ontario, qui a une dette de moins d'un milliard de dollars et un produit intérieur brut de 102 milliards de dollars. Pour lui, si la Caisse accorde un taux d'intérêt préférentiel au gouvernement, elle va à l'encontre de son devoir d'assurer un rendement maximal aux fonds de retraite des Québécois.

La question est fondamentale; elle touche à la raison d'être même de la Caisse. L'autre point de vue, qui semble partagé par la majorité des membres du conseil et qui est celui notamment d'un technocrate comme André Marier, c'est que le gouvernement québécois et la Caisse, à la limite, existent et travaillent pour la même collectivité. Que le gouvernement épargne des millions ou que la Caisse les empoche, le contribuable québécois n'y gagne-t-il pas dans les deux cas? Oui et non.

N'empêche qu'au-delà de ces différences de point de vue, Kierans soulève une question de principe qui rejoint l'une des préoccupations essentielles des promoteurs de la Caisse au début des années 1960, soit l'indépendance de l'organisme à l'égard du gouvernement, un point sur lequel Lesage a particulièrement insisté dans son discours de présentation en 1965. Et l'ancien ministre de Lesage (et de Trudeau), qui conçoit ce principe comme une sorte de séparation de l'Église et de l'État, fonce lance en avant parce qu'il croit voir bouger l'ombre du monstre étatique derrière la Caisse.

Comme les positions semblent irréconciliables, Campeau demande le vote sur la proposition «que la Caisse accorde au gouvernement du Québec et à Hydro-Québec des conditions d'emprunt égales à celles dont jouit sur le marché la province qui a le meilleur crédit au Canada». Les seuls qui s'y opposent sont Eric Kierans, comme il était prévu, et le juge Gill Fortier, le président de la Régie des rentes; celui-ci, en toute conscience, ne peut cautionner une décision qui entraînera une diminution de rendement, si minime soit-elle, pour les fonds de la Régie. Les choses pourraient en rester là, mais Kierans décide de démissionner à brûle-pourpoint[3], et il le fait avec fracas.

3. Selon Jean Campeau, Kierans ne l'a pas informé au préalable de son intention de démissionner.

Il adresse sa lettre de démission le 5 mai, à la fois au président de la Caisse et au premier ministre du Québec, et la rend publique le jour même. Accusant le ministre Parizeau de vouloir «siphonner» la Caisse, le démissionnaire dénonce «l'ingérence toujours croissante» du gouvernement auprès de l'institution.

La lettre a le ton pamphlétaire qu'il faut pour jeter de l'huile sur le feu de la campagne référendaire en cours. On trouve la nouvelle à la une des journaux le lendemain. L'émoi est surtout vif du côté anglophone. «Don't fool with pensions» (ne tripotez pas les pensions), clame *The Gazette*. Lévesque riposte: «Kierans veut nous faire le coup de la Brink's avec une trottinette.» Dans sa lettre de réponse au démissionnaire, le 6 mai, le premier ministre dit mal comprendre que ce soit «moins de deux semaines avant le référendum que votre conscience vous dicte aussi tardivement une aussi bruyante démission». Kierans a du mal à se défendre d'avoir agi par opportunisme référendaire. Il a beau dire qu'il n'avait pas le choix, qu'on l'aurait blâmé, de toute façon, d'avoir parlé ou de ne pas avoir parlé[4], son geste est perçu pour ce qu'il est: une intervention politique dont l'à-propos crève les yeux.

La presse francophone reste plus circonspecte. La plupart des journalistes et commentateurs politiques analysent froidement le pour et le contre de l'affaire. Ils obtiennent des précisions de Parizeau et de Campeau, notamment sur la hausse d'achats d'obligations du Québec par la Caisse. Campeau explique au journaliste Alain Dubuc que le financement accru des titres gouvernementaux ne réduirait pas la «marge de manœuvre» de la Caisse, qui, en écoulant certains titres à court terme du gouvernement canadien, «disposera en fait de 2,2 milliards de dollars d'argent frais cette année». Le journaliste de *La Presse* a interrogé en outre des financiers et des membres du conseil de la Caisse, qui ont démenti les accusations de Kierans. Loin de devenir un simple acheteur d'obligations du Québec, la Caisse, selon eux, agit de plus en plus comme «levier économique»: «Cela fait plus d'un an que l'on tente de mettre sur pied une nouvelle orientation plus dynamique de la Caisse», note ainsi Fernand Paré, l'un des cinq membres du conseil d'administration de la Caisse qui proviennent du secteur privé. «On dirait que M. Kierans n'a pas compris cela[5].»

---

4. Selon des confidences faites au journaliste Andrew Phillips, *The Gazette*, 10 mai 1980.

5. «Financiers et membres du conseil contredisent Kierans: la Caisse agit de plus en plus comme levier économique», par Alain Dubuc, *La Presse*, 9 mai 1980.

D'autres journalistes, comme Claude Beauchamp du *Soleil*, soulignent la « connotation fortement partisane » des propos de l'ancien ministre libéral[6]. Et pour en rajouter, Jean Lesage lui-même s'en mêle. Dans une de ses dernières apparitions publiques avant sa mort (dans le cadre de la campagne du « non » au référendum), l'ancien premier ministre accuse Parizeau de manipuler la Caisse. Mais le mot de la fin dans cette histoire revient à Michel Nadeau, qui écrit en éditorial dans *Le Devoir* :

> Le départ fracassant de M. Kierans aura eu le mérite d'attirer l'attention sur l'importance de maintenir l'intégrité la plus complète de l'institution. Cependant les faits avancés ne permettent pas de croire que l'indépendance de la Caisse soit en péril[7].

Un changement de cap s'impose

Jean Campeau, que l'affaire Kierans a mis en selle plutôt brutalement, en tire certaines leçons. D'abord, il a été pris au dépourvu, la Caisse brusquement projetée sur la place publique, sans service de communications organisé pour répondre aux interpellations et aux attaques qui pleuvaient de tous bords et de tous côtés. Il constate que la Caisse est devenue un important acteur public et, partant, qu'elle ne peut plus fonctionner à huis clos derrière ses murs épais et ses portes capitonnées, comme une huître qui couve sa perle. Il faut dépasser la mentalité du coffre-fort et mettre sur pied le plus tôt possible un service structuré de communications.

Autre retombée de l'affaire Kierans, Campeau se jure de ne plus jamais en appeler au vote au conseil d'administration. Il tâchera désormais de convaincre tout son monde avant de prendre une décision importante. Les résolutions passeront à l'unanimité ou ne passeront pas. Il s'y tiendra durant tout son mandat. De fait, sa concordance avec le conseil d'administration a été l'une des principales raisons qui ont décidé Jean Campeau à accepter le poste de président-directeur général de la Caisse. Il lui importe au plus haut point que la direction générale et le conseil de la Caisse soient sur la même longueur d'onde. Et les nouvelles orientations que le conseil a élaborées depuis quelques années et qu'il souhaite de plus en plus mettre de l'avant

6. « Kierans, le bagarreur », commentaire éditorial de Claude Beauchamp, *Le Soleil*, 7 mai 1980.

7. *Le Devoir*, 7 mai 1980.

abondent toutes dans la direction que Campeau voulait lui-même imprimer à la Caisse, c'est-à-dire une participation plus active au développement économique. En somme, le conseil de la Caisse a trouvé son homme.

Jean Campeau a toujours dit que son inspiration essentielle, sa bible, est le discours de Jean Lesage en 1965 lorsqu'il a présenté le projet de loi instituant la Caisse. Tout est là, notamment la participation à l'essor économique du Québec. Mais l'idée directrice du nouveau président, celle qui va inspirer son action immédiate, constitue un changement radical, une sorte de révolution copernicienne à la Caisse, même si elle renoue dans une certaine mesure avec l'orientation de Prieur: au lieu d'investir dans les dettes (obligations, hypothèques), se dit-il, plaçons dans des valeurs d'actif (actions, immeubles). Cessons d'être locataires, devenons propriétaires. Ce rôle est moins facile, bien sûr, plus exigeant, plus interventionniste, mais beaucoup plus payant à la longue[8]. Il faut dire que le contexte est éminemment favorable à pareille réorientation. À Québec, un gouvernement autonomiste encourage coûte que coûte tout ce qui peut ressembler, de près ou de loin, à une réappropriation des richesses ou ressources «nationales». D'autre part, l'esprit d'entreprise, l'entrepreneuriat, connaît un boom extraordinaire au Québec. Des entreprises se créent, se fusionnent, s'accroissent et se multiplient à un rythme encore jamais vu. Des sociétés moyennes, qui s'étaient confinées jusque-là au Québec ou au Canada, franchissent le Rubicon grâce au coup de dé d'une acquisition et deviennent du coup géantes et multinationales.

En même temps se développe un véritable engouement populaire pour la chose économique, dont témoignent éloquemment l'apparition puis la prolifération de publications financières de tous ordres. C'est l'époque où les Québécois découvrent la Bourse, grâce en bonne partie au régime d'épargne-actions (RÉA) du ministre Parizeau, et où les affaires commencent à prendre le pas sur la politique dans la «belle province».

Si Campeau se trouve dès le départ bien accordé à son conseil d'administration, tous les problèmes ne sont pas réglés pour autant du côté des cadres supérieurs, dont certains ne se montrent guère empressés de se conformer à la nouvelle orientation d'un conseil qu'ils ont pris l'habitude d'ignorer trop souvent.

---

8. Campeau avoue avoir toujours eu en horreur le dicton «né pour un petit pain» qui reflétait la mentalité canadienne-française à une certaine époque. Pour lui, on est «né pour la boulangerie», dira-t-il, et cette attitude d'esprit a inspiré toute sa conduite à la Caisse.

Campeau déploie tous les efforts possibles auprès de Jean-Michel Paris et Jean C. Lavoie, pour tâcher de les intégrer à la nouvelle orientation de la Caisse, mais ceux-ci décident finalement de se retirer. Ils quittent tous deux à la fin d'août 1980. Quant à Marcel Cazavan, le conseil d'administration a ratifié le 16 juin sa nomination comme conseiller spécial du pdg de la Caisse ; à la demande de Campeau, il s'occupe spécifiquement des relations avec les déposants et de mandats spéciaux[9].

Progression envers et contre tout

Il n'y a pas que le climat politique qui soit perturbé en cette année 1980, la conjoncture économique n'est guère réjouissante non plus. Une deuxième crise du pétrole avait provoqué un relèvement spectaculaire du prix de l'énergie au cours de l'année, ce qui a considérablement assombri la conjoncture mondiale. Au Canada, l'économie connaît sa pire récession depuis la Deuxième Guerre mondiale et, au Québec, la croissance du produit intérieur brut suit la tendance générale, après avoir connu un rendement nettement supérieur à la moyenne canadienne en 1979.

Malgré tout, la Caisse continue sa progression gigantesque, avec des enjambées annuelles de deux milliards de dollars ou presque. Ainsi, passant le cap des 10 milliards, son actif atteint presque les 11 milliards à la fin de l'année.

Pour ce qui est de l'essor économique, les initiatives n'ont pas manqué. La Caisse s'est inscrite pour une participation de 30 % dans Vidéotron (1979) ltée, à la suite d'une décision rendue le 30 juillet 1980 par le CRTC. L'organisme de réglementation fédéral a autorisé Vidéotron à procéder à l'achat de Câblevision Nationale ltée, dont la Caisse détenait 30 % des actions depuis 1971. En outre, la Caisse a exercé une option d'achat sur 10,6 % du capital-actions ordinaire des Industries Domco ltée, importante entreprise de fabrication de linoléum et de couvre-planchers établie au Québec depuis longtemps. Elle a souscrit aussi 10 millions de dollars au capital-actions de la Société d'investissement Desjardins, ce qui lui assure une participation de 15 %. Enfin, elle a décidé de placer 2 millions de dollars, soit une participation de 25 %, au capital-actions d'une société de capitaux de risque, qu'elle

9. C'est à ce moment-là aussi que Campeau fait approuver un nouvel organigramme comportant cinq vice-présidents pour les principaux secteurs d'opération de la Caisse.

met sur pied avec la Banque Nationale, La Laurentienne, compagnie mutuelle d'assurance, et la Société générale de financement du Québec (SGF). Les opérations de cette société, Novacap, dont Campeau a jeté personnellement les bases avec Michel Bélanger (Banque Nationale), Jean-Marie Poitras (Laurentienne) et Guy Coulombe (SGF), débuteront en mai 1981[10].

Par ailleurs, s'associant à l'Opération 10 000 logements de la Ville de Montréal, la Caisse s'est engagée à consentir quelque 150 prêts hypothécaires totalisant 15 millions de dollars et représentant environ 540 logements. Elle a affecté 25 millions de dollars en placements hypothécaires, en faveur de la Société municipale d'habitation de Montréal pour la construction de logements à loyer modéré. Du côté immobilier encore, la Caisse a acquis un immeuble à bureaux, le complexe Place Delta, boulevard Laurier à Sainte-Foy, presque entièrement loué au gouvernement du Québec; cet immeuble loge, entre autres, le siège social de l'Université du Québec. Et, par le biais de sa filiale Développements Pasteur inc., la Caisse s'est associée aux Jardins de Mérici inc. pour construire un édifice de 19 étages, qui doit comprendre 94 logements en copropriété.

En même temps, la Caisse s'est mise à appliquer une politique d'intervention plus musclée au sein des entreprises où elle détient une participation substantielle. Dès son entrée en fonction, Campeau a fait dresser la liste des sociétés à qui la Caisse pourrait demander d'être représentée à leur conseil d'administration. Et il a commencé aussitôt à s'en mêler activement. Le nouveau patron de la Caisse a d'ailleurs l'occasion de montrer assez tôt de quel bois il se chauffe, et à nul autre qu'au pdg de Domtar, Alex Hamilton. Celui-ci a affirmé, dans le rapport annuel de la compagnie (publié au printemps 1980, donc en pleine campagne référendaire), qu'il est dans l'intérêt de Domtar que le Québec reste dans la Confédération canadienne. Campeau, dûment mandaté par son conseil d'administration, ne tarde pas à lui faire savoir qu'à titre d'actionnaire principal de Domtar, la Caisse n'aime pas ce genre d'intervention politique de la part d'un président de société.

Jean Campeau ne prend pas les rênes de la Caisse à une époque facile. Certains ne lui prédisent même pas un an à la tête de l'institution, étant donné les incertitudes politiques découlant du référendum et l'avenir incertain du gouvernement Lévesque. Mais après six mois de turbulence, la pous-

10. Le protocole d'entente sera signé le 18 janvier 1981.

sière commence à retomber, les horizons s'éclaircissent. Au sein même de la Caisse, les changements profonds qui se sont produits depuis un an ont été marqués par le départ de certains cadres qui étaient là depuis le début. Outre Paris et Lavoie, il y avait eu Pierre Arbour en 1979, puis Jean Laflamme.

À l'automne 1980 donc, la Caisse a accompli sa petite «révolution tranquille». Désormais, Jean Campeau a les coudées franches pour faire de l'institution une véritable locomotive économique. Tout est en place pour les grandes manœuvres.

L'achat de Gaz Métro

Le premier grand coup de Campeau à la tête de la Caisse est l'acquisition de la société Gaz Métropolitain, en décembre 1980.

La chose avait failli se produire l'année précédente, mais la mainmise québécoise sur Gaz Métro est une question qui traînait dans l'air depuis longtemps. De fait, le réseau gazier était initialement de propriété québécoise. Il avait été acquis de l'entreprise privée par l'expropriation de la Montreal Light, Heat and Power Consolidated, qui allait donner naissance à Hydro-Québec en 1944. Onze ans plus tard, après avoir supputé les avantages de remplacer le gaz industriel par le gaz naturel de l'Alberta, Hydro demandait au gouvernement l'autorisation de céder son secteur gaz à l'entreprise privée, qui assumerait les transformations nécessaires[11]. C'est ainsi que naquit, au printemps 1957, la Corporation de Gaz naturel du Québec, ancêtre de Gaz Métropolitain. L'entreprise allait être éclaboussée au départ par l'une des magouilles boursières les plus retentissantes de l'histoire du Québec: le scandale du gaz naturel, qui éclata à la une du *Devoir* le vendredi 13 juin 1958, impliquant plusieurs ministres et hauts fonctionnaires et précipitant la chute de l'Union nationale de Maurice Duplessis.

Au sein du secteur privé, le gaz échappait de plus en plus, sinon tout à fait, au contrôle québécois. Cependant, à l'époque du premier ministre Daniel Johnson, en 1967, le gouvernement fit pression sur la société torontoise Norcen Energy Resources pour qu'elle crée une filiale québécoise (Gaz Métropolitain) que Québec devait racheter graduellement. Cet objectif faisait d'ailleurs partie du mandat initial de Soquip. Mais il fallut l'arrivée de

11. Voir: André Bolduc, Clarence Hogue et Daniel Larouche, *Québec, un siècle d'électricité*, Montréal, Libre Expression, 1984.

Campeau et un concours favorable de circonstances pour que le projet se réalise à la fin de 1980.

Norcen Energy, compagnie mère de Gaz Métropolitain, vient de tomber sous la coupe de Conrad Black, le Bonaparte financier de Toronto, en décembre 1979. Après avoir consolidé sa prise de pouvoir sur Argus Corporation, Conrad Black a décidé de liquider la partie québécoise de ses entreprises. Dans le cas de Gaz Métro dont il possédait 85% des actions par le biais de Norcen Energy, il a commencé par offrir sur le marché québécois une tranche de 20%, sous forme de débentures convertibles.

On est à l'automne 1980. La Caisse se met donc sur les rangs pour acheter toute l'émission, ou du moins une bonne partie, mais elle se fait damer le pion par une maison de courtage, qui revend le bloc d'actions à la caisse de retraite du Canadien National. Dépité, Campeau ne fait ni une ni deux, il décroche le téléphone et appelle Conrad Black: «Écoutez, Monsieur Black, on est déçu; on se demande pourquoi vous n'avez pas pensé à la Caisse.» On devine que le biographe de Duplessis[12], qui aime bien connaître tout ce qui bouge au Québec, est assez curieux de rencontrer le nouveau patron de la Caisse, dont on dit pis que pendre à Toronto.

Quelques jours plus tard, Black et Campeau se retrouvent en tête à tête à Montréal. On joue un peu au chat et à la souris. Mais les milliards de la Caisse allèchent Black, qui a besoin de liquidités pour renflouer les coffres d'Argus. Il possède encore 65% des actions de Gaz Métropolitain et il est prêt à se départir d'une autre tranche de 20%. Campeau sent que le financier torontois pourrait lâcher davantage que ce bloc de 20% d'actions qu'il offre sur-le-champ. Il prend tout de même le temps d'examiner l'affaire avec les analystes de la Caisse. Il veut s'assurer que l'acquisition de la compagnie de gaz n'a pas qu'un intérêt stratégique sur le plan économique, mais qu'il s'agit aussi d'une opération rentable pour la Caisse. Là, pas de problème: les experts lui ont tous conseillé d'acquérir le bloc précédent qui lui a filé entre les doigts, car Gaz Métro est une valeur montante à la Bourse. Toutefois, la Caisse a besoin de trouver un partenaire québécois, puisque la loi lui interdit de détenir une participation supérieure à 30% dans une société.

Campeau décide d'aller voir du côté du gouvernement. Il appelle le ministre de l'Énergie et des Ressources, Yves Bérubé. Il lui demande si le

12. Conrad Black a publié une biographie de l'ancien premier ministre du Québec, parue en français sous le titre *Duplessis. Le Pouvoir*, aux Éditions de l'Homme, Montréal, 1977.

gouvernement tient à Gaz Métro. Bien sûr, répond le ministre, d'autant plus qu'on veut lancer un programme pour rehausser la consommation de gaz à 15 pour cent. Conclusion: Gaz Métro aura toujours sa place au Québec.

— Si la Caisse fait une transaction pour acquérir la propriété de Gaz Métro, allez-vous nous soutenir?

— Si vous réussissez la transaction, Soquip sera intéressée à embarquer comme partenaire avec vous.

Campeau rappelle Black, et celui-ci cède un autre bloc d'actions aux mêmes conditions. Puis, à un moment donné:

— Hé! Conrad, pourquoi pas tout nous vendre?

— Ouais, après tout, c'est une bonne affaire, allons-y!

Et c'est ainsi que la Caisse se retrouve, au bout du compte, avec 65% des actions de Gaz Métropolitain. Ou plutôt avec des débentures convertibles en actions, ce qui lui permet sur le moment de ne pas dépasser sa limite autorisée de 30% d'investissements en actions, en attendant que Soquip prenne le relais.

La conquête de Domtar

Gaz Métro n'est pas aussitôt dans le sac qu'une autre opération d'envergure s'amorce: la mainmise sur Domtar.

L'affaire du message référendaire de Hamilton dans le rapport annuel de Domtar, au printemps 1980, n'avait été que l'un de ces nombreux gestes qui témoignent des tensions entre les cadres supérieurs, le *management*, et les actionnaires d'une entreprise, les propriétaires. Très souvent, comme dans le cas de Hamilton, les pdg agissent comme des propriétaires à part entière, seuls maîtres à bord après Dieu, des petits ou grands barons jaloux de leurs fiefs et prérogatives. Et ce sont eux, la plupart du temps, qui mènent des guerres d'usure, des luttes à outrance, pour empêcher les prises de contrôle, c'est-à-dire les changements de propriété. Couramment, ils ne se limitent pas au choix des cadres de l'entreprise, ils se donnent aussi des droits de regard souvent abusifs sur les nominations au conseil d'administration, c'est-à-dire sur les représentants des propriétaires, car ils se considèrent ni plus ni moins comme monarques de droit divin.

Ainsi était Alex Hamilton à la tête de l'empire Domtar. Depuis 1974, il régnait sans partage sur 21 divisions industrielles et 18 000 employés, répartis dans diverses filiales au Canada, aux États-Unis et en Angleterre. La gamme de production va des papiers fins aux produits chimiques, en passant par le papier journal, le carton fort, les matériaux de construction (la marque «Arborite» notamment), le gypse, la chaux et le sel (Sifto). Bref, un chiffre d'affaires d'un milliard et demi de dollars par année au début des années 1980. Une affaire sérieuse, quoi.

Inutile de dire que ce grand patron anglo-québécois, en bon Westmountois, a une sainte horreur du PQ, de ses pompes et de ses œuvres. Il a dû avaler une première couleuvre quand la Caisse est devenue l'actionnaire majoritaire de Domtar en 1979, mais comme il avait lui-même souhaité la chose en guise de moindre mal pour rapatrier le bloc d'actions menaçant de MacMillan Bloedel, il l'a acceptée de bonne grâce et... tente de faire contre mauvaise fortune bon cœur. C'est du moins ainsi que Campeau le perçoit en 1980, à l'époque de ses premiers contacts avec lui à titre de président de la Caisse. Nonobstant ses prises de position politiques, Hamilton, selon lui, tâche de se montrer compréhensif et ouvert face à la nouvelle situation dans son entreprise. La Caisse a même pu faire nommer deux administrateurs au conseil d'administration de Domtar. Le premier a été Yves Pratte, l'ex-président d'Air Canada, à compter d'avril 1980, et Gilles Blondeau quelques mois plus tard.

Partie avec 23% des actions de Domtar en 1979, la Caisse augmente graduellement sa participation à 26%, à l'occasion de nouvelles émissions. Cette augmentation porte probablement ombrage à la haute direction de la société. Car un beau jour, voilà que la grosse limousine d'Alex Hamilton s'amène à la maison de campagne de Jean Campeau, à Saint-Sauveur.

— Domtar veut faire deux acquisitions importantes, lance Hamilton, et je viens vous consulter comme actionnaire principal.

Campeau sent qu'il y a anguille sous roche, mais où? Le patron de Domtar explique que la société a décidé d'émettre du nouveau capital-actions. Les deux hommes se mettent à faire des calculs. Campeau veut savoir une chose fondamentale: à quel pourcentage la nouvelle répartition des actions ramènera la Caisse. Hamilton refait ses calculs. Il devait savoir d'avance, pense Campeau, que la Caisse allait y perdre la moitié de ses plumes, son portefeuille Domtar passant de 26% à 13% de la totalité des actions de l'entreprise. Les machinations de la direction de Domtar visent essentiellement à couper l'herbe sous le pied de la Caisse, à saper son importance comme actionnaire. Jean Campeau ne peut accepter pareille opération qui menace non seulement de diluer les actions de la Caisse, mais aussi de laisser échapper une entreprise majeure au contrôle québécois. Il lui faut réagir, et vite. Le président de la Caisse interrompt donc ses vacances immédiatement. Il se met en quête d'un partenaire pour acheter du Domtar, toujours à cause de la limite de 30 %.

Du côté de Domtar, le moulin à rumeurs va bon train. On dit que l'entreprise tente de fusionner avec une grosse société américaine de matériaux de construction. On parle de fermetures d'usines au Québec, à East Angus et à Windsor notamment. Puis, en décembre 1980, on apprend que Domtar a décidé de déménager à Toronto le siège social de sa filiale Sifto. Cette décision est reliée notamment à l'ouverture d'une mine de sel aux Îles de la Madeleine, qui entre en concurrence avec la mine que Sifto exploite à Goodrich, en Ontario. Parizeau accepte mal le déménagement de Sifto. À l'Assemblée nationale, le 2 décembre, le ministre clame son indignation et dit « qu'il va falloir qu'on trouve des règles en vertu desquelles l'argent des Québécois sert dans le meilleur intérêt des Québécois ». Dans les mois qui suivent, le gouvernement apprend que Domtar ne construirait pas au Québec sa nouvelle usine de papier fin, et même que la société aurait l'intention de déménager son siège social en Ontario. René Lévesque est courroucé. Il demande à son ministre des Finances de tout mettre en œuvre pour « acheter Domtar », selon ce qu'a révélé Pierre Duchesne, dans sa biographie de Parizeau[13].

Ce sera la SGF, en fin de compte, qui marchera au front avec la Caisse, une SGF requinquée, relancée sur les rails de la rentabilité par un nouveau pdg, Guy Coulombe, l'ex-secrétaire du Conseil exécutif. Pour une opération de cette envergure – il s'agit d'acquérir près de 20 % d'actions de Domtar en sus de celles que la Caisse possède déjà –, une bonne stratégie s'impose. L'intérêt d'acquérir Domtar consiste non seulement à étendre l'emprise du Québec sur un secteur névralgique comme les pâtes et papiers, mais aussi à déboucher dans des domaines moins connus comme les produits chimiques.

Afin d'accélérer la collecte des actions, Campeau demande l'aide de Parizeau pour faire appel à un allié peu naturel, si l'on peut dire : Paul Desmarais, de Power Corporation. De fait, Desmarais a accumulé de nombreuses actions de Domtar par le biais de diverses sociétés qu'il contrôle, comme la Great West par exemple. Une rencontre est organisée avec Desmarais à l'appartement d'Yves Pratte[14], près de l'hôtel Ritz-Carlton. Le

13. Pierre DUCHESNE, *Jacques Parizeau, tome 2, Le Baron*, Montréal, Éditions Québec-Amérique, 2002.

14. Yves Pratte était représentant de la Caisse au c.a. de Domtar, comme on l'a vu. Il était aussi conseiller juridique de Power Corporation, après avoir été président d'Air Canada et juge

président de Power propose d'abord de former une méga-société en fusionnant Domtar et Consolidated-Bathurst, mais Parizeau refuse, parce qu'il ne veut pas d'une position minoritaire, selon ce que rapporte le biographe Duchesne. Après quelques heures de marchandage, Desmarais accepte finalement de vendre ses parts à la Caisse. Et de un. Dans un deuxième temps, la Caisse fait en secret des offres directes à quatorze des principaux actionnaires de Domtar: des institutions financières de Montréal, pour la plupart. Quatorze, c'est le nombre maximum qui permet à la Caisse d'éviter une disposition de la Loi des valeurs mobilières voulant qu'une société ne peut acheter de quinze actionnaires d'une même entreprise sans faire une offre publique à tous les autres.

Puis le 18 août 1981, c'est le jour J. La direction de Domtar se retrouve devant le fait accompli: la SGF et la Caisse détiennent ensemble 42% des actions de la compagnie. À la Bourse, l'atmosphère est tendue: les transactions sont suspendues sur le titre Domtar à Montréal et à Toronto. Tout le monde est sidéré d'apprendre que le plus grand fabricant de papier fin au Canada vient de changer de main, et surtout que les acquéreurs sont deux sociétés publiques du Québec. L'opération s'est réalisée au prix de 275 millions de dollars. La SGF et la Caisse se partagent respectivement 22% et 20% des actions.

Les 18 et 19 août 1981, tout de suite après la prise de contrôle, plusieurs rencontres ont lieu au siège social de Domtar entre le pdg Hamilton et ses nouveaux «patrons»: Jean Campeau, de la Caisse, et Guy Coulombe, de la SGF. Les deux sociétés québécoises ne veulent pas se borner à être des investisseurs passifs, elles veulent avoir une représentation proportionnelle à leurs investissements au conseil d'administration de la compagnie et tenir leur rôle d'actionnaires prépondérants. Alex Hamilton ne tarde pas à comprendre que les règles du jeu ont changé. Dans les jours suivants, Domtar annoncera dans un communiqué qu'une «représentation proportionnelle était assurée aux deux actionnaires au sein d'un conseil d'administration élargi ainsi qu'au comité exécutif». Et, bien sûr, la nouvelle usine de papier fin sera construite au Québec, à Windsor. Un investissement de près de 2 milliards de dollars.

---

de la Cour suprême. Pratte était un ami de longue date de Parizeau, avec qui il avait travaillé notamment à la Commission sur la réforme des institutions financières dans les années 1960. Son fils André est devenu éditorialiste en chef de *La Presse* en 2001.

Une fois la conquête de Domtar assurée, la Caisse laisse sa partenaire mener le bal. Pour les besoins de la cause, la SGF a financé l'achat de Domtar par l'intermédiaire d'une nouvelle filiale, Dofor; c'est sous cette filiale qu'elle regroupe ses participations à Domtar et Donohue. Tout en étant actionnaire de Dofor, la Caisse, quant à elle, garde indépendamment son bloc de 20% de Domtar.

La mainmise sur Noranda

Cet été de 1981 voit deux opérations majeures de la Caisse s'accomplir coup sur coup. De fait, quelques semaines avant que la nouvelle de la prise en main de Domtar soit rendue publique, on apprend que la Caisse vient de s'associer aux Bronfman pour prendre le contrôle de la société Noranda. Par contraste avec l'autre qui s'est étalée sur plusieurs mois, cette opération sera menée tambour battant en quelques semaines.

Dès le 19 juin, Trevor Eyton, bras droit de Peter Bronfman, vient rencontrer Jean Campeau et Marcel Cazavan à la Caisse, afin de s'entendre avec eux sur les moyens à prendre pour briser la résistance de Noranda à une prise de contrôle. Le holding Brascan, acquis récemment par Bronfman, essaie de mettre la main sur la multinationale Noranda[15] depuis plusieurs mois déjà, mais se heurte à la résistance opiniâtre du pdg Alf Powis. Eyton et Campeau ne sont pas longs à s'entendre sur la nécessité de donner l'assaut final à «une administration qui s'abritait derrière ses retranchements et s'entêtait à agir en propriétaire», selon les termes de Peter Newman[16].

Le 22 juillet, tous les détails de «l'Opération Granite», comme on l'appelle, sont au point: le projet d'une association Brascan/Caisse, sur la base 70/30, est soumis aux conseils d'administration des deux sociétés. Il y a des réserves au départ – 450 millions de dollars, ce n'est pas rien! – mais,

15. En 1981, avec un actif de 3 milliards de dollars, Noranda affiche le meilleur rendement du capital des trente premières sociétés canadiennes. Multinationale, elle exploite au Québec des mines de zinc (à Matagami) et de cuivre (en Gaspésie), de molybdène en Colombie-Britannique, de potasse en Saskatchewan, de zinc au Maine, de spath fluor au Mexique, de cuivre au Chili, et une demi-douzaine d'autres gisements miniers à travers le monde. En outre, la compagnie a diversifié ses intérêts dans les pâtes et papiers, la fabrication de câbles, les plastiques, le pétrole et le gaz naturel

16. *L'Establishment canadien*, tome II, par Peter NEWMAN, Montréal, Éditions de l'Homme, p. 251-252.

à la fin, la décision est prise à l'unanimité. Le soir même, l'accord est signé avec Brascan. Le lendemain, Campeau et Eyton annoncent la fondation de Ressources Brascade, société où ils mettent en commun leurs portefeuilles d'actions de Noranda (un total de 24,4 millions d'actions) et s'engagent à investir un milliard de dollars supplémentaires pour mettre la main sur l'empire minier qu'est Noranda. «Durant les dix jours qui suivirent, raconte Newman, l'oligarchie de Brascan mit au point la campagne la mieux organisée qui fût jamais au pays pour obtenir le soutien de l'establishment[17].»

Le patron de Noranda tente tout de même un dernier recours. Croyant que le gouvernement du Québec agit par l'intermédiaire de la Caisse, il se rend voir Parizeau à Québec, le 3 août. Alf Powis joue la carte de l'étonnement devant le ministre. Le gouvernement québécois en veut-il à Noranda? Cherche-t-il à punir la compagnie de quelque chose? Sinon, pourquoi participer à cette prise de contrôle? Parizeau, qui est plus ou moins au courant du projet de la Caisse, lui fait remarquer que l'institution étant autonome, le gouvernement n'a pas à intervenir dans cette affaire. Il ajoute qu'une société comme la Caisse, qui a quinze milliards à placer, ne peut se contenter de jouer au Monopoly.

Voyant qu'il ne peut rien obtenir à Québec, Powis se rend à Montréal rencontrer Campeau le soir même, dans une suite du Reine-Élizabeth. Devant une table chargée de boissons et de nourriture, Powis se retrouve flanqué de ses acolytes habituels, Bill James et Ken Cork[18]. Il y a là aussi Antoine Turmel, car le patron de Provigo vient d'être nommé au conseil de Noranda. Campeau, de son côté, s'est fait accompagner de Marcel Cazavan.

Le patron de Noranda propose à la Caisse deux administrateurs au conseil d'administration de la compagnie, si celle-ci veut bien laisser tomber son entente avec Brascan. Malheureusement pour Powis, quelqu'un dans la pièce sait à quoi s'en tenir au sujet de cette soudaine manifestation de bons sentiments. Quand il était président de la Caisse, Marcel Cazavan a gaspillé en vain sa salive pour obtenir un siège au conseil de Noranda. Il n'y va pas par quatre chemins pour dire ce qu'il en pense:

— Écoute, Alf, ça fait longtemps que la Caisse te dit qu'elle veut des représentants à ton conseil. T'as jamais voulu nous en donner. Il est trop tard maintenant...

---

17. *Ibid.*, p. 255.

18. Kendall Cork, Bill James et Adam Zimmerman formaient avec Alf Powis le noyau dirigeant qu'on appellait «la Bande des quatre» à Noranda.

Désarçonné, Powis se retourne vers Campeau pour essayer de le convaincre, mais celui-ci ne bronche pas. Dans les jours qui suivent, Powis doit s'aboucher avec Trevor Eyton et Jean Labrecque, sous-directeur général adjoint de la Caisse, pour parvenir à un «compromis susceptible d'être accepté par le conseil d'administration de Noranda» lors de la réunion du 12 août.

Le 27 août, on négocie l'offre finale stipulant que Brascade achète 10 millions d'actions ordinaires et 1,8 million d'actions privilégiées. Au début de septembre, avec 42% des actions ordinaires de Noranda, Brascade prend le contrôle de la multinationale. Le 23 novembre, la société de gestion dont la Caisse est actionnaire à 30% inscrit ses actions privilégiées, convertibles simultanément aux Bourses de Montréal et de Toronto[19].

Avec toutes ces péripéties et beaucoup d'autres opérations moins éclatantes mais tout aussi efficaces, 1981 s'avère finalement l'année la plus active de la Caisse jusque-là. En somme, les deux premières années de l'administration Campeau ont propulsé plus que jamais la Caisse du côté de l'essor économique et de l'intervention dans des entreprises majeures pour le Québec. Si la récession économique qui sévit en 1981 entraîne un rendement négatif (-1,9%), la Caisse se rattrape largement l'année suivante avec un rendement de 32,8% ! (Un record encore inégalé à la CDP). Aussi l'actif se retrouve-t-il, à la fin de cette année-là, à plus de 16 milliards de dollars, soit le double de ce qu'il était quatre ans seulement auparavant.

L'intervention plus musclée de la Caisse dans l'économie suppose et entraîne une augmentation des participations dans le secteur privé. Mais la Caisse n'est plus une institution financière naissante, un petit fonds de retraite provincial plus ou moins négligeable. Avec un actif de 16 milliards de dollars, ses mises comptent. Ses placements et déplacements ne passent plus inaperçus. Ses investissements, ses manœuvres, ses activités ont désormais bien plus qu'une portée régionale. Bref, la Caisse de dépôt et placement du Québec commence à déranger certains intérêts, à ébranler les colonnes du temple d'un certain establishment canadien. C'est ce qui entraînera la rocambolesque réaction du projet de loi S-31.

---

19. Cette affaire Brascade se révélera plus tard un échec financier pour la Caisse, parce que les conventions d'actionnaires l'ont empêchée de revendre les actions quand elle le voulait. *Cf.* Duchesne, *op. cit.*

L'épouvantail du S-31

Le 2 novembre 1982, sans crier gare, le gouvernement fédéral soumet au Parlement un projet de loi dont l'objet principal (quoique non avoué directement) est de bloquer la Caisse. Cette mesure législative, intitulée «Loi sur la limitation de la propriété des actions des sociétés» mais mieux connue sous le nom de projet S-31, entend interdire aux gouvernements provinciaux et à leurs agences de détenir plus de 10% d'une compagnie de transport nationale ou pancanadienne.

On apprend bientôt que c'est la haute direction de Canadien Pacifique, la plus importante entreprise au Canada[20], qui a fait appel au premier ministre Trudeau. À tort ou à raison, le président de CP, Fred Burbidge[21], a senti sa société menacée d'une prise de contrôle par le capital francophone, représenté par Paul Desmarais et surtout par la Caisse, qu'on considère alors à Toronto comme l'instrument financier du gouvernement «séparatiste» de Québec. Craignant sans doute ce qui est arrivé à Domtar et à Noranda, il a fait appel à Ottawa.

Le projet de loi a été concocté rapidement par Trudeau lui-même, semble-t-il, flanqué des ministres Lalonde, Ouellet et quelques autres. En outre, ce 2 novembre, le projet n'est pas présenté aux Communes mais au Sénat, et tard en soirée. La présentation au Sénat permet d'éviter le débat en Chambre et d'accélérer la procédure; qui plus est, elle rend le projet de loi exécutoire le jour même de son dépôt[22]. Que s'est-il donc passé pour qu'il faille en arriver là? Pourquoi cette bousculade, cette urgence qui rappelle les mesures de guerre d'octobre 1970[23]? Revenons un peu en arrière.

---

20. Plus grande entreprise du secteur privé au Canada, Canadien Pacifique compte, en 1982, un actif de plus de 17,2 milliards de dollars et quelque 127 000 employés, répartis dans 160 grandes filiales et 112 autres firmes secondaires.

21. Frederick Burbidge vient alors de succéder à Ian Sinclair comme numéro un de la compagnie. Sinclair, qui a régné sur CP pendant une dizaine d'années, conserve cependant un poste d'influence dans la haute direction à titre de pdg des Entreprises Canadien Pacifique. Sinclair (qui était notamment le beau-père de Pierre Elliott Trudeau) s'est singulièrement illustré au Québec par son opposition à l'usage officiel du français au siège social de CP à Montréal. Ce Manitobain, qui réside au Québec depuis de nombreuses années, ne parle pas un traître mot de français. Il faisait partie du conseil d'administration de la Sun Life, quand celle-ci a décidé de déménager ses pénates à Toronto en 1979. Et il avait menacé d'en faire autant avec le siège social de CP.

22. C'est un fait plutôt inusité qu'un projet de loi soit d'abord présenté au Sénat, surtout en ce qui concerne des intérêts largement publics comme ceux qui étaient en jeu dans l'affaire de Canadien Pacifique. D'ordinaire, les projets de loi présentés au Sénat ont trait à des sujets d'intérêt plus restreint comme l'Opus Dei, par exemple.

23. À la suite de l'enlèvement du diplomate britannique James Cross et du ministre québécois Pierre Laporte.

Pour bien comprendre le projet de loi S-31, il faut le situer dans le contexte d'une montée sans précédent de l'entrepreneuriat franco-québécois. Il y a eu, bien sûr, les derniers grands coups de la Caisse – Gaz Métropolitain, Domtar, Brascades – mais aussi l'acquisition de l'Impériale par La Laurentienne, les tentatives de Desmarais de s'emparer d'Argus Corporation, l'achat des chaînes Loeb et Dominion par Provigo, etc. Bref, le contexte est celui d'une avance sur tous les fronts du capital francophone.

La Caisse, pour sa part, commence à déranger sérieusement certains milieux d'affaires depuis qu'elle ne se limite plus à n'être qu'un investisseur passif et complaisant. Déjà l'opération Gaz Métropolitain avait fait froncer des sourcils[24], mais après la prise habile de Domtar et celle de Noranda, par-dessus le marché, la mesure était comble: on ne touche pas impunément à deux vaches sacrées du capitalisme anglo-canadien.

Plus que tout autre, Fred Burbidge dut sentir que le «diable était aux vaches» quand il vit deux de ses pairs, deux grands barons du management comme Alex Hamilton et Alf Powis, mordre la poussière devant la puissance financière de la Caisse. Le pire, c'est que son empire à lui aussi était menacé. Le péril français, comme une marée irrésistible, montait déjà aux remparts de la gare Windsor, siège de Canadien Pacifique.

Le premier acte de ce drame politico-financier avait eu lieu en décembre 1981. Paul Desmarais était alors devenu le principal actionnaire de Canadien Pacifique, avec 11% des actions, et il ne faisait pas mystère de son intention de se rendre bientôt à 20%. Le président de Power Corporation représentait ainsi une menace aux yeux des administrateurs de CP, une menace d'autant plus sérieuse qu'il s'était déjà commis avec la Caisse dans la prise de Domtar et que celle-ci avait encouru une sorte de dette plus ou moins tacite à son endroit. Or la Caisse possédait déjà près de 8% des actions de CP, soit à peu près ce qui manquait à Desmarais pour boucler la boucle des 20%. Pour les dirigeants de CP, la seule possibilité de la chose suffisait pour qu'ils prennent sans tarder des mesures défensives.

24. La réprobation anglophone s'est exprimée clairement dans un éditorial du quotidien *The Gazette* intitulé «Leave pension fund alone», le 17 décembre 1980. On y disait notamment que «l'affaire Gaz Métropolitain est le signe le plus manifeste que le gouvernement Lévesque entend se servir du fonds de retraite des Québécois à ses propres fins... C'est une politique dangereuse et inexcusable», concluait le quotidien montréalais.

La direction de CP s'empressa donc de proposer un pacte à Desmarais. On lui ferait de la place au conseil d'administration de la société[25], à condition qu'il consente à borner ses ambitions. L'entente fut signée le 15 décembre 1981. Desmarais s'engageait à limiter sa participation à 15 % du capital-actions de CP jusqu'au 31 décembre 1991. Une clause, cependant, lui permettait de déroger à cette règle s'il y avait tentative d'OPA de la part d'une autre firme ou si un autre actionnaire augmentait sa participation au-delà de 10 %.

Le deuxième acte survint quelques mois plus tard, en mars 1982, quand la Caisse augmenta de 2 % sa participation au capital-actions de CP. La Caisse possédait désormais 9,97 % des actions de la multinationale, ce qui donna des sueurs froides à Burbidge. La Caisse n'était plus qu'à quelques dixièmes de point du palier fatidique des 10 %, qui libérerait Desmarais de son engagement et ouvrirait la porte à une prise de contrôle. Le président de Canadien Pacifique ne vit alors de planche de salut que dans le gouvernement fédéral. Il fit aussitôt appel, dès ce mois de mars, au premier ministre Trudeau, pour que celui-ci impose une limite à l'appropriation des compagnies de transport par les provinces et leurs agences. Comme par hasard, Burbidge demanda que cette limite fût fixée à 10 %.

Sur un plan strictement financier, l'investissement dans CP était une bonne affaire pour la Caisse. Les actions du conglomérat se transigeaient alors à un prix avantageux (pour l'acheteur), dans un marché baissier qui sévissait à la Bourse depuis plusieurs mois déjà. Ces actions promettaient donc d'être fort rentables[26] pour une institution comme la Caisse qui pouvait en acheter massivement. En conformité avec la ligne de conduite qu'il avait établie depuis son entrée en fonction, Jean Campeau redemanda au président de CP, ce printemps-là, une juste représentation au conseil d'administration de l'entreprise, c'est-à-dire une représentation proportionnelle au nombre d'actions détenues par la Caisse[27]. Burbidge le prit de haut[28]. Non seulement rejeta-t-il la demande de Campeau, mais il déclarera plus tard:

25. Le président de Power entra au conseil (élargi) de CP en mai 1982.

26. Dans les quelques mois qui précédèrent le S-31, le titre CP s'apprécia de 36 pour cent.

27. Campeau avait, tout prêts, deux représentants prestigieux à proposer: Raymond Garneau, alors président de la Banque d'Épargne de la Cité et du District de Montréal, et Michel Bélanger, président de la Banque Nationale et qui devait d'ailleurs être nommé au conseil de CP deux ans plus tard.

28. Voici ce que Matthew FRASER en dit dans *Québec Inc.* (Montréal, Éditions de l'Homme, 1987): «Pour Burbidge, l'attitude de Campeau est grossière et effrontée, et il ne se cache pas pour le déclarer. Au CP, on a l'impression que Campeau est un agent à la solde du gouvernement séparatiste du PQ.»

> Canadien Pacifique a été créée délibérément comme une société privée par le gouvernement fédéral, et voilà qu'une province qui veut se séparer du reste du Canada achète des actions d'une compagnie qui a été conçue pour souder le pays ensemble[29].

Un projet de loi contesté

Trudeau attendit à l'automne pour céder aux pressions de Burbidge et de son ex-beau-père Ian Sinclair. Soudain, le 2 novembre au soir, le couperet tombe. La nouvelle ne paraît que le lendemain dans certains journaux, voire le surlendemain dans d'autres. *Le Devoir* du 4 novembre, par exemple, affiche en manchettes:

> Recourant à une procédure sans précédent, le gouvernement fédéral a fermé, depuis hier matin dix heures, la porte à toute entrée des provinces dans le secteur du transport interprovincial et international.

Le projet de loi S-31 crée d'abord une certaine confusion dans l'opinion publique. On en saisit mal le but réel. Dans une entrevue au *Globe and Mail*, le ministre André Ouellet finit par reconnaître que la loi s'adresse principalement à la Caisse de dépôt et placement du Québec, à cause de ses visées sur Canadien Pacifique[30]. Le ministre des Transports, Jean-Luc Pepin, renchérit en disant que le projet S-31 vise à «protéger l'intérêt national du Canada en limitant les dangereuses incursions provinciales dans les compagnies nationales de transport». Au-delà de cette rhétorique politicienne, le même André Ouellet, qui a comparé les provinces à des criminels[31], ne se gênera pas plus tard pour avouer les véritables mobiles du coup de Jarnac législatif. La Caisse est «noyautée par des péquistes», dira-t-il; ou encore: elle pratique du «socialisme déguisé» et Jean Campeau est «une marionnette dans les mains de M. Parizeau»[32].

---

29. Cité par Susan GOLDENBERG, dans *Canadian Pacific, A Portrait of Power*, New York/Toronto, Methuen, 1983, p. 34.

30. Jennifer LEWINGTON, «Caisse target of federal ownership bill», *The Globe and Mail*, 4 nov. 1982.

31. Il expliqua qu'Ottawa n'avait pas consulté les provinces avant de présenter le S-31 pour la simple raison qu'il «ne peut pas y avoir de consultation avant le coup, la police qui s'en va arrêter les criminels sur les lieux du crime ne les prévient pas d'avance.» *Cf.* Gilles PAQUIN, «Ouellet compare les provinces à de vulgaires criminels», *La Presse*, 6 novembre 1982.

32. Alain DUBUC, «Caisse: la chasse aux péquistes», *La Presse*, 20 novembre 1982. Michel VASTEL, «Selon M. André Ouellet, Campeau n'a ni lu ni compris la loi», *Le Devoir*, 19 novembre 1982. Michel NADEAU, «Les perturbations de M. Ouellet», *Le Devoir*, 19 novembre 1982.

Les partis d'opposition au Parlement fédéral se prononcent d'emblée contre le projet de loi. Mais c'est au Québec que la protestation se montre la plus vigoureuse. La Caisse réagit avec force dès le départ. L'affaire du S-31 est d'ailleurs pour elle l'occasion de mettre sur pied un véritable service des communications. L'initiative en revient à un jeune avocat, Jean-Claude Scraire, ancien chef de cabinet du ministre de la Justice Marc-André Bédard. Entré à la Caisse comme conseiller juridique l'année précédente, devenu vite le bras droit de Campeau, Scraire dressera les barricades contre les feux croisés du gouvernement fédéral, de Canadien Pacifique et de leurs affidés. Il est, après Campeau, le principal porte-parole de la Caisse durant cette période trouble. Quelques jours après le dépôt du S-31, il fait une déclaration qui a un grand retentissement dans l'opinion publique, affirmant que le projet de loi «aura un effet négatif sur notre stratégie de placement» et que «si elle est limitée à une position de 10% dans les compagnies canadiennes, la Caisse se verra forcée d'investir à l'extérieur du pays».

Le partage des eaux et l'alignement des «pour» et des «contre» se font presque immédiatement, dans les jours qui suivent le dépôt nocturne du projet de loi. Il s'agit, en quelque sorte, d'un moment de vérité. On voit alors à quel point la puissance financière de la Caisse et, derrière elle, toute la nouvelle force économique du Québec, dérangent beaucoup de monde, plus particulièrement dans les bastions traditionnels du pouvoir canadien dont Canadien Pacifique est un étendard[33]. Du côté «pour», on retrouve les médias anglophones en général, la Chambre de commerce du Canada, le Conseil du patronat du Québec, les ténors fédéraux et les représentants d'un certain establishment financier, comme le président de la Bourse de Toronto, Pearce Bunting, qui ne cache pas son hostilité à l'égard de la Caisse et que Jacques Parizeau accusera bientôt de «créer de l'agitation partout au pays afin de faire mousser le projet de loi S-31». On entend même un Robert Harrison, du

33. L'histoire de la compagnie est liée étroitement aux débuts de la Confédération avec des personnages légendaires comme Van Horne, des événements comme le scandale du Pacifique en 1873 qui coûta le pouvoir à MacDonald, et la construction d'un chemin de fer jusqu'en Colombie-Britannique en 1885. Plus que toute autre société privée, CP a bénéficié des largesses du gouvernement fédéral, qui lui a octroyé les sites de Vancouver et de Winnipeg au XIXe siècle et lui a toujours versé de généreuses subventions. En 1982 notamment, la compagnie avait reçu une «aide» fédérale de 34 millions de dollars dans le cadre de l'entente du Nid-de-Corbeau sur les tarifs de fret.

34. Rodolphe MORRISSETTE, «Les Sœurs de la Charité ont été facturées pour des travaux servant les bénéfices de Harrison», *Le Devoir*, 16 mai 1984.

Montreal Board of Trade, clamer que le projet S-31 mérite un appui unanime parce qu'il est «parfaitement légitime» et «moralement bon». L'allusion à la moralité est particulièrement ironique dans la bouche d'un homme qui sera poursuivi pour fraude, au printemps 1984, et condamné en novembre 1985[34].

Du côté contre, Brian Mulroney, qui commence en cet automne 1982 à convoiter ouvertement la succession de Joe Clark, sent d'instinct tout le profit politique qu'il peut tirer au Québec de ce projet S-31. Aussi s'y oppose-t-il presque aussitôt, malgré qu'il soit président de l'Iron Ore, une filiale d'Argus Corporation. Cette fonction, vu les liens étroits entre Argus et CP, devait pourtant le rallier naturellement à la sainte croisade que Trudeau vient de lever au nom de l'intégrité fédérale. Parizeau, de son côté, a déterré la hache de guerre. Le 10 novembre, il demande à Ottawa de laisser tomber son projet de loi, qu'il considère comme une conspiration contre le Québec. Il y voit aussi une manœuvre contre Paul Desmarais, de la part d'un establishment d'affaires qui veut à tout prix garder son emprise sur Canadien Pacifique.

À Ottawa, la situation évolue sur la colline parlementaire, où les conservateurs mettent en doute la constitutionnalité du S-31. Au Sénat même, le conservateur Jacques Flynn[35] réussit à faire renvoyer le projet à un comité qui tiendra des audiences et fera rapport. Le 12 novembre, à l'initiative de Serge Saucier, président de la Chambre de commerce de Montréal, un groupe d'hommes d'affaires québécois, comprenant le président de la Bourse de Montréal, Pierre Lortie, se prononce sans ambages contre le projet S-31. Une semaine plus tard, Lortie revient à la charge en qualifiant le S-31 de «séparatisme à l'envers». Il fait ressortir, par ailleurs, le fait que le gouvernement fédéral détient des participations supérieures à 10 % dans plusieurs entreprises privées.

Le 17 novembre, pour bien montrer où se situe exactement l'enjeu, le président de la Caisse déclare, dans un communiqué, que si son organisme désire augmenter sa participation à plus de 10 % dans CP, ce n'est nullement pour s'emparer de l'entreprise mais parce qu'il s'agit d'un investissement très rentable. De fait, les sociétés faisant partie de l'indice TSE 300 ont rapporté 12,8 % à la Caisse sur cinq ans, tandis que les seules actions du CP rapportaient 14,3 %. D'ailleurs, les titres CP ne représentent que 7,5 % de tous les placements en actions de la Caisse. Son portefeuille à ce chapitre est le plus

35. Les sénateurs conservateurs Arthur Tremblay et Martial Asselin, entre autres, menèrent aussi une campagne active contre le projet de loi.

important au Canada, avec une valeur totale de près de trois milliards de dollars.

Véritable psychodrame politico-financier, l'affaire du S-31 est parsemée de coups de théâtre et de rebondissements de tous genres. Le 23 novembre, Paul Desmarais se déclare tout de go en faveur du projet de loi. Il accuse même la Caisse d'exiger des sièges au conseil de CP pour des raisons politiques, et il récuse les propos de Parizeau, qui l'a dit victime d'une conspiration. Il est compréhensible que le président de Power tienne à se démarquer publiquement de la Caisse au moment où son étoile commence à monter au firmament de Canadien Pacifique. On l'a accueilli chaleureusement au conseil de l'entreprise au printemps 1982, on l'a intégré sur-le-champ dans le saint des saints, aux côtés des Burbidge, Sinclair, Campbell et compagnie. On lui laisse même espérer qu'il sera le prochain président de Canadien Pacifique[36]. Puisque la voie de la Caisse semble bloquée pour le moment, c'est la seule chance qui reste à l'astucieux financier de mener à bien sa conquête de CP, un rêve qu'il caresse de longue date, depuis ses années d'études, en fait; car jadis, à la Faculté de commerce de l'Université d'Ottawa, il a rédigé un mémoire sur la façon de s'emparer de CP[37].

L'apparente volte-face de Desmarais lui vaut au moins une flèche de la part de Parizeau. «Je trouve cela particulièrement aberrant, confie-t-il aux journalistes, parce que monsieur Desmarais a eu un rôle positif lorsqu'il a aidé le gouvernement à acquérir Domtar. C'eût été impossible sans son aide.» Le ministre fait cette remarque à Ottawa, où il s'est rendu le 25 novembre témoigner devant le comité sénatorial sur la justice et la constitution, qui a reçu le mandat d'enquêter sur le S-31. Escorté d'une douzaine d'hommes d'affaires prestigieux du Québec, Parizeau déclare aux sénateurs: «Je ne comprends pas pourquoi ceux qui aiment l'unité canadienne craignent autant de voir des francophones prospères en affaires.»

Le lendemain, *The Globe and Mail* se fend d'un éditorial incisif, où il qualifie le projet S-31 d'«attaque préventive d'Ottawa» contre le pouvoir des provinces dans le domaine des transports. Le journal critique Parizeau et la Caisse de voir un complot antifrancophone dans ce projet de loi émanant, après tout, d'un gouvernement dirigé par le Canadien français Trudeau et dont le ministre des Finances s'appelle Lalonde, le ministre des Transports, Pepin, etc.

---

36. Voir à ce propos: Susan GOLBENBERG, *Canadian Pacific, A Portrait of Power*, Toronto, Methuen, 1983, p. 16 et s.

37. Susan GOLBENBERG, *op. cit.*, p. 31.

Mais tel n'est pas l'avis du sénateur conservateur Jacques Flynn, qui affirme sans ambages, le 29 novembre, que le projet S-31 est «un prétexte pour empêcher un Canadien français de prendre en charge le Canadien Pacifique».

Malgré les éditoriaux du *Globe and Mail* et de *The Gazette*, entre autres, l'opposition au projet de loi ne cesse de gagner des adeptes même au Canada anglais. Un véritable tournant se produit en ce sens le 30 novembre, lorsque le gouvernement de l'Alberta se déclare opposé au S-31. Le lendemain, les gouvernements de l'Ontario, de la Colombie-Britannique et de Terre-Neuve font aussi part de leurs réserves sur les pouvoirs que la loi donnerait à Ottawa. Trudeau intervient pour dire que le projet S-31 vise à empêcher les provinces d'exercer des «pouvoirs extraterritoriaux». Mais ses députés d'arrière-ban commencent à avoir des doutes, à leur tour. Le 8 décembre, le caucus libéral se montre déchiré sur la question. Même André Ouellet parle de modifications possibles.

Il faut dire qu'au Québec, la contestation du S-31 monte comme une marée irrépressible, rassemblant dans une rare unanimité les milieux syndicaux et financiers, le gouvernement et l'opposition. Le 9 décembre, le chef intérimaire du PLQ, Gérard D. Levesque, se prononce contre. Le même jour, on apprend que la Commission fédérale canadienne des transports rejette aussi le projet de loi. Le 17 décembre, autre coup de massue: le comité sénatorial remet son rapport, dans lequel il stipule que le projet S-31 se situe hors des limites raisonnables de la compétence fédérale. Les choses en resteront là. Le projet de loi S-31 mourra à l'ordre du jour de la session d'automne du Parlement.

La Caisse bannie de la Bourse de Toronto

Comme un malheur n'arrive jamais seul, au moment où la Caisse se débat avec le S-31, une autre tuile lui tombe sur la tête. Depuis le début de l'année, la Caisse a maille à partir avec la Commission des valeurs mobilières de l'Ontario, qui l'accuse d'avoir acheté en secret les actions de Domtar. Il y a aussi l'acquisition des titres de Gaz Métropolitain, qui n'est pas jugée orthodoxe à Toronto.

Le litige porte sur le fait que la Caisse n'a pas fourni de «rapports d'initié» à ces occasions. Le terme «initié», en l'occurrence, comprend toute personne, physique ou morale, qui détient 10% ou plus des actions d'une compagnie. La loi oblige ledit initié à déclarer ses ventes et achats d'actions dans les dix jours du début du mois suivant: c'est ce qu'on appelle un rapport d'initié. Or la Caisse n'a jamais fourni de tels rapports dans le passé. Elle fait valoir qu'étant société d'État, elle n'est pas tenue de divulguer ses transactions comme une société commerciale. Elle a gain de cause devant la Cour supérieure du Québec.

La Commission des valeurs mobilières de l'Ontario ne lâche pas prise pour autant. Le fait est que la Caisse est passée tout juste sous la barre du règlement de la Commission – lequel impose de faire une offre publique si on achète les actions de 15 actionnaires ou plus – en s'adressant à 14 actionnaires seulement. Mais ce qui complique un peu les choses, c'est que parmi ce groupe de quatorze, se trouve une société de fiducie dont le bloc d'actions de Domtar se composait, à l'insu de la Caisse, de titres appartenant à une dizaine d'actionnaires individuels. En novembre 1982, donc au milieu de la crise du S-31, la Commission des valeurs mobilières de l'Ontario revient à la charge contre la Caisse. La Bourse de Toronto lui demeure interdite. Cette interdiction restera en vigueur jusqu'en juillet 1983.

Sur le fond de l'affaire, c'est-à-dire la nécessité pour une société d'État de publier des rapports d'initié, le ministre Parizeau se déclare d'accord avec la Commission ontarienne. Les dirigeants de la Caisse conviennent vite d'ailleurs qu'il vaut mieux observer toutes les règles du jeu, s'ils veulent jouer sur le même terrain que les entreprises privées. C'est pourquoi la Caisse annonce, en juin 1982, qu'elle publiera désormais des rapports d'initié. Quant à l'aspect juridique de l'affaire, la Cour suprême du Canada, en 1988, rendra obligatoire la publication de ces rapports[38].

Le retour du S-31

Cependant, enterré à la fin de la session d'automne 1982, le projet de loi S-31 couve encore sous la cendre dans l'esprit de ses promoteurs, qui n'attendent qu'un prochaine occasion pour le ressusciter.

38. Le litige sur le rapport d'initiés que la Caisse n'a pas fourni en acquérant les actions de Domtar sera porté devant la Cour suprême par l'administrateur fédéral de la Loi sur les sociétés par actions, Frederick H. Sparling. La Cour suprême statuera que la Caisse, toute société d'État qu'elle soit, ne peut se soustraire à la loi, c'est-à-dire en revendiquer les avantages sans en assumer également les obligations. Ce jugement sera rendu le 15 décembre 1988, le jour même où la Cour suprême déclarera inconstitutionnelle les dispositions de la loi 101 sur la langue de l'affichage au Québec.

Durant toute l'année 1983, interventions et débats, souvent passionnés, se succèdent sur la situation et le rôle de la Caisse et placement du Québec. D'abord dans les enceintes parlementaires d'Ottawa et de Québec, mais aussi dans les journaux et à diverses tribunes publiques. Ce printemps-là et au cours de l'été, les rumeurs d'une relance imminente du projet S-31 circulent de plus belle.

La reprise des hostilités, pour ainsi dire, survient le 4 mai 1983, à l'assemblée annuelle de Canadien Pacifique. Burbidge y fait une violente sortie contre la «nationalisation par la porte de service» que représente la Caisse à ses yeux. Il évoque le retour prochain du projet de loi S-31 et avertit son auditoire que l'action de la Caisse risque de mener à «la provincialisation d'une entreprise nationale par un gouvernement voué au séparatisme». Le conflit avec Canadien Pacifique, qui est resté jusque-là au niveau des coups fourrés, prend dès lors l'allure d'une guerre ouverte. Et comme par hasard, on sent un regain d'hostilité à l'égard de la Caisse dans certaines couches du milieu des affaires.

Ce n'est qu'à l'automne qu'on peut savoir ce qui se trame à Ottawa, quand on apprend au début de novembre que le président de la Chambre canadienne de commerce, Sam Hughes, a rencontré certains ministres du cabinet fédéral pour ramener le S-31 à l'ordre du jour du Parlement. La Caisse proteste contre cette intervention, d'autant plus qu'elle n'a pas été consultée sur une nouvelle version éventuelle du projet de loi. De toute façon, le 3 novembre 1983, le projet S-31 réapparaît sous une forme modifiée. Nouveau projet, nouvelle ministre, car il est présenté cette fois par Judy Erola, qui vient de succéder à André Ouellet au ministère de la Consommation et des Corporations. Les changements sont si mineurs qu'ils ne font illusion à personne, encore moins à ceux qui se sont opposés au projet l'année précédente. Dès le départ, la presse francophone accueille le nouveau projet pour ce qu'il est: une opération de maquillage pour donner le change[39]. Le ver dans la pomme – autre pomme, même ver – est que le projet ne peut se justifier autrement que pour bloquer la Caisse; car Ottawa a bien d'autres moyens de réglementer le transport interprovincial, notamment avec la Commission canadienne des transports et l'Office national de l'énergie.

39. Frédéric Wagnière, «Le projet S-31 reste injustifiable», *La Presse*, 5 novembre 1983. Jean-Paul Gagné Gagné, «S-3: rien de changé malgré le maquillage», *Les Affaires*, 12 novembre 1983.

La contestation du S-31, cette fois, est menée tambour battant. Sentant l'opinion publique québécoise de son côté, Brian Mulroney, élu chef du Parti progressiste-conservateur en juin, entreprend de dénoncer âprement le projet de loi. En même temps, il met un terme au lobby de Canadien Pacifique au sein de son parti. Au Québec, un groupe de 21 hommes d'affaires prestigieux demandent par écrit au ministre Erola de retirer le projet de loi. Le 18 novembre, les divisions apparaissent au grand jour parmi les députés libéraux à Ottawa. Le député Marcel Prud'homme se prononce carrément contre le projet. Quelques jours plus tard, le caucus libéral finit par demander le retrait du S-31. Le ministre Marc Lalonde propose, en dernier recours, une commission royale d'enquête sur la question. Mais il est déjà trop tard. Le 30 novembre, pour une seconde année consécutive, le projet de loi S-31 meurt à l'ordre du jour de la session d'automne et, cette fois, pour de bon.

Cependant, si le S-31 n'a jamais réussi à devenir loi, il a suscité assez de bisbille pour produire les effets voulus, soit empêcher la Caisse d'augmenter sa participation dans Canadien Pacifique. Le pire, sur le plan économique, c'est qu'en bloquant ainsi la Caisse, l'État canadien lui fait perdre plusieurs millions de dollars en gains potentiels, au moment où les actions de CP prennent de la valeur. Pendant que la campagne du S-31 fait rage et que la Caisse est, à toutes fins utiles, ligotée, ces actions passent en effet de 32$ à 45$.

Certains analystes, qui se pencheront après coup sur les événements, considéreront cette triste affaire du S-31 comme l'aboutissement inéluctable de la montée du capital francophone, qui devait tôt ou tard entrer en collision avec le grand capital anglophone. La lutte pour le pouvoir économique, que les francophones ont engagée avec le levier de l'État provincial et qu'ils viennent de gagner au Québec, se porte, au début des années 1980, à l'échelle du Canada. Dans ce contexte, selon ces analystes[40], il est normal que la Caisse, fer de lance de cette expansion, se retrouve tôt ou tard devant le bouclier du gouvernement fédéral, allié naturel de la grande entreprise anglophone. C'est pourquoi, même s'il n'a jamais été adopté, le projet de loi S-31 a constitué «un avertissement clair à la Caisse de limiter ses ambitions à l'égard des entreprises pancanadiennes[41]».

Sur un autre plan, l'affaire S-31 a permis aux entrepreneurs québécois, comme à la population en général, de prendre conscience du rôle primordial

---

40. Yves Bélanger et Pierre Fournier, *L'entreprise québécoise, développement historique et dynamique contemporaine*, Montréal, Hurtubise HMH, 1987, p. 175.

41. *Ibidem.*

de la Caisse dans l'économie du Québec et de manifester leur solidarité avec elle. Elle a suscité une levée de boucliers encore jamais vue du monde des affaires québécois, ou plutôt de cette nouvelle vague d'entrepreneurs derrière les Serge Saucier, Pierre Lortie, André Vallerand et autres.

Mais cette affaire a montré aussi la vulnérabilité de la Caisse. Elle a découvert le talon d'Achille d'une institution puissante, mais que ses liens avec le gouvernement empêchent d'être une société financière comme les autres. Sa proximité surtout avec un gouvernement souverainiste inspire toutes sortes de méfiances, sinon des critiques ouvertes, de la part du secteur privé. Enfin, dans le contexte nord-américain, où les caisses de retraite et fonds de fiducie en général détiennent rarement plus de 5% des actions d'une entreprise, la Caisse pouvait apparaître, aux yeux de certains, comme une sorte de délinquante, un élément perturbateur qu'il fallait mettre au pas. Tout cela permet de mieux comprendre les tenants et aboutissants du S-31 qui, de toute façon, marque une étape de croissance pour la Caisse. Comme si, ayant beaucoup appris en traversant ce péril, la Caisse se retrouve tout à coup parvenue à l'âge adulte[42].

Le fer de lance de l'entreprise québécoise

Pendant qu'elle tente d'esquiver les coups de pied des pouvoirs canadiens, la Caisse donne, par ailleurs, un coup de main sans précédent aux entreprises québécoises. Les Marcel Dutil, André Chagnon, Bertin Nadeau, Charles Sirois et autres entrepreneurs marquants des dernières années se succèdent dans les bureaux de la rue McGill College, pour négocier une transaction, un appui financier ou une participation qui fait souvent la différence entre la stagnation et l'essor décisif, surtout lors de la crise économique du début de la décennie. C'est ainsi que la Caisse se retrouve derrière plusieurs des succès spectaculaires des années 1980.

La Caisse aidera notamment plusieurs de ces firmes prometteuses à passer du stade de PME à celui de grande entreprise. Il s'agit, dans chaque cas, d'un entrepreneur qui a de la compétence et de l'initiative et à qui la Caisse vient fournir le capital nécessaire à l'expansion de son entreprise. Pour illustrer ce *modus operandi*, prenons le cas de trois entrepreneurs qui se sont

---

42. Voir à ce propos: Luc BERNIER, *Politiques gouvernementales et sociétés d'État: le cas de la Caisse de dépôt et placement du Québec*, thèse de maîtrise présentée au département de science politique de l'Université Laval, juin 1984.

particulièrement distingués dans les années 1980: André Chagnon, de Vidéotron, Marcel Dutil, de Canam Manac, et Charles Sirois, de Télésystème National.

Vidéotron

Le cas de Vidéotron est un exemple typique de la contribution de la Caisse à la constitution de grandes sociétés québécoises, à partir de secteurs industriels récupérés par le Québec.

Comme d'autres secteurs de pointe, en effet, la câblodistribution ou télédistribution a été d'abord, au Québec, largement dominée par des intérêts américains et anglo-canadiens, jusqu'à ce que la Caisse contribue en 1971, avec d'autres investisseurs institutionnels québécois, à la québécisation de l'industrie en acquérant une part prépondérante de National Cablevision (voir chapitre 2). Ainsi, la Caisse a pavé la voie, en quelque sorte, à l'arrivée d'un géant québécois de la câblodistribution comme Vidéotron.

André Chagnon a lancé son entreprise dès 1964, à partir d'une petite compagnie de services d'électriciens qu'il avait fondée à la fin des années 1950. Sa société s'est bâti graduellement une compétence technique dans la télévision par câble, en établissant des réseaux locaux et régionaux dans les régions de Montréal et de l'Outaouais. Même si elle ne cesse alors d'étendre ses ramifications, Vidéotron n'en reste pas moins qu'une des nombreuses petites entreprises qui se partagent l'industrie du câble dans les années 1960 et 1970.

C'est à la fin de 1979, en fait, que la Caisse donne le coup de pouce nécessaire pour propulser Vidéotron dans les grands circuits industriels. Le 20 décembre 1979, en effet, pour permettre à son entreprise d'acquérir Cablevision Nationale, la Caisse signe un projet d'entente avec André Chagnon, par lequel elle s'engage à acheter 30% des actions de Vidéotron pour la somme de 8 millions de dollars, somme qui pourrait être portée à 10 millions si l'entreprise atteint un certain rendement dans les quatre prochaines années. Cette participation de la Caisse permet à Vidéotron de faire une offre d'achat à la société Netcom, propriétaire du réseau Cablevision, offre qui est acceptée le 4 janvier suivant. Le 30 juillet 1980, le CRTC autorise la transaction et Vidéotron devient du coup le plus important câblodistributeur au Québec.

Mais la société montréalaise s'aperçoit vite qu'elle a pris une grosse bouchée, car elle vient près de s'étouffer avec! La société Netcom est hérissée de dettes, ce qui n'en facilite pas l'absorption ; en outre, les taux d'intérêt se mettent à grimper en 1981. Pressé par ses créanciers bancaires, le télédistributeur se retrouve aux abois. Deux choses sauvent Vidéotron alors : le soutien de la Caisse et la confiance qu'inspire André Chagnon. Après cette traversée du désert, l'entreprise de télédistribution connaîtra une expansion accélérée.

Vidéotron reste une compagnie privée jusqu'en novembre 1985, où elle inscrit une première émission d'actions à la cote de la Bourse de Montréal. En marge du fractionnement du capital-actions qui s'ensuit, la Caisse souscrit deux millions de dollars supplémentaires à son investissement dans le groupe. En juillet 1986, l'entreprise fait un nouveau bond de géant en acquérant Télé-Métropole[43], ce qui double du coup son chiffre d'affaires (306,2 millions de dollars en 1988).

En 1989, régnant débonnairement sur un empire qui étendait désormais des tentacules sur trois continents[44], André Chagnon se félicitait d'avoir eu la Caisse comme partenaire financier[45]. Pour deux raisons principales : d'abord, la Caisse lui a donné, au début des années 1980, les bottes de sept lieues qu'il lui fallait pour aller plus loin ; ensuite, elle a délégué à son conseil d'administration des administrateurs dont il a toujours apprécié la qualité et l'esprit de collaboration.

Canam Manac

Canam Manac est devenue, dans les années 1980, un nom qui pèse lourd dans l'industrie québécoise. Mais on peut se demander si cette entreprise d'acier de construction de la Beauce serait aussi vite devenue la première de sa catégorie au Canada et la deuxième aux États-Unis, si la Caisse ne s'était trouvée sur son chemin.

---

43. Vidéotron acquiert 40,7 % des actions de Télé-Métropole et 99,6 % des droits de vote, pour 134,1 millions de dollars.

44. En Amérique, en Europe et en Afrique. En Amérique, outre le Québec et le Canada, l'expansion s'est faite par le biais d'une participation de 50 % dans le système de télévision interactive ACTV aux États-Unis ; en Europe, par diverses participations en France (dont une de 35 % dans le réseau Région Cable) et une en Angleterre (45 % dans le réseau Southampton Cable) ; et en Afrique, par une participation de 15 % dans la première télévision privée au Maroc.

45. En 1988, la Caisse détient 8 647 442 actions du Groupe Vidéotron, pour une valeur de 114,6 millions de dollars. Elle possède, en outre, 394 489 actions de Télé-Métropole, qui valent 6,7 millions de dollars.

Direct et sympathique, donnant l'impression d'être de la même trempe que les poutrelles qu'il fabrique, Marcel Dutil se plaît à donner de lui-même l'image d'un homme qui s'est bâti à la force du poignet, le self-made-man à l'américaine. À la fin des années 1980, on l'entendra dire volontiers, dans son luxueux bureau du 21e étage de la Place Ville-Marie[46], devant des fenêtres panoramiques qui donnent sur le mont Royal: «Hé! je suis pas allé à l'école, moi, il faut que je travaille pour gagner ma vie!» En réalité, il appartient à ce qu'on pourrait appeler l'aristocratie industrielle de la Beauce, puisque son grand-père maternel Édouard Lacroix a été longtemps le grand capitaliste de la région dans la première moitié du siècle.

Dutil a quand même démarré modestement au début des années 1960 (comme soudeur durant les vacances d'été) dans la petite entreprise paternelle, Les Aciers Canam, fondée en 1961. À l'époque, toute la production de l'usine de Saint-Gédéon de Beauce était écoulée aux États-Unis. Trois ans plus tard, les ventes s'amorçaient au Québec et dans les provinces maritimes. À 22 ans, Marcel Dutil abandonna les études pour prendre la direction de la petite usine de poutrelles d'acier. Il décrocha d'abord un prêt d'une banque française pour la développer, puis il entreprit d'en racheter graduellement les actions. En 1972, l'entreprise lui appartenait.

Dans les dix années suivantes, Dutil développera fort bien son entreprise – il refuse même un prêt de la Caisse en 1975. Mais en 1982, au moment de la crise économique, il doit faire face à certaines difficultés. C'est alors que la Caisse acquiert 30% des actions de Manac[47] tout en accordant un prêt. Cette aide s'avère un véritable tremplin. En 1982, les ventes du groupe s'élèvent à 98 millions de dollars. Six ans plus tard, elles se seront multipliées par six et demi, pour atteindre 643,7 millions. Et ce chiffre ne tient pas compte de Noverco, le conglomérat du secteur de l'énergie, dont Dutil a pris le contrôle en juin 1988 et qui affiche, à lui seul, un chiffre d'affaires dépassant le milliard de dollars.

En 1986, la Caisse maintient sa position dans le Groupe Canam Manac en achetant une partie de la nouvelle émission d'actions[48]. L'institution finan-

---

46. Au printemps 1989, Canam Manac déménagera ses bureaux dans l'immeuble du Montréal Trust.

47. Entreprise spécialisée dans la fabrication de matériel de transport et d'équipement forestier. Dutil l'a mise sur pied en 1966, en lui donnant le nom inversé de Canam.

48. Elle accrut le nombre de ses actions de 800 000 à 3 200 000. À la fin de 1988, la Caisse a des placements pour une valeur de 33,9 millions de dollars dans Canam Manac, soit: 14,2 millions en valeurs convertibles, 19,5 millions en actions ordinaires et 200 000$ en bons de

cière québécoise continue de faire confiance au dynamisme de Dutil, dont le groupe exploite en 1988 six usines au Canada et aux États-Unis dans le secteur de l'acier de construction: poutrelle, tablier métallique et structure. En ajoutant Noverco à son carquois, l'entrepreneur beauceron s'est positionné solidement dans la distribution du gaz naturel au Québec (principal distributeur, avec Gaz Métropolitain), en Alberta et en Nouvelle-Angleterre.

Marcel Dutil n'hésite pas à reconnaître que la Caisse a été très importante pour des entrepreneurs comme lui, qui avaient une compétence technique acquise par des années de travail et de l'esprit d'entreprise, mais peu de connaissances financières. Sans doute songe-t-il à Édouard Lacroix, quand il dit: «Si nos grands-pères avaient eu des institutions comme la Caisse pour les soutenir, ils auraient pu aller bien plus loin!»

Télésystème National

Avec Télésystème National et Charles Sirois, on se trouve devant le conte de Cendrillon du monde des affaires au Québec. Il était une fois un jeune homme du Saguenay, qui se lança à la conquête du marché des télécommunications mobiles au Québec. Tout frais émoulu de l'université, en 1979, Sirois partait de rien ou presque. Son père avait une petite entreprise de téléavertisseurs à Chicoutimi; le jeune entrepreneur s'en servit comme base de lancement. Il avait étudié l'industrie des communications mobiles et y avait entrevu un fort potentiel de croissance au Québec et au Canada. Il avait vu surtout que l'industrie était morcelée et qu'il allait s'y opérer bientôt, comme la chose était en train de se produire aux États-Unis, un mouvement de concentration. Il décida que cette concentration, ce serait lui, Charles Sirois, qui la ferait!

Il commence par acquérir l'actif de la compagnie paternelle, une PME qui n'a pas 200 000$ de chiffre d'affaires annuel. Puis en courtisant un peu les banquiers, il réussit à mettre la main sur deux compagnies de Québec, en 1980, et le chiffre d'affaires grimpe tout à coup à 1,5 million de dollars. Il continue à acheter autour de lui et à regrouper des petites entreprises locales dans la région de Québec. Mais, en 1981-1982, c'est la crise, les taux d'intérêt atteignent des sommets sans précédent et notre Alexandre le Grand des télécommunications ne tient plus que par la peau des dents. En 1983, ses banquiers le font venir: son crédit est exsangue. Pour rationaliser ses affaires, Sirois fusionne les sept, huit petites entreprises qu'il possède et, en janvier 1984, il lance Télésystème National.

Ses affaires ne sont pas réglées pour autant. Il a besoin d'aide pour aller plus loin, beaucoup plus loin. Quelqu'un lui parle de la Caisse. Coup de téléphone, rendez-vous. Il vient rencontrer les spécialistes de l'institution financière avec un volumineux dossier, pour les convaincre du potentiel de l'industrie et de la pertinence de ses idées de concentration. La Caisse est vite gagnée par le sérieux du jeune entrepreneur. Le 22 mai 1984, jour de l'anniversaire de Sirois, elle offre à celui-ci de prendre une participation de 30% dans Télésystème National, pour la somme de 2 millions de dollars.

Sirois ne fait ni une ni deux. Avant même de toucher l'argent de la Caisse, mais avec cette solide garantie qui lui donne une caution importante sur les marchés financiers, il se met à acheter des compagnies à Montréal. En quelques mois, d'août à octobre 1984, son entreprise double de taille par rapport à l'année précédente. Au printemps 1985, il a encore besoin d'argent, mais il trouve de nouveaux investisseurs, et surtout le prix de ses actions a doublé. Il se met à méditer un grand coup, il vise un gibier de choix: rien de moins que TAS Pagette de Toronto, la plus grosse société de téléavertisseurs au Canada.

On est à l'automne 1985. N'ayant pas réussi à joindre le président de TAS Pagette à Toronto, Charles Sirois décide d'aller le débusquer à Las Vegas, où il se trouve en vacances. «Good morning, sir, my name is Charles Sirois...» Avec son anglais hésitant, qu'il vient tout juste d'apprendre, l'industriel saguenayen réussit quand même à convaincre l'Américain de se départir de sa compagnie torontoise. En novembre, TAS Pagette est officiellement à vendre, le prix est fixé à quelque 30 millions de dollars. Il y a plusieurs candidatures, à part celle de Sirois, et non des moindres: Maclean Hunter, Motorola... N'empêche, le 3 décembre 1985, l'offre de Télésystème National est retenue. De longues négociations s'engagent, où, pour jouer gagnant à coup sûr, Sirois embauche à prix d'or un prestigieux avocat de Toronto, Peter Dey[49]. Enfin, le 23 décembre, l'entente est conclue et le 1er février 1986, Charles Sirois devient le roi du téléavertisseur au Canada.

Notre jeune entrepreneur ne s'arrête pas pour autant, loin de là. Durant l'été 1986, il conclut une entente avec Bell, qui lui cède sa filiale Bell Boy

---

souscription. D'autre part, la part de la Caisse dans Noverco à la même époque est de 7 147 349 actions ordinaires, pour une valeur de 76,8 millions de dollars.

49. Dey fut notamment président de la Commission des valeurs mobilières de l'Ontario. Plus tard, il sera l'avocat d'INCO dans la poursuite que la Caisse intentera contre cette société suite à une affaire de «pilule empoisonnée» (voir chapitre suivant).

Paging en échange de 10 % des actions de National Pagette. Le 28 septembre 1987, Sirois s'associe avec Bell pour créer une nouvelle société, BCE Mobile, dont il devient président et chef de la direction. En même temps, la nouvelle société lance sur le marché une émission publique internationale de 50 millions de dollars.

En 1989, moins de dix ans après son départ de Chicoutimi, Sirois possédait des entreprises évaluées à une centaine de millions de dollars, à tout le moins. Tout en dirigeant les destinées de BCE Mobile, il gardait la main haute sur son entreprise principale, Télésystème National, dont la Caisse détenait encore 30 % des actions[50].

Mais tous ces entrepreneurs que la Caisse a soutenus financièrement ne manquent jamais de faire remarquer une chose: le bénéfice joue dans les deux sens. Car, s'ils ont profité de l'aide de la Caisse, celle-ci, en retour, a bénéficié largement des placements qu'elle a faits dans leurs entreprises. Souvent d'ailleurs, la valeur de l'investissement initial de la Caisse a décuplé en quelques années.

Le rythme d'expansion s'accroît

L'année 1982, comme on l'a vu, s'est révélée particulièrement épineuse pour la Caisse: il y a eu la controverse du projet de loi S-31, les démêlés avec la Commission des valeurs mobilières de l'Ontario, l'interdiction de transiger à la Bourse de Toronto mais aussi une conjoncture économique difficile. En effet, une grave récession a touché tous les secteurs de l'économie, le chômage atteignant près de 13 % au Canada (plus de 15 % au Québec) et le produit national brut diminuant de 5 %. Conséquence de cette récession, les contributions des déposants s'inscrivent à leur plus bas niveau depuis 1977 (641 millions de dollars).

Malgré tout, contre vents et marées, la Caisse connaît une expansion sans précédent. Grâce à un rendement inouï de presque 33 %, comme on l'a vu, son actif cette année-là fait un bond de quatre milliards et demi. Pareille ascension dans un tel contexte témoigne de la vigueur de l'institution, du haut degré de compétence de ses dirigeants et de son personnel en général.

Au Québec, où la croissance a été faible en 1980 et 1981 et la récession dramatique en 1982, on observe un redressement important du produit

---

50. À la fin de 1988, la Caisse détenait 530 865 actions de Télésystème National, pour une valeur de 40,2 millions de dollars.

intérieur brut au cours des derniers trimestres de 1983. Cette reprise vigoureuse, associée à des taux d'intérêt stables, permet une nouvelle hausse de presque 3 milliards de dollars de l'actif de la Caisse en 1983. Parmi les principales transactions cette année-là, mentionnons des prises de participations importantes dans le secteur du pétrole et du gaz naturel, par l'achat notamment de blocs d'actions de Sceptre Resources et de Geocrude Energy, sous forme de placements privés, et une participation de 30% à Westmin Resources par le biais de Ressources Brascade. La Caisse acquiert aussi une participation dans Canron, effectue des placements privés dans John Labatt ltée, dans Bow Valley Industries et dans Ivaco, en plus d'investissements importants dans le Groupe Robert Hamelin (spécialisé dans les plastiques) et dans Manac (30%).

La Caisse aborde l'international

La grande initiative de 1983 dans les placements à revenu variable a lieu du côté international. En effet, cette année-là, la Caisse décide d'investir à l'étranger. On peut se demander dans quelle mesure l'affaire de Canadien Pacifique a influencé cette décision... Jean Campeau affirmera plus tard que la Caisse s'est lancée sur la scène internationale au moment où elle avait assez de fonds pour le faire. Le projet de loi S-31 n'en a pas été la raison principale, mais il a peut-être accéléré le mouvement en révélant brutalement certaines réalités du marché canadien, devenu étroit (de taille comme d'esprit) pour le géant financier québécois. Dans ce marché de plus en plus sur la défensive, la Caisse commençait à passer pour une sorte d'ogre vorace, alors qu'au niveau international elle n'était qu'un joueur parmi d'autres, et de taille plutôt modeste.

Mais le président Campeau et ses adjoints n'ont pas enlevé la décision du premier coup. Le marché international, ce n'était pas évident pour tout le monde autour de la table du conseil d'administration[51]. De fait, il a fallu trois réunions pour obtenir l'adhésion unanime du conseil, une unanimité à laquelle Campeau tient mordicus depuis l'affaire Kierans. La Caisse justifia son entrée sur le marché international par le besoin de diversifier son portefeuille en investissant dans des secteurs faiblement représentés ou inexistants

51. Y compris pour le ministre Jacques Parizeau, qui n'était pas convaincu des mérites du placement international à ce moment-là.

au Canada, comme la haute technologie, l'aéronautique, les produits pharmaceutiques et autres. Les experts de la Caisse comptaient qu'une telle diversification, sur «des marchés étrangers qui ont peu de relation avec ceux du Canada et qui affichent parfois une croissance supérieure», amènerait une amélioration du rendement et permettrait de «mieux répartir le risque[52]».

L'accent est mis sur l'Asie dès le début. Les années 1983 et 1984 sont particulièrement propices au Japon. L'ancien délégué général du Québec à Tokyo, Normand Bernier (qui a épousé une Japonaise et parle le japonais couramment), a été engagé pour faire de la prospection sur le marché asiatique. Avec comme résultat qu'à la fin de 1984, la part du Japon est la plus importante dans le portefeuille international de la Caisse: 54 millions sur 148 millions de dollars; les États-Unis suivent avec 48 millions, et l'Europe, 46 millions. En outre, ces placements internationaux affichent un bien meilleur rendement que ceux du portefeuille canadien en général: en 1985, le portefeuille international, qui atteint 410 millions de dollars, présente un rendement de 56,1%, comparativement à 27,1% pour le portefeuille canadien. Et ce n'est qu'un début.

Immobilier: acheter au lieu de prêter

L'immobilier constitue un autre domaine où la Caisse entreprend un virage important au début des années 1980. Fidèle à ses principes de moins investir dans les prêts (obligations, hypothèques) et davantage dans les valeurs d'actif (actions, titres immobiliers), Jean Campeau lance résolument l'institution dans l'achat d'immeubles. Puisque la propriété immobilière impose une gestion accaparante (administration, location, aménagement, entretien), la Caisse établit, au début de 1984, une société spécialisée pour en prendre charge: la Société immobilière Trans-Québec (SITQ). Il s'agit de la première grande société immobilière francophone établie au Québec. Comme ses investissements dans l'immobilier sont limités par la loi à 10% de son actif global, la Caisse doit se trouver des partenaires. Au sein de la SITQ, dont elle demeure l'actionnaire majoritaire, elle s'est donc associée à différents régimes de retraite[53].

---

52. Caisse de dépôt et placement du Québec, *Rapport annuel 1983*.

53. Le Fonds de retraite des policiers de la CUM, celui de l'Université Laval, du Trust Général du Canada, du Mouvement Desjardins, de la Banque Nationale, de l'Alcan, de la Ville de Montréal et de la STCUM.

Dans les années subséquentes, l'accent est mis sur des placements avec plusieurs partenaires, promoteurs et gestionnaires d'immeubles. La Caisse contribue ainsi à la réalisation des Condominiums Mérici (Québec) et de Place Laval (Laval). Elle conclut des ententes de participation avec la société Cadillac Fairview-Shafter, pour l'aire commerciale du complexe Place Montréal Trust, et avec le Groupe immobilier Saint-Jacques inc., pour un important ensemble résidentiel. Elle acquiert des participations importantes dans trois grands immeubles de Montréal: le Westmount Square, le 1200 McGill College et la Tour de la Bourse (où elle a eu ses bureaux jusqu'en 1982), ainsi que dans plusieurs centres commerciaux aux quatre coins du Québec.

Cette poussée dans l'investissement foncier n'empêche pas la Caisse, par ailleurs, de rester active dans le financement hypothécaire. C'est ainsi qu'elle investit quelque 120 millions de dollars dans le cadre du programme Corvée-Habitation, qui a été un précieux stimulant au secteur de la construction au Québec tout en étant fort rentable pour la Caisse.

Des capitaux pour les PME

L'autre ligne de force de la Caisse en cette première moitié des années 1980, c'est du côté de la PME qu'on la retrouve. Ce genre de placements, dont on entend peut-être moins parler dans le grand public, a cependant été primordial pour le succès de l'entrepreneuriat québécois en offrant des capitaux à des entreprises non inscrites en Bourse.

Dans un premier temps, la Caisse dégage un budget de 40 millions de dollars pour répondre aux besoins de capitalisation de la PME québécoise. Rares sont les organismes qui peuvent offrir du financement sous forme de capital-actions. Or la Caisse le peut et, ce faisant, elle respecte son double objectif d'obtenir le meilleur rendement sur ses placements et de contribuer à l'essor économique du Québec. En outre, elle sert encore plus directement à propulser des moyennes entreprises au rang de grandes entreprises, comme elle l'a fait auparavant avec les Provigo, Bombardier, Vidéotron et autres.

Le programme ne démarre pas en trombe, d'abord à cause de la crise économique de 1981-1982, et aussi par suite d'une certaine résistance des entrepreneurs à partager la propriété de leurs entreprises. Mais les mentalités changent rapidement, en grande partie grâce au régime d'épargne-actions (RÉA), de sorte que, d'une année à l'autre, la Caisse consacre des ressources de plus en plus importantes à ce programme. En 1985, elle y investit déjà plus de 115 millions de dollars dans 63 entreprises[54], avec un rendement moyen de 30%. Mais ce qui fait l'originalité et la valeur exceptionnelle du programme, c'est que la Caisse fournit, outre le financement, des services-conseils en gestion. De fait, le conseiller responsable du dossier siège au conseil d'administration de l'entreprise pour une période initiale de 18 à 24 mois, durant laquelle il peut «établir une bonne relation avec le partenaire et saisir toute la dynamique de l'entreprise[55]».

Ce qui pouvait apparaître comme un handicap pour un organisme financier visant la rentabilité – le mandat de participer à l'essor économique du Québec en aidant au financement de ses entreprises – est devenu pour la Caisse une activité des plus rentables. En effet, le portefeuille «moyenne entreprise» est loin d'être le fruit de la philanthropie, car il fournit un rendement moyen de 21% de 1982 à 1988. Cette moyenne en fait le portefeuille le plus profitable de l'institution, après l'international, ce dernier étant en revanche soumis aux fluctuations du dollar et, de ce fait, moins régulier. À partir de 1984, la Caisse accroît de façon substantielle ses placements dans les entreprises québécoises en plein essor, leur permettant ainsi de franchir très rapidement de nouvelles étapes de croissance.

Le programme de participation à la PME québécoise s'est graduellement étendu des moyennes aux petites entreprises. D'une façon générale, ces participations de la Caisse ont pour effet de constituer des entreprises de taille concurrentielle au Québec, en même temps que de préserver la propriété québécoise de ces entreprises. Mais cela ne se fait pas toujours sans coup férir, comme l'illustre le cas Provigo.

Révolution de palais chez Provigo

La Caisse a été mêlée intimement à la naissance et à toutes les étapes du développement de l'empire Provigo. Sans elle, celui-ci n'aurait probablement jamais connu pareille expansion. Or dès le début de la décennie 1980, deux problèmes cruciaux se posent chez Provigo: le maintien de la prépondérance québécoise au sein du groupe et la succession d'Antoine Turmel à la tête de la compagnie.

---

54. «Au 31 décembre 1985, le portefeuille représentait des placements de 115,2 millions de dollars dans 63 entreprises québécoises, dont 78,7 millions sous forme de financements à terme et 36,5 millions sous forme de capital-actions ou de débentures.» (*Rapport annuel 1985.*)

55. Document interne, *op. cit.*

Dès l'automne 1980, préoccupé par les risques de mainmise étrangère sur Provigo, Jean Campeau tente d'obtenir d'Antoine Turmel un accord entre actionnaires, qui garantisse le maintien du contrôle québécois. Il prévoit notamment la retraite de Turmel, qui approche des 65 ans et qui possède alors quelque 10 % des actions de Provigo. Campeau veut s'entendre avec lui pour qu'il offre ses actions d'abord à la Caisse (droit de premier refus). Mais le patron de Provigo se montre réticent. Son attitude s'explique mal, puisque l'année précédente le même Turmel a prié le gouvernement d'intervenir pour maintenir la prédominance québécoise dans l'entreprise[56].

La solution idéale, selon plusieurs membres du conseil, serait que « certaines institutions financières québécoises » achètent d'importants blocs d'actions du géant de l'épicerie. Mais le 15 décembre suivant, Jean Campeau revient devant son conseil en faisant miroiter une possibilité d'entente avec les Sobey, le groupe de la Nouvelle-Écosse. Si la Caisse et le groupe Sobey, les deux principaux actionnaires de Provigo, rivalisent pour le contrôle de l'entreprise, une chose au moins les réunit: l'ostracisme d'Antoine Turmel, qui ne veut pas les voir au conseil d'administration de « sa » compagnie. La Caisse a réussi tant bien que mal à faire nommer un représentant au conseil de Provigo en la personne d'André Marier, mais elle n'a pu obtenir davantage[57]. Quant aux Sobey, Turmel s'en méfie comme de la peste: il les considère comme des concurrents dans le secteur de l'alimentation[58].

Les liens entre les deux grands actionnaires de Provigo ne tardent à se resserrer. Au début de 1982, le 5 janvier plus précisément, l'un des frères Sobey, Donald, vient rencontrer Jean Campeau à Montréal. En cette période de récession économique, les Sobey ont besoin d'argent et ils proposent à la Caisse des actions de leur holding, Empire Company. Le président de la Caisse se montre plutôt intéressé à leur racheter un bloc d'actions de Provigo. Il fait aussi valoir leurs communes difficultés à obtenir une représentation équitable au conseil d'administration de l'entreprise. Les deux actionnaires ont, somme

56. Selon Campeau, Turmel n'aurait jamais donné vraiment la raison de son refus. Il aurait invoqué vaguement le fait qu'une telle entente avec la Caisse pouvait nuire à sa réputation dans le milieu des affaires. Peut-être aussi pensait-il obtenir un meilleur prix pour ses actions?

57. Marier devra d'ailleurs démissionner quelques années plus tard, lorsque son accession à la présidence de Soquia, qui fournit du sucre à Provigo, le mettra en situation de conflit d'intérêt.

58. Le groupe possède alors les magasins Sobeys Stores dans les Maritimes et Lumsden Brothers en Ontario, de même que des pharmacies dans les Maritimes et en Alberta.

toute, investi assez d'argent pour avoir droit de surveiller de près leurs intérêts et de donner leurs avis sur l'orientation générale de l'entreprise.

Le 12 mars 1982, la Caisse acquiert des Sobey 1 444 427 actions ordinaires de Provigo et se retrouve avec 30 % des actions de l'entreprise, le maximum que lui permet la loi. Les Sobey se trouvent momentanément limités à 13 %. Ce même vendredi, vers la fin de l'après-midi, le président de la Caisse, accompagné de son prédécesseur Marcel Cazavan (devenu son conseiller spécial), se rend lui-même informer Turmel de la teneur de l'entente qui lie les deux principaux actionnaires de Provigo. Turmel apprend que les deux partenaires ont convenu de voter solidairement au conseil d'administration de la compagnie et qu'ils y réclament cinq représentants : trois pour la Caisse et deux pour les Sobey. De plus, l'un des représentants de la Caisse doit siéger au comité exécutif.

Même s'il a contribué pour beaucoup à jeter la Caisse dans les bras des Sobey, le fondateur de Provigo n'en pique pas moins une sainte colère, sinon devant les dirigeants de la Caisse, du moins en présence des journalistes. « Ce n'est pas le gouvernement qui va diriger Provigo, déclare-t-il. S'il veut le faire, il faudra qu'il mette quelqu'un d'autre à ma place[59]. » Dans les faits cependant, Turmel s'accommode assez bien de la nouvelle situation. L'assemblée annuelle du 25 mai 1982 porte le nombre des administrateurs de Provigo à dix-huit, pour faire place aux représentants de la Caisse et des Sobey[60]. Mais cette entrée en force des deux actionnaires principaux ne change guère le cours des choses dans la compagnie, où le style autocratique de Turmel continue de prévaloir. Cette situation conduira à un épisode plutôt dramatique au moment où Turmel, qui atteindra l'âge de la retraite[61], voudra passer la main à son successeur désigné depuis toujours, Pierre H. Lessard.

---

59. *Les Affaires*, 8 mai 1982.

60. Les représentants de la Caisse sont alors Jean Faubert, Carmand Normand et André Marier ; ceux des Sobey, les frères David et Donald, respectivement présidents de Sobeys Stores et Empire Co.

61. Normalement, Turmel aurait dû se retirer en 1983, lorsqu'il atteignit 65 ans. Mais, à l'assemblée annuelle de 1982, la compagnie a adopté un nouveau règlement pour reporter à 68 ans l'âge de la retraite de ses administrateurs.

L'éviction du dauphin

Dans l'entente qu'ils ont conclue entre eux en 1982, la Caisse et les Sobey ont convenu qu'à titre d'actionnaires principaux de la compagnie, il leur appartiendrait, le moment venu, de choisir et de désigner eux-mêmes le successeur d'Antoine Turmel.

La succession de Turmel ne pose pas de problème, du moins en apparence. Depuis de nombreuses années et surtout depuis qu'il est devenu président-directeur général de Provigo en 1976, Pierre H. Lessard apparaît comme le dauphin tout désigné de Turmel. Il a suivi le vieux timonier de l'épicerie depuis l'époque de Denault Ltée à Sherbrooke. C'était en 1967, Lessard avait 25 ans et il venait de décrocher une maîtrise en administration de Harvard. Il avait un peu hésité au départ. Lui qui voulait se lancer dans la grande entreprise, il se demanda s'il ne faisait pas une erreur en se mettant au service d'un épicier en gros de Sherbrooke. Mais cet épicier avait des vues et des ambitions peu communes. Et c'est ainsi que le jeune Lessard fut entraîné dans la grande aventure de Provigo. Il participa à la fusion qui devait donner naissance au groupe en 1970 et gravit rapidement les échelons au sein de l'entreprise pour devenir, en septembre 1976, président et directeur général de Provigo, succédant à René Provost. Il était devenu indubitablement le bras droit de Turmel. Il prit part à toutes les intégrations et consolidations (notamment celle de Loeb) qui suivirent les acquisitions du géant de l'alimentation.

La Caisse et les Sobey veulent tout de même avoir leur mot à dire dans la succession de Turmel et la cooptation en faveur de Lessard ne leur semble pas aller de soi. Ils veulent s'assurer que Lessard a vraiment la pointure qu'il faut pour chausser les bottes de Turmel. C'est d'ailleurs à la suggestion de ce dernier que Jean Campeau et Donald Sobey décident de rencontrer le « dauphin » pour connaître ses vues sur l'avenir de la compagnie. La rencontre a lieu en décembre 1984, dans une suite du Ritz à Montréal. Campeau et Sobey demandent à Lessard de leur tracer un plan de développement de la compagnie pour les cinq prochaines années, mais celui-ci n'a jamais pu ou voulu le faire. Cela sème le doute dans l'esprit des deux hommes sur son aptitude à diriger les destinées de Provigo sans Turmel. Bon lieutenant, saura-t-il être bon capitaine?

En réalité, il appert que Lessard a hérité de la méfiance de Turmel envers les deux principaux actionnaires de Provigo. La Caisse est suspecte à ses yeux, à cause de ses liens avec le gouvernement, et les Sobey parce qu'ils sont des rivaux du secteur alimentaire, à qui la direction de Provigo craint de communiquer des informations stratégiques[62]. De toute façon, l'entrevue au Ritz a convaincu la Caisse et les Sobey que Lessard n'est pas le candidat qu'ils cherchent pour prendre la relève. Lessard est un excellent gestionnaire, qu'ils veulent par ailleurs conserver à la direction générale de la compagnie, mais comme chef de la direction ils souhaitent trouver plutôt un entrepreneur de la trempe de Turmel. Rapidement un nom émerge, une candidature s'impose : celle de Pierre Lortie.

À moins de quarante ans, Lortie a connu jusque-là une carrière fulgurante dans le monde des affaires. L'ancien chef de cabinet de Raymond Garneau a été, au début des années 1980, le plus jeune président de l'histoire de la Chambre de commerce de Montréal. Depuis 1981 président de la Bourse de Montréal, il lui a redonné un nouveau souffle. Avant son arrivée, l'institution était tombée au troisième rang des Bourses canadiennes, derrière Vancouver. Grâce à une série de brillantes innovations et d'initiatives audacieuses, appuyées par le nouveau régime épargne-actions (RÉA) du ministre Parizeau (et aussi, faut-il le dire, par l'activité accrue de la Caisse du côté des actions), la Bourse de Montréal a connu, sous l'impulsion de Lortie, un essor qui l'a non seulement rétablie au second rang au Canada mais qui lui a en même temps fait gagner des points sur Toronto. En quelques années, le parquet montréalais a ainsi doublé sa part du marché canadien, de 10 % à 20 %.

Depuis quelque temps, Campeau avait l'œil sur Lortie pour prendre la direction d'une compagnie importante. Il le sonde lui-même pour la direction de Provigo. Lortie acquiesce et, dès lors, il se prépare avec soin, notamment pour se gagner les frères Sobey, qui doivent avaliser le choix du nouveau patron de Provigo. Pour emporter le morceau, Lortie fait ses classes avec un sérieux et un zèle qui impressionnent Campeau. Il se plonge dans les rapports annuels, les bilans d'exploitation et les statistiques du secteur alimentaire,

62. Dans le livre *Provigo* (*op. cit.*, p. 69), les auteurs René Provost et Maurice Chartrand expliquent ainsi l'attitude de Lessard : « En fait, si Pierre H. Lessard n'était pas toujours à l'aise pour élaborer et discuter, avec les gens de l'extérieur, de plans d'avenir, d'orientation, de politiques, de stratégies et d'objectifs de Provigo, c'est peut-être qu'il n'en avait pas le pouvoir. À titre de chef de la direction, c'était normal qu'Antoine Turmel assume ce rôle. Aussi longtemps que Turmel demeura en poste, Pierre H. Lessard, loyal, respecta la hiérarchie. »

apprend tout sur Loblaws et sur les entreprises des Sobey, de sorte qu'il réussit dès la première rencontre à mettre les frères Donald et David dans sa manche. Ceux-ci sont éblouis par la personnalité du jeune président de la Bourse de Montréal. Plus de doute, c'est l'homme qu'il faut à la tête de Provigo. Reste à faire entériner ce choix par le conseil d'administration de la compagnie, où le vieux Turmel a encore ses inconditionnels: ils forment peut-être même la majorité.

À l'assemblée fatidique du 22 avril 1985, Donald Sobey met cartes sur table. Il informe le conseil que Pierre Lortie est non seulement pressenti comme chef de la direction par les deux propriétaires principaux de la compagnie, mais qu'un projet d'entente a d'ores et déjà été conclu avec lui. Il est trop tard pour reculer. Si le conseil d'administration cherche à y faire obstacle, la Caisse et les Sobey iront jusqu'à convoquer une assemblée générale extraordinaire des actionnaires et ils sont déjà assurés des appuis et procurations nécessaires pour l'emporter[63].

Stupeur et colère refoulée. L'assemblée prend dès lors un tour dramatique. Après des discussions orageuses, des échanges émotifs, un premier vote révèle que les membres du conseil se partagent également entre Lessard et Lortie. Turmel accorde, il va sans dire, sa voix – prépondérante – à Lessard. Mais la dissension et la confusion ont atteint un tel degré que l'un des représentants de la Caisse, Carmand Normand, demande l'ajournement au lendemain.

La réunion du lendemain, 23 avril, se déroule dans une atmosphère de tragédie cornélienne. Les quinze administrateurs de la compagnie se partagent de part et d'autre de la longue table du conseil, avec Antoine Turmel à un bout et Pierre H. Lessard à l'autre. On sent que le chef de la direction et le directeur général de la dixième entreprise en importance au Canada sont, pour ainsi dire, assis sur des sièges éjectables, et ceux qui ont le pouvoir de presser le bouton sont là devant eux, de chaque côté de la table. Certains, dont les allégeances sont manifestes, le pressent déjà: c'est le cas des deux frères Sobey et des trois représentants de la Caisse[64], un bloc irréductible de cinq voix, qui parlent au nom de près de la moitié du capital-actions de Provigo. De l'autre côté, un autre bloc aussi irréductible de six voix, soit quatre cadres de Provigo flanquant Lessard et Turmel.

---

63. De fait, lors de l'assemblée annuelle qui suivra, le 27 mai, 71,6% des actionnaires de Provigo approuveront la liste des nouveaux administrateurs, comprenant notamment les noms de Pierre Lortie et Bertin Nadeau.

64. Carmand Normand, Jacques Desmeules et Jean Faubert.

Restent quatre autres administrateurs dont le vote est incertain et dans les yeux desquels, par moments, Pierre H. Lessard cherche anxieusement à lire la décision qui provoquera un des grands tournants de sa vie. Ces quatre hommes sont Norman Robertson, directeur général d'Atco; David Golden, président du conseil de Telesat Canada; Guy Saint-Germain, président du groupe Commerce, et Marcel Bélanger, professeur, administrateur et conseiller économique dont l'influence se fait sentir dans les plus hautes sphères de l'administration, publique et privée, depuis les débuts de la Révolution tranquille. Bélanger a été le mentor d'une nouvelle élite de financiers et administrateurs québécois, à qui il a enseigné à Laval ou qu'il a croisés en chemin[65]. Et c'est le cas notamment pour Pierre H. Lessard et Pierre Lortie. Le vieux professeur, aux allures de gentilhomme, a joué un rôle déterminant dans la carrière des deux. C'est lui, en effet, qui a envoyé Lessard à Harvard et qui l'a convaincu d'entrer au service de Turmel, chez Denault[66], en 1967. D'autre part, en 1972, il a aussi poussé Lortie, alors chef de cabinet de Raymond Garneau, à poursuivre ses études à l'Université de Chicago et à Louvain. Bref, il se retrouve pris à choisir entre deux de ses protégés, et le hasard veut que sa voix soit déterminante.

La discussion dure toute la matinée, dans une atmosphère des plus tendues. Antoine Turmel a de plus en plus l'air du vieux chef traqué qui tente le baroud d'honneur, en essayant jusqu'à la fin d'imposer ses volontés à un conseil qui lui échappe. Pâle et irrité, il se demande sans doute, comme le Don Diègue de Corneille, s'il n'a tant vécu, tant trimé «que pour voir en un jour flétrir tant de lauriers». Il était parti de rien au début des années 1930, en pleine Dépression, arrivé sur le marché du travail à seize ans. Il s'est lancé en affaires onze ans plus tard, en misant toutes ses économies dans une petite usine de jouets qui fit faillite peu de temps après. Il a retroussé ses manches et, de peine et de misère, avec l'aide de deux amis, a réussi à acquérir un commerce d'épicerie en gros, à Sherbrooke. Cette entreprise, Denault ltée, bâtie patiemment en deux décennies de labeur, a été le tremplin du saut prodigieux qui allait donner Provigo: le grand œuvre de sa vie.

65. Sous Lesage, en 1963, nommé président d'une commission d'enquête sur la fiscalité, Marcel Bélanger a donné au jeune Robert Bourassa l'occasion de mettre le pied dans l'étrier en l'engageant comme secrétaire et directeur de la recherche.

66. Bélanger se trouvait, à ce moment-là, membre du conseil d'administration de Denault.

À coup sûr, le moment est dramatique pour le président fondateur de Provigo. Vers midi, ce 23 avril, le vote a lieu et donne le résultat 8-7 en faveur de Lortie. Lessard quitte la salle du conseil en claquant la porte. Turmel démissionne une dizaine de jours plus tard, le 2 mai.

À l'assemblée annuelle du 27 mai, l'absence de Turmel prolonge encore l'atmosphère dramatique du 23 avril, mais Pierre Lortie est élu sans équivoque président du conseil et chef de la direction de Provigo. Pierre H. Lessard apparaît à ses côtés, les traits tendus, la mine défaite, prêt en apparence à continuer d'assumer la direction de l'exploitation. Cependant, il démissionnera quelques mois plus tard. Son principal collaborateur, Paul Gobeil, vice-président exécutif et pdg de Loeb, fera de même: il entrera en politique l'automne suivant et se retrouvera président du Conseil du Trésor dans le nouveau gouvernement Bourassa.

L'entrée en scène de Bertin Nadeau

La liste des administrateurs, soumise à cette assemblée annuelle du 27 mai 1985, comporte deux nouveaux noms, qui indiquent à eux seuls les nouveaux axes sur lesquels tournera désormais la planète Provigo: Pierre Lortie, bien sûr, mais aussi Bertin Nadeau, dont on peut se demander, de prime abord, ce qu'il vient faire dans cette galère.

Selon Jean Campeau, il fallait que la Caisse se trouve un partenaire technique pour superviser l'entreprise. Agissant d'habitude comme partenaire financier, la Caisse s'associe à un partenaire technique, comme Marcel Dutil dans Canam-Manac, André Chagnon dans Vidéotron ou la SGF dans Domtar, et elle fournit du financement dans une limite de 30%. Les Sobey pourraient être les partenaires techniques voulus dans Provigo, mais ils ne sont pas québécois. Il faut donc trouver quelqu'un du Québec.

Le nom de Bertin Nadeau a fait surface assez vite, presque en même temps que celui de Lortie. Il est loin d'être un inconnu pour la Caisse. D'abord, il représente l'institution au conseil d'administration de la Société d'investissement Desjardins. Ensuite, la Caisse l'a soutenu à diverses étapes de sa carrière, notamment pour financer sa première acquisition en 1976, Casavant Frères de Saint-Hyacinthe.

Auparavant, Nadeau s'était contenté d'être professeur aux HÉC, mais quand il s'est lancé dans les affaires il en a brassé large. Après Casavant, il finit par avoir la main haute sur Unigesco avec 22% des actions, en 1982, encore avec l'appui de la Caisse. Cette petite société de gestion du secteur des assurances a été la base de son holding. Après avoir vendu une compagnie d'assurances, L'Unique, il acheta Breuvages KiRi en 1983, puis Breuvages Maxi en 1985, ce qui lui permit de se classer parmi les plus importants embouteilleurs indépendants de boissons gazeuses au Québec. Il fit de même dans le secteur du café en achetant d'un seul coup, en 1984, deux entreprises concurrentes qui approvisionnaient les hôtels et les restaurants: London House et National House.

Bertin Nadeau fut mis sur le chemin[67] de Provigo un peu par hasard. Cela lui tomba du ciel, pour ainsi dire, un ciel particulièrement froid de décembre. Il marchait boulevard Dorchester (avant qu'il ne devienne René-Lévesque) en compagnie de Guy Desmarais, président de la maison de courtage Geoffrion Leclerc. C'était le soir du 18 décembre 1984. Geoffrion Leclerc venait de boucler une petite émission d'actions pour Unigesco et l'on avait fêté l'événement au St.James Club. Nadeau annonça avec fierté ce soir-là: «Unigesco vaut aujourd'hui 20 millions de dollars et n'a pas de dettes.» Desmarais pensa tout à coup à Provigo. Il savait que la Caisse cherchait un financier québécois à qui elle pourrait céder la prépondérance dans la compagnie. Dans la rue, à la sortie du sélect club d'affaires, il proposa carrément à Nadeau de prendre le contrôle de Provigo.

Au départ, Nadeau eut de la peine à prendre son ami Desmarais au sérieux. Comment Unigesco, avec un chiffre d'affaires de sept, huit millions de dollars, ou même avec un actif de 20 millions, pouvait-elle espérer mettre la main sur un mastodonte pesant quatre milliards de dollars comme Provigo? Autant faire avaler un éléphant à une souris. L'idée fit quand même son chemin dans la tête de Nadeau, dont la renommée de brillant stratège financier commençait à se répandre. Il consacra la période des Fêtes à lire le rapport annuel de Provigo, le disséquant sous toutes ses coutures. Il consulta des amis dans le milieu financier, des gens comme Serge Saucier (de Raymond, Chabot, Martin, Paré et Associés), Jean-René Halde (de Culinar), Jacques A. Drouin (du Groupe La Laurentienne) et Pierre Ducros (de DMR) et... décida de plonger.

Pour acheter un bloc prépondérant de 20% d'actions de Provigo, il faut rassembler au moins 100 millions de dollars. L'entreprise est énorme, mais

67. Dans son cas, on peut dire que c'est un chemin de Damas qui se transformera vite en chemin de croix, au début des années 1990.

Nadeau l'aborde petit à petit. Il rencontre Jean Campeau en janvier 1985 et tente, dans un premier temps, d'obtenir que la Caisse finance l'achat qu'il lui ferait d'un bloc d'actions de Provigo. Devant le refus de Campeau, qui veut bien lui vendre des actions mais non le financer par-dessus le marché, Nadeau doit envisager d'autres solutions. Durant les mois qui suivent, le patron d'Unigesco poursuit les pourparlers avec la Caisse, qui, de son côté, s'affaire à préparer la succession d'Antoine Turmel.

Au siège social d'Unigesco, situé alors rue Saint-Paul dans le Vieux-Montréal, Nadeau a monté une équipe volante, une sorte de commando financier, qui élabore d'audacieux plans de conquête. «Nous tracions des scénarios sur un tableau, raconte Guy Desmarais, et discutions toutes sortes d'hypothèses pendant des heures. Il y avait un climat de fièvre, un bouillonnement extraordinaire[68]!»

Entre-temps, la Caisse fait élire le financier ambitieux au conseil d'administration de Provigo, en même temps que Lortie. Les deux hommes ont déjà travaillé ensemble à la Bourse de Montréal et s'entendent fort bien. Après trois projets d'entente avortés, les discussions entre Nadeau et la Caisse reprennent de plus belle en juin et aboutissent à une entente le 24 juillet. Pour la somme de 12 millions de dollars, Unigesco acquiert 500 000 actions de Provigo et obtient une option d'achat sur un autre bloc d'un million et demi d'actions, achetable dans les deux ans.

Cette première tranche de 2,5% du capital-actions de Provigo sert de levier à Nadeau pour aller chercher des partenaires et recueillir des fonds dans le public. À l'automne 1985, Unigesco lance avec succès, par l'intermédiaire de Geoffrion Leclerc, une émission d'actions qui s'élève graduellement à 60 millions de dollars: un chiffre record à l'époque pour une maison de courtage francophone. Nadeau peut ainsi acheter le bloc supplémentaire de 7,5% d'actions que lui réservait la Caisse, puis la part de 6,7% de Soquia. En outre, par des échanges d'actions avec la Banque Nationale et La Lauren-tienne et par d'autres transactions, Unigesco réussit à hausser sa participation à Provigo à plus de 20%. C'est chose faite le 27 mars 1986, date où Unigesco annonce qu'elle est devenue la principale actionnaire de Provigo.

En moins d'un an donc, Bertin Nadeau a réussi ce qui lui paraissait à peine concevable en décembre 1984. Grâce à une orchestration financière

68. Cité par Paul MORISSET dans «Bertin Nadeau, la nouvelle star de la finance», *L'Actualité*, octobre 1987.

menée de main de maître et une synergie qui ne s'est encore jamais vue dans le milieu des affaires francophone, l'entrepreneur natif de la Madawaska (Nouveau-Brunswick) a réuni quelque 133,4 millions de dollars pour arriver au but. Dans les quelques années qui suivent, Nadeau continue d'acheter des actions pour consolider son emprise sur la multinationale québécoise de l'alimentation. À la fin de juin 1988, il en contrôle 26%, tandis que les Sobey en détiennent 25% et la Caisse 12%. C'est ainsi que la grenouille Unigesco a réussi à s'enfler assez pour avaler le bœuf Provigo. Hélas! elle en crèvera, comme dans la fable de La Fontaine. Mais on n'en est pas encore là.

La Caisse survit au krach

Le lundi 19 octobre 1987, le conseil d'administration de la Caisse tient sa réunion régulière, mais une inquiétude plane sur l'assemblée. La Bourse est en chute libre à New York, comme partout ailleurs dans le monde, et la journée n'est pas finie. D'heure en heure, l'indice Dow Jones dégringole, perdant des centaines de points. La situation est grave. La débâcle à Wall Street prend les proportions d'une véritable catastrophe. À la fin de l'après-midi de ce «lundi noir», à la fermeture des cours, c'est 508 points finalement que le Dow Jones aura perdus en tombant à 1738 points[69]. Une dégringolade pire qu'en 1929.

À la Caisse, on est préoccupé mais on ne veut pas céder au vent de panique qui souffle sur les places boursières aux quatre coins de la planète. On savait qu'une correction interviendrait tôt ou tard, dans un marché qui s'était par trop enflé, avec des titres surévalués à plus du double de leur valeur réelle et un sommet historique de 2720 points atteint en août précédent.

Devant l'effondrement des cours, les dirigeants de la Caisse conviennent de réagir vite, mais en achetant, non en vendant. Car, avec les liquidités dont elle dispose, la Caisse peut profiter de la crise plutôt qu'en être victime. On décida donc d'acheter directement à Wall Street. Dès neuf heures du matin, le mercredi 21 octobre, la Caisse met le paquet et lance des commandes de 100 millions de dollars, pour rafler à bas prix les actions des meilleures sociétés américaines, des valeurs sûres[70]. La Caisse a visé juste, car ces actions

69. Nouvelle chute le lendemain, l'indice plonge jusqu'à 1620 points au milieu de la journée, puis il se met à remonter pour clôturer un peu au-dessus du seuil de la veille.

70. Ces sociétés sont, à quelques exceptions près, celles de l'indice Dow Jones, composé à partir du cours des actions de trente grandes sociétés industrielles des États-Unis.

dévaluées reprendront vite du poil de la bête. En moins d'un an, elles s'apprécieront de 21%.

Comme seconde mesure, la Caisse achète, dans le mois qui suit le krach, pour quelque 550 millions de dollars de titres canadiens[71]. Une opération qu'elle fait dans la plus grande discrétion, pour ne pas énerver le marché. «Les discours pessimistes nous faisaient sourire, racontera plus tard Michel Nadeau (alors premier vice-président aux placements), car nous savions que les indices fondamentaux du marché étaient bons. Alors chaque fois qu'un grand prêtre de la haute finance annonçait la fin du monde, on en profitait à la Caisse pour passer une autre commande de 50 millions.»

Envers et contre tout donc, l'institution enregistre en 1987 des revenus nets de 2,8 milliards de dollars, obtenant un rendement effectif de 4,7% pour l'ensemble de ses fonds, ce qui est encore supérieur de 0,5% à l'inflation[72]. Il s'agit tout de même d'un rendement assez modeste par rapport à ceux de 1986 (13,5%) et de 1985 (24%). Le krach a, malgré tout, coûté des pertes «sur papier». La Caisse estime qu'elle a perdu, en octobre, environ 20% de la valeur de son portefeuille d'actions de 8,2 milliards de dollars, soit plus de 1,5 milliard. Ces pertes théoriques seront ramenées peu après à un milliard, à la suite des nouveaux investissements. Et le bon rendement des obligations compense en partie l'effondrement des actions[73].

Le krach de 1987 aurait sans doute été beaucoup plus néfaste à la Caisse si celle-ci n'avait pas su bien répartir ses placements. Une répartition judicieuse de l'actif entre divers véhicules de placement ne sert pas qu'en temps de crise, comme à l'automne 1987. Elle permet aussi à la Caisse d'obtenir des rendements qui sont le plus souvent supérieurs aux indices du marché.

Ses décisions de placement, la Caisse les prépare et les peaufine à travers divers comités, dont le noyau central demeure alors le Comité de gestion des fonds des déposants. Ce comité[74], où l'on retrouve les principaux gestionnaires de la Caisse, se réunit chaque mois. C'est lui qui décide de modifier

71. Le rapport annuel mentionne qu'après le krach, on a «reconstruit la position du portefeuille d'actions canadiennes en injectant plus de 700 millions de dollars dans ces valeurs au cours des deux derniers mois de l'année» (CDPQ, *Rapport annuel 1987*).

72. Depuis 1982, c'est-à-dire depuis le début du cycle de ralentissement de l'inflation, le rendement de la Caisse s'établissait à 16,9%, un écart positif de 11,9% par rapport à l'inflation. Étalé sur dix ans, le même rendement était de 12,8%, soit 5,7% de plus que l'inflation.

73. Laurier Cloutier, «En dépit du krach, le rendement de la Caisse bat celui des autres indices financiers», *La Presse*, 16 mars 1988.

74. Un comité unique en Amérique du Nord, selon Michel Nadeau.

la pondération des divers portefeuilles. Dans la prise de décision, trois directions clés entrent en jeu : Études économiques, Répartition de l'actif et Relations avec les déposants. Le répartiteur tient compte, d'un côté, des Relations avec les déposants, qui lui indiquent la disponibilité d'argent à placer ; et de l'autre, des Études économiques, qui lui donnent le pouls de l'économie, l'état de la conjoncture.

La direction des Relations avec les déposants veille à l'application des décisions. Elle joue aux vases communicants : enlevant par ci, ajoutant par là. À chacun des véhicules de placement, elle prescrit un budget d'investissement en conséquence. Concrètement, cela peut entraîner la vente, en quelques semaines, de centaines de millions de dollars d'actions canadiennes, afin d'acheter des obligations, des actions internationales ou du court terme. En règle générale, cependant, la politique de placement subit peu de variations d'un mois à l'autre : elle n'est changée en profondeur que tous les six mois. Chaque semestre, les gestionnaires de la Caisse se réunissent en retraite fermée deux jours durant, pour examiner divers scénarios économiques et mettre au point de nouvelles stratégies financières.

Cette organisation bien rodée explique en bonne partie pourquoi le rendement de la Caisse demeure alors supérieur à la moyenne des gestionnaires de portefeuilles. Ces résultats peuvent s'expliquer par la taille de l'institution, bien sûr, mais surtout par l'organisation et la compétence de son personnel. Le nombre d'abord : en cette fin des années 1980, par exemple, une vingtaine de personnes sont affectées à la gestion du portefeuille des actions, tandis que chez la plupart des gestionnaires de fonds, publics ou privés, on ne retrouve souvent qu'une ou deux personnes pour s'occuper de ce genre de placements.

Quant à la compétence, la Caisse est reconnue depuis plusieurs années comme une des plus importantes pépinières de talents et de spécialistes dans le domaine financier au Québec. Le plus étonnant, c'est qu'avec toute cette organisation, la Caisse soit, parmi les institutions de son genre, l'une des moins chères à gérer en Amérique. Ses coûts d'opération représentent à peine 0,07 % de son actif en 1988. La moyenne alors, pour les gestionnaires de fonds de retraite au Canada et aux États-Unis, est de 0,29 %. Pour les fonds mutuels, c'est encore davantage : 1,5 % et parfois 2 %. La Caisse peut ainsi offrir des conditions avantageuses aux organismes et groupes dont elle gère les fonds.

Jean Campeau a réactivé passablement la gestion des obligations pour la rendre plus dynamique et plus profitable. La Caisse s'est mise à acheter couramment à New York et à Londres. Elle a créé un marché secondaire pour les obligations du Québec et ne laisse plus les titres végéter dans ses portefeuilles. Elle transige beaucoup sur les liquidités que représentent les obligations des gouvernements du Canada et des États-Unis. Parmi les nouveaux moyens que les spécialistes de la Caisse ont trouvés pour rentabiliser les titres obligataires, mentionnons les prêts de nuit, c'est-à-dire des titres prêtés le soir jusqu'au lendemain matin, à des gens ou organismes qui ont des besoins immédiats de garanties. Ainsi, au lieu de laisser «dormir» les obligations qu'elle achète, la Caisse les fait fructifier en les reprêtant au marché pour une courte période (un jour ou une semaine). Elle y gagne un profit supplémentaire, en plus du rendement normal des obligations: il s'agit de petits montants pour chaque obligation, mais en faisant le total au bout de l'année, on arrive à six, sept millions de dollars de gains supplémentaires.

La Caisse atteint ainsi, globalement, un portefeuille plus équilibré, qui lui permet de mieux se prémunir contre les aléas et les fluctuations du marché et d'inscrire des rendements encore accrus.

CHAPITRE 5

Steinberg : un gros morceau à avaler

La dernière année pleine du mandat de Campeau, 1989, est marquée par deux affaires qui font couler beaucoup d'encre : la vente de la papetière Consolidated-Bathurst (Consol) à l'américaine Stone Container, sans intervention de la Caisse ; et la prise de contrôle du Groupe Steinberg par la Caisse et Socanav, réunies pour l'occasion sous le nom « Corporation d'acquisition Socanav-Caisse » (CAS).

La vente de la Consol

Mercredi après-midi, 25 janvier 1989, dans les couloirs feutrés de la Caisse, on sent dans l'air une sorte d'énervement, de trépidation, au fur et à mesure que les vice-présidents s'engouffrent dans le bureau de Jean Campeau.

La discussion est nourrie, l'atmosphère fiévreuse. Autour du président, ses deux adjoints les plus proches, les premiers vice-présidents Jean-Claude Scraire et Michel Nadeau, mais aussi le vice-président aux placements-participations dans les grandes entreprises, Daniel Paillé. La présence de ce dernier s'impose, car il s'agit de décider si la Caisse peut empêcher la vente de la Consolidated-Bathurst, l'une des plus grandes papetières du Québec, à la société américaine Stone Container[1]. Le prix de vente, 2,6 milliards de

1. La société Stone Container, de Chicago, alors première productrice mondiale de boîtes de carton, a connu une expansion rapide dans les années 1980, passant d'un chiffre d'affaires de 400 millions de dollars US, en 1982, à 4,7 milliards US en 1988. La Consolidated-Bathurst, pour sa part, a atteint un chiffre d'affaires de 2,37 milliards de dollars CAN en 1988.

dollars, représente deux fois et demie la valeur comptable de l'entreprise. L'offre expire à 21 h le soir même.

Paul Desmarais, dont la société Power Corporation possède 40 % des actions de Consol, s'apprête à réaliser un gain faramineux de plus de un milliard de dollars (1,040 G$). Pourtant, à la dernière minute, le patron de Power vient de faire une offre à la Caisse. Invoquant sa fibre québécoise, il s'est dit prêt à renoncer à cette vente alléchante. De but en blanc, l'astucieux financier a proposé à Campeau une fusion de la Consol et de Domtar, pour former une papetière québécoise géante, plus apte à affronter la concurrence internationale. La seule condition de Desmarais : Power devra détenir 51 % des actions de la nouvelle entreprise issue de la fusion des deux papetières.

L'offre est un peu grosse, à vrai dire. Les dirigeants de la Caisse se mettent à calculer. D'une part, Power ne possède que 40 % des actions de la Consol, alors que la Caisse et la SGF détiennent ensemble 44 % de Domtar. D'autre part, la valeur des deux papetières n'est pas la même. Domtar vaut plus que Consolidated-Bathurst, même si les deux sociétés ont la même cote en Bourse. En réalité, l'action de Domtar vaut 13,25 $ à la valeur comptable, contre 10 $ pour celle de la Consol. En se basant sur l'offre de la Stone, le prix de vente de Domtar serait de 3 milliards de dollars : donc, 400 millions de plus que la Consol. Et la participation Caisse-SGF serait supérieure de 320 millions de dollars à celle de Power dans la Consol.

Qui plus est, la Consol est évaluée à sa pleine valeur, tandis que Domtar est sous-évaluée parce que la nouvelle usine de Windsor (un milliard de dollars en investissements) ne donne pas encore son plein rendement. Ainsi, toujours à partir de l'offre de la Stone à 25 $ l'action, la valeur de Domtar se situerait plutôt à 3,3 milliards de dollars, ce qui attribuerait une valeur de 1452 milliard à la participation Caisse-SGF, soit 400 millions de plus que la part de Power dans Consol[2] ! Comment, dans ce contexte, envisager sérieusement un simple échange d'actions avec Desmarais et lui accorder la participation majoritaire ? Ce serait lui faire un cadeau de quelques centaines de millions de dollars, à même les fonds de la Caisse et de la SGF.

On a beau vouloir encourager l'entreprise privée, réduire le secteur public pour favoriser le secteur privé, il y a une limite. En habile tacticien, Desmarais sait très bien qu'il frappe là un point sensible. Il met la Caisse au

---

2. En outre, en janvier 1988, la Caisse détenait environ 2 % des actions de Consolidated-Bathurst (2,6 millions d'actions ordinaires, sur 102 millions).

défi de montrer qu'elle favorise la croissance d'un secteur privé compétitif au Québec. Mais ce défi est un marché de dupes. L'échange qu'il propose à la Caisse n'est tout simplement pas réaliste… à croire que le patron de Power, en politicien consommé, l'a fait exprès. On peut présumer que, prévoyant le tollé que la vente de la Consolidated-Bathurst soulèverait au Québec, Desmarais a voulu se donner à la dernière minute une porte de sortie, une excuse, l'occasion de dire: Voyez, j'ai essayé, j'ai voulu garder la Consol au Québec, mais la Caisse s'est récusée. Haro sur la Caisse!

Ne voulant pas laisser Desmarais utiliser si aisément la Caisse comme bouc émissaire, Campeau et ses adjoints lui proposent tout de go de l'aider à acheter Stone. Cette fois, c'est le patron de Power qui refuse… sous prétexte que la Stone n'est pas à vendre et que, de toute façon, la proposition de la Caisse arrive bien tard : dix minutes avant l'accord, selon lui. Quelques jours plus tard, de passage à Bruxelles, il le déclarera avec toute la morgue de l'homme au-dessus de ses affaires :

> Stone n'était pas à vendre. Oui, j'aurais été intéressé à l'acheter mais on était sur le point d'un accord quand la Caisse a dit qu'elle était prête à nous aider à acheter Stone. Pour commencer, je n'ai pas besoin de l'aide de la Caisse pour acheter Stone et de suggérer [de le faire] 10 minutes avant l'accord, c'est impossible. Je ne sais pas pourquoi ils l'ont même mentionné[3].

La nouvelle de la vente de Consolidated-Bathurst crée une grande commotion dans la presse et dans l'opinion publique en général. À la direction des communications de la Caisse, Philippe Gabelier et son équipe ont fort à faire pour contrecarrer la désapprobation qui tend, dans un premier temps, à faire apparaître la Caisse comme la vilaine de l'histoire et Desmarais, l'un des plus puissants propriétaires de médias au Québec, comme une victime nationale[4].

Dans les semaines suivantes, la Caisse tente de trouver des partenaires afin de faire une contre-offre pour l'achat de Consolidated-Bathurst. Il faut désormais renchérir sur l'offre de la Stone et cela ne va pas sans poser quelques problèmes. Si la Caisse, en effet, achetait 30 % (sa limite légale) de l'entreprise, elle devrait débourser au bas mot un milliard de dollars, puisque la surenchère

---

3. Donald Charette, « L'offre de la Caisse de dépôt a stupéfié Desmarais car Stone n'était pas à vendre », *Le Devoir*, 2 février 1989.

4. Voir notamment l'éditorial d'Alain Dubuc, « Power : nul n'est prophète en son pays », *La Presse*, 28 janvier 1989.

s'établissait à 28 $ ou 29 $ l'action, à tout le moins. Il faut ensuite trouver des partenaires québécois du secteur privé qui puissent mettre plusieurs centaines de millions dans la cagnotte. C'est bien là le hic.

Malgré les progrès et conquêtes indéniables de l'entreprenariat québécois dans les dernières décennies, il est encore difficile, pour ne pas dire impossible, de trouver au Québec des sociétés privées qui puissent débourser des sommes aussi énormes. La Caisse le vérifie souvent : pour investir ne serait-ce que 50 millions de dollars au pied levé dans un projet intéressant, les candidats se comptent sur les doigts de la main. Alors, pour des centaines de millions... Il y a bien quelques tractations et pourparlers avec Donohue (le groupe Quebecor/Maxwell), mais les choses ne vont pas plus loin. On doit se résigner à laisser Consolidated-Bathurst passer dans le giron de la société américaine Stone Container. Le prix à payer était trop élevé.

Alarme dans le milieu financier québécois

L'affaire de la Consolidated-Bathurst, qui s'ajoute à la vente du groupe d'assurances Commerce à des intérêts hollandais[5] quelques jours auparavant, déclenche la sonnette d'alarme dans le milieu financier québécois.

Plusieurs se montrent étonnés de la passivité et de la non-intervention de Québec dans ces transactions importantes pour l'économie québécoise. Au moins deux membres influents du conseil d'administration de la Caisse font part de leurs inquiétudes en public : Louis Laberge et Claude Béland. Ce dernier, président du Mouvement Desjardins, déclare sans ambages au journal *Les Affaires* :

> Après les progrès importants réalisés sur le plan économique au cours des 20 dernières années, il est regrettable de constater que les leviers de notre économie peuvent rapidement nous glisser entre les doigts au bénéfice de sociétés étrangères[6].

Louis Laberge et d'autres chefs syndicaux font entendre le même cri d'alarme. « On est en train de revenir à ce qu'on a connu au moment des

---

5. C'est le 20 janvier que le Groupe Commerce, la plus importante compagnie québécoise d'assurances générales (10 % de l'assurance au Québec), avait été vendu à une entreprise des Pays-Bas, Nationale Nederlanden NV.

6. « Vente de Consol et du Groupe Commerce : "Pendant qu'on se concerte, le train passe." (Claude Béland) ». *Les Affaires*, 9 février 1989.

belles années où le Québec était propriété américaine[7] », affirme tout de go Fernand Daoust, secrétaire général de la FTQ. Le rédacteur en chef du journal *Les Affaires*, Jean-Paul Gagné, déplore à son tour le manque d'intervention québécoise :

> Québec a jadis bloqué la vente de Vachon (d'où est née Culinar) et du Crédit Foncier. Plus récemment, le premier ministre Robert Bourassa s'est même ému face à la menace de vente des Nordiques. La vente de la Consol et du Groupe Commerce nous laisse par ailleurs pantois, comme résignés devant notre manque d'outils d'intervention[8].

Il faut dire que, dans le cas du Groupe Commerce, la Caisse avait aussi examiné la possibilité d'intervenir mais, encore là, elle n'avait pu, selon Jean Campeau, trouver les partenaires québécois nécessaires pour surpasser l'offre faite par l'entreprise néerlandaise[9]. Pas de doute, il faut se donner les moyens d'éviter d'autres situations semblables. Le 26 janvier, devant le Cercle Finance et Placement, Jean Campeau fait appel à la concertation des institutions financières du Québec et lance le mot d'ordre « Entreprendre ensemble ». Il revient à la charge dans sa présentation du rapport annuel 1988 et lors de la conférence de presse qui suit le dépôt du rapport, le 15 mars 1989 :

> Alors que le monde est décidément engagé dans un mouvement de vastes ensembles, les grandes institutions financières représentent des pierres angulaires autour desquelles s'articule l'activité économique. La Caisse emprunte résolument cette avenue en mettant notamment en valeur le potentiel unique de partenaires, l'information et les contacts qu'elle a su tisser au cours des années. Ce réseau constitue un atout majeur pour la création d'ensembles commerciaux et industriels d'ici, plus forts et dynamiques, capables d'agir au diapason économique et financier du XXIe siècle sur la scène internationale. Plus que jamais, la condition impérative du succès sera d'agir ensemble et d'entre-prendre ensemble[10].

Lors de cette conférence de presse, le premier vice-président Jean-Claude Scraire précise que la Caisse, pour faire face aux vagues croissantes d'acquisitions et de fusions, entend appliquer ici une formule développée en Europe, celle des « noyaux d'actionnaires ». Il s'agit d'actionnaires importants

7. « Fusions et ventes d'entreprises affolent la FTQ », *La Presse*, 4 février 1989.
8. « La Consol, le Groupe Commerce et les autres », *Les Affaires*, 9 février 1989.
9. Entrevue de l'auteur avec Jean Campeau, février 2000.
10. Caisse de dépôt et placement du Québec, *Rapport annuel 1988*.

qui, « tacitement, par complicité naturelle ou communauté de pensée, forment bloc afin de conserver au pays le contrôle d'un groupe[11] ».

Les préoccupations de la Caisse ne tardent pas à trouver des échos. À la fin de mars, aux assises annuelles du Mouvement Desjardins[12] à Québec, on parle d'établir un « rempart » pour contrecarrer les OPA dans des secteurs stratégiques de l'économie québécoise. La Société d'investissement Desjardins (SID), dont la Caisse possède plus de 14 % des actions, serait l'un des instruments de cette politique qui vise à rendre inaliénables les parties les plus précieuses du patrimoine économique québécois. Le président du Mouvement, Claude Béland, qui est aussi membre du conseil d'administration de la Caisse, le précise sans ambages devant 2800 délégués dans la Vieille Capitale[13]. À peu près au même moment, le 21 mars 1989, André Bérard, le président de la Banque Nationale, prône devant la Chambre de commerce de Montréal la création d'un « super-véhicule de capital de risque, réunissant plusieurs partenaires et même l'État, mais dirigé par l'entreprise privée, dont la mission serait le rachat de compagnies menacées, qui seraient par la suite revendues à des intérêts québécois[14] ». Ainsi, les trois plus grandes institutions financières du Canada français se mettent au même diapason, au moment où le Québec se retrouve, dans un contexte de libre-échange et de mondialisation des marchés, face à des défis économiques et culturels sans précédent.

---

11. Robert Dutrisac, « La Caisse entend jouer à fond la carte des acquisitions et des fusions », *Le Devoir*, 16 mars 1989.

12. Avec un actif de plus de 40 milliards de dollars en 1989, le Mouvement Desjardins se retrouvait la première institution financière du Québec.

13. « Nous avons encore besoin de nous donner des entreprises dont la propriété est entre les mains de la collectivité, une propriété largement répartie qui en assure la permanence. Nous avons besoin de ces entreprises inaliénables pour nous protéger contre la tentation de céder nos richesses devant l'appât d'un gain rapide qui n'assure pas toujours la création de nouveaux centres de décisions contrôlés par des gens d'ici. » Claude Béland, cité dans un article de Claude Turcotte, « Desjardins veut ériger un rempart contre l'invasion », *Le Devoir*, 22 mars 1989.

14. Jacques Benoît, « Le nouveau chef de la BN décèle des malaises préjudiciables au monde des affaires », *La Presse*, 22 mars 1989.

Steinberg: une OPA de 1,3 milliard

C'est dans ce contexte qu'il faut situer l'affaire Steinberg. Durant l'été 1989, en effet, la Caisse s'est beaucoup activée pour empêcher une mainmise extérieure sur ce grand épicier québécois. En prenant le contrôle de l'entreprise avec la firme Socanav de Michel Gaucher – une opération qui a été fort critiquée par la suite, car elle a mené au démantèlement du groupe puis à la fermeture des supermarchés Steinberg –, la Caisse intervenait pour empêcher un nouveau pan de l'économie québécoise de tomber en des mains extérieures, même si celles-ci étaient cette fois de Toronto.

L'affaire avait commencé en janvier 1988, par un coup de théâtre. Steinberg, vénérable institution québécoise de 72 ans, est à vendre! Et un seul acheteur se présente: Oxdon Investments, consortium formé de Kingsbridge Capital Group, filiale de Unicorp Canada, contrôlée par George Mann, le *corporate raider* bien connu; de Gordon Investments Corp. (courtiers en valeurs mobilières) et d'Oxford Development Group. Leur objectif: mettre la main sur un parc immobilier de grande valeur.

Les Québécois sont inquiets. Jean Campeau est interpellé par les journalistes: «Qu'avez-vous l'intention de faire?» Pragmatique, il déclare: «L'important, c'est que le nouvel acheteur soit un bon citoyen corporatif, à l'image de ses propriétaires actuels.» Ces propos illustrent la réalité de Steinberg, dont l'importance au Québec peut se mesurer par les 18 000 personnes qu'elle emploie, les 800 millions de dollars par année qu'elle dépense chez des fournisseurs et les deux millions de consommateurs qu'elle rejoint. Ce n'est pas une mince affaire pour le Québec. Une idée trotte toutefois dans la tête des gens de la Caisse: le parc immobilier de Steinberg! Mais l'entreprise est à vendre en totalité, et la Caisse ne peut rien faire seule. En fin de compte, l'offre d'Oxdon fait long feu. La famille Steinberg rejette sa proposition d'achat des actions votantes à 50$. Le premier épisode est terminé... officiellement du moins, pour un an.

Fin 1988: Jean Campeau et Michel Gaucher, dont les sociétés Sofati et Socanav œuvrent principalement dans le génie-conseil et le transport maritime, se rencontrent entre ciel et terre. Dans l'avion qui les amène à Toronto, les deux hommes s'entretiennent de Steinberg. La conversation ne mène pas encore aux négociations, puisque le président de la Caisse est déjà en pourparlers avec Irving Ludmer, président de Steinberg. Dans les coulisses, Michel Gaucher poursuit ses démarches, mais sans résultats immédiats. Ce n'est qu'en février 1989, après avoir rencontré les sœurs Steinberg, que Gaucher est prêt à lancer une offre publique d'achat. Il a bien une idée du prix qu'il devra offrir, mais il doit d'abord trouver un acheteur pour le parc immobilier, et ce, avant même de lancer son OPA.

Durant l'année écoulée, la Caisse n'est pas demeurée inactive, non plus. Pendant que sa direction Immeubles effectuait une première évaluation d'Ivanhoé, filiale immobilière de Steinberg, Jean Campeau et son équipe étaient en discussions avec la haute direction de l'entreprise. Irving Ludmer proposait à la Caisse de financer l'acquisition de l'entreprise par la direction. Mais les négociations n'aboutirent pas: la direction aurait eu relativement peu d'argent à offrir dans une transaction d'une telle ampleur, et la Caisse, quant à elle, ne pouvait détenir plus de 30% de l'actif d'une société. De toute façon, l'institution de l'avenue McGill s'intéressait principalement au bloc immobilier, et Ludmer ne voulait pas le vendre. La Caisse dut, dès lors, chercher un partenaire.

Le 17 mars 1989, Oxdon Investments[15] revient à la charge, avec une proposition qui en fait sourciller plus d'un! Le consortium a conçu un plan très audacieux, selon lequel les détenteurs d'actions non votantes pourraient exceptionnellement voter sur une proposition d'achat de l'entreprise à 50$ l'action votante et à 35$ l'action non votante. Cette proposition fonde sa validité sur une nouvelle disposition de la Loi de la Commission des valeurs mobilières du Québec, qui autoriserait les détenteurs d'actions non votantes à voter. Trois semaines plus tard, le conseil de Steinberg rejette la proposition.

Jean Campeau et Michel Gaucher se rencontrent de nouveau en juin. Les discussions qui s'amorcent alors entre les deux parties seront à la fois cordiales et ardues. «Plusieurs nuits ont été longues», dira Jean-Claude Scraire. Premier vice-président responsable à la fois des investissements immobiliers, des affaires juridiques et des communications, Scraire s'avère le dirigeant de la Caisse qui coordonne le plus grand nombre d'aspects de la transaction. Il dirige tout un aréopage d'avocats, de fiscalistes et de conseillers de tous ordres.

15. Un des conseillers juridiques d'Oxdon dans l'affaire Steinberg est l'ancien ministre libéral Jean Chrétien, qui viendra au moins une fois à la Caisse rencontrer Campeau de la part de son client. Après sa «traversée du désert», Chrétien s'apprête alors à rebondir dans l'arène politique pour prendre la succession de John Turner, ouverte ce printemps-là.

La transaction repose sur l'évaluation de l'actif de Steinberg à environ 1,8 milliard de dollars. Les analyses et les discussions sont menées par des professionnels de haut calibre des deux côtés. Gaucher n'est pas le premier venu. Nancy Orr, la vice-présidente Finances de Socanav – et l'épouse de Michel Gaucher –, manie les chiffres avec grande précision. Louis Rochette, associé de Gaucher, est un homme d'affaires averti, flanqué d'une solide équipe de conseillers. Du côté de la Caisse, Jean-Claude Scraire a mobilisé les troupes.

> J'ai eu des équipiers de premier ordre, tant au point de vue immobilier, juridique, investissement qu'au plan des communications, confiera-t-il plus tard. Daniel Paillé, premier vice-président responsable des investissements en participations, assumait la coordination des réunions de stratégie de l'ensemble du groupe Socanav-Caisse. Quant à Jean Campeau, il intervenait dans les moments cruciaux.

Le mariage a finalement lieu : les intérêts des deux groupes concordent à ce point que l'association aboutit en juillet à la formation de la Corporation d'acquisition Socanav-Caisse (CAS). On prévoit que l'immobilier ira à la Caisse, tandis que Socanav héritera l'alimentation et le commerce de détail. Il manque pourtant un élément clé au succès de l'entreprise. Michel Gaucher, appuyé par Jean Campeau, devra négocier auprès des sœurs Steinberg une option qui fera passer chez le tandem québécois le bloc de contrôle de 52 % des actions votantes détenu par Rockview Investments et par la succession Sam Steinberg. Mais le temps presse : le 29 juin, Oxdon annonce une nouvelle offre d'achat à 75 $ ou 1,5 action d'Oxdon pour chaque action votante de Steinberg, et 50 $ ou une action d'Oxdon pour une action de Classe A.

Gaucher et Campeau ont cependant plusieurs as dans leurs manches. Ils les déposent devant Mitzi, Evelyn et Marilyn Steinberg. Premier argument de poids : ils garantissent à la famille l'acquisition et le paiement de toutes les actions, votantes et non votantes. Ils offrent également le prix souhaité par les héritières du fondateur de l'empire : 75 $ l'action votante. Et, à leur demande, ils acceptent de porter à 51 $ le prix proposé pour les actions non votantes. Enfin, si le tandem acquiert le bloc de contrôle, Steinberg restera entre des mains québécoises, ce qui importe à ces trois femmes très attachées au Québec où leur famille a fait fortune.

Les as l'emportent et l'option est accordée le 8 juillet. À partir de ce jour, les événements se précipitent. Le lendemain, Socanav et la Caisse annoncent l'existence de l'option, conditionnelle à ce que l'OPA se déclenche le 31 juillet au plus tard, à 75$ l'action votante et à 51$ l'action non votante. Le 21 juillet, l'intention des deux partenaires de faire une offre, par la Corporation d'acquisition Socanav-Caisse, est rendue publique. Pris de surprise, l'adversaire ne tarde pas à réagir. Oxdon majore son offre de 3$ pour les actions non votantes, l'offre pour les actions votantes demeurant à 75$, à la condition toujours de recueillir 90% des deux catégories d'actions. Les deux offres ne comportent plus maintenant de contrepartie en actions de Oxdon Investments.

Le 28 juillet, l'OPA de CAS est lancée, déclenchant une série de rebondissements. Les tribunaux sont mis de la partie. Le 4 août, Oxdon présente une requête à la Cour supérieure de Montréal pour obtenir une injonction provisoire, interlocutoire et permanente contre CAS. Les arguments invoqués concernent principalement la Caisse. Selon Oxdon, Socanav ne serait qu'un prête-nom pour la Caisse. Celle-ci agirait alors dans l'illégalité, en s'arrogeant des pouvoirs qui outrepassent sa loi constitutive. Peine perdue pour Oxdon: après des débats épiques suivis par le Tout-Montréal financier, le juge Pierre Tessier déboute l'adversaire de CAS le 21 août, veille de l'expiration des offres des deux prétendants. Pire encore, la Cour d'appel du Québec refuse d'entendre le consortium ontarien. Ce même jour, le conseil d'administration de Steinberg rejette une proposition de fusion – «fantaisie» diront certains, «bluff» affirmeront d'autres – présentée quelques jours plus tôt par Oxdon. Les dés sont jetés: victoire sur toute la ligne pour le groupe québécois.

Fidèle à ses principes, Jean Campeau ne fait pas qu'informer le conseil de la Caisse, il va chercher son appui. «J'avais autour de moi des gens enthousiastes et passionnés, très déterminés à voir l'opération réussir.» Convoqué d'urgence, le 7 août à 18 heures, le conseil accepte l'idée de lever la condition de 90% incluse dans l'offre initiale, ce qui sera fait le 9, démontrant ainsi la volonté de CAS de prendre le contrôle.

Le bluff d'Oxdon – sur une proposition de fusion – n'avait pas été sans ébranler les meilleurs alliés de CAS. Le vendredi 18 août, Mitzi Dobrin appelle Jean Campeau pour le rencontrer avec Michel Gaucher au bureau de l'avocat des Steinberg, André Gervais. «L'atmosphère est cordiale, mais tout de même un peu tendue», se rappelle Jean Campeau. «Je suis particulièrement touché et surpris de voir Helen Steinberg (madame mère) à cette réunion, sans pourtant en saisir tout le sens. Je comprends lorsque Mitzi me demande s'il est vrai que je suis devenu l'allié d'Oxdon et que j'ai accepté de traiter avec eux. Ma réponse négative les rassure tous, particulièrement madame Steinberg qui s'est déplacée pour l'entendre de ma bouche. À partir de ce moment, l'atmosphère devient franchement chaleureuse.»

Le 21 août, Pierre Brunet, président de Lévesque Beaubien Geoffrion, organise une rencontre à ses bureaux avec George Mann et Neil Baker (d'Oxdon), d'une part, et Jean Campeau, Michel Gaucher et son associé Louis Rochette, d'autre part. La démarche de Mann et Baker est symbolique. Ils rendent les armes de façon élégante, certes, mais ils songent peut-être aussi à faire la paix avec d'éventuels partenaires.

Mardi matin, le 22 août, l'option sur le bloc de contrôle de Steinberg est levée, les actions sont prises et payées! Les alliés sont tout sourire. Oxdon dépose la totalité de ses actions cette même journée, à l'instar de la très grande majorité des actionnaires. Bien que CAS ait retiré sa condition de 90% le 9 août, c'est déjà devenu de l'histoire ancienne. Les actions entrent à pleines portes chez Montréal Trust. On est assuré d'obtenir la totalité des actions et tout est en place pour que le projet initial réussisse. À 16 h 30, Jean Campeau et Michel Gaucher rencontrent la presse pour leur annoncer que CAS détient 97% des actions votantes de Steinberg et plus de 40% des actions classe A. À 20 h, près de 100% des actions votantes, 97% des actions de classe A et 98% des actions privilégiées ont été acquises en bonne et due forme par CAS. Steinberg et sa filiale Ivanhoé sont désormais des compagnies fermées, qu'on croit alors promises à un bel avenir sur la scène nord-américaine.

Pour fêter l'événement, Jean Campeau, Michel Gaucher et Michel Nadeau se sont retrouvés vers les 2 h du matin au restaurant Chez Ben's, autour du fameux «smoked meat» de la maison. Au moment de régler l'addition, le garçon de table leur pose la question habituelle: «Une seule facture ou factures séparées?» «Factures séparées!», s'écrient en chœur Campeau et Gaucher. Le ton est donné entre les deux partenaires. Pour l'un et pour l'autre, c'est aussi clair que la séparation de l'Église et de l'État.

La Caisse n'avale pas les pilules empoisonnées

En cette fin des années 1980, même si elle est devenue moins ouvertement active du côté des participations dans les entreprises, la Caisse n'en a pas pour autant abandonné ses principes ni cessé de les défendre dans les milieux financiers. Elle a, par exemple, pris nettement position contre les investissements en Afrique du Sud et cette position ferme, citée en exemple, a influencé plusieurs sociétés canadiennes qui avaient des intérêts au pays de l'apartheid.

De plus, la Caisse continue de faire valoir le principe de la représentation proportionnelle aux conseils d'administration. Elle croit fermement qu'une entreprise doit être conduite par ses actionnaires, qui délèguent leurs pouvoirs aux administrateurs, qui à leur tour désignent les gestionnaires, qui forment ce qu'on appelle le «management»; elle ne pense pas que le management doit nommer les administrateurs, et encore moins choisir les actionnaires. À moins qu'au sein du management, un actionnaire détienne plus de 50% des actions, comme Marcel Dutil dans Canam-Manac.

La position de la Caisse est la suivante: pour les sociétés inscrites à la Bourse, elle souhaite être représentée par des gens de l'extérieur; pour les sociétés non cotées à la Bourse, elle tient à déléguer quelqu'un de l'intérieur afin de suivre l'évolution de l'entreprise. Surtout, l'institution ne veut plus faire autant de vagues qu'au début des années 1980:

> Peut-être a-t-on mal expliqué notre point de vue aux grandes compagnies, de dire Jean Campeau. Il n'empêche que la haute direction veut souvent régir les choses toute seule, même si elle n'a pas mis beaucoup d'argent dans la compagnie, et ça, c'est contraire aux principes de la démocratie. Ce sont les actionnaires (les propriétaires) qui doivent gouverner, mais la haute direction sollicite leur procuration et vote à leur place. Et rares sont ceux qui s'avisent d'aller à l'encontre de la haute direction[16].

Jean Campeau sait bien que ce qui fait peur, dans le cas de la Caisse, c'est qu'elle est vue comme un bras du gouvernement. On croit que le président de la Caisse parle tous les jours au ministre des Finances, mais rien n'est plus faux! Campeau cite, par exemple, l'accord entre la Caisse et les Sobeys, au début des années 1980: le gouvernement l'a appris après coup. Même chose pour les tractations avec Bertin Nadeau, en 1985. Il ne faut pas oublier cependant que le sous-ministre des Finances siège au conseil de la Caisse.

La Caisse ne cesse de s'opposer, par ailleurs, au principe de l'émission d'actions sans droit de vote ou à droit de vote réduit de la part des entreprises. Elle défend les droits de représentation démocratique, ainsi que les droits des propriétaires, c'est-à-dire des actionnaires au sein des grandes sociétés, où les gestionnaires ont tendance à s'arroger des droits excessifs. C'est dans cette perspective qu'il faut placer l'affaire INCO.

---

16. Entrevue de l'auteur avec Jean Campeau, 1989.

Au début d'octobre 1988, la multinationale canadienne INCO[17], plus grande productrice de nickel dans le monde non communiste, avait annoncé en grande pompe un plan de restructuration. Ce plan visait surtout à faire échec à des tentatives d'OPA, qui menacent particulièrement des sociétés comme INCO dont le capital-actions est disséminé à travers une pléiade de petits actionnaires. INCO comptait, en effet, quelque 30 000 actionnaires, dont aucun ne détenait plus de 5 % des actions. Parmi les principaux actionnaires, la Caisse, pour sa part, ne possédait qu'environ 3 % des actions. Mais ce bloc suffisait à lui donner quelque autorité au sein de la société.

Dès le départ, la Caisse s'oppose donc au projet de « restructuration » annoncé par les dirigeants de la compagnie de nickel, parce qu'il s'agit de ce que l'on appelle, dans le jargon du milieu, une « pilule empoisonnée[18] ». La direction d'INCO offre à tous ses actionnaires un dividende spécial de 10 $ et une formule de droits des actionnaires conçue pour rendre rebutante toute tentative de prise de contrôle. Selon la formule proposée, les actionnaires d'INCO peuvent acquérir des actions à moitié prix dès qu'un acheteur essaie d'acquérir 20 % ou plus des actions de l'entreprise. Ce droit peut cependant être révoqué à volonté par la haute direction. Autrement dit, les dirigeants d'INCO veulent se donner là une arme pour amener tout acheteur potentiel à négocier avec eux, à leurs conditions[19].

La Caisse est d'accord avec le dividende spécial, étant donné « l'excellente position financière » de l'entreprise, surtout en cette année où le cours du nickel se maintient à un haut niveau sur le marché. Mais elle ne voit pas la raison de lier une « pilule empoisonnée » à ce dividende, sous forme d'un projet qui consiste ni plus ni moins en une renonciation des actionnaires à leurs droits fondamentaux. Selon la Caisse, le fait de transférer de l'actionnaire au conseil d'administration et à la haute direction la responsabilité d'évaluer le capital-actions de l'entreprise et de décider de vendre ou non « ne fournit pas une garantie de rentabilité accrue ». Donc, INCO ne doit pas recourir à cette mesure.

---

17. INCO (International Nickel Company) affiche alors un chiffre d'affaires annuel de 2 milliards de dollars. La multinationale du nickel compte 18 000 employés, répartis dans diverses filiales à travers le monde (Canada, États-Unis, Brésil, Europe, Nouvelle-Calédonie...).

18. On emploie aussi le terme « dragée toxique ».

19. Ces conditions étant parfois des augmentations de traitement substantielles ou des « parachutes dorés ».

La Caisse est aussi fort préoccupée par le danger que d'autres sociétés imitent le geste d'INCO, en particulier dans le secteur des mines et des métaux. Il est question notamment que Stelco adopte le même genre de pilule empoisonnée, et Alcan y songerait. C'est la première fois qu'une entreprise canadienne adopte ce genre de mesure anti-OPA, très en vogue aux États-Unis.

Une réunion des actionnaires d'INCO est prévue le 9 décembre 1988 pour entériner le plan du conseil d'administration, c'est-à-dire le dividende spécial et le règlement autorisant l'émission de droits d'achat aux actionnaires. Entre-temps, l'opposition à cette «restructuration» s'est manifestée dans les milieux concernés. Le 18 octobre, les membres du Mineral Resources Analysts Group (MRAG) ont eu une rencontre orageuse à Toronto avec Donald Philipps, chef de la direction d'INCO. Ils ont exigé le vote séparé sur le dividende et sur la question du droit des actionnaires.

La Caisse n'est pas seule à penser qu'il n'est jamais bon que les actionnaires troquent leurs droits. D'autres institutions financières lui ont emboîté le pas, à cause de l'aliénation du droit des actionnaires qu'entraînera la pilule empoisonnée d'INCO. Il y a, parmi les opposants les plus notoires, le courtier torontois Allenvest Group, la maison Institutional Shareholder Services de Washington et quelques autres firmes de placement des États-Unis et d'Europe. En outre, les 1600 membres du Conseil canadien des analystes financiers font connaître sans ambages leur opposition à tout projet de pilule empoisonnée.

Malgré cette opposition, le plan de restructuration d'INCO reçoit l'aval de l'assemblée des actionnaires le 9 décembre, à Toronto. Ledit plan est approuvé dans une proportion de 71,1% des actionnaires. Néanmoins, la Caisse se dit encouragée de voir que près de 30% des actionnaires se prononcent contre l'attrait considérable du dividende de 10$, que les dirigeants de l'entreprise ont décrété pour mieux faire passer la pilule empoisonnée des prétendus «nouveaux droits» des actionnaires. Pour la Caisse, cependant, il s'agit d'une bataille de principe qu'elle compte bien poursuivre. Car ces pilules empoisonnées se répandent comme une véritable épidémie au sein des sociétés industrielles et commerciales, où certains dirigeants tendent à s'arroger des privilèges de droit divin.

1989: une année fructueuse

Malgré tout, l'année 1989 s'avère faste pour la Caisse sur le plan financier. À la fin de l'année, elle obtient un rendement global de 16,94%, et l'actif passe à 37,493 milliards de dollars. (En 1988, le rendement avait été de 10,54%, portant l'actif à 31,798 G$.) Le «bas de laine» est tissé d'or.

D'ailleurs, plus que jamais cette année-là, la Caisse avait fait sentir son influence sur l'économie québécoise. Le journaliste Georges Angers le soulignait dans *Le Soleil* du 29 décembre:

L'année qui s'achève aura surtout révélé l'énorme influence de la Caisse de dépôt et placement du Québec sur le destin d'un très grand nombre d'entreprises québécoises. En fait, on a retrouvé la Caisse dans pratiquement tous les dossiers mentionnés plus haut. En brossant le tableau à grands traits, on pourrait dire que:

- si Consol a été vendue à Stone, c'est parce que la Caisse a refusé de vendre Domtar à Power;
- si le contrôle québécois du Groupe Commerce a été cédé à des intérêts hollandais, c'est que la Caisse a refusé de s'en mêler;
- si Michel Gaucher a pu acheter Steinberg, c'est que la Caisse lui en a fourni les moyens;
- si Marcel Dutil a décidé de se retirer de Noverco, c'est parce qu'il n'a pu s'entendre avec la Caisse;
- si Pierre Péladeau a pu avaler les imprimeries américaines du groupe Maxwell, c'est parce qu'il a eu un coup de pouce de la Caisse[20].

Au sujet de cette dernière transaction, la Caisse avait effectivement apporté une aide substantielle à Quebecor pour lui permettre d'acquérir Maxwell Graphics et devenir du coup le deuxième imprimeur en importance en Amérique du Nord. La transaction s'était conclue à la fin d'octobre 1989, au prix de 500 millions de dollars US, dont la Caisse avait fourni 112 millions en débentures convertibles.

---

20. Georges ANGERS, «L'influence limitée de la Caisse de dépôt», *Le Soleil*, 29 décembre 1989.

Une atmosphère de fin de régime

En principe, l'année 1989 devait être la dernière du mandat de dix ans de Jean Campeau comme président de la Caisse[21]. Campeau avait été, jusque-là, l'homme qui était resté le plus longtemps à la tête de l'institution financière. C'est lui, somme toute, qui a fait prendre à la Caisse le virage majeur de l'âge adulte. Mais son mandat tirant à sa fin, on préparait déjà l'après-Campeau, le prochain décennat qui devait amener la Caisse au seuil de l'an 2000.

De nouvelles figures sont entrées au conseil d'administration ces dernières années, certaines à la suite du retour de Robert Bourassa au pouvoir, en décembre 1985. Il faut souligner particulièrement la nomination d'une première femme parmi les administrateurs de la Caisse. Il s'agit de Gisèle Desrochers, sous-ministre des Loisirs, de la Chasse et de la Pêche. Mme Desrochers, nommée à la fin de 1987, a succédé à Fernand Paré (président de La Solidarité), décédé la même année.

La Caisse a été éprouvée également par le décès d'un autre membre de son conseil d'administration en 1987: Raymond Blais, président de la Confédération des Caisses populaires et d'économie Desjardins. Il a été remplacé par Claude Béland, nouveau président des Caisses Desjardins. Enfin, les mandats d'André Marier et de Robert Normand se sont terminés à la fin de 1987. Leur ont succédé Marcel Côté[22], associé dans la firme SECOR et conseiller du premier ministre Bourassa, et Claude Séguin, sous-ministre des Finances du Québec.

Le 1er décembre 1989, comme si déjà les temps nouveaux s'annonçaient, quatre nouveaux administrateurs sont entrés au conseil de la Caisse: Serge Saucier (pdg de Raymond Chabot Martin Paré), Pierre Michaud (président de Val Royal), André Trudeau (sous-ministre de l'Environnement) et Jean-Charles Lafond (président de la Commission municipale du Québec, membre non votant). Et le mandat de Claude Béland (pdg du Mouvement Desjardins) a été renouvelé.

---

21. Le mandat de Jean Campeau se termine officiellement au début de mars 1990. Alors que les rumeurs de son départ avaient commencé à circuler à la fin de 1988, le premier ministre Bourassa l'a reconfirmé dans ses fonctions jusqu'en 1990. «Il a un travail très exigeant, a-t-il dit, mais il est très consciencieux et très assidu dans ses fonctions.» *Cf.* «La succession de Jean Campeau suscite déjà beaucoup d'intérêt», *La Presse*, 9 février 1989.

22. Marcel Côté a quitté le conseil de la Caisse en avril 1989, pour se consacrer à son nouveau poste de directeur de la planification stratégique et des communications au cabinet du premier ministre Mulroney, à Ottawa.

On sent alors, à la Caisse, une atmosphère de fin de régime ou, à tout le moins, de préparation au changement de régime, comme il pouvait en régner une à la fin des années 1970. Le renouvellement presque complet du conseil d'administration depuis trois ans a installé des gens nouveaux qui se sont mis, à leur tour, à assimiler la culture de l'institution pour mieux en préciser la direction future. Au printemps 1989, le conseil a même tenu une session extraordinaire pour faire le point et planifier l'avenir d'une institution qui allait bientôt franchir son quart de siècle. Et les spéculations commencent sur la succession de Campeau, bien sûr, mais aussi sur l'avenir de la Caisse elle-même.

Des craintes pour l'avenir

Pour le futur, deux craintes se manifestent alors : que l'actif cesse de croître et que la Caisse soit démantelée.

La crainte de voir l'actif diminuer vient du fait que le fonds principal de la Caisse, celui de la Régie des rentes du Québec, subit des saignées de plus en plus profondes d'année en année. De fait, le fonds de la Régie dépassait les 14 milliards de dollars au début de 1989, mais il ne représentait plus que 44 % de l'actif de la Caisse[23]. Depuis quelques années, la Régie retire de plus en plus ses revenus de placement, de sorte que sa contribution annuelle est devenue négative. En 1988, par exemple, la RRQ a retiré 741,6 millions de dollars de plus qu'elle n'en a déposés, soit une utilisation à 60,7 % de ses revenus de placement ; en 1987, elle avait utilisé 49,6 % de ses revenus et en 1986, 37 %. La majoration annuelle des cotisations au régime, amorcée en 1987 pour cinq ans, devrait ralentir peu à peu l'hémorragie. On prévoit qu'en 1991, ou 1992 au plus tard, une entente fédérale-provinciale interviendra pour majorer les contributions afin que la Régie ne soit pas acculée à entamer son capital.

Le deuxième déposant en importance, le Régime de retraite des employés du gouvernement et des organismes publics (RREGOP) – 24 % de l'ensemble des fonds – est celui qui apporte le plus de contributions annuelles à la Caisse. En 1988, il a fourni 941 millions de dollars. Parmi les autres fonds importants, la Régie de l'assurance automobile du Québec (RAAQ) a dû puiser quelque 8 millions de dollars en 1988 dans ses revenus

23. À comparer à 62,4 %, à la fin de 1979.

de placement, ce qui a ramené son apport net à 369 millions. La Commission de la santé et de la sécurité du travail (CSST), pour sa part, a réussi à renverser en 1988, grâce à une hausse des cotisations, une tendance à la décroissance, apportant à la Caisse près de 461 millions de dollars. L'actif de la Caisse continue donc de croître. Mais comme son principal déposant, la Régie des rentes, grignote de plus en plus sa contribution, le rythme de croissance ralentit un peu d'année en année.

Si certains craignent un ralentissement de croissance pour l'institution, d'autres, par contre, semblent redouter l'inverse. Que la Caisse soit devenue un géant financier ne fait pas l'affaire de tout le monde. Dans certains milieux, en effet, sa taille est considérée avec suspicion. On répète que certains jours, l'activité de l'institution compte pour 20% des transactions à la Bourse de Montréal. Avec un portefeuille d'actions qui s'accroît de plus d'un milliard de dollars par année et un actif qui pourrait vraisemblablement approcher les cent milliards de dollars au tournant du siècle, le gestionnaire des fonds publics du Québec est sur le point de rivaliser d'influence avec les six grandes banques canadiennes. Et cette éventualité commence à énerver certains esprits.

On dit que, même avec la limite qui lui est imposée de ne consacrer que 30% de son actif aux placements en actions, la Caisse peut très bien dominer la plus grande partie des sociétés canadiennes avant la fin du siècle. Certains, qui ne ménagent pas leurs critiques à l'égard de l'institution et qui sont souvent, d'ailleurs, les haut-parleurs de maisons financières plus ou moins rivales, prétendent que l'institution de la rue McGill College est par trop politique. Ils voudraient la voir morcelée en plusieurs fonds concurrents, qui investiraient strictement à des fins de rentabilité financière.

Ce n'est pas la première fois qu'on évoque l'idée de démanteler la Caisse. En général, cette idée vient des mêmes milieux qui se sont opposés à la création d'une caisse centrale d'État à l'époque de Jean Lesage: des milieux inféodés au grand capital anglophone et à qui portait particulièrement ombrage la création d'un puissant organisme financier, appartenant à la collectivité québécoise. Le Conseil du patronat du Québec, par exemple, n'avait pas hésité au début de 1983, au moment où faisait rage la polémique sur le projet de loi S-31, à réclamer qu'on scinde la Caisse en plusieurs entités moins «menaçantes». De même, au colloque de l'Institut C.D. Howe consacré à l'institution en novembre 1983, certains participants n'avaient pas manqué d'évoquer un éventuel démantèlement de la Caisse ou la création de caisses parallèles. Pour un Michel Bélanger notamment, le problème n'était pas la taille de la Caisse, mais qu'il n'y en ait pas d'autres de la même taille.

Le seul fait d'évoquer un éventuel démantèlement de l'institution fait bondir littéralement Jean Campeau. Pour lui, c'est vraiment «petit» que de penser que la Caisse est trop grosse. Il s'agit d'un reliquat de l'ancienne mentalité misérabiliste («né pour un petit pain») qui prévalait au Québec avant la Révolution tranquille. D'ailleurs, à l'échelle internationale ou même à celle de l'Amérique du Nord, la Caisse de dépôt et placement du Québec n'est qu'un joueur parmi d'autres et de taille plutôt modeste. Campeau le soulignait dans le rapport annuel de 1988: la Caisse, malgré sa progression spectaculaire depuis une dizaine d'années, n'est encore qu'au 47e rang des gestionnaires de fonds en Amérique du Nord[24]. Au Canada, elle occupait en 1989 le 7e rang des institutions financières, derrière les cinq plus grandes banques et le Mouvement Desjardins.

Quoi qu'il en soit, la Caisse est devenue avec les années une sorte de vache sacrée au Québec, comme l'a montré l'affaire du projet de loi S-31. Y porter atteinte constituerait une sorte de reniement de ce qui s'est accompli de mieux, sur le plan économique, depuis la Révolution tranquille.

1990, l'année de transition

Au début de 1990, Campeau avait encore six mois devant lui à la tête de la Caisse. Mais peu le savaient ou en étaient sûrs. Plusieurs se demandaient si son mandat, son «décennat», ne serait pas reconduit. En tout cas, il avait été le premier président de la Caisse à compléter ce fameux mandat de dix ans que la Loi constitutive avait prévu pour le dirigeant de l'institution. Et la plupart des observateurs avertis reconnaissaient qu'il avait accompli sa mission avec beaucoup d'efficacité et de panache, surtout du côté du développement économique du Québec. Selon un journal torontois, c'est à Campeau qu'on reconnaît «le crédit d'avoir fait de la Caisse le moteur de l'économie québécoise et d'avoir promu une nouvelle élite d'affaires dynamique, vouée à conquérir des marchés au pays et à l'étranger[25]».

24. Parmi les gestionnaires de fonds publics, la Caisse se situe alors au 36e rang en Amérique du Nord. Le premier rang appartient à la Metropolitan Life, qui gère des fonds de 86 milliards de dollars US appartenant à des gouvernements ou à des corps publics.

25. «Campeau is credited with shaping Caisse de dépôt into the driving force behind Québec's economy and the rise of a dynamic new business elite bent on conquering markets at home and abroad.» *The Globe and Mail*, «This Week in Business», 27 janvier 1990.

Tout cela n'empêche pas le quotidien *The Gazette* de réclamer, en page éditoriale, dès le 22 janvier 1990, l'apport de sang neuf à la Caisse, donc le départ de Campeau[26]. Le journal réclame en même temps une limite de cinq ans aux mandats des membres du conseil d'administration de la Caisse, ainsi que l'entrée de non-francophones dans ce cercle de plus en plus influent. Par contre, dans *Le Devoir*, Jean Chartier plaide pour le renouvellement du mandat de Campeau. De fait, ce mandat devait s'achever normalement en février, mais le premier ministre Bourassa l'avait prolongé jusqu'au 1er juin[27].

En mars, Campeau lui-même met fin au suspense. En livrant les résultats annuels de la Caisse, il déclare qu'il ne sollicitera pas le renouvellement de son mandat. De fait, il n'a jamais été question pour lui d'en entreprendre un autre. S'il est resté six mois de plus que le terme normal de dix ans, ce fut sur la demande expresse du premier ministre Bourassa, qui ne lui avait pas encore trouvé de successeur[28].

Ce début d'année 1990 est rempli par les débats sur l'Accord du lac Meech et la viabilité d'un Québec indépendant. Les pions bougent de plus en plus vite sur l'échiquier politique. En cas d'échec de Meech, Bourassa évoque une «super-structure» politique, au sein de laquelle le Québec se retrouverait associé au Canada anglais. À Ottawa, Lucien Bouchard rompt avec le Parti conservateur et fonde un parti souverainiste, le Bloc québécois. Pour la première fois dans l'histoire du Québec, les milieux d'affaires francophones commencent à envisager la souveraineté du Québec sans s'alarmer. À peu près tout le monde, y compris des observateurs canadiens-anglais et américains, admet que l'économie du Québec est désormais assez forte et diversifiée pour supporter la transition vers l'indépendance[29].

Le départ de Campeau

En avril, les rumeurs se sont mises à courir sur la succession de Campeau. Plusieurs noms ont circulé, notamment ceux de Paul Gobeil, Claude

26. «Time for a shot of new blood – Quebec's Caisse de dépôt needs a shakeup», *The Gazette*, 22 janvier 1990.

27. Jean Campeau allait rester à la barre de la Caisse jusqu'au 29 juin 1990.

28. Entrevue de l'auteur avec Jean Campeau, février 2000.

29. Alain Dubuc, «L'économie et la souveraineté du Québec», *La Presse*, 14 mars 1990. Voir aussi «Le Québec a les fonds nécessaires pour plus d'indépendance politique», un article du *Business Week* traduit et publié dans *La Presse*, 5 avril 1990.

Castonguay, Raymond Garneau, Pierre Laurin, Serge Saucier, Robert Normand... Mais dès le 2 mai, *La Presse* annonçait que Jean-Claude Delorme, le président de Téléglobe Canada, se trouvait au nombre des favoris pour succéder à Jean Campeau. De fait, le premier ministre Bourassa était entré en contact avec Delorme dès 1988 pour lui proposer le poste, et au printemps 1990 il avait enfin obtenu son acquiescement[30].

Le quotidien montréalais, décidément bien informé, laissait aussi entendre que Québec avait l'intention de scinder en deux la direction de la Caisse, et donc de modifier en conséquence la Loi constitutive de la Caisse. C'est effectivement ce qui allait se passer dans les semaines suivantes. La nomination de Jean-Claude Delorme est annoncée le 30 mai, de même que celle de son « lieutenant », Guy Savard. Celui-ci est nommé provisoirement vice-président mais il est appelé à devenir président et chef des opérations de la Caisse après changement de la loi, comme le confirme Bourassa à l'Assemblée nationale ce jour-là. Ces nominations suscitent immédiatement de vives critiques. Le chef syndical Louis Laberge, membre du conseil de la Caisse, dénonce le manque d'expérience financière du nouveau président Delorme et surtout s'insurge contre la nomination manifestement « partisane » de Guy Savard, comptable et collecteur de fonds pour le Parti libéral, qu'il qualifie d'inacceptable. Au sein de la Caisse, la nouvelle est accueillie comme une douche froide. Le quotidien *La Presse* rapporte les propos d'un employé, disant que « beaucoup sont dans leurs petits souliers ». Le journal mentionne que « d'autres sources, au sein de l'organisme, soulignent que les cadres ne voient guère d'un bon œil l'arrivée de deux patrons de l'extérieur au lieu d'un seul[31] ».

On n'avait jamais vu autant de remous autour de la nomination d'un président de la Caisse. Bien sûr, l'organisme a pris beaucoup d'importance et acquis de la visibilité dans les dix dernières années, non seulement au Québec mais dans tout le Canada. La Caisse est donc beaucoup plus surveillée. C'est surtout l'atteinte à son intégrité et le démantèlement d'une structure de direction qui lui avait réussi jusque-là qui suscitent le plus de grogne et de crainte. Le chef de l'opposition péquiste, Jacques Parizeau, qui avait été dans les années 1960 l'un des principaux artisans de la fondation de

30. Entrevue de l'auteur avec Jean-Claude Delorme, février 2000.

31. Denis Lessard, « Le président de la Caisse de dépôt aura un lieutenant "libéral" », *La Presse*, 30 mai 1990.

la Caisse, proteste vivement contre cette décision. À l'Assemblée nationale, le 30 mai, il prend à partie Bourassa au sujet de la nomination de Savard:

> Est-ce qu'il [le premier ministre] croit qu'il n'y a pas une sorte d'antagonisme entre une fonction qui consiste à dire: je vous cotise pour un parti et, d'autre part, je vais maintenant juger vos demandes de financement?

Les éditorialistes – même au Canada anglais – sont unanimes à critiquer cette nomination équivoque. L'un des membres les plus prestigieux du conseil de la Caisse, Claude Béland, président du Mouvement Desjardins, s'élève aussi avec vigueur non seulement contre la nomination de Guy Savard mais aussi contre la scission de la direction de la Caisse. Il déplore vivement que le conseil d'administration de la Caisse ait été écarté du processus de décision et placé devant le fait accompli. «En fait, comme le rapporte la Presse canadienne, M. Béland ne s'en prend pas au caractère politique des nominations mais plutôt au fait que le conseil d'administration de la Caisse de dépôt et placement, dont il fait partie depuis trois ans, n'a jamais été consulté sur la nécessité d'une direction bicéphale[32].»

D'ailleurs, Jean-Claude Delorme lui-même n'avait pas été pleinement informé, de prime abord, des intentions du gouvernement au sujet de cette nouvelle structure de direction. Lui aussi a été, à toutes fins utiles, mis devant le fait accompli dans les semaines qui ont suivi son acceptation du poste. Il a même signifié son désaccord à Bourassa, non pas sur le principe de cette structure – qui était courante dans le monde des affaires, et même appliquée dans des sociétés d'État comme Hydro-Québec –, mais sur le fait de l'imposer à une institution qui était habituée à un autre modèle de fonctionnement. Il craignait, non sans raison, le choc que cette structure provoquerait au sein de la Caisse, et il en avait averti le premier ministre.

Si la nomination de Delorme est accueillie favorablement, celle de Savard, par contre, suscite de la gêne, même dans le milieu des affaires. On fait état d'un profond malaise à l'intérieur de la Caisse, comme le rapporte le *Journal de Montréal*:

> Il va de soi que plusieurs des vice-présidents au sein de la Caisse estiment leur compétence mise en cause par cette restructuration, voyant le poste le plus prestigieux leur passer sous le nez et pour un «politique» en plus. Au sein de

---

32. «Caisse de dépôt: Claude Béland dénonce l'absence de consultation», dépêche de la Presse canadienne, publiée dans *La Presse*, 2 juin 1990.

la communauté des affaires, on confiait ainsi, hier, au *Journal*, que M. Michel Nadeau, nommé vice-président par Jean Campeau, était de ceux les plus déçus de la décision du gouvernement[33].

Au milieu de la tourmente, Philippe Gabelier se souvient d'être allé avec Jean-Claude Scraire rencontrer Delorme et Savard en catimini à Téléglobe. Les deux nouveaux dirigeants de la Caisse, qui ne se connaissaient pas encore, étaient chacun sur la défensive. Très méfiant, Savard fulminait. Avec son flegme habituel, Scraire leur a conseillé de «baisser les voiles» pour laisser passer la tempête.

Ce bouleversement à la Caisse intervenait à un moment particulièrement délicat de l'histoire canadienne, alors que le gouvernement fédéral de Brian Mulroney ne parvenait pas à faire entériner l'Accord du lac Meech, et notamment la fameuse clause de «société distincte», par toutes les provinces canadiennes. L'échec de Meech, déjà prévisible depuis quelques mois, avait fait grimper les opinions favorables à la souveraineté du Québec à des niveaux encore jamais atteints jusque-là. Plus encore, cette option politique ralliait de plus en plus de partisans dans les milieux d'affaires francophones, jusque-là farouchement opposés à toute forme de sécession du Québec. En juin, *The Globe and Mail* publiait un reportage à ce sujet[34], signalant que plusieurs entrepreneurs et leaders économiques du Québec, qui avaient été jusque-là des partisans sans faille du fédéralisme, commençaient à changer d'opinion. Désillusionnés, ils envisageaient de plus en plus la souveraineté du Québec comme la solution à l'inextricable problème canadien. Le quotidien torontois citait un sondage récent de la revue *Commerce*, qui donnait 58% d'appui à la souveraineté parmi les gens d'affaires du Québec: un chiffre qui avait de quoi faire souffler un vent de frayeur sur Bay Street.

Quelques mois auparavant, dans son édition du 9 avril 1990, le magazine *Business fieek*, dans un reportage intitulé «Why Québec Libre Has a Fighting Chance», signalait que le Québec possédait la force économique nécessaire pour «plus d'indépendance politique». L'article mentionnait la Caisse comme l'un des leviers importants du nouveau dynamisme économique du Québec.

33. Jean PELLETIER, «Caisse de dépôt: la nomination d'un "politique" fait de la vague», *Le Journal de Montréal*, 31 mai 1990.

34. James FLEMING, «Thinking the Unthinkable – Business leaders in Quebec have been deeply radicalized by the Meech Lake discord. For many, sovereignty cannot come too soon.» Report on Business, *The Globe and Mail*, juin 1990.

Par ailleurs, le changement de garde à la Caisse avait donné au prestigieux *Wall Street Journal* l'occasion de louanger l'institution québécoise et son président sortant. «Le président Jean Campeau, soulignait le quotidien américain, a transformé le rôle traditionnellement tranquille de la Caisse en une puissante entreprise d'investissements[35].»

Il faut dire que Campeau avait bouclé 1989, sa dernière année pleine à la tête de la Caisse, avec un bilan particulièrement impressionnant. Pour le portefeuille d'actions, l'institution avait notamment obtenu un rendement supérieur à l'indice TSE de la Bourse de Toronto: 22,7% contre 21,4%. Même chose pour le portefeuille d'obligations, qui avait rapporté 14,6% par rapport à une moyenne de 12,8% pour l'indice de référence Scotia-McLeod. Bref, avec un rendement global de près de 17% cette année-là, l'actif de la Caisse avait dépassé les 37 milliards de dollars. Et le bilan décennal de l'administration Campeau n'était pas moins impressionnant: de 1980 à 1990, l'actif de la Caisse était passé de 10 milliards à 37 milliards de dollars!

Au lendemain de l'échec de Meech, en surveillant les marchés, Jean Campeau avait connu un moment de soulagement, sinon de triomphe. En effet, le lundi 25 juin 1990, jour férié au Québec, le président sortant avait surveillé le marché dès les premières heures du matin, prêt à mettre les milliards de la Caisse au service du Québec s'il le fallait. «Les heures ont passé mais il ne s'est rien passé», comme le rapporta le journaliste Jean Pelletier:

> La mort de Meech n'a pas provoqué de ruée sur les marchés obligataires du Canada comme du Québec. Mieux, le dollar canadien s'est même apprécié. Jean Campeau, président sortant de la Caisse de dépôt et placement, voit dans ce calme plat, presque ennuyeux, une victoire personnelle[36].

Après plus de dix ans à la tête de la Caisse, Jean Campeau pouvait dire: mission accomplie!

---

35. Article paru dans *The Wall Street Journal* le 31 mai 1990, et cité dans *La Presse* et *Le Devoir*, entre autres, le 1er juin 1990.

36. Jean Pelletier, «Le testament de Jean Campeau: le Québec a les moyens de ses ambitions», *Le Journal de Montréal*, 28 juin 1990.

CHAPITRE 6

La coprésidence Delorme-Savard

La nomination de deux présidents à la tête la Caisse a suscité une flambée de critiques qui ne va pas s'éteindre de sitôt. De fait, cette décision gouvernementale reste comme une épine au flanc de l'institution durant les quatre années qui suivent, nonobstant les compétences respectives de MM. Delorme et Savard. Car personne ne conteste les qualités de gestionnaires des deux hommes qui sont, l'un et l'autre, des figures respectées du monde des affaires. Sauf que la nouvelle structure imposée à la Caisse, au lieu de multiplier ces compétences et de les synergiser, aura souvent pour effet de les diviser.

Jean-Claude Delorme avait, jusque-là, fait carrière surtout dans la haute fonction publique fédérale. Né en 1934 à Berthierville, il a été élevé à Montréal dans le quartier du Plateau Mont-Royal. Il a étudié au collège Sainte-Marie (où Campeau aussi avait terminé son cours classique) puis à l'Université de Montréal. Diplômé en droit et admis au Barreau du Québec en 1960, il a commencé sa carrière au cabinet Martineau Walker. Mais c'est le projet d'Exposition universelle à Montréal qui le propulse dès 1963, quand il devient secrétaire et conseiller juridique de la Compagnie canadienne de l'Exposition universelle de 1967. Il y restera cinq ans. Puis, en 1969, survient une autre étape marquante pour lui quand il est nommé vice-président de l'administration, secrétaire et conseiller juridique de Télésat Canada, une nouvelle entreprise de télécommunications par satellite que vient de créer le gouvernement fédéral. Cette fonction l'amènera deux ans plus tard, en juin 1971, à la tête de Téléglobe Canada, une société d'État fédérale qui sera privatisée en 1987. Il en restera président-directeur général pendant 19 ans, soit jusqu'à sa nomination à la présidence de la Caisse en 1990.

Guy Savard, lui, est un comptable de formation, qui a fait carrière dans les grandes sociétés-conseils. Né en 1943 à Coaticook, dans les Cantons de l'Est, il a fait ses études supérieures à l'Université St. Francis Xavier, en Nouvelle-Écosse, puis à l'Université Laval, d'où il est sorti en 1965 avec une maîtrise en sciences comptables et en sciences commerciales. Il est embauché au départ chez Touche Ross, à Montréal. Il y reste jusqu'en 1968, année où il fonde un bureau de comptables avec d'autres associés à Sherbrooke, sous le nom Larochelle, Savard, Gosselin, Gobeil et associés. En 1970, la jeune entreprise fusionne avec le cabinet Samson Bélair, où Guy Savard poursuivra sa carrière jusqu'en 1989, à titre d'associé puis de directeur. En 1989, il passe chez Raymond Chabot Martin Paré comme vice-président national, avant d'entrer à la Caisse en 1990. Mais auparavant, de 1985 à 1990, il a eu l'occasion de se familiariser avec les sociétés d'État, à titre de vice-président du conseil de la Société de développement industriel du Québec (SDI).

Le 11 juillet 1990, après trois heures de discussions tendues, le conseil d'administration de la Caisse finit par entériner à l'unanimité la nomination de Guy Savard comme «vice-président exécutif et chef de l'exploitation». Le président du Mouvement Desjardins, Claude Béland, qui avait critiqué cette nomination, s'est rallié à la fin après s'être laissé convaincre qu'il ne s'agissait pas d'une «direction à deux têtes» comme il le craignait[1]. Mais le plus critique de tous, Louis Laberge, le président de la FTQ, n'a pas assisté à la réunion. Il s'est déclaré, diplomatiquement ou non, en vacances. De fait, on a précisé ce jour-là que Savard devait être subordonné à Delorme, et que trois des cinq vice-présidents relèveraient directement du président, soit les vice-présidents à la planification (Michel Nadeau), aux affaires juridiques et à l'immobilier (Jean-Claude Scraire) et à l'administration (Serge Rémillard).

Mais l'affaire n'était pas close pour autant. Le gouvernement libéral avait bel et bien décidé de créer une direction bicéphale à la Caisse. À la fin de l'année, il fit passer à toute vapeur à l'Assemblée nationale le projet de loi 109, qui créait effectivement deux présidences à la tête de l'institution. Jean-Claude Delorme serait président du conseil d'administration et chef de la direction; Guy Savard serait président et chef de l'exploitation. Et les deux

1. Rudy Le Cours, «Guy Savard confirmé dans ses fonctions à la Caisse», *La Presse*, 13 juillet 1990.

ne pourraient être destitués que par « une résolution de l'Assemblée nationale », ce qui les mettait de fait sur un pied d'égalité. Le projet de loi fut adopté le 12 décembre 1990, à la suite d'une motion de clôture, après seulement une heure de délibérations. Le chef de l'opposition et président du Parti québécois, Jacques Parizeau, en a été proprement scandalisé. Exprimant toute son indignation au sujet de cette loi qui menaçait comme jamais l'intégrité et l'efficacité de la Caisse, de même que sur la façon cavalière dont le gouvernement Bourassa l'avait fait adopter (en bâillonnant l'opposition), le chef péquiste jura de l'abolir dès qu'il prendrait le pouvoir[2] – ce qui n'allait pas se produire avant quatre ans.

Mais il n'y a pas que la restructuration de la direction qui soulève des critiques en cette fin d'année, on commence aussi à reprocher à la Caisse de ne pas intervenir assez pour soutenir l'économie québécoise. Le journaliste Jean-Marc Papineau résume ces griefs dans *Le Devoir*, en rappelant la perte de la Consolidated-Bathurst, du Groupe Commerce et de Normick Perron :

> Oscillant entre son devoir d'investir à bon escient et celui d'appuyer le dynamisme des entreprises québécoises, la Caisse donne l'impression de se cantonner confortablement dans le rôle de fiduciaire, certes efficace, de l'argent des Québécois, mais sans plus. Ses transactions récentes, selon Laurent Picard, professeur au département d'administration de l'université McGill, ressemblent davantage au comportement d'un simple individu désireux de s'enrichir que d'une institution ayant reçu le mandat d'accroître la structure économique du Québec[3].

Pourquoi la Caisse est-elle un investisseur moins présent qu'au début des années 1980 ? Pour répondre à cette question, le journaliste cite un cadre de la Caisse, Normand Provost, qui déclare que l'objectif actuel est de « favoriser les maillages afin de renforcer les entreprises. Car la situation économique actuelle force les entrepreneurs à régler leurs problèmes de court terme et à mettre temporairement de côté les défis liés à la mondialisation. Ils sont plus en train de se battre contre la conjoncture – les taux d'intérêt élevés et le dollar élevé – que d'affronter les concurrents de demain. »

---

2. Voir la dépêche de la Presse canadienne : « Parizeau promet d'abolir la nouvelle loi sur la Caisse », *Le Devoir*, 14 décembre 1990.

3. Jean-Marc Papineau, « La Caisse de dépôt, un nouvel esprit de partenariat », *Le Devoir*, 14 décembre 1990.

Le sauvetage de Métro-Richelieu

Il faut dire qu'au moins une intervention de la Caisse, en 1990, a permis de redresser une grande entreprise québécoise. Et dans le domaine de l'épicerie, par-dessus le marché! Il s'agit de la chaîne Métro-Richelieu, qui se trouvait alors dans une situation financière difficile à la suite d'une série de diversifications plus ou moins heureuses.

En 1989, l'entreprise avait essuyé des pertes de 9,2 millions de dollars, et l'année 1990 ne s'annonçait guère meilleure. C'est alors qu'au nom des marchands réunis sous la bannière Métro-Richelieu, le président du conseil, Marcel Guertin, est venu voir Campeau et solliciter l'aide de la Caisse – qui était devenue l'un des principaux actionnaires de l'entreprise. Le problème se situait au niveau du *management*, c'est-à-dire essentiellement le président et chef de la direction, Jacques Maltais, et le responsable du développement, Raymond Bachand. Campeau a dépêché Michel Nadeau pour représenter la Caisse au conseil d'administration de Métro. Mais Nadeau n'était pas là pour être un simple représentant de la Caisse. Il a pris en charge un comité des ressources humaines pour «faire le ménage dans la boîte», selon sa propre expression. Quelques mois plus tard, le 29 mars 1990, Jacques Maltais était démis de ses fonctions à la tête de Métro, et Raymond Bachand suivait peu après. Ensuite, avec Marcel Guertin et Pierre Shooner, Nadeau s'est employé à trouver la tête qu'il fallait pour le numéro deux de l'alimentation au Québec.

Après les revers essuyés avec Provigo et même – cela commençait déjà à transpirer! – avec Steinberg, la Caisse ne devait pas manquer son coup cette fois-là! Elle en était très consciente. Aussi tout a-t-il été mis en œuvre pour aller chercher Pierre H. Lessard. Ce qui fut accompli durant l'été 1990 et ratifié le 4 septembre 1990. Pierre Lessard était nommé président et chef de la direction de Métro-Richelieu, flanqué de son ami Pierre Gobeil, comme vice-président du conseil. Deux anciens de Provigo reprenaient du service. Ainsi écarté de l'épicerie par la Caisse en 1985, Pierre Lessard, celui qui avait bâti Provigo aux côtés de Turmel, y revenait avec éclat grâce à la même Caisse.

Rendement nul en 1990

Comme pour donner raison aux critiques souvent acerbes qui ont accueilli la restructuration de sa direction, la Caisse affiche un rendement décevant pour l'année 1990. Il y a une légère baisse de l'actif: 37,304 milliards de dollars, par rapport à 37,493 milliards en 1989.

Dans le rapport annuel publié en mars 1991, le président Delorme invoque divers facteurs conjoncturels pour expliquer ce rendement:

> Les taux d'intérêt canadiens, déjà élevés en 1989, ont atteint un nouveau sommet au deuxième trimestre de l'année 1990 [...] Du côté des marchés obligataires, la politique monétaire de la Banque du Canada a contribué à maintenir l'inversion de la courbe des taux d'intérêt, entraînant ainsi un élargissement record de l'écart à plus de 5% entre les taux à court terme canadiens et américains. De plus, l'incertitude relative aux négociations de l'Accord du lac Meech a troublé le marché des obligations à long terme et la vigueur du dollar canadien a pour sa part ralenti l'achat des obligations canadiennes par les investisseurs étrangers[4].

D'ailleurs, les marchés boursiers ont reculé partout dans le monde. Au Canada, les Bourses ont connu un rendement négatif de -14,8%, à comparer à un gain de 21,4% l'année précédente.

> Aux facteurs conjoncturels se sont ajoutées des causes d'inquiétude qui ont provoqué un comportement erratique des marchés. La plus importante et la plus déterminante fut incontestablement la crise du Moyen-Orient qui a été source de profondes incertitudes depuis le début d'août et qui a provoqué une hausse subite du prix du pétrole, à tel point que le prix moyen du baril qui était de 19,59$ US en 1989 est passé à 24,48$ US en 1990, soit une augmentation de 25%[5].

Pourtant, la Caisse avait accueilli deux nouveaux déposants en 1990: le Régime complémentaire de rentes des techniciens ambulanciers œuvrant au Québec, et le Compte spécial[6] «à l'intention de certains employés couverts par différents régimes de retraite de l'Administration publique québécoise».

1991, une année mouvementée

En février 1991, après 200 jours à la tête de la Caisse – et sans doute après avoir pris le temps de laisser retomber la poussière sur l'affaire de la restructuration

---

4. Caisse de dépôt et placement du Québec, *Rapport annuel 1990*, message de Jean-Claude Delorme.

5. *Ibid.*

6. Ce compte est, comme on le décrit, «constitué des contributions d'employeur devant être versées aux employés du gouvernement du Québec auxquels s'aplique un partage de coûts fédéral-provincial».

–, Jean-Claude Delorme convoque sa première conférence de presse, afin de marquer le 25e anniversaire du premier investissement de l'institution.

Un regard en arrière sur ce quart de siècle écoulé donne l'occasion de prendre la mesure de l'extraordinaire apport de la Caisse à l'évolution économique du Québec. On n'a «rien à lui reprocher» ou presque, comme l'écrit le chroniqueur financier Claude Picher:

> Un quart de siècle après sa création, la Caisse a toujours le vent dans les voiles. Les Québécois n'ont rien à lui reprocher. Sauf, peut-être, ces éternels pleurnichards que sont les journalistes, et qui lui reprochent son opacité. Et ils ont bien raison: la Caisse a un petit côté cachottier extrêmement agaçant, et on ne compte plus les dossiers où elle a utilisé ruses, subterfuges, finasseries et stratagèmes pourris pour tenter de masquer des réalités qui finissent toujours, d'une façon ou de l'autre, par sortir dans les médias. Et si la Caisse trouve que cela sort tout croche, elle n'a qu'à faire un pas de plus vers la translucidité. C'est, en ce 25e anniversaire, à peu près tout ce qui lui manque pour être parfaite[7].

Mais cette année 1991, où elle franchissait la barre de son quart de siècle, allait s'avérer particulièrement difficile pour la Caisse. Sur le plan économique d'abord, pointe l'une des pires récessions depuis la fin de la guerre. Et sur le plan politique, le Québec et le Canada se trouvent en pleine crise constitutionnelle après l'échec de Meech.

Par ailleurs, sur la scène internationale, divers mouvements et branle-bas préludent à l'établissement d'un nouvel ordre mondial, maintenant que la Guerre froide est terminée et que le communisme s'est effondré en Europe. Pour bien marquer qu'ils sont désormais les maîtres du monde, les Américains déclenchent, en début d'année, une guerre éclair contre l'Irak de Sadam Hussein, la Guerre du Golfe. Plus tard, en août, un coup d'État avorté à Moscou entraîne l'arrivée au pouvoir d'Eltsine et la fin du communisme en Russie. Dans ce contexte de triomphe du libéralisme, un terme revient de plus en plus comme un leitmotiv et un mot d'ordre: la mondialisation, qui marque le règne sans partage et sans frontière du capital. L'économique prend le pas sur le politique. Et les grandes entreprises multinationales deviennent plus importantes que bien des États...

Il n'en reste pas moins qu'au Québec, le politique continue d'occuper le devant de la scène cette année-là, à cause de la réponse à donner à l'échec de Meech. De fait, les événements se sont précipités dans les mois qui ont

---

7. Claude Picher, «Le bas de laine des Québécois: la Caisse de dépôt et placement», *La Presse*, 6 avril 1991.

suivi la non-ratification des accords du lac Meech, en juin 1990. D'abord, le 25 juillet, Lucien Bouchard – l'ex-lieutenant québécois du premier ministre Mulroney – a fondé un nouveau parti souverainiste à Ottawa, le Bloc québécois (après s'être déclaré lui-même souverainiste en mai). Un premier député du Bloc, Gilles Duceppe, est élu le 13 août dans la circonscription montréalaise de Laurier-Sainte-Marie. Dans les sondages, l'option souverainiste recueille des majorités sans précédent, frôlant les 70%.

Le 4 septembre 1990, l'Assemblée nationale adopte la loi créant la Commission sur l'avenir politique et constitutionnel du Québec. Les coprésidents en sont Michel Bélanger, président du conseil de la Banque Nationale, et Jean Campeau, l'ex-président de la Caisse devenu président de Domtar. Ottawa réplique en mettant sur pied la commission Spicer, le 31 octobre. Les mémoires qui affluent à la Commission Bélanger-Campeau (607, en plus de 55 contributions de spécialistes) sont très majoritairement souverainistes. Les 9 et 10 novembre, un comité du Parti libéral présidé par Jean Allaire s'est prononcé pour la souveraineté. Le 29 janvier 1991, ce comité publie un rapport qui réclame pas moins de 22 pouvoirs exclusifs pour le Québec; le Rapport Allaire est adopté par le Parti libéral, le 10 mars. Le 25 mars, la Commission Bélanger-Campeau publie son rapport à son tour: elle propose la date butoir d'octobre 1992 pour recevoir les propositions fédérales et tenir un référendum sur la souveraineté. Le 13 mai, dans un discours du Trône, le gouvernement fédéral promet de déposer des propositions de réforme à l'automne 1991 en vue d'une adoption en mai 1992.

Entre-temps, le débat fait rage au sujet de l'avenir politique et économique du Québec. Dans un article du *Globe and Mail*, le 23 mars 1991, on cite plusieurs personnalités québécoises, on discute des projets mis sur la table, entre autres celui du premier ministre Robert Bourassa, qui a mentionné le modèle européen comme un objectif vers lequel devrait tendre la fédération canadienne; c'est-à-dire que le Canada pourrait se réformer dans le sens d'une communauté de pays à la manière de l'Europe. Ce qui fait dire à certains, dont Pierre Pettigrew, ancien conseiller de Claude Ryan (et futur ministre de Jean Chrétien), que justement l'Union européenne tend vers un fédéralisme de plus en plus étroit et un dépassement des souverainetés nationales, alors que les Québécois semblent vouloir aller, à l'inverse, vers une plus grande souveraineté et un relâchement des liens fédéraux. Pourquoi détruire ce que nous avons déjà? demande-t-il. L'économiste Pierre Fortin penche dans le même sens.

On parle aussi des propositions du Rapport Allaire, qui réclame une plus grande autonomie politique du Québec, en mentionnant même 22 champs de compétence exclusive, notamment l'énergie, les communications, l'industrie et le commerce, le développement régional et la sécurité du revenu. On ne laisserait à Ottawa que les douanes et les paiements de transfert aux provinces. Dix champs de juridiction seraient partagés, avec des niveaux de taxation correspondants pour chacun des paliers gouvernementaux. Le Parti québécois, lui, propose que Québec rapatrie toutes les taxes et les lois, que la négociation des traités internationaux passe par le gouvernement québécois et qu'il y ait une entente de partenariat économique avec le Canada. Le cas échéant, le Québec conserverait le dollar canadien comme devise. De toute façon, plusieurs intervenants, comme le président du Mouvement Desjardins Claude Béland, parlent de revenir à une véritable confédération au Canada. On emploie même le terme «re-confédération», qui émane d'une proposition avancée par un universitaire de l'Université Queen's, Thomas Courchesne, devant la Commission Bélanger-Campeau. Celui-ci a avancé l'idée d'une «communauté des Canadas».

Dans ce contexte de vifs débats sur l'avenir politique du Québec, l'argument économique est souvent brandi dans l'un ou l'autre camp. Le 11 mars 1991, par exemple, le *Financial Times* de Toronto publie un article pour démontrer que le Québec ne pourrait faire bande à part à cause de la faiblesse de son économie. Le quotidien dépeint un sombre tableau de l'économie québécoise, avec force chiffres sur les mises à pied massives dans les derniers mois, un taux de chômage de plus en plus élevé (on prévoit qu'il atteindra près de 13%), un nombre record de faillites, une baisse importante des mises en chantier, un taux d'accroissement du PIB moindre que celui du Canada, etc.

On y souligne notamment la faiblesse des secteurs industriels et commerciaux qui, depuis 1970, traînent la patte derrière l'Ontario et l'ensemble du Canada. Malgré tout, on relève de brillantes réussites québécoises dans le domaine financier, car les institutions publiques y détiennent désormais 17% des actifs financiers, à comparer à 8,3% en moyenne pour le Canada. À cet égard, on salue le rôle déterminant de la Caisse, qui a permis de donner des moyens importants aux entreprises québécoises et d'empêcher des mainmises extérieures[8]. Et le journal torontois reprend cette idée d'un modèle

8. «Those institutions, the Caisse in particular, have played a pivotal and controversial role in bankrolling Quebec business and in preventing ownership of key companies from falling

économique québécois, un modèle de coopération unique en Amérique entre le secteur public, le secteur privé et le syndicalisme, et qui peut se comparer aux modèles allemand et japonais[9].

Le 24 septembre 1991, Ottawa dépose ses offres constitutionnelles, mais celles-ci marquent un recul par rapport à Meech. Quelques jours plus tard, le 27 septembre, Jean Campeau déclare qu'il adhère désormais à l'objectif de souveraineté du Québec. Son interview est publiée dans *La Presse* du lendemain (28 septembre), sous le titre « Campeau a fait son choix : la souveraineté du Québec ». L'ex-président de la Caisse affirme que « le Québec doit résolument s'engager sur la voie de la souveraineté, face à des propositions constitutionnelles fédérales qui ne correspondent en rien aux besoins du Québec ». Selon lui, le Québec et le reste du Canada ont des visions « irréconciliables ». En outre, Campeau est d'avis que la future union économique canadienne ferait « courir un risque énorme aux institutions économiques québécoises ». Ce serait se leurrer, dit-il, de penser que si Ottawa réclame tous les pouvoirs législatifs nécessaires au fonctionnement de son union économique, il ne voudra pas s'en servir, à un moment ou l'autre, pour « mettre le Québec au pas ».

Le fait que Campeau, à ce moment-là, jette le gant de façon aussi ostensible semble donner raison à ceux qui ont prétendu depuis longtemps qu'il avait été l'homme à tout faire de Parizeau (avec ses visées nationalistes) à la tête de la Caisse. Pour désamorcer ce genre de critiques, l'ancien président de la Caisse avance qu'il a toujours cru en la possibilité de renouveler le régime fédéral. « Je n'ai jamais été un souverainiste pur, proclame-t-il. Je souhaitais voir le Québec avec sa propre identité trouver les moyens de bien

---

into the hands of non-Quebecers. Through them, Quebecers have amassed significant equity stakes in Domtar Inc., Canadian Pacific Ltd., Provigo Inc. and Steinberg Inc. » (Ces institutions, et particulièrement la Caisse, ont joué un rôle critique autant que controversé en finançant les entreprises québécoises et en les empêchant de tomber entre des mains non québécoises. À travers elles, les Québécois ont acquis des participations significatives dans des sociétés comme Domtar, Canadien Pacifique, Provigo et Steinberg.) *In* « Why Quebec can't stand alone », *The Financial Times*, 11 mars 1991.

9. « The integration of Quebec government, industry, financial institutions and, to some extent, labor, is viewed by most Quebecers as a boon to the province in its bid for greater economic independence along the lines of German and Japanese models of economic development. » (Au Québec, l'intégration du gouvernement, de l'industrie, de la finance et, jusqu'à un certain point, du syndicalisme est considérée par la plupart des Québécois comme un atout pour la province dans sa quête d'une plus grande indépendance économique, à la manière des modèles économiques allemands et japonais.) *Ibid.*

s'entendre à l'intérieur du Canada, mais pas à genoux.» Campeau voit des menaces pour le Québec dans le projet d'union économique, parce que, selon lui, il s'agit des mêmes stratèges qui ont voulu bloquer la Caisse par la loi S-31 dans les années 1980 (voir chapitre 4), en l'empêchant d'investir dans Canadien Pacifique.

La récession économique s'aggrave

Au milieu de ces débats, le Québec subit l'une des pires récessions économiques des dernières décennies, et même de l'après-guerre. Au début de 1991, les prévisions faites par les économistes de la Caisse, de la Banque Nationale et du Mouvement Desjardins sont fort pessimistes. Si on n'envisage pas une récession aussi importante que celle de 1981-1982, on prévoit tout de même que la reprise sera lente. Le pourcentage de faillites se rapproche déjà de celui qu'on avait connu en 1981-1982. Et le taux de chômage a atteint 11,4% dès novembre 1990. Autre fait inquiétant, cette récession se trouve exacerbée par les autorités monétaires canadiennes, qui ont adopté une politique de taux d'intérêt élevés. Cela contribue à la hausse des faillites et du chômage et empire une situation qui, autrement, n'aurait peut-être pas atteint ce degré de morosité. Car l'économie américaine, malgré quelques signes d'essoufflement, continuait de s'en tirer assez bien.

C'est aussi en 1991 qu'entre en vigueur la nouvelle taxe sur les produits et services, la TPS, dont on prévoit des répercussions inflationnistes. En juin, dans son bulletin *Cycles et Tendances*, la Caisse signale que le Québec a été la province la plus durement touchée après l'Ontario. Cependant, certains indicateurs économiques s'améliorent, ce qui pourrait annoncer une reprise durant l'été. Il y a aussi l'introduction de la taxe de vente provinciale, la TVP (devenue plus tard la TVQ), qui a eu un impact à court terme et qui explique un écart de croissance défavorable pour le Québec, par rapport au Canada.

On apprend qu'au début de 1991, les ventes de détail ont chuté de 6% (en janvier) par rapport à l'année précédente. Plusieurs boutiques ont dû fermer leurs portes, et plusieurs autres réclament une baisse des baux locatifs. Pour les propriétaires de centres commerciaux, comme les filiales de la Caisse Ivanhoé et SITQ, la situation est difficile, car ils doivent souvent accorder des baisses de loyer pour ne pas perdre des clients. Chez Ivanhoé et à la SITQ, on a même mis sur pied un projet pour aider les détaillants à tirer leur épingle du jeu dans ce contexte difficile. Par exemple, un projet pilote a été lancé par Ivanhoé au centre commercial Forest, boulevard Pie-IX à Montréal. D'une durée de trois mois, ce projet a pour objectif «d'optimiser l'efficacité des petits marchands», en réalisant des analyses de marché pour eux[10]. Le premier vice-président Investissements et Planification chez Ivanhoé, Jean-Claude Cyr, explique que «si les résultats sont bons, on étendra le projet à nos autres centres commerciaux». La SITQ, de son côté, va même jusqu'à identifier les marchands qui ont de la difficulté avec la gestion de leur personnel, un problème persistant, semble-t-il, dans le commerce de détail. Par la suite, elle leur donne des conseils et leur recommande divers spécialistes. «Parce que les loyers des locataires sont fonction des ventes qu'ils réalisent, les propriétaires de centres commerciaux se rendent compte, par les temps qui courent, qu'ils doivent aborder les détaillants différemment; et d'autant plus que les années 1990, selon plusieurs, ne devraient pas connaître l'abondance, la croissance des années 1980[11].»

C'est dans cette conjoncture difficile qu'en octobre 1991, Jean-Claude Delorme annonce la création par la Caisse d'un fonds de 100 millions de dollars pour financer des entreprises québécoises à petite capitalisation – entre 15 et 225 millions de dollars. Ce fonds sera disponible au début de 1992.

Mais la fin de l'année 1991 se révèle encore plus noire qu'on s'y attendait sur le plan économique. Le chômage atteint un sommet de 14,3% au Québec! En on enregistre de nombreuses faillites et fermetures d'entreprises, licenciements de personnel, etc. Les déficits publics continuent de grimper et les restrictions budgétaires sont en conséquence.

Bon rendement malgré la récession

La récession économique qui avait pointé le nez en 1990 s'était donc confirmée en 1991. Dans son rapport annuel, la Caisse commente l'atmosphère incertaine qui a prévalu cette année-là:

> Quelques signes de reprise s'étaient bien manifestés au début de 1991 et plusieurs s'étaient d'ailleurs empressés de les interpréter comme étant annonciateurs de la fin de la récession. Cependant, ce comportement tout aussi

10. *Les Affaires*, 21 septembre 1991.
11. *Ibid.*

encourageant que surprenant de l'économie s'est avéré n'être qu'un soubresaut passager de sorte que les espoirs de reprise rapide se sont bientôt estompés[12].

De prime abord, il est assez étonnant que, dans cette conjoncture morose, la Caisse réussisse à dégager un rendement de 17,2% à la fin de l'année: des résultats en apparence bien meilleurs que l'année précédente. L'actif de la Caisse est passé, en effet, à 42,061 milliards de dollars à la fin de 1991. Ce rendement fait oublier quelque peu les résultats décevants de l'année précédente. Ce gain de 17,2%, a de quoi réjouir spécialement les coprésidents Delorme et Savard (et, sans doute, celui qui les a fait nommer de pair, le premier ministre Bourassa), car non seulement efface-t-il le résultat négatif de l'année précédente, mais il dépasse même le rendement de la dernière année de Campeau, en 1989 (16,94%).

Cependant, certains observateurs et analystes économiques, comme Rudy Le Cours de *La Presse*, scrutent plus attentivement la «cuirasse» de l'institution. Le Cours montre que le rendement de la Caisse n'est pas aussi spectaculaire qu'on pourrait le croire. Il se situe à peu près dans la moyenne (médiane) SEI, qui s'établissait en 1991 à 17,3%, alors que le premier quartile s'établissait à 19%. Dans le même article, Le Cours résume la première année complète du duo Delorme-Savard en un mot: discrétion[13]. Il souligne notamment que l'objectif de Delorme est d'accroître la présence de la Caisse à l'international par des nouvelles stratégies, des maillages et des alliances stratégiques.

Il est vrai que la Caisse s'est faite discrète durant cette première année du nouveau régime Delorme-Savard. Il fallait d'abord que Guy Savard se débarrasse de l'image du «parachuté politique» à la Caisse, qu'il y fasse son nid sans trop de bruit. Mais l'institution n'en continue pas moins d'avancer, notamment dans le domaine de l'immobilier. Par exemple, en janvier 1991, la Caisse achète la Place Mercantile. Et, en août, elle acquiert l'édifice de la BNP, avenue McGill College, où elle tient ses bureaux depuis le début des années 1980. La Caisse devient du coup le principal propriétaire sur cette avenue prestigieuse, avec en outre des participations dans le mail commercial de la Place Montréal Trust et dans le Centre Capitole. Cette même année, elle achète un édifice à bureaux à Toronto, l'University Plaza.

12. Caisse de dépôt et placement du Québec, *Rapport annuel 1991*, message de Jean-Claude Delorme

13. Rudy Le Cours, «La Caisse de dépôt en 1991: discrétion», *La Presse*, 17 mars 1992.

Malgré la «discrétion» attribuée au nouveau régime, la Caisse a quand même célébré en grande pompe son 25e anniversaire en 1991. Elle a convié au Palais des congrès, le 22 octobre, quelque 1250 personnalités de la politique et des affaires. Radio-Canada en profite pour interviewer quelques-unes de ces personnalités, dont le ministre des Finances Gérard-D. Levesque, l'ancien premier ministre Pierre-Marc Johnson et le maire de Montréal Jean Doré. Tous ne tarissent pas d'éloges sur l'œuvre accomplie par la Caisse en ces 25 ans. Pierre-Marc Johnson, notamment, évoque la nécessité d'une adaptation à la nouvelle économie mondiale, qui exige, selon lui, un niveau important de concentration de capital:

> Nos marchés ne sont plus québécois; ils sont nord-américains, ils sont européens, ils sont globaux [...] La Caisse en ce sens-là peut jouer un rôle extrêmement important, parce qu'elle a la masse critique, une capacité en principe, une puissance pour porter ce genre de jugement.

Cette opinion contredit les critiques de ceux qui voient d'un mauvais œil la taille de la Caisse. Dans la nouvelle économie mondiale, cette taille devient justement un atout, selon bien des observateurs et esprits éclairés.

À la suite de cet anniversaire, le 1er novembre, à l'émission *En Direct* de Radio-Canada, Christiane Charrette et Marc Laurendeau s'entretiennent avec Jean-Claude Delorme. Ils lui demandent si les nouvelles propositions constitutionnelles d'Ottawa ne constituent pas une menace pour la Caisse, comme le craignent certains observateurs. Non sans embarras, il s'en tire par une réponse diplomatique:

> Je crois que l'objectif visé, qui est d'établir une union économique dans un cadre politique dont la forme peut différer si on prend une thèse ou une autre, cette union en est une qui est recherchée par tout le monde, qui est naturelle...

Comme ces propositions font aussi partie du débat politique, le président Delorme ne veut pas se mouiller davantage. Mais il manifeste une certaine inquiétude. Même si le premier ministre Mulroney vient de déclarer qu'il n'y a rien dans ces propositions qui menace la Caisse[14], Delorme n'en souligne pas moins la nécessité de préciser les textes, de manière que les interprétations

---

14. Le 25 septembre 1991, au réseau TVA, le premier ministre Mulroney a déclaré qu'il est tout à fait faux de faire croire aux Québécois que la Caisse de dépôt était menacée par la réforme constitutionnelle, non plus que les caisses populaires, Hydro-Québec ou toute autre institution économique québécoise.

soient bien balisées. Delorme parle aussi d'une étude que la Caisse a commandée à la firme Secor et qu'il appelle «une réflexion stratégique». Mais ne voit-il pas une contradiction dans le fait de confier une étude de ce genre à Secor, dont l'un des principaux dirigeants, Marcel Côté, est bien connu pour préconiser le démantèlement de la Caisse depuis des années? À ce dernier qui ne cesse de répéter que la Caisse est trop grosse et à d'autres comme Stephen Jarilowsky – le gestionnaire de fonds bien connu qui prétend qu'il y a «trop de pouvoir entre des mains politiques» à la Caisse –, Delorme répond qu'il faudrait bien faire la démonstration d'abord que la Caisse exerce trop de pouvoir, et ensuite qu'il s'y trouve des «mains politiques». Il répète ce que les dirigeants de la Caisse n'ont cessé de dire, depuis une vingtaine d'années: l'institution gère les fonds qui lui sont confiés en fonction de critères strictement financiers et dans le meilleur intérêt de ses clientèles.

1992, la cristallisation du nouveau régime

L'année 1992 marquera une affirmation accrue du nouveau régime mis en place à la Caisse par le gouvernement Bourassa. Une année donc où se cristallise l'administration Delorme/Savard; où, disons, les effets du duumvirat transparaissent de plus en plus. Notamment, au début de l'année, avec le départ de Daniel Paillé, l'un des principaux vice-présidents, qui quitte l'institution le 21 février. Et il sera remplacé par nul autre que Guy Savard lui-même! La tension entre les deux hommes était devenue un secret de Polichinelle dans le milieu. En témoigne un article de *La Presse* paru en février, sous le titre «Guy Savard confirme son emprise sur la Caisse de dépôt[15]». Moins d'un mois plus tard, intervient un autre départ, annoncé le 20 mars dans les journaux: celui de la vice-présidente aux placements hypothécaires, Ghislaine Laberge, la seule femme qui occupait un poste dans la haute direction de la Caisse. On n'ose pas le dire ouvertement, mais il semble que le départ de Mme Laberge soit aussi lié à l'embrouillamini de la direction bicéphale, et à un désaccord sur l'opportunité d'aider l'homme d'affaires Raymond Malenfant, propriétaire du Manoir Richelieu et d'autres établissements hôteliers. En juin encore, un troisième départ au sein de la haute direction de la Caisse: celui de Claude Ferland, premier vice-président aux Placements à revenu fixe et aux Affaires stratégiques.

15. Rudy Le Cours, *La Presse*, 21 février 1992.

Ces départs à répétition semblent indiquer un malaise au sein de l'administration de la Caisse. Cependant, interviewé par le quotidien *La Tribune* de Sherbrooke à cette époque, Guy Savard défend la présidence bicéphale de l'institution, en affirmant que l'importance de l'organisme nécessitait «ce genre de structure qui est monnaie courante dans le domaine financier». Il souligne «l'excellente collaboration» qui existe entre lui et Jean-Claude Delorme, le président du conseil et chef de la direction de la Caisse. «Nous nous entendons bien, dit-il, ce qui est important en raison de l'envergure des décisions à prendre.» Incidemment, à l'occasion de cette interview, Savard vante l'esprit de concertation unique qui règne au Québec dans le milieu des affaires, le fameux «modèle québécois»:

> Il y a une chose qui distingue le Québec du reste du Canada, et j'espère que ça va se poursuivre: un véritable esprit de concertation entre les représentants de toutes les sphères de la société, que ce soient le gouvernement, les syndicats, le mouvement coopératif, les milieux financiers et des affaires ainsi que le monde municipal. C'est ce qui fait notre différence et notre force[16].

Entre-temps, les pièces continuent de bouger sur l'échiquier politique. Le 6 février 1992, en Europe, Bourassa lance sa fameuse «déclaration de Bruxelles», où il se commet à dire qu'en cas d'échec des négociations avec Ottawa, il pourrait poser la question suivante aux Québécois: «Voulez-vous remplacer l'ordre constitutionnel par des États souverains associés dans une union économique, responsable à un Parlement élu au suffrage universel?»

Des pourparlers et négociations ont lieu durant l'été 1992, entre le fédéral, les provinces et les autochtones. Un accord est obtenu à Charlottetown les 26 et 28 août. Un référendum de ratification à travers le Canada est annoncé pour le 26 octobre. L'approbation de l'entente de Charlottetown par le Parti libéral provoque une scission et la défection de Jean Allaire, de Mario Dumont et d'un certain nombre de libéraux qui militeront pour le «non» au référendum du 26 octobre. Ce référendum ne passe pas la rampe dans six provinces, dont le Québec (56% de non). Le décor est planté pour de nombreuses années de blocage et d'affrontements constitutionnels entre Ottawa et Québec.

---

16. Pierre Sévigny, «Le président de la Caisse de dépôt croit en l'avenir du Québec», *La Tribune*, 20 avril 1992.

L'effondrement de Steinberg

Par ailleurs, au printemps 1992 éclate une affaire qui fera couler beaucoup d'encre et suscitera maints débats: l'effondrement et la faillite des magasins Steinberg. Comme on l'a vu au chapitre précédent, ce géant de l'épicerie était passé sous la gouverne de l'entrepreneur Michel Gaucher en 1989, par suite de l'intervention de la Caisse. Celle-ci avait alors jeté son dévolu sur la partie immobilière de l'entreprise (Ivanhoé) et trouvé Gaucher comme partenaire pour l'épicerie. Mais après trois années de difficultés de toutes sortes, Gaucher n'a pu réussir à renflouer son entreprise et à remettre Steinberg sur les rails de la rentabilité. Il doit demander la protection de la loi de la faillite en mai 1992.

Cette affaire Steinberg s'est avérée néfaste pour le secteur de l'épicerie québécoise. Michel Gaucher n'avait pas les moyens de ses ambitions, et il a joué de malchance. D'abord, il a dû s'endetter lourdement pour acquérir les magasins Steinberg. Et la vente d'actifs qu'il prévoyait par la suite pour atténuer sa dette était particulièrement risquée. De fait, une série de déboires s'ensuivent. S'étant départi comme convenu du parc immobilier de Steinberg, soit la société Ivanhoé, Gaucher tente diverses initiatives qui tournent, pour la plupart, en queue de poisson. Comme l'écrit le journaliste Miville Tremblay, la Caisse «pense gagner gros sur les deux tableaux à un risque raisonnable. Plus audacieux, Gaucher croit obtenir les supermarchés pour une bouchée de pain, voire gratuitement. L'opération financière, courante à l'époque, est un *leveraged-buyout* (LBO) – en français, un achat adossé. Financé par de très lourds emprunts, cet achat n'est viable que si l'on peut rapidement vendre à gros prix certaines filiales et si l'on anticipe des profits importants dans l'exploitation du reste. Aucune de ces deux conditions ne sera remplie. La malchance frappe la revente des filiales, et la concurrence ne permet pas de rentabiliser les supermarchés. Qui plus est, Gaucher s'aventure en terrain inconnu[17].»

Les tuiles, en effet, ont commencé à s'abattre sur la tête de Gaucher dès le lendemain de la transaction, le 23 août 1989. Au moment où il prend possession des bureaux de Steinberg, il s'aperçoit que les baux de tous les magasins seront annulés s'il fusionne Steinberg avec la société créée pour l'acquisition. Il devra manœuvrer pendant plusieurs mois pour contourner

17. Miville Tremblay, «Les dessous de la saga Steinberg», *La Presse*, 13 juin 1992.

l'obstacle. Entre-temps, la valeur de filiales importantes comme les supermarchés Smitty's aux États-Unis, que Gaucher comptait vendre pour se renflouer, baisse de plus en plus; parce que, d'une part, le marché des obligations de pacotilles – qui servaient à financer les LBO aux États-Unis – s'écroule, ce qui barre la route à plusieurs acheteurs potentiels de la chaîne Smitty's; d'autre part, des chaînes concurrentes commencent à envahir l'Arizona, ce qui fait plonger les profits et la valeur de Smitty's.

Autre tuile en mai 1990, la Commission des valeurs mobilières de l'Ontario donne raison aux porteurs d'actions privilégiés de Steinberg, qui s'étaient objectés à la liquidation de ce qu'ils estimaient être leurs garanties. Pour acheter la paix, Gaucher doit les rembourser et augmenter sa dette de 90 millions de dollars à la fin de 1990. Il lui reste quand même des atouts dans son jeu. Il vend Sucres Lantic et des supermarchés en Ontario. Il doit aussi, sous la pression des banques, vendre sa participation dans Club Price: un investissement stratégique qui était presque vital pour lui. Malgré tout, son endettement demeure très élevé. Gaucher s'attaque énergiquement à réduire les frais d'exploitation. Mais la tâche est d'autant plus ardue que la récession pointe en 1991. La partie devient très serrée pour Gaucher. Comme le résume Miville Tremblay en 1992, «Steinberg n'a plus aucune marge d'erreur. Avec les années, les banquiers sont devenus impatients, les syndicats estiment qu'ils ont tout donné, les fournisseurs se sentent abusés et la Caisse est excédée par les crises successives.» Celle-ci entretient même des soupçons sur les transactions entre Steinberg et les sociétés privées de Gaucher. Celui-ci doit montrer ses livres pour rassurer la Caisse.

Au début de 1992, la direction de Steinberg commet une erreur qui lui sera fatale, en livrant une guerre de prix à Provigo sur le terrain des magasins à escompte. «Les profits plongent et les banques sifflent la fin de la récréation. Gaucher doit vendre pour les rembourser.» C'est ainsi qu'on aboutit, en mai 1992, à la liquidation de l'empire Steinberg. De fait, Gaucher a mis Steinberg sous la protection de la Loi sur la faillite le 19 mai 1992.

On a estimé que la Caisse avait perdu environ 90 millions de dollars dans son association avec Gaucher. Par contre, elle a gagné au moins une centaine de millions de dollars dans le rachat d'Ivanhoé. Une entente a été conclue le 22 mai 1992, pour vendre à Provigo, Métro-Richelieu et IGA/Boniprix 102 des 123 magasins Steinberg au Québec, pour une valeur de 275 millions de dollars. De plus, ces acquéreurs ont rassemblé un montant de 15 millions de dollars pour indemniser les employés licenciés. Mais il faut l'aval de la Caisse – et celui du consortium qui finance Socanav – pour que la transaction se réalise et que la faillite soit évitée.

Dans un premier temps, le président Delorme a souligné, à plusieurs reprises (comme pour se disculper devant une opinion publique fort critique), qu'il n'était pas là lorsque la Caisse avait réalisé la transaction de 1989 avec Socanav pour l'acquisition de Steinberg. Au journaliste Dutrisac du *Devoir*, Delorme déclare même que la Caisse avait acquis l'actif immobilier de Steinberg (Ivanhoé) à la valeur marchande et, donc, qu'elle n'avait «pas fait d'argent» avec cet actif. «On ne peut réécrire cette triste histoire, de dire Delorme, il s'agit d'en atténuer l'impact[18].» Dutrisac revient à la charge le lendemain (27 mai), pour préciser que, contrairement à ce que prétend le coprésident de la Caisse, Jean-Claude Delorme, l'achat d'Ivanhoé a été «payant pour la Caisse». De fait, dans ses livres comptables, Ivanhoé a inscrit en 1990 une plus-value de près de 200 millions de dollars, sur des débours de 875 millions ou 1 milliard, si l'on tient compte des dettes assumées par cette société, devenue filiale de la Caisse. Et, malgré une dépréciation de son actif de 5,3% l'année suivante (1991), à cause d'un climat économique difficile, dépréciation correspondant à environ 60 millions de dollars, le bénéfice théorique réalisé par la Caisse s'élevait encore à 140 millions. Et tout cela au moment où le marché immobilier connaissait ses heures les plus sombres, avec les déboires du promoteur Robert Campeau et des frères Reichmann, entre autres. Les difficultés étaient particulièrement aiguës pour les centres commerciaux, qui constituaient 68,7% du portefeuille d'Ivanhoé. Mais, comme le souligne Dutrisac, «si l'on tient compte de la radiation prévisible d'une débenture de 90 millions de dollars que la Caisse a consentie à Socanav et de la baisse de valeur de son injection de 30 millions dans le capital-actions de Socanav, il reste sur papier peu de choses du gain de 140 millions réalisé par la Caisse». Et le chroniqueur économique du *Devoir* en conclut, avec une pointe de persiflage:

> C'est peut-être le calcul sommaire qu'a fait M. Delorme quand il a dénigré l'investissement que la Caisse a fait dans Steinberg en 1989. Il est rare en effet de voir le président d'une caisse de retraite discréditer un investissement majeur de l'institution qu'il dirige sans que des faits indiscutables ne l'obligent à le faire[19].

---

18. Robert Dutrisac, «Steinberg – La Caisse de dépôt refuse de donner son aval à la transaction», *Le Devoir*, 26 mai 1992.

19. Robert Dutrisac, «L'achat d'Ivanhoe a été payant – Les chiffres contredisent le président de la Caisse de dépôt», *Le Devoir*, 27 mai 1992.

La liquidation de l'empire Steinberg donnera lieu à beaucoup d'autres commentaires, et surtout à de nombreuses critiques sur les investissements publics perdus par la Caisse dans l'aventure. Il y a eu deux facteurs aggravants dans les circonstances: d'abord, une conjoncture économique désastreuse; ensuite, un climat politique des plus tendus entre les souverainistes et les fédéralistes au Québec. Et comme les milieux d'affaires sont plutôt d'allégeance fédéraliste au Québec, la Caisse se retrouvait comme toujours prise entre deux feux: entre ceux qui auraient souhaité moins d'interventions et ceux qui en auraient voulu davantage. Avec l'affaire Steinberg, les détracteurs de la Caisse purent s'en donner à cœur joie sur toutes les tribunes et toutes les lignes – ouvertes ou non. Mais le summum fut atteint avec la publication en 1993 d'un pamphlet écrit par un ancien cadre de la Caisse (et l'un des premiers collaborateurs de Prieur), Pierre Arbour, sous le titre *Québec inc. ou la tentation du dirigisme* (Éditions L'Étincelle).

Arbour remettait en question tout ce qui avait constitué jusque-là le modèle économique québécois, appelé plus tard «Québec inc.» et dont la Caisse avait été sans doute le fer de lance le plus en vue. Il s'en prenait donc particulièrement à celle-ci. Mais sa charge allait bien au-delà de l'économique, car l'ancien cadre de la Caisse s'attaquait aussi à la loi 101, qui avait fait fuir les capitaux et les capitalistes anglophones et avait donc, selon lui, entraîné une grande perte financière pour le Québec. Plusieurs médias et journalistes se jetèrent sur cet os, tombé bien à propos à la fin de l'été 1993, à quelques semaines des élections fédérales qui devaient porter au pouvoir le Parti libéral de Jean Chrétien. Le magazine *L'Actualité*, notamment, ouvrit largement ses pages aux thèses d'Arbour. Non seulement publia-t-il un extrait du livre, mais il confia à un jeune journaliste connaissant peu la Caisse le soin de «vider la question» et de passer l'institution au crible dans un grand reportage étalé sur deux numéros[20]. Somme toute, le reporter de *L'Actualité* ne fit qu'amplifier les critiques d'Arbour sur la gestion «nationaliste» de la Caisse à l'époque de Campeau et sur sa politique d'intervention économique risquée dans des entreprises comme Domtar, Brascade, Provigo et Steinberg.

Mais certains observateurs plus lucides surent départager l'ivraie du bon grain. En éditorial dans *Le Devoir*, Gilles Lesage reprit même l'expression «job de bras» employée par un chroniqueur du *Soleil* pour qualifier le

---

20. Jean Benoît NADEAU, «La Caisse cartes sur table», *L'Actualité*, 15 septembre et 1er octobre 1993.

pamphlet d'Arbour, qui était apparu comme par hasard dans un contexte de lutte politique intense entre les souverainistes et les fédéralistes au Québec, à la veille d'élections fédérales et provinciales[21]. Il y eut aussi un article de Didier Fessou dans *Le Soleil* (12 septembre 1993), où il cite le professeur Léo-Paul Lauzon de l'UQAM, un économiste iconoclaste qui avait été fort critique de l'intervention de la Caisse dans le dossier Steinberg, l'année précédente, mais qui déclara à ce moment-là que «les thèses de M. Arbour ne tiennent pas debout». Fessou fait notamment ressortir qu'Arbour est un gestionnaire de portefeuilles qui a fondé sa propre compagnie d'investissement après avoir quitté la Caisse, la firme Alkebec, et qui maintenant investit «partout en Amérique, sauf au Québec».

Donc, si les critiques incendiaires d'Arbour ont d'abord trouvé des échos favorables dans certains médias, et particulièrement dans les journaux anglophones, des observateurs plus avertis comme Gilles Lesage et d'autres remirent vite la pendule à l'heure, de sorte que le livre de l'ancien cadre de la Caisse – un mince ouvrage d'une centaine de pages – fut vite considéré pour ce qu'il était: un pamphlet politique, et on n'en parla plus. Il n'en reste pas moins que l'institution avait été écorchée par ces attaques. Delorme accepta même un débat, à l'émission «Le Point» de Radio-Canada, où il dama le point au pamphlétaire avec brio. Et l'ancien vice-président Daniel Paillé monta aux barricades pour défendre l'institution. Il affirma notamment que les interventions les plus critiquées de la Caisse, soit celles dans Brascades, Steinberg et Domtar, avaient coûté 350 millions de dollars, et non 1,5 milliard comme le prétendait Pierre Arbour.

En 1992, l'affaire Steinberg n'est pas la seule à soulever des critiques contre la Caisse. Le président du Conseil provincial des métiers de la construction, Maurice Pouliot, déclenche une petite polémique, à la fin de mars, en accusant la Caisse de manquer de rigueur dans la gestion du régime de retraite des travailleurs de la construction. Ce manque de rigueur, selon lui, ferait perdre des millions de dollars aux ouvriers. Dans les journaux[22], Pouliot clame que la Caisse, depuis les dix dernières années, a obtenu un rendement

21. «À l'en croire [Arbour], tout allait pour le mieux dans le meilleur des mondes avant 1980; depuis, tout ne serait que désastre, médiocrité et amateurisme. Comme par hasard, le livre et le dossier paraissent peu après que M. Campeau eût adhéré au PQ et annoncé sa candidature dans Ahuntsic. Une "job de bras"? On incline à partager cet avis de Georges Angers, chroniqueur économique au journal *Le Soleil.*» Gilles Lesage, *Le Devoir*, 7 septembre 1993.

22. Voir notamment *Le Journal de Montréal* et *La Presse*, 30 mars 1992.

inférieur de 1% pour les fonds de la construction, comparativement aux autres fonds, dont ceux de la Régie des rentes et de la CSST. Pour vérifier la situation, le Conseil des métiers a embauché un actuaire, Michel Lafontaine, qui, après examen du dossier, confirme les allégations de Pouliot. En même temps qu'à la Caisse, Pouliot s'en prend à la Commission de la construction du Québec, qui administre le régime au profit de quelque 37 000 bénéficiaires.

La Caisse se défend dans ce dossier en expliquant que l'écart de rendement par rapport à d'autres régimes est une conséquence des choix de la Commission de la construction, qui a préféré investir plus d'argent (30%) dans les hypothèques, tandis que les autres groupes de retraite investissent davantage dans les obligations. Or il s'avère que depuis dix ans, les obligations produisent un meilleur rendement. La Caisse administre le régime de retraite des employés de la construction depuis juin 1969. Ce fonds totalisait, à la fin de 1991, quelque 3,6 milliards de dollars et comptait pour une proportion de 9,5% de l'ensemble des fonds gérés par la Caisse.

Un grand objectif: l'international

Entre-temps, l'un des grands objectifs de la nouvelle direction ces années-là est d'augmenter la présence internationale de la Caisse. À ce sujet, Guy Savard déclare à Frédéric Tremblay de la Presse canadienne, en 1992, que la Caisse s'apprête à faire une percée aux États-Unis dans les sociétés de capital de risque[23]. Sans préciser de quels investissements il s'agit, Savard parle de secteurs prometteurs comme la biotechnologie et l'environnement. Il faut dire que ces déclarations visent aussi à répondre à certaines critiques émanant du milieu financier, notamment celles de Pierre Pettigrew, alors vice-président chez Samson, Bélair, Deloitte et Touche international. Celui-ci venait de reprocher à la Caisse son «manque d'imagination» sur la scène internationale, devant les membres de la Chambre de commerce du Montréal métropolitain, le mardi précédent, 10 novembre.

Savard donne quelques exemples des nouveaux investissements de la Caisse à l'international, entre autres un investissement de 3,5 millions de dollars dans la société de portefeuille française Siparex en 1989. Il mentionne aussi un achat plus récent d'obligations dans la société belge Cobepa, qui est

23. Dépêche parue dans *Le Devoir*, 14 novembre 1992.

partenaire d'entreprises financières, commerciales et industrielles en Belgique, au Canada et dans plusieurs pays d'Europe. De fait, au 31 décembre 1991, quelque 2,4 milliards de dollars étaient investis par la Caisse dans des obligations gouvernementales aux États-Unis, en France et en Grande-Bretagne; et plus de 4 milliards placés dans des obligations de sociétés étrangères.

Malgré tout, la Caisse n'enregistre qu'une faible progression de son actif en 1992. Celui-ci passe, en effet, de 42,061 à 42,370 milliards de dollars: une progression lilliputienne pour ce géant financier qu'est devenue la Caisse. Le rapport annuel l'explique par la morosité de l'économie:

> [...] la réalité économique quotidienne demeure léthargique: faillites, fermetures d'entreprises, licenciements massifs, déficits publics toujours élevés, restrictions budgétaires, etc. Une statistique résume cette morosité: l'accroissement soutenu du taux de chômage, qui a culminé en novembre à 11,8% au Canada et à 14,3% au Québec[24].

Faisant un tour d'horizon international, le rapport rappelle qu'au Japon s'est produit un ralentissement économique, «fortement amplifié par l'éclatement des bulles spéculatives dans l'immobilier et à la Bourse», et qu'en Europe, «l'euphorie consécutive à la chute du mur de Berlin a progressivement fait place à la montée des désillusions, le coût de l'unification allemande s'étant révélé bien supérieur à ce qui avait été prévu».

Sur le marché boursier, les meilleurs rendements ont été le fait des sociétés de petite capitalisation, titres pour lesquels la Caisse a justement amorcé, en 1992, la gestion d'un portefeuille spécialisé. D'ailleurs, on signale que les participations se sont accrues de 32 placements cette année-là, soit le plus grand nombre autorisé depuis quatre ans. On a aussi institué, à la fin de l'année, un nouveau portefeuille de gestion tactique, ne comprenant que des produits dérivés:

> Jusqu'au dernier trimestre, la Caisse a pratiqué la gestion de la répartition tactique sur les marchés nord-américains seulement. Elle recourait alors principalement aux marchés au comptant pour l'application des stratégies. À la fin de l'année, un portefeuille distinct a été créé pour assurer la gestion tactique des placements, qui sont maintenant effectués non plus sur les seuls marchés boursiers et obligataires nord-américains, mais également sur ceux de la France, de l'Allemagne, du Royaume-Uni et du Japon. Ce portefeuille est constitué

24. Caisse de dépôt et placement du Québec, *Rapport annuel 1992*, message de Jean-Claude Delorme.

exclusivement de produits dérivés, tels des contrats à terme, des options sur contrats à terme et des instruments de troc[25].

Il n'empêche que les temps sont durs pour nombre d'entreprises québécoises, dont 1992 constitue la troisième année en ligne de ralentissement de leurs activités. Dans ce contexte, la Caisse a dû participer à plusieurs refinancements et soutenir les efforts de rationalisation et de redressement. Ces efforts se sont avérés fructueux pour les sociétés Sceptre Resources, Laboratoires Bio-Recherches et Téléglobe, entre autres; mais non pour Steinberg, comme on l'a vu, ni pour le Groupe Harricana ni pour Artopex, des entreprises dont la chute allait hanter quelque temps la Caisse. Ce qui lui vaudra d'ailleurs des critiques acerbes de la part de certains entrepreneurs.

Dans le même temps, la Caisse verse 27 millions de dollars à diverses sociétés régionales d'investissement au Québec, afin de donner une nouvelle impulsion à ce réseau d'investissement qui a été mis sur pied en 1988 pour aider les PME à la recherche de capitaux n'excédant pas 500 000$. Avec ses partenaires – le Fonds de solidarité de la FTQ, la Banque Nationale et le Mouvement Desjardins – elle compte étendre rapidement ce réseau à toutes les régions du Québec, avec un capital d'au moins 100 millions de dollars mis à la disposition des petites entreprises.

1993, une autre année difficile

En 1993, la Caisse poursuit son évolution à travers une conjoncture politique et économique de plus en plus difficile. Elle se trouve aux prises avec une récession qui n'en finit plus, les retombées de l'affaire Steinberg et des tensions de plus en plus vives sur le front politique, avec des élections prévues à Ottawa et bientôt à Québec: les premières depuis le rejet des accords du lac Meech, en 1990, et celui des propositions constitutionnelles de Charlottetown, en 1992.

C'est aussi l'année où, poursuivant la série noire des épiceries, la Caisse fait le ménage chez Univa, le conglomérat qui possède Provigo. Le 2 juillet 1993, elle prend possession des 20,11 millions d'actions d'Univa détenues par Unigesco, pour la somme de 171 millions de dollars versée au holding de Bertin Nadeau afin de lui permettre de faire face à ses dettes. La Caisse détient désormais près de 37% (36,72%) des actions d'Univa, et le groupe Empire

25. *Ibidem*, p. 29.

des frères Sobey un peu plus de 24 % (24,39 %). Elle a donc accru sa participation dans le numéro deux de l'alimentation au Canada.

Cette intervention avait été précipitée, en quelque sorte, par la tentative de Bertin Nadeau, en février 1993, de vendre ses actions à la société Blackstone. En haussant sa participation, la Caisse investit aussi le conseil d'administration d'Univa. Deux membres du conseil d'administration de la Caisse accèdent à la direction de Provigo : Pierre Michaud, président du conseil et chef de la direction du Groupe Val-Royal, qui remplace Bertin Nadeau à la présidence d'Univa ; et Claude Legault, président de la Régie des rentes du Québec, qui devient administrateur de l'entreprise. Y entre aussi Pierre C. Lemoine, un avocat de la firme Heenan Blaikie et proche de Guy Savard, le numéro deux de la Caisse. Au groupe Empire échoit la vice-présidence d'Univa, exercée par David Sobey, en remplacement de René Provost, qui demeure quand même membre du conseil. En outre, quelques semaines auparavant, à la dernière assemblée annuelle des actionnaires d'Univa, la Caisse avait fait élire au conseil d'Univa son vice-président Participations et Projets spéciaux, Pierre Fortier.

Initiatives dans le capital de risque et l'immobilier

À part ces activités de redressement et de soutien d'entreprises, la Caisse n'en mène pas moins de nouvelles initiatives, cette année-là, du côté du capital de risque, de l'immobilier et des produits dérivés.

En septembre 1993, elle participe à la mise sur pied d'un fonds de capital de risque de 40 millions de dollars, appelé Technocap, dans lequel elle investit au départ 10 millions. Les autres investisseurs sont Investissement Desjardins, pour 7,5 millions ; les caisses de retraite de Bombardier et de sa filiale ontarienne de Havilland, 7,5 millions aussi ; le Fonds de la solidarité de la FTQ, 5 millions ; Hydro-Québec, par l'entremise de sa filiale Nouveler, 5 millions ; et la société Innovatech du Grand Montréal, 5 millions également. Le fonds Technocap démarre donc avec une dotation initiale de 40 millions de dollars[26].

Dans les premiers mois de l'année, l'institution a regroupé ses filiales immobilières sous l'appellation « Groupe immobilier Caisse ». À la fin mars 1993, le nouveau GIC, placé sous la responsabilité de Jean-Claude Scraire

26. Voir articles du journal *Les Affaires*, 14 août 1993, et de *La Presse*, 14 septembre 1993.

(premier vice-président Groupe immobilier Caisse et président du conseil des filiales), rassemble donc les sociétés Ivanhoé, SITQ (Société immobilière Trans-Québec), Cadim et Cadim International. Ces quatre filiales détiennent, en partie ou en totalité, 265 immeubles commerciaux, à bureaux et industriels, pour un actif de 1,6 milliard de dollars. La Caisse, dont environ 80 % de l'actif immobilier se retrouve au Québec, compte se tourner de plus en plus vers l'étranger pour de prochaines acquisitions immobilières[27]. Ainsi, avant la fin de l'année, l'institution prévoit investir dans l'immobilier aux États-Unis et en Europe. Elle lorgne aussi du côté de l'Amérique du Sud, du Vietnam et de la Russie, entre autres régions du monde. En constituant ce nouveau groupe, la Caisse vise plusieurs objectifs. Elle veut « rassembler sous une même structure la responsabilité de propriétaire et celle de gestion des immeubles; mettre l'accent sur la planification stratégique, et optimiser la valeur et le rendement financier du portefeuille immobilier[28] ».

Mais c'est surtout la création de Cadim International qui marque la volonté de la Caisse d'investir à l'international dans le domaine immobilier. Selon Jean-Claude Scraire, « l'entrée éventuelle du Groupe immobilier sur les marchés étrangers découle principalement de la volonté de diversifier géographiquement et économiquement son portefeuille immobilier, concentré pour l'essentiel au Québec et en Ontario[29] ». Il faut rappeler aussi qu'Ivanhoé de même que la SITQ comptent d'autres actionnaires que la Caisse: les fonds de retraite des employés d'Alcan Adminco, la Ville de Montréal, la Confédération des Caisses populaires et d'économie Desjardins du Québec, l'Université Laval, l'Association de bienfaisance et de retraite des policiers de la Communauté urbaine de Montréal, la Banque Nationale du Canada et la Société de transport de la Communauté urbaine de Montréal, pour Ivanhoé; et pour la SITQ, la société Trust Général du Canada.

Une des premières concrétisations de cette volonté d'investir à l'international survient en décembre 1993. La SITQ investit 20 millions de dollars dans le Centre de conférence Albert Borschette de Bruxelles, un édifice de huit étages qui abrite des bureaux de la Commission des communautés européennes. La SITQ acquiert ainsi une participation de 37,5 % dans la société EPIC, propriétaire de l'immeuble. Il s'agit du premier investissement de cette filiale de la Caisse à l'étranger.

27. Voir interview de Jean-Claude Scraire, publiée dans *Les Affaires*, le 21 août 1993.
28. *Les Ivanouvelles*, publication interne d'Ivanhoé, été 1993.
29. *Les Affaires*, 21 août 1993, *art. cit.*

La Caisse bouge aussi du côté des placements tactiques, dont le portefeuille, constitué en 1993, permet de réaliser une plus-value de 74,3 millions de dollars, la première année. Ce portefeuille, «qui comprend des produits dérivés sur les indices boursiers et obligataires de six pays du G7, vise à tirer profit des fluctuations dans les marchés au moyen de modèles d'évaluation fondamentaux et techniques[30]». Jusqu'en 1992, la Caisse avait pratiqué la répartition tactique uniquement sur les marchés nord-américains. Elle englobe maintenant, dans sa stratégie tactique, les marchés boursiers et obligataires de la France, de l'Allemagne, du Royaume-Uni et du Japon.

Les bilans de l'année dans la presse soulignent que les trois plus importantes institutions financières du Québec – le Mouvement Desjardins, la Banque Nationale et la Caisse – ont été mêlées aux principaux événements qui ont marqué la vie économique au Québec en 1993. Pour bon nombre, l'événement de l'année a été l'acquisition du Groupe La Laurentienne par le Mouvement Desjardins, ce qui a porté l'actif sous gestion de Desjardins à plus de 70 milliards de dollars et en fait la sixième institution financière en importance au Canada. Ensuite, il y a eu la vente du réseau québécois du Trust Général à la Banque Nationale. Plusieurs autres fiducies ont été acquises par des banques cette année-là: le Trust Royal par la Banque Royale; le Montreal Trust par la Banque Scotia et, plus récemment, le Trust Prenor par la Banque Laurentienne.

Mais l'inquiétude se fait jour au sujet de la propriété québécoise des institutions financières, qui semble rétrécir comme une peau de chagrin. Dans l'assurance notamment, la dépossession québécoise est flagrante. Le Groupe Commerce a été acquis par des intérêts hollandais; les Coopérants sont disparus; Provinces Unies, passées à 100% dans le giron du groupe français Axa; la Corporation de l'Industrielle-Alliance, devenue une «coquille vide» après l'achat du Trust Général par la Banque Nationale; la Laurentienne Générale, détenue à 100% par le groupe français Victoire; et Unindal, filiale assurances dommages de l'Industrielle-Alliance, passée propriété à 50% de la société française Les Mutuelles du Mans.

Devant cette érosion graduelle, le gouvernement québécois commence à s'inquiéter. Il a demandé à la Caisse, à la fin de 1993, «d'élaborer et de mettre en place des véhicules d'investissement susceptibles de renforcer les

30. Caisse de dépôt et placement du Québec, *Rapport annuel 1993*, message de Guy Savard.

institutions financières québécoises, sans évidemment que ces véhicules diluent les objectifs de rendement de la Caisse». Cette proposition a été formulée par la ministre déléguée aux Finances, Louise Robic, dans un bilan présenté à l'Assemblée nationale le 21 décembre. On suggère aussi que la Commission des valeurs mobilières du Québec et l'Inspection générale des institutions financières soient fusionnées. Mais, constatant le laminage qui se produit dans ces institutions depuis trois ans – à cela s'ajoutant les acquisitions par des banques canadiennes de sociétés de fiducie comme le Montreal Trust, qui avait une charte québécoise –, on se demande s'il restera encore des véhicules financiers québécois sous peu.

Autres faits marquants dans le monde des affaires en 1993, deux empires personnels se sont écroulés: ceux de Raymond Malenfant (Manoir Richelieu) et de Robert Obadia (Nationair). La famille Birks a aussi dû abandonner, cette année-là, le contrôle de sa bijouterie, passée en des mains italiennes.

En même temps, l'année 1993 a vu beaucoup de changements du côté politique. Les élections fédérales du 25 octobre ont porté au pouvoir les libéraux de Jean Chrétien, qui est devenu premier ministre par le fait même. Mais l'événement marquant de ce scrutin a été sans conteste l'effondrement du Parti progressiste-conservateur (qui était au pouvoir à Ottawa depuis 1984), avec l'émergence de deux partis régionaux, le Bloc québécois et le Parti réformiste (Ouest canadien). Fait inouï, un parti souverainiste, le Bloc québécois, a fait élire 54 députés (sur les 75 sièges du Québec) et s'est retrouvé opposition officielle à la Chambre des communes, avec Lucien Bouchard à sa tête. À ce scrutin historique vient s'ajouter, quelques mois plus tard, l'annonce de la démission de Robert Bourassa comme premier ministre du Québec, et son remplacement en janvier 1994 par Daniel Johnson fils – le seul d'ailleurs qui ait brigué sa succession.

À la fin de 1993, l'actif de la Caisse était passé à 48,022 milliards de dollars, pour un rendement remarquable de près de 20 % (19,7 %). L'année avait vu une reprise économique modérée. Et la dépréciation du dollar avait favorisé une forte progression des exportations canadiennes et québécoises.

On note aussi une participation accrue de la Caisse aux entreprises: un total de 35 placements, qui constitue le plus grand nombre qu'elle ait autorisé au cours des cinq dernières années, pour un montant de 582 millions de dollars. Et elle a continué d'étendre le réseau des sociétés régionales d'investissement qui offrent du financement aux petites entreprises dans les régions du Québec.

1994, année charnière

L'année 1994 sera une date charnière, à la fois pour le gouvernement québécois et pour la Caisse. En ce qui concerne l'institution de l'avenue McGill College, il devient de plus en plus évident, même pour des yeux extérieurs, que le tandem Delorme-Savard a du mal à s'imposer. Les critiques commencent à se faire entendre sur la place publique.

Au printemps 1994, après le dépôt du rapport annuel de la Caisse, Rudy Le Cours souligne dans *La Presse* que les rendements de l'institution ne cessent de se détériorer:

> Depuis trois ans, année après année, la Caisse de dépôt et placement du Québec enregistre des rendements qui, sans être mauvais, sont toujours plus faibles que ceux de la majorité des grandes caisses de retraite canadiennes, tant aux chapitres des actions canadiennes que des obligations[311].

Le journaliste explique qu'en 1993, malgré un score honorable de 19,7%, qui a porté son actif à 48 milliards de dollars, le plus grand investisseur institutionnel au Canada a fait moins bien finalement que la majorité des autres grandes caisses de retraite, qui ont réalisé en moyenne un rendement égal ou supérieur à 20,6%. Les dirigeants de la Caisse rétorquent qu'on ne peut comparer le rendement de leur institution avec celui des autres caisses de retraite, parce que le portefeuille de la Caisse est composé de plus d'obligations et de moins d'actions. Il se compose incidemment de 48,2% d'obligations et de 38,1% d'actions, tandis que celui des autres caisses de retraite est formé, en général, à 37,1% d'obligations et à 50,7% d'actions. Cette répartition explique les différences de rendement d'une année à l'autre. Ainsi, quand les actions rapportent davantage comme en 1993, la Caisse fait moins bien; mais c'est l'inverse, quand les obligations rapportent plus. Le Cours cite le vice-président Michel Nadeau, qui affirme que «si le portefeuille de la Caisse avait été composé comme celui de la centaine d'autres caisses de retraite qui forme l'échantillon de la firme SEI, elle aurait obtenu un rendement de 20,8% et aurait battu la médiane». Selon Le Cours, «la Caisse refuse qu'on la compare aux autres, estimant son style de gestion plus prudent, à la demande de ses déposants». Plus loin, le journaliste souligne que la Caisse «perd du terrain vis-à-vis des autres gestionnaires pour une troisième

---

31. Rudy Le Cours, «Sans être mauvais, les rendements de la Caisse de dépôt se détériorent lentement», *La Presse*, 2 avril 1994.

année d'affilée». Il fait remarquer que, pour les dix années comprises entre 1982 et 1991, la Caisse l'emportait sur les autres, à la fois sur le terrain des obligations et des actions et pour l'ensemble de son portefeuille; mais la situation s'est renversée pour l'intervalle 1984-1993. Devant cet effritement, Le Cours tente quelques explications à la fin de son article. Peut-être est-ce le niveau de risque recherché par la Caisse qui l'a défavorisée? Peut-être les bonis offerts à ses négociants, étant «les plus faibles de l'industrie», les incitent-ils moins à performer? Peut-être enfin, lance-t-il, «tous ces gens compétents sont-ils simplement démotivés»? Pour lui, l'explication ne fait pas de doute:

> C'est un secret de Polichinelle dans l'industrie du placement et dans les milieux financiers que les numéros un et deux de la Caisse, MM. Jean-Claude Delorme et Guy Savard, deux hommes aux qualités indéniables au demeurant, ne vivent pas un mariage parfait. Ils se regardent plutôt en chiens de faïence.

Regard sur la gestion des entreprises

Les investisseurs institutionnels comme la Caisse, qui prennent de plus en plus de place dans le capital des entreprises, s'interrogent beaucoup, à ce moment-là, sur leur droit de regard dans les sociétés où ils investissent. Ainsi, lors de la présentation des résultats de 1993, Jean-Claude Delorme a parlé de l'importance que doivent accorder des investisseurs comme la Caisse à la bonne gestion des entreprises dans le meilleur intérêt de leurs actionnaires. Il n'a pas précisé cependant l'ensemble des principes qui guident depuis longtemps la Caisse dans ses interventions à cet égard, se contentant de dire que la politique n'en était pas arrêtée. On discute alors l'opportunité de divulguer la rémunération individuelle des cinq premiers dirigeants des sociétés cotées en Bourse. L'Ontario a rendu cette divulgation obligatoire, comme les États-Unis. Mais il semble que le gouvernement québécois, sous les pressions du Conseil du patronat, n'exigera que la divulgation de la rémunération globale des cinq premiers dirigeants. La Caisse semble en balance à ce sujet. Certains, chez elle, penchent pour la divulgation individuelle, d'autres pour la divulgation globale.

Autre fait à noter, 1993 était la première année où la Caisse identifiait dans son rapport annuel ses placements privés dans les entreprises, des participations à hauteur de 10% à 30% du capital. D'une valeur de 2,3 milliards de dollars, ces participations sont constituées à 90% environ de titres québécois. Ces derniers ont rapporté 26% en 1993, et 12,7% pour la période 1984-1993, soit 370 points centésimaux de plus que l'indice de référence des actions canadiennes, le TSE 300.

En ce début d'année 1994, les obligations constituent le plus important véhicule de placement de la Caisse, avec 49% de l'actif. Il s'agit essentiellement d'obligations du Québec, du Canada, des États-Unis et de gouvernements européens. Il y a ensuite les actions et les valeurs convertibles, qui constituent 38% du portefeuille. Les titres de sociétés québécoises et canadiennes, quant à eux, s'élèvent à plus de 11 milliards de dollars. Ainsi, la Caisse se classe en tête des actionnaires institutionnels au Canada, avec un portefeuille représentant près de 5% de la capitalisation boursière du pays. Les actions internationales, pour leur part, représentent plus de 10% du portefeuille total. Enfin, les financements hypothécaires, les valeurs à court terme et les placements immobiliers représentent chacun environ 4% du portefeuille de l'institution. Fait à signaler, la Caisse a négocié en 1992 un volume record de près de 30 milliards de dollars en obligations du gouvernement du Québec et de la société Hydro-Québec.

Fidèle à son objectif de renforcer le positionnement de Montréal comme place financière, la Caisse a participé, avec la Bourse de Montréal, au lancement de nouveaux produits dérivés, négociés exclusivement sur le parquet montréalais. Puis, afin d'agrandir son réseau de participation dans les entreprises québécoises, l'institution continue d'œuvrer, avec la Banque Nationale, le Fonds de solidarité des travailleurs du Québec et le Mouvement Desjardins, à mettre sur pied un réseau de neuf sociétés régionales d'investissement. À la fin de 1993, sept sociétés sont déjà actives dans les régions de Montréal, Montérégie, Estrie, Mauricie/Bois-Francs, Québec/Chaudière-Appalaches, Gaspésie/Îles-de-la-Madeleine et Outaouais.

Enfin, sur les marchés internationaux où la Caisse investit depuis 1982, son portefeuille de participation atteint alors 350 millions de dollars, placés essentiellement en Europe, en Asie et aux États-Unis[32].

Le 27 avril 1994, le président du conseil Jean-Claude Delorme mentionne lors d'une allocution qu'en 1993, la Caisse a obtenu un revenu net de 7,7 milliards de dollars, soit 24 millions de dollars par employé. L'institution comptait, à ce moment-là, 16 déposants, ce qui en faisait le principal gestionnaire de fonds publics au Canada. Delorme parle aussi des trois stratégies de place-

32. *Cf. Bilans*, vol. 10, n° 3, mars 1994.

ment de la Caisse. La première, traditionnelle, comporte des investissements dans les principaux véhicules de placement privilégiés par la majorité des gestionnaires de fonds publics, soit les obligations, les actions, les valeurs à court terme, les hypothèques et les immeubles. La deuxième stratégie consiste à mener un ensemble d'opérations tactiques sur les marchés monétaires et de change étrangers, par l'utilisation de produits dérivés, tels que les contrats à terme, les options, les trocs. La troisième stratégie, c'est la participation dans les entreprises. Il s'agit de placements négociés, qui amènent à investir directement dans le capital de ces entreprises. Depuis dix ans, le portefeuille de participations de la Caisse s'est hissé à 2,3 milliards de dollars, ce qui représente près de 5% de l'actif total. Il faut distinguer les placements nationaux et internationaux. Les premiers, en grande majorité au Québec, sont au nombre de 128, tandis que 23 placements se situent à l'étranger.

Par ailleurs, en ce qui concerne les placements directs dans les entreprises, la Caisse a ajouté en 1993 trois nouveaux types de financement: le financement à terme; diverses formes de financement participatif; et le financement de projets, destiné principalement aux projets de développement énergétique, d'infrastructures ou de projets industriels.

Entre-temps, signe des changements qui se préparent au Québec en cette année électorale, le conseil d'administration de la Caisse change de visage. En juin, on annonce l'arrivée de quatre nouveaux membres, dont deux femmes: Francine C. Boivin et Denise Verreault. La Caisse a souvent été critiquée à cause du peu de femmes présentes dans les rangs de sa direction. Jusqu'à ce jour-là, en effet, Carmen Crépin, vice-présidente et secrétaire de la Caisse, était la seule femme à figurer parmi les 25 vice-présidents et membres de la haute direction. Les deux nouvelles administratrices de la Caisse ne sont pas les premières venues. Madame Boivin est secrétaire générale à l'aménagement au Conseil exécutif depuis 1991, et Mme Verreault est présidente de Verreault Navigation, une entreprise spécialisée dans la construction et la réparation de navires. Les autres nominations sont celles de Pierre Michaud, président du Groupe Val-Royal, qui a été, de fait, renommé au conseil (pour un second mandat); Jean-Claude Bachand, un cadre du Montréal Trust, et Michel Sanschagrin, président de la Commission administrative des régimes de retraite et d'assurances (CARRA). Le Conseil de la Caisse compte donc, en juin 1994, 13 personnes sur une possibilité de 14, le poste vacant devant être comblé par un cadre d'Hydro-Québec, comme le prescrit la loi.

Cependant, le 12 septembre, survient un événement qui changera les destinées de la Caisse à court terme. Les élections générales au Québec portent au pouvoir le Parti québécois, dirigé par Jacques Parizeau. L'ancien président de la Caisse, Jean Campeau, est élu dans Ahuntsic; et l'un des anciens vice-présidents, Daniel Paillé, dans Prévost. Les deux accéderont au nouveau cabinet, le premier comme ministre des Finances, l'autre comme ministre de l'Industrie et du Commerce. Des répercussions majeures allaient s'ensuivre pour la Caisse, car on sait que Parizeau s'était juré en 1990 d'abolir la direction bicéphale de l'institution s'il prenait le pouvoir. Des articles le laissent entrevoir dès l'automne. Le 5 novembre notamment, un article du correspondant parlementaire du *Devoir* à Québec, Michel Venne, signale l'intention avouée du premier ministre Parizeau d'éliminer la direction bicéphale à la Caisse. La veille d'ailleurs, une manchette du *Devoir* a indiqué que le remaniement souhaité par le gouvernement à la tête de la Caisse pourrait coûter jusqu'à un million et demi de dollars au Trésor public, soit l'équivalent de ce qui reste à payer à Guy Savard pour honorer son contrat jusqu'à terme, plus précisément 250 000$ par année pendant six ans. L'article de Venne cite un commentaire sans équivoque de Parizeau:

> Quant à la structure de commandement, deux personnes qui ne peuvent pas se donner des ordres mutuellement parce que tous les deux sont protégés par l'Assemblée nationale, ça n'avait pas de bon sens. Je l'ai dit au moment où [le gouvernement libéral] a passé la loi, je l'ai répété après, et là, on va le réaliser[33].

Effectivement, à la fin de 1994, le gouvernement dépose un projet de loi qui révoque la décision de scinder la direction de la Caisse en deux.

Dès le mois suivant, le 20 janvier 1995, Guy Savard démissionnait de son poste de président et chef de l'exploitation de la Caisse de dépôt et placement du Québec. Une nouvelle page se tournait[34].

---

33. Michel Venne, «Contrat de Guy Savard – le premier ministre renvoie la balle à la Caisse», *Le Devoir*, 5 novembre 1994.

34. À la même époque, soit le 23 décembre 1994, mourait dans un hôpital de Montréal celui qui avait été le deuxième président de la Caisse, Marcel Cazavan.

CHAPITRE 7

Scraire prend les commandes de la Caisse

L'année 1995 marque un grand virage pour la Caisse. Et les changements s'amorcent dès les premières semaines. Car le 27 janvier, peu après la démission de Guy Savard, le conseil d'administration se réunit d'urgence et désigne Jean-Claude Scraire pour lui succéder comme chef de l'exploitation. Scraire devenait ainsi, *de facto*, le numéro deux de la Caisse. On le savait dès lors en bonne position pour devenir le prochain pdg, puisqu'une loi votée à l'Assemblée nationale en décembre avait abrogé la structure bicéphale et que le président Jean-Claude Delorme n'était plus guère en phase avec le nouveau gouvernement. De fait, le 24 mars suivant, il remettait sa démission comme président, en invoquant des «raisons personnelles». Et le 30 mars, Jean-Claude Scraire était nommé officiellement président-directeur général de la Caisse.

Avec Scraire, c'était la continuité qu'on avait choisie pour poursuivre l'œuvre de la Caisse et pour reprendre en main une institution relativement affaiblie, ces dernières années, par un commandement à deux têtes qui ne regardaient pas toujours dans la même direction. C'était aussi choisir quelqu'un qui connaissait à fond l'institution, puisque Scraire y travaillait déjà depuis 14 ans. Il avait d'ailleurs secondé Campeau à maintes reprises dans les grands dossiers que la Caisse avait eu à brasser dans les années 1980, lors d'interventions majeures et notamment au moment de la bataille du S-31. Plusieurs noms avaient circulé pour la direction de la Caisse, dont les plus sérieux étaient, outre Scraire, Michel Nadeau, premier vice-président de la Caisse, et Claude Blanchet, le président du Fonds de la solidarité. Mais ce fut, en définitive, Jean Campeau, alors ministre des Finances, qui a convaincu le premier ministre Parizeau de choisir Scraire.

Au départ, Campeau n'avait pas de préférence entre Nadeau et Scraire. Seulement, il a fait valoir à ses deux anciens lieutenants la nécessité de s'entendre entre eux et de présenter un front uni pour faire pièce à Blanchet qui, étant l'époux de la ministre Pauline Marois, ne manquait pas d'appuis politiques. Par un jour particulièrement froid de ce début d'année, Nadeau et Scraire se sont donc retrouvés dans un restaurant de la Place d'Armes pour conclure le pacte qui devait sceller leurs carrières. Ils se sont partagé le royaume de la Caisse, en quelque sorte. Nadeau régnerait sur les grands marchés, qui lui étaient plus familiers, et Scraire sur les placements négociés, auxquels il voulait accorder priorité en début de mandat. Sur cette base, Nadeau consentait à laisser le premier rôle à son ami Scraire. Et c'est ainsi que Jean Campeau, nouveau ministre des Finances, put faire nommer un de ses anciens lieutenants à la tête de la Caisse.

La nomination de Jean-Claude Scraire apparut d'ailleurs comme la plus indiquée dans les circonstances, puisqu'il s'agissait de quelqu'un qui sortait des rangs de la Caisse et non pas d'une personnalité de l'extérieur qu'on imposait à l'institution, comme il en avait toujours été depuis le début. En outre, cette nomination fermait la parenthèse de cinq ans de direction scindée, qui avait produit des résultats plus ou moins heureux pour la Caisse. À la fois pour le rendement de l'institution et pour le moral des troupes, si l'on peut dire (comme l'avait déjà souligné, l'année précédente, le chroniqueur Rudy Le Cours de *La Presse*). Presque en parallèle, des changements se produisirent au sein du Groupe immobilier Caisse, notamment la démission du président d'Ivanhoé, Ronald M. Kirshner, qui était à ce poste depuis 1987, soit avant même que la Caisse ait acquis l'entreprise. Âgé de 58 ans, M. Kirshner démissionnait «pour des raisons personnelles», selon la formule habituelle. Mais il demeurait membre des conseils d'administration d'Ivanhoé, de Cadev et de Cadim International.

La démission de Delorme, quant à elle, ne manqua pas de surprendre, car elle n'était guère prévue. Un communiqué accompagnant la lettre du démissionnaire mentionnait de façon succincte qu'«après cinq ans à la tête de la Caisse et 24 années de service à la direction de grandes entreprises, M. Delorme désire ainsi changer de type de responsabilités». On soulignait aussi que l'ex-président continuerait d'œuvrer à temps plein à la Caisse pour une période de trois, quatre mois, avec plein salaire. Par la suite, il assumerait des responsabilités de conseiller qui pourraient être exercées à mi-temps.

En tout cas, Jean-Claude Delorme restait en poste juste assez longtemps pour commenter le dernier rapport annuel de la Caisse, qui faisait état d'un rendement négatif pour 1994. L'institution enregistrait le premier recul d'actif significatif de son histoire, car celui-ci était passé de 48,022 milliards à 46,491 milliards de dollars en un an. Ce recul s'expliquait par deux raisons principales: d'abord, le rendement négatif de l'important portefeuille d'obligations de la Caisse, soit 48% de l'actif; ensuite, des sorties nettes de fonds de 544 millions et 506 millions de dollars respectivement pour le Régime de rentes du Québec et la Société d'assurances automobiles du Québec. Mais, paradoxalement, selon Michel Nadeau, le rendement avait été meilleur qu'en 1993, si on le mesurait aux indices du marché. Ce rendement doit, en effet, être comparé aux indices des marchés dans lesquels la Caisse investit. «Nous avons fait beaucoup mieux que le marché dans trois secteurs, commenta Jean-Claude Scraire. Nous avons perdu dans deux et nous avons eu un match nul dans les deux autres[1].» La Caisse avait, en effet, enregistré un meilleur rendement que le marché dans le secteur des actions canadiennes: 1,5%, contre 0,2% pour le TSE 300; dans le financement hypothécaire: 1,4%, contre 0,3% pour l'indice ScotiaMcLeod (hypothèques de trois ans); et le portefeuille d'immeubles: -10,7%, contre -11,4% pour l'indice MLH+A. L'important portefeuille d'obligations de la Caisse a, comme on l'a dit, produit un rendement négatif de -4,4%.

Pendant ce temps, le conseil d'administration changeait aussi de visage. De nouvelles figures y faisaient leur entrée, comme Gérard Larose, président de la CSN, ainsi que Clément Godbout, président de la FTQ. On y avait aussi nommé Rodrigue Biron, ancien ministre péquiste. Ces nominations, et notamment celle de Biron, n'ont pas manqué de soulever des accusations de partisanerie de la part de l'opposition libérale. Mais ces changements au sein de la Caisse, aussi importants qu'ils fussent, s'inscrivaient dans une période de turbulence accrue au Québec, avec l'arrivée d'un nouveau gouvernement souverainiste, fermement décidé à réaliser la souveraineté à brève échéance.

Plus radical que René Lévesque, le premier ministre Jacques Parizeau était impatient de faire franchir le pas décisif au Québec. Cependant, à cause de circonstances imprévues, notamment une maladie aussi subite qu'atroce qui mit l'autre leader souverainiste, Lucien Bouchard, à deux doigts de la

1. *Les Affaires*, 1er avril 1995.

mort[2], il dut reporter à l'automne le référendum prévu initialement au printemps 1995. Et quand Bouchard revint dans l'arène politique, au printemps 1995, il imposa à Parizeau un virage vers le partenariat économique avec le reste du Canada. Ce virage rallia au mouvement souverainiste les «allairistes», ces libéraux dissidents qui se réclamaient du Rapport Allaire et avaient formé un nouveau parti, l'Alliance démocratique du Québec (ADQ), dirigé par un jeune homme de 24 ans, Mario Dumont. C'est donc avec cette nouvelle plate-forme politique que le référendum allait se jouer. Avec trois formations politiques, dont l'une formait le gouvernement à Québec et une autre (le Bloc québécois) l'opposition officielle à Ottawa, les souverainistes rassemblaient une coalition encore jamais vue.

L'année 1995 fut donc remplie de débats acerbes sur toutes les tribunes. Notamment, au sujet de la viabilité économique d'un Québec indépendant et des répercussions plus ou moins désastreuses que cette indépendance pourrait entraîner pour le dollar canadien et pour l'intégrité du reste du Canada.

Une nomination bien accueillie

Au milieu de ces turbulences politiques, la nomination de Jean-Claude Scraire à la tête de la Caisse avait été bien accueillie par les milieux d'affaires et dans l'opinion publique, en général. Le 10 juin 1995, d'ailleurs, *La Presse* dressait un portrait avantageux du nouveau président de la Caisse. Le reportage, signé par Rudy Le Cours, commençait ainsi:

> Jean-Claude Scraire dégage l'assurance tranquille du sphinx. À la fois affable et calme, c'est avec une conviction toute réfléchie qu'il laissera tomber à la fin d'une interview de 90 minutes: «En l'an 2000, nous serons les meilleurs gestionnaires[3].»

À la différence de tous les présidents antérieurs de la Caisse, Jean-Claude Scraire n'a pas grandi à Montréal. Il est né et a passé une partie de son enfance à Bellefeuille, dans la région des Laurentides. Aîné d'une famille de 11 enfants, il a pu, malgré le milieu modeste dont il vient, faire ses études collégiales au Collège de Saint-Laurent, au nord de Montréal. Puis, après avoir obtenu une

---

2. Victime de la bactérie dite «mangeuse de chair» en décembre 1994, Bouchard en réchappa de justesse, au prix de l'amputation d'une jambe.

3. Rudy Le Cours, «Jean-Claude Scraire, pdg...», *La Presse*, 10 juin 1995.

licence en droit de l'Université de Montréal, il est admis au Barreau du Québec en 1970. Au début des années 1970, il se spécialise en droit des affaires, dans un cabinet privé à Montréal. À la fin de 1973, il est chargé de diriger le cabinet du chef de l'opposition à Québec, Jacques-Yvan Morin. Puis il devient directeur de cabinet du ministre de la Justice, Marc-André Bédard, en 1976. Il quitte la politique le soir des élections d'avril 1981, ayant terminé son mandat, comme il dit. Quelques semaines plus tard, il fera son entrée à la Caisse comme conseiller juridique du président. Véritable lieutenant de Campeau durant toutes les années 1980, il occupera successivement les postes de directeur aux Affaires juridiques, premier vice-président aux Affaires juridiques, institutionnelles et placements immobiliers, puis chef de l'exploitation quelques mois avant son accession à la présidence.

En présentant le nouveau président de la Caisse, *La Presse* mentionnait que, dès le début de son mandat, Scraire s'est appliqué à restructurer toute cette partie des investissements de la Caisse qu'on appelle les «placements négociés». C'est un peu le même genre de travail qu'il avait accompli à la direction du Groupe immobilier Caisse (GIC), dont il a été l'initiateur et dont il a redéfini le rôle, la mission et, en partie, le portefeuille des filiales immobilières. Du côté des participations, l'objectif du nouveau président est de rapprocher la direction de la Caisse de son milieu d'intervention, de ses clients: les entreprises. Il a entrepris d'alléger une structure décisionnelle qui, dans le secteur des participations entre autres, obligeait de passer par une dizaine d'échelons pour faire aboutir un dossier. Ainsi, au début de juin, la Caisse annoncera la création de deux filiales spécialisées: Capital CDPQ, vouée aux participations minoritaires dans la petite entreprise; et Capital d'Amérique CDPQ, conçue aux mêmes fins mais pour les sociétés dont la taille se situe entre un million et 200 millions de dollars (où se retrouvaient déjà une cinquantaine de placements de la Caisse). La direction de ces filiales est confiée à un gestionnaire de métier, épaulé par un conseil d'administration formé de cadres de la Caisse et de gens d'affaires chevronnés. On laisse les coudées franches aux gestionnaires, mais leurs objectifs de rendement sont élevés. «On n'est pas le BS[4] des entreprises», rappelle sans ambages Scraire. Viendront s'y ajouter plus tard une filiale vouée aux participations dans des entreprises en communications, une autre en technologies et une pour les grosses participations, comme les Domtar, Provigo et autres Cambior.

4. En abrégé, le bien-être social.

Dans ce cas-là cependant, la réflexion n'est pas terminée. Comment se comporter avec des blocs stratégiques? Comme un holding? Pas nécessairement, selon Scraire. «Encore faut-il que la Caisse sache ce qu'elle veut en tant qu'actionnaire de manière à ce que l'entreprise investie sache à quoi s'en tenir. [...] Détenir une position n'est pas en soi porteur de rendement», fait remarquer le nouveau président.

Au milieu des turbulences référendaires

Dès le début de son mandat, Scraire a commencé à revoir en profondeur le fonctionnement de la Caisse afin de mettre en place une nouvelle stratégie, dont on verra le détail au chapitre suivant. Cette réorganisation devait se faire au milieu d'une année de turbulences politiques sans précédent, qui ne manquèrent pas de secouer l'institution parapublique qu'est la Caisse, non pas dans son administration interne, mais dans ses rapports avec certains milieux d'affaires qui ne cessent de la soupçonner de collusion avec le gouvernement. On devait, malgré tout, faire comme si de rien n'était. Bien faire et laisser braire, comme dit le vieux dicton, ou *business as usual*, comme répètent les Américains. Les affaires avant tout...

À la mi-juillet 1995 donc, la Caisse forme un consortium avec d'autres investisseurs pour racheter Labatt Communications, la filiale de Labatt qui rejoint 13 millions de téléspectateurs canadiens avec le Réseau des sports (RDS), The Sports Network et la chaîne Discovery. Cette transaction est la conséquence du rachat de la brasserie Labatt par le brasseur belge Interbrew. Elle est évaluée à quelque 600 millions de dollars. Dans le consortium, la Caisse fournit 28,6% du financement, à la même hauteur que Claridge (firme de Stephen Bronfman); les magasins Reitmans en allongent 21%, et la société new-yorkaise ESPN, 20%. Il s'agit pour la Caisse d'un investissement d'environ 50 millions de dollars dans le domaine des télécommunications, où elle était déjà très présente avec Vidéotron, Téléglobe, TVA et autres.

Deux mois plus tard, à la fin de septembre 1995, la Caisse lance une société d'investissement spécialisée dans la haute technologie, Sofinov[5], qu'elle dote au départ d'un capital de 100 millions de dollars, à investir dans les deux prochaines années. L'annonce en est faite le 21 septembre par Scraire, après une allocution prononcée devant les membres du Cercle Finance et

---

5. Contraction de «Société financière d'innovation».

Placement de Montréal. L'année précédente, la Caisse avait créé une division haute technologie, qui devait consacrer à ce secteur 75 millions de dollars par année. Cette division, dirigée par Germaine Gibara, chapeautait aussi les investissements de la Caisse en télécommunications – c'est-à-dire sa participation dans Vidéotron (15%) et dans Téléglobe – qui totalisaient ensemble près de 500 millions de dollars. Mais Mme Gibara avait quitté la Caisse entre-temps, et cette division de haute technologie n'avait pas pris son envol. La nouvelle société de capital de risque en haute technologie, qui émanera du Groupe Participation, ne comprendra pas les investissements dans les communications et télécommunications.

Afin de soutenir davantage la Bourse de Montréal, la Caisse vient aussi de hausser le plafond des sommes qu'elle place dans les titres de petite capitalisation transigés sur le parquet montréalais. Ce portefeuille de titres dits «orphelins», (parce que souvent boudés par les analystes), passera de 35 millions à 100 millions de dollars dans les prochains mois, selon ce qu'indique Scraire:

> Le président de la Caisse a également signalé l'importance de dynamiser le parquet montréalais, qui n'occupe plus que 15% du marché des titres inscrits sur l'ensemble des Bourses canadiennes. Cette part devrait passer à 20% ou 25% dans les meilleurs délais, souhaite-t-il[6].

Pour y arriver, Scraire évoque l'apport stratégique des fonds mutuels:

> Les gestionnaires québécois doivent prendre une part plus importante du marché des fonds mutuels (ou fonds communs de placement), un secteur dont les marges bénéficiaires avoisinant les 30% en font l'un des plus rentables de l'industrie [...]. À l'heure actuelle, à peine 3% des 135 milliards en fonds mutuels canadiens sont confiés à des gestionnaires de fonds du Québec, a-t-il fait remarquer.

Quelques jours plus tard, la Caisse donne plus de détails sur sa nouvelle filiale de capital de risque en haute technologie. Sofinov sera une société d'investissement à l'intention des entreprises du secteur technologique, dont la principale activité est la conception et la mise en marché de technologies de pointe. Au 30 juin 1995, l'actif sous gestion de Sofinov était de 23 placements, d'une valeur marchande de 155,6 millions de dollars. La nouvelle société prévoit réaliser des investissements de l'ordre de 100 millions de

---

6. Robert Dutrisac, «La Caisse de dépôt crée une société de capital de risque de 100 millions», *Le Devoir*, 22 septembre 1995.

dollars en 1996. Et c'est Richard D. Champagne, président-directeur général du Conseil de l'industrie de l'hydrogène, qui en a été nommé président du conseil. Annonçant la création de Sofinov dans son édition du 29 septembre, *La Presse* souligne que cette initiative «s'inscrit dans une stratégie de la Caisse qui a pris son envol sous la présidence de M. Scraire, de créer des unités plus petites, plus souples et plus pointues pour mieux répondre aux besoins de la clientèle et pour saisir les occasions d'investissement dans certains marchés[7].» La mission de Sofinov est de se concentrer dans cinq secteurs: informatique, santé-biotechnologie, énergie-environnement, transport-aérospatiale, nouveaux matériaux et procédés.

Le 16 octobre, à Québec, devant plus de 200 commissaires industriels réunis à l'occasion du 36e congrès annuel de l'Association des professionnels en développement économique du Québec (APDEQ), Jean-Claude Scraire annonce que la Caisse augmentera de 50% son portefeuille de participations dans les entreprises québécoises, en y ajoutant 1,3 milliard de dollars au cours des deux prochaines années. Déjà, sur les 50 milliards de dollars d'actif gérés par la Caisse, quelque 2,7 milliards sont regroupés dans le portefeuille Participations. Cette enveloppe, réservée au Groupe Participation Caisse et à ses cinq filiales nouvellement créées, sera donc enrichie de 1,3 milliard additionnel. Et la Caisse veut s'activer, «pour débusquer tous les Vidéotron, Cascades, Canam Manac, Télésystème National et autres champions de demain». Scraire précise que ces investissements visent «les entreprises québécoises de toutes tailles, de tous les secteurs et de toutes les régions». Ces filiales de participation sont les suivantes: Capital CDPQ, consacrée aux petites entreprises en croissance et au réseau des sociétés régionales d'investissement; Capital d'Amérique CDPQ, qui vise les entreprises québécoises de taille moyenne; Capital Communications CDPQ, qui s'intéresse aux entreprises offrant des produits et des services dans les domaines des communications et des télécommunications; Sofinov, qui s'associe aux entreprises du secteur technologique, et Capital International CDPQ, qui a pour mission de gérer le réseau international d'information et de relations d'affaires de la Caisse. À tout cela s'ajoute la décision récente de la Caisse de porter de 35 millions à 100 millions de dollars son portefeuille de titres de sociétés de petite capitalisation inscrites à la Bourse de Montréal. Scraire rappelle que

7. Richard Dupaul, «Sofinov, filiale de la Caisse, injectera 250 millions dans la haute technologie», *La Presse*, 29 septembre 1995.

«les 192 compagnies composant le portefeuille du Groupe Participations Caisse présentent, depuis dix ans, un rendement moyen supérieur de 200 points centésimaux à l'indice TSE 300. "Depuis dix ans, a-t-il précisé, le rendement moyen des participations détenues par la Caisse dans des entreprises québécoises est de 11,4% par année comparativement à 9,2% pour l'indice TSE 300."» Il fait remarquer qu'en 1994, «le capital de développement disponible au Québec était de l'ordre de 2,5 milliards et représentait 46% de l'ensemble des fonds canadiens, évalués à 5,5 milliards. Des progrès remarquables ont été accomplis depuis 1985, lorsque le capital de développement disponible au Québec était de 280 millions et représentait 20% du total canadien[8].»

Évidemment, à deux semaines du référendum du 30 octobre, Scraire doit répondre à une foule de questions politiques de la part de journalistes qui guettent chacun de ses mots pour tenter de savoir de quel côté il penche. La tension se fait de plus en plus grande, alors que le OUI est en train de monter dans les sondages à mesure qu'on se rapproche du scrutin. Dans *La Presse* du 17 octobre, le journaliste Laurier Cloutier affirme:

> Malgré son optimisme et son nationalisme économique connu, le nouveau président de la société d'État s'est bien gardé en interview de se prononcer sur le débat référendaire. De même, il s'est refusé à tout commentaire sur les tableaux d'apocalypse que brossent certains. «Les marchés financiers réagissent bien aux débats», dit-il. De même, Jean-Claude Scraire ne veut pas commenter les déclarations de Laurent Beaudoin, qui envisagerait de déménager Bombardier à l'extérieur du Québec si les conditions y deviennent défavorables. Il ne veut pas dire que le débat dérape parfois. «Je n'ai pas de scénario qui prévoit de catastrophe, laissons les politiciens débattre de la question référendaire et les citoyens se prononcer. Après le 30 octobre, la Caisse va gérer la situation», déclare le président, paisible... [Il] assure que le gouvernement n'a pas demandé à la Caisse de faire sa partie contre les partisans du NON, comme [le prétend] le Conseil du patronat du Québec (CPQ). «La Caisse ne prendra pas position pour le OUI. Elle a une très grande liberté. Elle a fait beaucoup de chemin depuis sa fondation en 65, sa position est assez saine. Depuis mon entrée à la Caisse en 81, je n'y ai jamais vu un dossier géré par ingérence politique», clame-t-il[9].

8. *Le Devoir*, 17 octobre 1995.
9. Laurier Cloutier, «La Caisse consacrera 1,3 milliard de plus aux PME et aux grandes entreprises», *La Presse*, 17 octobre 1995.

Le 17 octobre, Scraire prononce un autre discours, fort attendu, devant les membres de la Chambre de commerce du Montréal métropolitain. Ce discours, il le prépare intensément depuis plusieurs semaines. Il en a pesé et soupesé chaque mot. Son objectif essentiel est de faire prévaloir le gros bon sens sur les passions politiques. Dans une salle remplie de visages graves ou inquiets, il affirme calmement la force de la Caisse et comment cette force peut être rassurante dans les circonstances.

Il mentionne notamment que l'institution gère un portefeuille d'obligations de 24 milliards de dollars. Les spécialistes savent que la dette publique négociée sous forme d'obligations constitue l'épine dorsale du marché des capitaux. Cette réalité a d'ailleurs été une des raisons principales de créer la Caisse. Il fallait assurer à la société québécoise et à son gouvernement une stabilité des titres du secteur public basée sur des éléments d'analyse fondamentale, et assurer à ces titres une liquidité et un coût conformes aux réalités du marché. Il poursuit:

> Notre portefeuille actuel est positionné de façon optimale pour nous permettre d'assumer totalement et pleinement nos responsabilités envers nos déposants, l'État et l'économie du Québec, aussi bien pour assurer la stabilité des marchés que pour saisir les occasions d'affaires. Ce rôle fondamental, la Caisse le remplit avec efficacité et en toutes circonstances depuis 30 ans, et elle continuera à le faire avec plus d'expertise que jamais, sans cesser de procurer un rendement élevé à ses millions de déposants.
>
> Nous avons la maîtrise d'instruments modernes d'investissement qui nous permettent de bouger de façon tactique et stratégique. Nous disposons d'un niveau et d'un potentiel élevés de liquidités pour assumer nos responsabilités selon la volatilité des marchés. C'est d'ailleurs le cas des principaux acteurs financiers du Québec et du Canada, avec lesquels nous travaillons...

Il indique que la Caisse dispose des liquidités nécessaires pour soutenir les obligations du Québec, ainsi que des outils pour parer à d'éventuelles secousses des marchés financiers au lendemain d'un OUI. Il se fait rassurant, se dit «confiant que les entreprises québécoises et canadiennes continueront à faire des affaires quoi qu'il advienne après le 30 octobre[10]».

Il affirme, en conclusion, que le Québec possède «les capacités financières et économiques nécessaires pour assumer les choix de son développement» et que «cette force est le résultat d'efforts individuels mais aussi

10. Richard Dupaul, «La Caisse se dit prête à faire face à un OUI», *La Presse*, 18 octobre 1995.

d'une grande solidarité collective». Par ailleurs, il lui semble évident que le Canada doit trouver une solution à ses problèmes politiques qui durent depuis 30 ans. Il cite, à cet égard, le *World Competitiveness Report* de 1995, où l'on soutient que «la croissance économique va de pair avec la cohésion sociale[11]».

Ce discours lui vaut une ovation debout, même si certains ont sourcillé dans la salle. Dans les journaux du lendemain, on dira que le président de la Caisse s'est bien défendu de faire de la politique, tout en livrant «un discours empreint de nationalisme, mais aussi sous le signe de la prudence alors qu'il a habilement évité d'appuyer l'une ou l'autre des options dans le débat référendaire.» Pressé de questions par les journalistes après son allocution, Scraire a dit qu'il «n'entrevoit pas de réactions violentes après un OUI», car les marchés, selon lui, «sont conscients de la réalité politique québécoise et canadienne[12]».

À trois jours du référendum, le 27 octobre, le journaliste Miville Tremblay se porte à la défense de la Caisse, à la suite de rumeurs pré-référendaires issues de Toronto:

> S'il est vrai que la Caisse de dépôt et placement du Québec spécule sur les devises, il est absurde de croire qu'elle puisse manipuler le marché des changes pour favoriser le OUI. Depuis quelques jours, la rumeur torontoise attribue de noirs desseins à la Caisse: elle aurait cherché à stabiliser le cours du dollar canadien dans le but de calmer les appréhensions des électeurs québécois à la veille du référendum[13].

Le lendemain, 28 octobre, le même Miville Tremblay décrit la nervosité des marchés à l'approche du scrutin[14]. La veille notamment, le vendredi 27 octobre, les banques avaient décidé de stopper les transactions interbancaires à midi. Le mardi précédent, il y avait eu plusieurs pertes essuyées par des «teneurs de marché» (grandes banques et courtiers) qui ont voulu profiter de la baisse du dollar canadien. Le journaliste précise:

---

11. Frédéric Tremblay (PC), «Le président de la Caisse a confiance dans la rationalité des gens d'affaires», *Le Devoir*, 18 octobre 1995.

12. Richard Dupaul, «La Caisse se dit prête à faire face à un OUI», *La Presse*, 18 octobre 1995.

13. Miville Tremblay, «La spéculation de la Caisse sur le marché des changes», *La Presse*, 27 octobre 1995.

14. Miville Tremblay, «Banquiers et investisseurs sont sur les dents», *La Presse*, 28 octobre 1995.

Positionnés à découvert pour profiter de la baisse du dollar dans un climat d'incertitude politique, ils ont pris sur la gueule de gros achats de dollars canadiens. Notamment un montant qu'aurait fait la Caisse de dépôt par l'entremise d'une banque à New York. L'identité des acheteurs de dollars canadiens est incertaine, mais le revirement du marché que ces achats ont provoqué a eu pour effet d'assagir les opérateurs de Toronto.

Selon Miville Tremblay, plusieurs banques et courtiers auraient perdu gros dans l'opération. « Les opérateurs ne veulent plus courir de risques, car ils sont incapables de prédire l'issue du référendum et donc la direction que prendra le marché par la suite. »

Mais la question des fonds prévus pour faire face aux conséquences d'un OUI, qui turlupine les journalistes et bien des intervenants du milieu des affaires à l'époque du référendum, allait rebondir l'année suivante après la publication d'un article de Jean Chartier dans *L'Actualité* et des déclarations de Parizeau lui-même. Chartier révélait que Parizeau avait prévu, avec les institutions financières du Québec, un « Plan O » en cas de victoire du OUI au référendum. (En fait, d'après ce qu'affirme Pierre Duchesne dans sa biographie de Parizeau[15], c'est plutôt le ministère des Finances, dirigé par Jean Campeau, qui a orchestré ces préparatifs.)

> Le Plan O évaluait les liquidités et les swaps (titres mis en dépôt au besoin) de la Caisse de dépôt à huit milliards au 30 octobre, les marges de crédit du ministère des Finances à six milliards et la marge de crédit d'Hydro Québec à 3,2 milliards. Au total, 17 milliards. Les huit milliards de la Caisse de dépôt représentaient 12 % de l'actif de l'institution (un niveau sans précédent), qui ne garde habituellement en liquidités que de 4 % à 5 % de son actif (de deux à trois milliards). On s'était même préparé pour un référendum hâtif : le président du conseil, Jean-Claude Scraire, a confirmé à *L'Actualité* qu'au printemps 1995, la Caisse de dépôt disposait déjà de six milliards liquides. « Nous avions aussi des obligations américaines qui s'écoulent très facilement[16]. »

De fait, la préparation de telles liquidités constituait une précaution fort normale de la part d'institutions et de gens qui avaient connu des époques où les gestionnaires de fonds – les fameux syndicats financiers –, dirigés de Toronto, ne manquaient jamais d'intimider les gouvernements

---

15. Pierre Duchesne, *Jacques Parizeau*, tome 3, *Le Régent*, Québec-Amérique, Montréal, 2004.

16. Jean Chartier, « Plan O, l'opération secrète de Parizeau », *L'Actualité*, 1er juin 1996.

nouvellement élus au Québec en manipulant les obligations de la province. C'est justement la création de la Caisse, comme on l'a vu, qui a permis de mettre fin à ce genre de manœuvres. Et un Jacques Parizeau, notamment, avait assez connu ces tentatives de manipulation pour se préparer à les contrecarrer.

Il n'empêche qu'une dizaine de jours après le référendum, dans le journal *Les Affaires*, Jean-Paul Gagné y allait d'un éditorial qui s'intitulait carrément: «La Caisse a-t-elle perdu son indépendance[17]?» Gagné se fondait sur une déclaration que Jacques Parizeau avait faite à TVA le 30 octobre, dans une interview avec Stéphan Bureau. Le premier ministre démissionnaire décrivait le rôle que la Caisse aurait joué le 23 et le 31 octobre pour soutenir le dollar canadien advenant une victoire du OUI. Pour le directeur de l'hebdomadaire financier, c'était «la première fois qu'un premier ministre affirme clairement être intervenu dans la gestion de la Caisse de dépôt». Le 25 novembre suivant, le porte-parole de la Caisse, Philippe Gabelier, contredisait les affirmations de Gagné. Gabelier affirmait que l'éditorialiste des *Affaires* avait mal compris la déclaration de Parizeau, qui avait parlé de défendre le dollar canadien et nullement d'intervenir sur le cours des obligations[18].

Il faut dire que, malgré la tourmente référendaire, les obligations québécoises de 1995 s'étaient bien écoulées. De fait, la Caisse avait vendu cette année-là plus d'obligations du Québec qu'elle n'en avait achetées. Et, dans ce contexte, les investisseurs institutionnels avaient été particulièrement favorisés[19].

Le front de l'immobilier se déplace hors Québec

Les turbulences autour du référendum de 1995 n'empêchaient pas la Caisse de poursuivre sur sa lancée. En même temps que la nouvelle administration mettait sur pied diverses filiales de participation, elle ne négligeait pas pour autant un secteur qui allait prendre une importance accrue dans les années à venir: l'immobilier.

---

17. Jean-Paul GAGNÉ, «La Caisse a-t-elle perdu son indépendance?», *Les Affaires*, 11 novembre 1995.

18. Philippe GABELIER, «La Caisse de dépôt réaffirme son indépendance», *Les Affaires*, 25 novembre 1995.

19. Voir article de Rudy Le Cours, La Presse, 31 décembre 1996.

Sur ce front-là, en 1995, la Caisse a investi beaucoup à l'extérieur du Québec, notamment à Toronto, où la SITQ Immobilier, par le biais de sa filiale Penyork Property, a acheté un immeuble sur Young Street, dans la ville de North Yorth, en mai 1995. Puis en France, le 2 novembre 1995, la SITQ a acquis 50% d'un complexe industriel à Saint-Ouen, au nord de Paris, pour la somme de 42 millions de dollars. La SITQ est devenue copropriétaire de ce parc industriel avec le Groupe Aaron, une entreprise française œuvrant exclusivement dans le secteur industriel. La première acquisition de la SITQ hors Québec avait eu lieu en décembre 1993, avec l'achat d'un centre de conférences à Bruxelles.

Somme toute, à la fin de 1995, l'actif de la Caisse avait grimpé à près de 53 milliards de dollars. Il s'agissait d'un rattrapage de plus de six milliards par rapport aux résultats de l'année précédente. Cette performance, réussie au milieu d'une année difficile, venait fort heureusement marquer le changement de cap. Dans le rapport annuel 1995, à l'occasion de son premier message comme président, Jean-Claude Scraire saluait les 30 ans de la Caisse en l'affublant d'un nouveau qualificatif, «multinationale de l'investissement»:

> La Caisse célèbre donc son trentième anniversaire avec une feuille de route impressionnante... Depuis sa création, elle a procuré des revenus de placement de plus de 47 milliards à ses déposants. Elle fait maintenant partie par son actif, son expertise, son réseau d'affaires international et ses partenaires, du cercle des grands gestionnaires de portefeuille en Amérique du Nord. Son rayonnement couvre non seulement les Amériques, mais également l'Europe et l'Asie. Elle est devenue une multinationale de l'investissement dans un univers où les activités sont menées dans une perspective globale, à l'échelle mondiale, et se réalisent instantanément[20].

Moins de trente ans après sa création (et vingt-cinq ans après avoir enregistré son premier milliard), la Caisse de dépôt et placement du Québec avait donc franchi la barre des 50 milliards de dollars. C'était beaucoup, mais encore trop peu pour ses dirigeants, surtout dans le nouveau contexte de mondialisation de l'économie.

---

20. Caisse de dépôt et placement du Québec, *Rapport annuel 1995*.

Nouvelle stratégie d'expansion

Dès sa nomination comme chef de l'exploitation au début de 1995, Jean-Claude Scraire a voulu donner une nouvelle impulsion à la Caisse. Pour ce faire, il bénéficiait de plusieurs atouts que n'aurait pas eus un président venu d'ailleurs. Après 14 ans à l'intérieur de l'institution, il en connaissait à fond les structures et le personnel. Il avait développé au cours des années avec le numéro deux, Michel Nadeau, une complicité exceptionnelle, surtout pendant la «traversée du désert» que fut pour eux l'administration Delorme-Savard[21]. Ayant aussi travaillé de près avec les autres vice-présidents et directeurs, il était en mesure de tirer le meilleur parti des ressources stratégiques de l'organisme. Il put donc mettre rapidement l'équipe de direction au diapason des changements qu'il voulait apporter au 1981, McGill College.

Pour le conseiller dans les réorganisations à entreprendre, Scraire a fait appel à de proches collaborateurs comme Philippe Gabelier, vice-président aux Affaires publiques, Jean-Claude Cyr, depuis 1990 premier vice-président à la planification et aux investissements chez Ivanhoé, Pierre Bouvier, vice-président Recherche et Rendement, et quelques autres. Le petit groupe a alors établi un plan stratégique, dont les grandes lignes tenaient finalement sur une simple et unique page, tellement la direction à prendre était devenue claire. Présentée au conseil d'administration au printemps 1995, cette «page» proposait, pour l'essentiel, deux objectifs à la Caisse: augmenter les rendements et exercer une gestion plus active. Pour y arriver, on a décidé de développer une «série de niches» où les possibilités de rendement n'étaient pas assez exploitées[22].

Une gestion plus active supposait, d'abord, qu'on pose des objectifs de rendement plus élevés aux gestionnaires de la Caisse. Il ne s'agissait plus seulement de se mesurer à des indices du marché, il fallait s'orienter vers une gestion dynamique des portefeuilles, et développer toutes les «niches» où la Caisse pouvait faire de l'argent. En ce qui concerne les participations, les dirigeants de la Caisse visaient ce qu'on appelle le «capital intelligent». C'est-à-dire que les investissements de participation devaient, en plus du rendement escompté, contribuer à rassembler une masse d'informations et de

21. Scraire et Nadeau avaient leurs bureaux entre ceux de Delorme et de Savard, et ils servaient souvent d'intermédiaires – pour ne pas dire de tampons – entre les deux coprésidents.

22. Entrevue de l'auteur avec Jean-Claude Cyr, février 2000.

compétences stratégiques dans des domaines prometteurs. Et la meilleure façon d'y arriver était de développer une expertise sectorielle en créant des filiales de participation. Ces filiales répondaient donc à deux paramètres: développer du capital intelligent et donner une plus grande souplesse d'action à la Caisse.

À l'époque, un dossier de participation nécessitait jusqu'à onze niveaux d'autorisation. En créant les filiales Participation, on déléguait à leurs conseils d'administration les autorisations nécessaires pour la plupart des placements. On n'y retrouvait plus, en fin de compte, que trois niveaux de décision: l'analyste, le vice-président ou le président de la filiale puis le conseil. Ainsi, comme les transactions intéressantes exigent souvent qu'on puisse bouger vite, la filialisation permettait d'accélérer le processus de décision, en plus de développer une expertise sectorielle.

Ces choix sectoriels se sont avérés d'heureuses décisions. En créant des filiales dans certains créneaux, non seulement pouvait-on y développer des antennes d'information, mais on s'engageait aussi, implicitement, à y verser du capital. Un regard rétrospectif permet de constater que la Caisse, depuis 1995, a investi fortement dans les secteurs les plus prometteurs, soit les technologies de l'information, les biotechnologies et les communications. Il n'est pas étonnant, dans ce contexte, que Capital Communications, par exemple, ait connu dans les dernières années du siècle des rendements annuels de 50% et plus! Ces secteurs très dynamiques étaient aussi d'une importance majeure pour le développement économique du Québec. En y concentrant ses investissements, la Caisse contribuait à modifier la structure industrielle du Québec, à la tirer de plus en plus vers les industries du savoir. En somme, les industries porteuses de la nouvelle économie.

Ces initiatives coïncidaient bien avec la stratégie du nouveau gouvernement du Québec. On sait que l'État québécois est reconnu pour sa générosité en crédits de recherche. Par contre, c'est aussi un secteur où la taxe sur le capital est lourde pour les entreprises. Mais, comme le capital immobilisé n'est pas considérable dans les industries du savoir, cet effet négatif ne portait guère à conséquence. Les industries au Québec ne se retrouvaient donc pas désavantagées, sur le plan concurrentiel, par rapport à leurs homologues en Ontario (à cause du peu de capital). Par contre, les crédits de recherche étaient substantiels. Cela faisait partie de la stratégie industrielle du ministère de l'Industrie et du Commerce et du ministère des Finances du Québec. Et cette stratégie s'est amorcée au moment où l'on commençait à voir poindre des entreprises comme Téléglobe, Biochem-Pharma, CGI, Nortel et d'autres. La Caisse se positionnait donc fort à propos pour concentrer du capital dans ces secteurs, et aussi pour y développer une expertise.

En même temps, la Caisse a défini trois façons de mieux articuler sa contribution à l'économie québécoise: en établissant des programmes ciblés de placement, en améliorant la qualité de sa gestion et en augmentant sa taille.

Des placements ciblés

Les programmes ciblés de placement consistaient essentiellement à développer un capital intelligent dans des secteurs de pointe. On voulait s'assurer que les secteurs ayant besoin de capital disposeraient non seulement de fonds mais aussi de ressources humaines pour veiller à leur bonne gestion. Car, on le sait, ce n'est pas l'argent qui manque dans le capital de risque, mais souvent la capacité de bien gérer. Ainsi, la Caisse a fait des investissements majeurs dans des filiales de Participation afin de mettre au point ce genre d'initiative. Même chez Capital d'Amérique, qui gardait un mandat très général, on a commencé à développer des équipes vouées à certains secteurs. Donc, une concentration de l'intelligence sectorielle.

À ce changement majeur s'est ajoutée une grande ouverture de tous les gestionnaires de portefeuilles à développer de nouveaux créneaux. Cette nouvelle attitude a insufflé un grand dynamisme dans l'institution; elle a contribué à y répandre un véritable esprit d'entrepreneur.

Beaucoup de personnes, surtout au conseil, ont vu au départ dans la création des filiales une sorte de dilution du pouvoir, puis de l'éparpillement. On avait peur de créer une machine qui deviendrait incontrôlable. Il faut toujours craindre la résistance au changement dans les organisations, surtout quand elles ont une certaine taille. Les dirigeants de la Caisse ont su procéder avec habileté, à cet égard. Ils ont défini l'aire de jeu, lancé «des cartes sur la table», en quelque sorte, et laissé les gestionnaires de portefeuilles piger dans ce qui leur plaisait. Les esprits innovateurs y ont vite trouvé leur compte. Et leurs résultats ont entraîné les autres dans le jeu. Cela a créé un effet d'entraînement, un esprit d'émulation jusque-là jamais vu à la Caisse. Avec comme conséquence qu'aujourd'hui, personne ne conteste le principe de ces filiales de Participation, qui ont développé une position sectorielle dominante ou une concentration d'expertise, en plus de produire des rendements exceptionnels.

La Caisse a rallié ses déposants à cette nouvelle orientation en leur expliquant que, pour aller chercher la plus-value là où elle est, il faut se situer en amont des marchés boursiers. Il fallait quitter les écrans d'ordinateur et se rendre dans les entreprises. Dans une publicité télévisée pour les fonds mutuels, la société Trimark avait illustré cette idée en montrant ses analystes sur le terrain, en train de visiter les entreprises, de les questionner sur leur équipement, etc. À la Caisse, on s'est dit qu'il fallait se rendre encore plus loin, jusque dans les laboratoires. Car plus on remonte dans la chaîne de création de valeurs, plus on augmente ses chances de décrocher un rendement supérieur à celui des marchés.

Pour aller chercher cette plus-value en amont, il fallait donc rassembler des équipes de placement spécialisées. Il fallait développer une expertise sectorielle afin de pouvoir bien identifier à la fois les entreprises, les acteurs, les tendances, la recherche, etc. Il fallait se trouver là où se concoctent les innovations, dans les laboratoires, dans les centres de recherche, au sein même des équipes de chercheurs. Car le gros de la valeur ajoutée se situe, le plus souvent, entre le laboratoire et l'entreprise. Quand on sait bien identifier un produit performant à ce stade, avant que l'entreprise aille en Bourse, on a déjà en main tout un processus de création de valeur beaucoup plus élevé que ce que les marchés fourniront ensuite. C'est ce qu'on a voulu faire, à la Caisse, en mettant sur pied des filiales comme Sofinov et surtout T2C2, qui se pointent dans les entreprises technologiques dès la phase de prédémarrage.

Une meilleure qualité de gestion

Le deuxième volet de la stratégie de la Caisse consistait à améliorer la qualité de la gestion. Trois grandes opérations ont été menées à cet égard. D'abord, mettre en place des mécanismes d'échange d'informations. Ensuite, adopter un meilleur système de mesure des performances. Enfin, resserrer la gestion pour éviter les failles, les «trous», ce qui tombe «entre deux chaises», comme on dit.

Si on considère le placement comme de l'information, tout ce que la Caisse gère, somme toute, c'est de l'information, se sont dit ses dirigeants. C'est alors qu'une question simple s'est imposée: comment améliorer l'échange d'informations? Car ce type d'échange ne va pas nécessairement de soi entre gens dont l'information est justement le gagne-pain. La réponse ne pouvait se trouver que dans un nouvel esprit d'équipe «entrepreneuriale».

En même temps, la Caisse mettait au point des systèmes pour lui permettre de mesurer la performance de chacun des modes de gestion. À cet effet, on a instauré, à partir de 1997, les normes de l'AIMR (Association for Investment Management and Research), un système de calcul des performances qui est l'un des plus rigoureux qui soient. La Caisse possède donc maintenant une certification externe de conformité, ce qui est le fait de très peu de gestionnaires au Canada. Ses déposants ont désormais la certitude que les résultats ne sont pas manipulés, car la certification des calculs est effectuée par une firme externe. En outre, les normes de l'AIMR sont reconnues internationalement.

En appliquant les normes de l'AIMR, les gestionnaires de la Caisse ont entrepris de mesurer jusqu'à des éléments parfois négligés mais qui avaient des conséquences sur la performance des portefeuilles. Il s'est ensuivi un resserrement important de la qualité de la gestion globale à la Caisse, non seulement dans les sélections de titres, mais aussi dans la gestion du niveau d'encaisse, dans l'ensemble des positions, la couverture de change et tout ce qui était géré par plus d'une direction. Il y avait des choses qui se perdaient parfois, selon Jean-Claude Cyr:

> En calculant correctement les rendements et en faisant une attribution de ces rendements, chacun des gestionnaires d'une portion d'un portefeuille devenait responsable. Cela a permis de resserrer de beaucoup la gestion. Ainsi, on peut maintenant avoir 200 modes de gestion à la Caisse et être sûr que les 200 sont mesurés correctement. Plus rien ne tombe entre deux chaises. Et ce serait la même chose avec 400 modes[23].

Augmenter la taille de l'institution

Le troisième volet stratégique était l'augmentation de la taille de l'organisme. Les gestionnaires de la Caisse se rendaient compte qu'il y a plus de profit à réaliser dans des investissements volumineux, autrement dit dans les grosses transactions.

La première occasion de ce genre est venue rapidement, dès juillet 1995, avec la vente de la brasserie Labatt. Lorsque le brasseur belge Interbrew s'est porté acquéreur de Labatt et a mis en vente la filiale Labatt Communications, la Caisse n'a eu que deux semaines pour se retourner. Le temps pressait, car

---

23. *Ibidem.*

il fallait faire une proposition à Interbrew avant que l'acquisition de Labatt soit chose faite. La Caisse a sauté sur l'occasion, une décision qu'elle n'a pas eu l'heur de regretter par la suite[24]. Mais il s'agissait d'une grosse transaction. Il fallait pouvoir bouger rapidement, avec beaucoup d'argent, c'est-à-dire pouvoir mettre sans délai 150 millions de dollars sur la table. Les organisations capables d'investir subito presto de tels montants ne sont pas légion dans le monde financier. D'où l'importance cruciale de la masse critique, de la taille.

L'autre occasion d'investissement majeur est venue avec l'acquisition de complexes immobiliers au quartier de la Défense, à Paris, en 1997. À ce moment-là, il y avait pénurie de capital pour l'immobilier en France. Plusieurs grandes sociétés cherchaient alors à se délester de leur parc immobilier pour investir dans leur activité principale, selon des stratégies de consolidation à l'échelle européenne. Des sociétés comme Bouygues, les entreprises de télécommunications, les postes, toutes avaient beaucoup d'immobilier dans leurs portefeuilles. Et elles avaient besoin de récupérer du capital pour aller faire des acquisitions. Mais les prix étaient élevés, et les acheteurs peu nombreux. La Caisse pouvait se pointer, mais à la condition de débourser 750 millions de dollars : ce qu'elle a pu faire. Encore là, la masse critique était importante.

D'ailleurs, le vaste mouvement de consolidation des gestionnaires de fonds et des entreprises à travers le monde ne laissait guère de choix à la Caisse : il lui fallait investir de plus en plus gros rien que pour rester dans le jeu. Ce simple constat l'a amenée à chercher de nouveaux moyens de croissance. Il fallait aller chercher d'autres fonds que ceux qui venaient des déposants. Car la croissance des fonds de retraite – se faisant à peu près au rythme des rendements, avec peu de nouvelles entrées de fonds – était loin d'être aussi rapide que celle des fonds mutuels, par exemple. En outre, depuis 1984, les retraits nets des déposants excèdent chaque année leurs dépôts[25]. Il apparaissait évident qu'à ce train, si la Caisse n'allait pas chercher d'autres sources de capitaux, son poids relatif sur le marché ne pourrait que diminuer.

Par ailleurs, en élargissant ses sources de capitaux, la Caisse pouvait s'engager dans d'importantes transactions sans courir trop de risque. Ainsi, pour investir 700 millions de dollars en immobilier, il faut pouvoir compter

24. Le rendement a été fort élevé après la revente à NetStar en 1999.

25. Cette tendance s'est renversée à partir de 1999.

sur un portefeuille de 6 à 7 milliards, afin de ne pas engager beaucoup plus que 10% dans un marché donné.

Mais comment la Caisse pouvait-elle gérer des fonds provenant d'autres sources que ses déposants? Il y avait différentes façons d'y arriver. Notamment, aller chercher des mandats de gestion pure. Ou faire des émissions obligataires, avec des dettes en garantie. La Caisse, par exemple, a émis des obligations hypothécaires qui lui ont permis d'aller chercher du capital supplémentaire. Elle se muait ainsi en gestionnaire d'hypothèques pour le compte des détenteurs des obligations hypothécaires, afin d'élargir son portefeuille de gestion.

Dans ce genre de financement, la Caisse pouvait s'inspirer d'exemples probants, comme GE Capital, Bombardier Capital, etc. Ces entreprises réali-sent toutes sortes de financement sur le marché. Si GE Capital est devenue un gros joueur dans le placement privé dans le monde, c'est essentiellement en développant l'expérience acquise à l'interne. Quand GE (General Electric) vendait des turbines, par exemple, il lui fallait fournir le financement. L'entreprise a donc monté, avec le temps, une équipe spécialisée, capable d'aller puiser dans le marché des capitaux pour financer ses clients. De même, quand Bombardier vend un avion, il lui faut souvent fournir le financement. C'est ce qui l'a amenée à aller solliciter les marchés financiers pour ses clients. Et une fois qu'on a ouvert la porte de ces marchés, on peut financer autre chose que des avions. On emprunte des fonds sur le marché pour s'adonner à diverses activités de financement. C'est ainsi d'ailleurs que GE Capital s'est développée comme l'une des plus grandes sociétés de financement du monde, puis elle a imparti cette activité, qui est devenue par la suite une entreprise à part entière.

Une autre façon d'aller chercher du capital, pour la Caisse, était de créer des fonds institutionnels et de s'adonner à la gestion de fonds privés. Une des initiatives marquantes, à cet égard, a été la création en 1998 d'un fonds d'investissement en infrastructures en Asie, d'une valeur de 400 millions de dollars US, en partenariat avec la Banque asiatique de développement. Dans ce cas comme dans d'autres, la Caisse choisit le gestionnaire et récolte des frais de gestion qui lui permettent d'amortir ses frais sur une masse plus grande: une opération assez rentable...

Dans les dernières années du siècle, la Caisse a donc entrepris d'explorer toute la gamme des moyens pour augmenter sa masse critique. Cette stratégie, présentée au conseil d'administration en septembre 1998, a été mise en œuvre graduellement à partir de 1999. Cette année-là, la Caisse a commencé à gérer des fonds mutuels avec les Fonds Cartier et pour le Mouvement Desjardins. Mais cette nouvelle approche nécessite bon nombre de changements dans le fonctionnement habituel de l'organisme. Un fonds mutuel exige notamment qu'on connaisse la valeur marchande du portefeuille au jour le jour. Dans une institution habituée à faire rapport à ses déposants parfois 45 jours après la fin de l'exercice, il fallait tout à coup pouvoir rendre compte du portefeuille dans les 24 heures. C'est ainsi que la nécessité de fournir des services de gestion à d'autres a amené la Caisse à se positionner au niveau des meilleurs gestionnaires de fonds, particulièrement dans les systèmes de post-marché (*back office*), de traitement informatique, de suivi des marchés (*middle office*) et de gestion de l'information.

Il faut dire que, malgré la tourmente référendaire, les obligations québécoises de 1995 s'étaient bien écoulées. De fait, la Caisse avait vendu cette année-là plus d'obligations du Québec qu'elle n'en avait achetées. Et, dans ce contexte, les investisseurs institutionnels avaient été particulièrement favorisés[26].

La Caisse progresse à l'international

Au même moment, avec la restructuration de la Caisse, s'accélère le mouvement d'internationalisation qui s'était amorcé sous l'administration précédente. Cette internationalisation se produit autant dans le domaine immobilier que dans celui de la gestion de fonds.

En immobilier, l'année 1996 marque un véritable tournant sous la direction de Fernand Perreault, un homme de confiance de Scraire qui l'avait embauché comme président de la SITQ en 1987. Pour une fois, le rendement des investissements dans ce secteur rejoint celui des titres obligataires. Et cette nouvelle rentabilité s'appuie beaucoup sur des investissements réalisés hors Québec. Mentionnons notamment l'acquisition d'un bloc majoritaire d'actions de la société immobilière Bentall, de Vancouver. Les filiales Ivanhoé et SITQ multiplient aussi les achats de centres commerciaux et d'immeubles industriels aux États-Unis, au Mexique, en Grande-Bretagne et en Europe en général. En novembre, la Caisse participe au lancement d'un fonds immobilier pour investir dans les secteurs résidentiels et les petits immeubles

26. Voir article de Rudy Le Cours, *La Presse*, 31 décembre 1996.

commerciaux en Pologne. Ce fonds de 10 millions$US est détenu à parts égales par sa filiale Cadim et le Polish American Enterprise Fund (PAEF). Cadim était déjà, en Pologne, partenaire financier de l'ACDI dans un projet de promotion résidentielle et de transfert technologique utilisant l'expertise et les matériaux québécois.

Mais les initiatives internationales de la Caisse cette année-là se font sentir bien au-delà de l'immobilier. Au début de juillet, on annonce la mise sur pied d'un consortium d'affaires québécois au Vietnam, ainsi que l'ouverture d'un bureau dans la capitale Hanoi. Ce consortium est formé de l'Alliance commerciale Québec-Vietnam, qui regroupe plus d'une quarantaine d'entreprises québécoises, de la société TIW, filiale de Télésystème National, et de deux filiales de la Caisse, Capital International CDPQ et Cadim. Le consortium peut aussi compter sur la collaboration des ministères québécois des Relations internationales, de l'Industrie et du Commerce, ainsi que des Sciences et de la Technologie. Situé entre l'aéroport et le centre-ville, le bureau de Hanoi doit servir à identifier des partenaires et des projets dans les secteurs des infrastructures et de l'immobilier.

Le 10 septembre 1996, la Caisse annonce son association avec la Caisse des dépôts et consignations de France, pour investir 50 millions de dollars dans des titres de petites et moyennes entreprises au Québec et en France. Les deux institutions s'entendent pour s'échanger les rendements obtenus dans leurs régions respectives. Déjà, en 1989, elles avaient signé un protocole de coopération[27] et convenu de travailler ensemble sur certains placements privés, ce qui a permis des investissements dans des entreprises telles que Com2i et In-Com, en Europe; et Cinar, Groupe Coscient et Telesystem International Wireless (TIW), au Québec.

Mais c'est en décembre 1996 que la Caisse annonce ce qui constitue sans doute sa plus grande initiative de l'année à l'international: la création, avec des partenaires américain, sud-américain, européen et asiatique, d'une société de gestion spécialisée dans les placements tactiques. À cet effet, la Caisse lance le fonds Varan en y investissant 250 millions de dollars, somme qui double d'un coup le portefeuille de placements tactiques déjà géré par son équipe interne. La nouvelle société a pour mission d'effectuer des placements partout dans le monde. Les activités tactiques envisagées comprennent

27. Signé en grande pompe à l'hôtel Pomereu, à Paris, par Jean Campeau et son homologue français Robert Lion.

la gestion de portefeuilles de produits dérivés englobant des marchés à terme, des options et des trocs (*swaps*) d'éléments d'actifs, ainsi que nombre de stratégies d'arbitrage dans les marchés émergents. Et chacun des cinq partenaires[28] « occupera un marché géographique spécifique, offrant ainsi une diversification qui constituera une première dans le monde de la finance ».

Par-dessus tout, la Caisse voit dans cette initiative un jalon important pour l'avenir financier de Montréal. Elle signale que « le bureau d'administration du consortium, sous la responsabilité des Conseillers en gestion globale Northern Trust, sera établi à Montréal et les autres actionnaires se sont engagés à y investir au cours des deux prochaines années, soit directement ou en partenariat ». Le vice-président Michel Nadeau s'avance même à prédire que « cette entreprise permettra de consolider le centre financier qu'est Montréal et en faire une plaque tournante d'importance pour la gestion d'actions, d'obligations, de devises et de produits dérivés sur les marchés étrangers. Ce sont des initiatives de ce type qui feront de la Caisse l'un des meilleurs gestionnaires de fonds en Amérique du Nord d'ici l'an 2000. »

Ainsi 1996, la deuxième année de l'administration Scraire, s'achève sur une note fort optimiste. La Caisse se félicite d'avoir investi, cette année-là, pas moins d'un milliard de dollars dans les entreprises québécoises et d'avoir créé ou participé à « la création d'une dizaine de nouvelles entreprises, notamment dans les domaines de la commercialisation des services informatiques destinés au secteur financier, de la promotion des centres d'appels, du financement de sociétés minières et de développement de projets d'infrastructure et du montage financier nécessaire à leur réalisation ».

Outre la nouvelle société de gestion internationale et le fonds Varan mentionnés plus haut, les nouvelles entreprises de 1996 comprennent Solfitech, créée conjointement par la Caisse et CGI, pour la mise au point, la gestion et la commercialisation de « services touchant les systèmes de gestion de portefeuille, destinés au secteur financier à l'échelle nord-américaine » ; Globagest, une entreprise de gestion des produits dérivés, créée de concert avec Gordon Capital ; la gestion de deux portefeuilles d'actions étrangères,

28. Les partenaires de la Caisse dans cette entreprise sont : Les Conseillers en gestion globale Northern Trust, une nouvelle entreprise québécoise filiale de Northern Trust Corporation, l'une des plus importantes institutions financières des États-Unis ; Omnia Asset Management, de Londres ; Opportunity Asset Management Limited, de Rio de Janeiro ; et Regent Pacific, de Hong-Kong.

d'une valeur de plus de 150 millions de dollars, confiée aux sociétés montréalaises Bolton Tremblay et Montrusco; un nouveau service financier, lancé par Capital CDPQ à l'intention de jeunes entreprises dûment parrainées et où les investissements peuvent s'échelonner de 25 000$ à 250 000$; un réseau régional d'affaires, Accès Capital, que la Caisse vient de lancer en décembre 1996, avec un capital initial de 60 millions de dollars, pour répondre aux besoins de financement de 50 000$ à 750 000$ des PME québécoises; Sodémex, une nouvelle filiale créée en partenariat avec la SOQUEM (Société québécoise d'exploration minière) pour investir dans de petites sociétés minières; Infradev, société mise sur pied en collaboration avec la Banque Royale du Canada, la compagnie d'assurance ManuVie et Hydro-Québec pour offrir aux entreprises québécoises le financement préliminaire de projets d'infrastructure à l'étranger, notamment dans le domaine de l'énergie, mais aussi dans les transports, les télécommunications et l'environnement. Enfin, Capital d'Amérique a collaboré avec Bell Canada, Investissement Desjardins et le Fonds de Solidarité des travailleurs du Québec, pour le démarrage de la Corporation de commercialisation des centres d'appels du Québec (CCCQ).

Dans le secteur immobilier, la performance a été remarquable en 1996. Ivanhoé a porté son rendement à 13,7% (contre 0,9% en 1995). Ce résultat s'explique en bonne partie par le fait que la société a concentré son activité dans son champ d'expertise, les centres commerciaux. Elle a fait des acquisitions aux États-Unis et investi au Canada, en achetant une participation supplémentaire dans Le Carrefour Laval et Les Promenades Saint-Bruno, et des actions additionnelles dans les Centres commerciaux Cambridge, où sa participation est passée de 31% à 35%.

La SITQ Immobilier a connu aussi une hausse marquée de son rendement, qui a crû de 4,1% en 1995 à 10,8% en 1996, surpassant du coup les indices de référence. Parmi les principaux placements de la société, mentionnons l'acquisition d'une participation majoritaire (55%) dans le Centre de commerce mondial de Montréal. À la fin de 1996, le portefeuille de la SITQ, évalué à 1,7 milliard de dollars, était constitué de 191 immeubles, totalisant plus de 25 millions de pieds carrés en Amérique du Nord et en Europe.

Mais ce n'était là que l'amorce d'une expansion beaucoup plus large pour les sociétés immobilières de la Caisse. Dès le printemps suivant, le 22 avril 1997, la SITQ concluait un partenariat avec la Compagnie Générale d'Immobilier et de Services (C.G.I.S.), une filiale de la Compagnie Générale des Eaux en France, pour l'acquisition d'un parc d'immeubles à bureaux dans le quartier de la Défense, à Paris. Il s'agissait notamment des Tours Esplanade et Pacific, à proximité de la Grande Arche, une superficie totalisant 1,1 million de pieds carrés, et des immeubles Michelet, Utopia et Diamant, d'une superficie de 385 000 pieds carrés.

La Caisse sur Internet

L'année 1996 avait aussi vu la Caisse entrer dans la nouvelle ère de l'information, en s'affichant sur Internet. L'institution avait inauguré son site Web au Café électronique de la rue Saint-Sulpice, à Montréal, le 26 septembre 1996. «Il n'y a pas si longtemps, avait déclaré Jean-Claude Scraire pour l'occasion, l'or était le garant de la valeur de nos monnaies. Aujourd'hui, la valeur des devises, la valeur des titres détenus par la Caisse et par tous les investisseurs, partout dans le monde, est déterminée non plus par un étalon or, mais bien par ce qu'on pourrait appeler un étalon information. Aujourd'hui, l'ensemble des données financières de la planète est informatisé et cet ensemble est accessible grâce aux réseaux électroniques comme Internet, qui devient la voie d'accès la plus fréquentée.»

Sur le Web, la Caisse avait pris quelque retard par rapport aux grandes institutions financières canadiennes, qui toutes avaient déjà leur site en ligne. Petite consolation, elle avait précédé le Mouvement Desjardins, mais d'une courte tête: quatre jours à peine!

Le site www.lacaisse.com comportait, dès le départ, diverses informations de base sur la Caisse et ses filiales: ventilation de l'actif, mission de chaque filiale, positions sur les marchés, profils des dirigeants, discours et allocutions, ainsi que les communiqués et les publications spécialisées de l'institution. Un mois plus tard, y apparaissaient en outre des études sur la conjoncture économique dans divers pays et deux tableaux de renseignements sur les principaux placements boursiers de la Caisse. On peut dire que jamais auparavant la Caisse n'avait mis autant d'informations en permanence à la disposition du public.

Développement du secteur financier à Montréal

L'un des principaux chevaux de bataille de la Caisse ces années-là, c'est le maintien et le développement d'un secteur de services financiers à Montréal.

En octobre 1996, Canagex, une filiale du Mouvement Desjardins, avait décidé de transférer la gestion de son portefeuille d'actions canadiennes à Toronto. Cette décision n'avait pas manqué de susciter de la grogne dans les milieux financiers montréalais. La Caisse avait manifesté publiquement son étonnement. Dans un communiqué daté du 18 octobre, elle trouvait « la décision de Canagex de recruter des gestionnaires à l'extérieur de Montréal surprenante, compte tenu de la disponibilité de gestionnaires qualifiés à Montréal ». Elle offrait sa collaboration à Desjardins pour « rebâtir une équipe de gestion à Montréal ».

Mais la Caisse ne voulait pas en rester là. Le 7 novembre 1996, afin de renforcer la masse critique de portefeuilles d'actions étrangères gérés à Montréal, elle confie aux maisons montréalaises Bolton Tremblay et Montrusco la gestion de deux portefeuilles totalisant 150 millions de dollars. Et dans les mois qui suivent, les initiatives de la Caisse se succèdent pour renforcer le secteur des services financiers dans la métropole québécoise. Le 23 janvier 1997, Capital CDPQ annonce son intention d'investir 15 millions de dollars dans des PME québécoises du secteur des services financiers. L'objectif est « d'appuyer les entreprises qui ont un fort potentiel de croissance, et de favoriser l'émergence de nouvelles entreprises dans ce secteur d'activité ». Capital CDPQ compte favoriser « les entreprises de conception, de gestion et de distribution de produits financiers, offrant des services tels que la gestion de portefeuilles institutionnels et de patrimoines familiaux, la gestion et la distribution de fonds mutuels, l'évaluation et l'analyse de produits financiers ». Et l'investissement par entreprise pourra varier de 25 000$ à 1 000 000$, sous diverses formes : actions ordinaires, prêts, débentures convertibles ou participatives. Dès le 17 juillet suivant, un montant de 400 000$ était investi dans deux nouvelles entreprises, Kogeva Investissements Internationaux et Avantages Services Financiers.

Mais le geste le plus significatif devait être fait en septembre 1997, avec la création de Services financiers CDPQ. Jean-Claude Scraire l'annonce lui-même, le 3 septembre, devant les membres de la Commission des finances publiques de l'Assemblée nationale du Québec. La nouvelle société se donne comme mission de devenir « un partenaire structurant » et « un investisseur proactif» dans le secteur des services financiers et des fonds communs de placement. L'objectif est de combler le retard important que le Québec a pris dans ce secteur. Car si la province francophone contribuait alors pour près de 14% de l'actif canadien en fonds communs, ses gestionnaires n'en contrôlaient que de 4% à 5%! Avec Services financiers CDPQ, la Caisse vise à augmenter «de 15 milliards d'ici l'an 2002 les fonds sous gestion sur la place financière à Montréal et au Québec».

Essor de la participation dans les entreprises

Parallèlement à ces efforts pour développer les services financiers, la Caisse augmentait à un niveau sans précédent sa participation dans les entreprises. Dès 1996, par l'entremise des six filiales[29] de placements négociés mises sur pied l'année précédente, plus de un milliard de dollars étaient investis, et le nombre d'entreprises financées passait de 206 à 269. En outre, la Caisse pouvait trompeter un «rendement exceptionnel» de 31,5% pour ces participations.

L'essor se poursuit de plus belle en 1997, avec le lancement d'une nouvelle filiale technologique, T2C2, dirigée par Bernard Coupal et dont la capitalisation s'élève à 60 millions de dollars. Il s'agit, en fait, de deux sociétés en commandite: T2C2/Bio et T2C2/Info, spécialisées respectivement dans les secteurs des sciences de la santé (englobant la biotechnologie, le domaine pharmaceutique et l'équipement médical) et des technologies de l'information (regroupant le multimédia, les logiciels, l'électronique et les télécommunications). La mission de ces sociétés, comme on l'annonce le 7 mai 1997, consiste à fournir le capital de départ pour «l'identification, l'évaluation et la commercialisation des technologies issues principalement des milieux universitaires et des centres de recherche privés et publics».

Quelques mois plus tard, le 20 août 1997, Capital d'Amérique CDPQ annonce un investissement de 15 millions de dollars dans la création de Sodémex II, une nouvelle société de développement des entreprises minières et d'exploration. Cette nouvelle société en commandite s'inscrit dans la foulée de Sodémex I, une initiative de la Caisse lancée en décembre précédent, avec la participation de la SOQUEM. On précise que la création de Sodémex II

---

29. Capital CDPQ, Sofinov, Société financière d'innovation, Capital Communications CDPQ, Capital International CDPQ et Capital d'Amérique CDPQ.

vise «la prise de participation dans des petites sociétés québécoises d'exploration et des producteurs miniers dont la capitalisation est inférieure à 125 millions de dollars».

Au début de décembre, devant la Chambre de commerce française au Canada, Jean-Claude Scraire déclare que la Caisse veut doubler le portefeuille de Sofinov, sa filiale d'investissement en innovation technologique, pour le porter de 450 millions à 1 milliard de dollars. Dans les jours qui suivent, deux projets de Sofinov sont annoncés, dont un investissement de 5 millions de dollars US dans Onset Enterprise Associates, L.P. (OEA III) de Onset Ventures (fonds américain de capital de risque qui concentre ses activités à Menlo Park, au sud de San Francisco en Californie, et à Austin dans l'État du Texas). Ce fonds «se spécialisera dans le financement de projets de pré-démarrage et de démarrage d'entreprises de technologies de pointe et privilégiera les secteurs suivants: logiciels et matériel informatique, produits et services de communication, processus de distribution pharmaceutique et instrumentation et équipement médicaux. Puis, le 18 décembre 1997, par le biais de Sofinov, la Caisse s'associe à la Société générale de financement du Québec (SGF) et au Fonds de solidarité des travailleurs du Québec (FTQ) pour créer la Société de développement du magnésium (SDM), «une société en commandite qui aura pour mission de contribuer à l'implantation d'une industrie intégrée de la transformation du magnésium au Québec». On s'attend à ce qu'au début du XXIe siècle, la production du magnésium au Québec se chiffre à «plus de 100 000 tonnes par année» et que le Québec soit, à ce moment-là, «un des plus grands producteurs de magnésium au monde».

Somme toute, en 1997, la Caisse aura placé pas moins de 1,5 milliard de dollars dans les entreprises québécoises, soit 1,2 milliard venant des filiales de participation et 300 millions venant des secteurs hypothécaires et immobiliers. Par ailleurs, la valeur des placements autorisés au Québec par les six filiales de participations a augmenté de 200 millions de dollars par rapport à l'année précédente.

Fraudes et altercations

Il faut dire que l'année 1997 n'a pas été sans secousses, même si celles-ci ont été mineures par rapport à ce qui s'est passé à l'époque du référendum. Au printemps, en parallèle avec la crise financière dans le Sud-Est asiatique, avait éclaté le scandale des fausses mines d'or de la Bre-X en Indonésie. Comme beaucoup d'investisseurs, institutionnels ou autres, la Caisse a perdu beaucoup d'argent dans cette fraude minière. Et l'affaire n'a pas manqué de soulever des critiques de la part de certains observateurs, qui ont encore vu là une occasion (en or!) de taper sur la tête de la Caisse, lui reprochant son manque de perspicacité – facile à dire après coup! – pour avoir investi dans le faux filon de la Bre-X et dilapidé ainsi les fonds publics. De fait, la Caisse y a laissé 80 millions de dollars. Mais beaucoup d'investisseurs institutionnels ont perdu autant, sinon plus, car les actions de la Bre-X Minerals, 34e société en importance à la Bourse de Toronto – où elle faisait partie de l'indice TSE 300 –, étaient recommandées par toutes les maisons de courtage.

Cette année-là également, il y a eu une campagne intensive de la part d'Yves Michaud – qu'on a surnommé le «Robin des banques» – pour forcer les institutions bancaires à se démocratiser et à donner voix au chapitre à tous leurs actionnaires. La Caisse, qui a déjà défendu le droit des actionnaires comme on l'a vu au chapitre 5 lors de l'affaire Inco, n'a pas ménagé son appui à ces efforts de démocratisation.

Autre événement qui a fait couler beaucoup d'encre: une altercation de la Caisse avec le Vérificateur général du Québec. Celui-ci voulait analyser les méthodes de gestion de l'institution et non pas seulement ses états financiers. L'affaire a même été débattue en commission parlementaire. À cette occasion, en septembre 1997, Scraire et ses principaux lieutenants ont défendu efficacement le travail de la Caisse. «Jugez-nous à nos résultats!», ont-ils proclamé pour l'essentiel. «La Caisse a enregistré au cours des 30 derniers mois 20 milliards de profits», de dire Scraire. «C'est 600 millions par mois et 20 millions par jour, y compris les jours de fin de semaine et les jours fériés[30].» Et comme le rendement montrait une nette progression depuis deux années consécutives, les membres de la commission parlementaire n'ont pas insisté davantage; d'autant plus que le premier ministre Bouchard lui-même a donné raison à la Caisse face aux exigences du Vérificateur général. Cet épisode a d'ailleurs eu pour effet de marquer davantage l'autonomie de la Caisse par rapport au gouvernement du Québec.

Et comme pour lui donner encore plus de latitude, un amendement à la loi constitutive de la Caisse survient avant la fin de l'année (19 décembre

30. Mario Cloutier, «La Caisse de dépôt en commission parlementaire – Scraire remet les pendules à l'heure», *Le Devoir*, 5 septembre 1997.

1997), afin de permettre à l'institution de porter son portefeuille d'actions jusqu'à 70% de son actif. La proportion autorisée jusque-là était de 40% depuis le début des années 1990. Elle était restée à 30% durant les vingt-cinq premières années de la Caisse. En outre, pour ce qui est des placements négociés, la loi autorise désormais la Caisse à détenir plus de 30% de la valeur d'une entreprise, «dans certaines circonstances telles que le démarrage». Ces changements à la loi constitutive ont sans doute permis à la Caisse de rehausser encore ses rendements dans les années suivantes. Mais, surtout, ils ont ouvert la voie à la gestion de fonds pour des tiers, une activité qui allait devenir pour l'institution un axe majeur d'expansion sur la scène internationale.

Nouvelles sources de revenu à l'international

On a vu que l'activité de la Caisse à l'international avait pris un véritable envol dès 1996. Dans la foulée de sa stratégie pour aller chercher d'autres sources de revenu, l'institution avait annoncé, à la fin de cette année-là, deux investissements dans des sociétés internationales en commandite par le biais de sa filiale Capital International CDPQ. Le premier concernait un investissement de 20 millions de dollars US dans la société en commandite Asia Pacific Growth Fund III, L.P., gérée par H&Q Asia Pacific Ltd. Celle-ci n'est pas la dernière venue. Elle gère onze fonds d'investissement dans huit pays d'Asie, ses principales places d'affaires sont Hong Kong, Singapour et Taipei, et son équipe de gestionnaires figure «parmi les pionniers du placement négocié en Asie». De prime abord, la Caisse voyait la participation dans ce fonds comme l'occasion de «compter sur l'expertise d'un gestionnaire qui sera recruté par la Caisse et intégré à l'équipe de H&QAP. De son bureau en Asie, ce gestionnaire sera chargé de déceler les possibilités de transferts de technologie, de coentreprises ou d'autres formes d'alliances stratégiques avec des entreprises québécoises. Il pourra également exécuter des mandats de service rémunérés pour le compte d'entreprises québécoises et étrangères.» Pour la Caisse, il ne s'agissait pas de la première incursion de ce genre en Asie, puisque Capital International CDPQ détenait déjà une participation dans deux fonds asiatiques spécialisés dans le capital de développement, Jafco et China Renaissance.

Un autre investissement de Capital International CDPQ est annoncé le 16 décembre 1996, soit 17,5 M$ US dans la société en commandite TA/

Advent VIII L.P., gérée par TA Associates de Boston. En 1993, la Caisse avait déjà souscrit 7,6 M$ US dans le fonds TA/Advent VII L.P. Il faut signaler que TA Associates, société d'investissement américaine réputée, qui gère des fonds totalisant plus de 2 G$ US, investit principalement en Amérique du Nord dans des entreprises en forte croissance et dans des secteurs prometteurs tels que les logiciels, les télécommunications, les services financiers, les services de santé et les produits de consommation.

Cette stratégie se poursuivit de plus belle en 1997. Dès le début de l'année (15 janvier), la Caisse faisait connaître son intention d'investir avec la Banque asiatique de développement dans un fonds qui permettrait l'expansion d'entreprises québécoises en Asie. Le projet se concrétisera l'année suivante, le 29 avril 1998, quand, à partir de Genève, Jean-Claude Scraire annoncera que le Groupe Financier Caisse inaugure un fonds d'investissements en infrastructures de 400 millions de dollars US, avec son partenaire la Banque asiatique de développement. De fait, la Caisse engage au départ 200 millions de dollars US dans le Asia Equity Infrastructure Fund[31]. Ce fonds, comme l'indique le communiqué, «investira en qualité d'actionnaire dans des projets de construction de réseaux de transport routier et ferroviaire, d'installations portuaires, d'usines de production et de réseaux de distribution d'énergie, et autres projets d'infrastructure liés aux domaines des télécommunications, à la distribution d'eau et au traitement des eaux usées. L'investissement de la Caisse est effectué par l'intermédiaire de sa filiale Capital International CDPQ.» Dans un premier temps, on vise surtout la Thaïlande, les Philippines, la Malaisie et les «pays de la grande région du Mékong».

Une autre initiative d'envergure à l'international intervient en décembre 1997, avec un investissement de Capital International CDPQ dans un fonds polonais et l'établissement d'un bureau de représentation à Varsovie. Il s'agit d'un investissement de 20 millions de dollars US dans le Polish Enterprise Fund L.P., un nouveau fonds polonais de 164 millions de dollars US. Parmi les autres partenaires figure la Banque européenne de Reconstruction et de Développement, pour un montant de 30 millions de dollars US. Géré par Enterprise Investors Corporation, dont les bureaux se trouvent principalement à Varsovie et à New York, ce fonds a pour objectif «d'investir sous forme de participations au capital-actions dans des entreprises polonaises

31. Plusieurs partenaires d'envergure viendront s'y joindre par la suite, notamment le groupe AMP Life (Australie), la Nippon Life (Japon), le groupe Axa (France), GIMV (Belgique), Perez Companc (Argentine) et le Fonds de solidarité des travailleurs du Québec.

privatisées en cours d'expansion ou en voie de privatisation, ainsi que dans des coentreprises avec des partenaires de l'Ouest».

Fort rendement des participations et de l'immobilier

En 1997, les filiales de participation ont enregistré un rendement de 23,4%, selon les chiffres publiés par la Caisse le 6 avril 1998. Le communiqué mentionne que, «grâce à des investissements de 1,9 milliard de dollars dans leurs créneaux respectifs, soit presque le double de l'an dernier, les filiales ont porté le nombre d'entreprises en portefeuille à 367 au 31 décembre 1997, contre 269 un an plus tôt. La valeur globale du portefeuille consolidé a ainsi augmenté de plus de 30% et s'élève maintenant à 4,6 milliards de dollars contre 3,5 milliards à la fin de 1996. Ce montant se compose des nouveaux investissements de 1,9 milliard de dollars, de l'appréciation du portefeuille de 661 millions et de la vente de 1,5 milliard de certains éléments d'actif.» Pour sa part, Capital CDPQ, qui effectue des investissements dans les entreprises québécoises, a continué d'étendre le réseau Accès Capital, et par l'entremise des sociétés Accès Capital, justement, a procédé au lancement d'un nouveau produit financier, le prêt participatif. En 1997, le rendement combiné de Capital CDPQ et d'Accès Capital a atteint 10,30%. Par ailleurs, Capital d'Amérique CDPQ a enregistré un rendement de 22,07%. En 1997, elle a participé à l'entrée en activité de la Corporation de commercialisation de centres d'appel du Québec. Elle a aussi contribué à la mise sur pied de Sodémex II. De son côté, Capital Communications CDPQ a affiché un rendement de 25,68% en 1997. Cette société a «considérablement accru sa présence au Québec et à l'étranger» au cours de l'année. Sofinov a doublé la taille de son portefeuille par rapport à 1996. Elle a effectué 67 placements dans les secteurs de la santé et de la biotechnologie, ainsi que des technologies industrielles et de l'information. Capital International CDPQ, dont le rendement s'est élevé à 22,64% en 1997, a continué d'étendre son réseau international, surtout en Europe et en Asie, en s'associant à d'importants fonds étrangers et à des banques d'affaires et en ouvrant des bureaux à Manille et à Milan. Pour sa part, Infradev International, dont la mission est de répondre aux besoins de financement et d'expertise en montage financier dans le secteur des infrastructures à l'échelle nationale et internationale, s'est penchée sur une quarantaine de dossiers dans divers secteurs d'activité, notamment en Asie et en Amérique latine.

Les placements immobiliers, quant à eux, ont augmenté de plus de 33%. Ils sont passés de 2,4 milliards en 1996 à 3,2 milliards de dollars au 31 décembre 1997, procurant un rendement global de 20,4%, ce qui dépassait largement l'indice de référence[32] cette année-là. Cette performance, la Caisse l'attribue en bonne partie «à ses choix stratégiques de placements et à son positionnement sur les marchés à travers le monde – en particulier sur les marchés boursiers au Canada où le GIC a bonifié ses placements dans Bentall (Vancouver) et Centres commerciaux Cambridge – de même qu'à ses placements dans des immeubles résidentiels aux États-Unis et dans des centres commerciaux au Royaume-Uni».

Ainsi, le Groupe immobilier Caisse se classe dès lors premier propriétaire immobilier au Québec, avec plus de 21 millions de pieds carrés, et second au Canada, avec plus de 40 millions de pieds carrés. Le GIC occupe aussi le premier rang au Québec pour les édifices commerciaux et les édifices de bureaux, avec respectivement 10,4 et 5,3 millions de pieds carrés. Cette expansion allait se poursuivre de plus belle dans les années à venir.

32. Cet indice, le MLH+A, s'établissait à 17,7% en 1997.

CHAPITRE 8

Cent milliards pour boucler le siècle

À travers les soubresauts de l'économie mondiale, les deux dernières années du XXe siècle verront la Caisse accélérer sa progression pour dépasser le cap des 100 milliards de dollars en actif sous gestion. Pendant qu'au Québec des dossiers comme la tentative d'OPA sur Air Canada, la vente de Provigo et le transfert d'une majeure partie de la Bourse de Montréal retiennent l'attention, la Caisse multiplie les initiatives à l'international et dans l'immobilier, les fers de lance d'une expansion sans précédent de l'institution.

L'année 1998 avait démarré sur une note catastrophique au Québec, avec une tempête de verglas qui avait démoli les lignes de transmission électrique et mis Montréal au bord du chaos pendant quelques jours. Le 12 janvier, la Caisse avait cru bon d'émettre un communiqué pour signaler que, malgré les pannes d'électricité, elle continuait de fonctionner avec un «effectif réduit» grâce à des génératrices de courant, car les marchés financiers ne s'arrêtent jamais.

Il faut dire qu'en ce début d'année, la conjoncture économique mondiale laissait entrevoir des signes inquiétants, avec une crise qui s'intensifiait en Asie, particulièrement au Japon, et qui menaçait d'emporter plusieurs économies émergentes. Plus tard, dans son rapport annuel, la Caisse décrira ainsi les soubresauts de 1998:

> [...] les marchés financiers sont devenus très perméables aux fluctuations économiques et politiques mondiales [...] Qu'il s'agisse de la crise économique en Asie, du moratoire sur la dette en Russie, ou encore du cri d'alarme lancé par le Brésil au Fonds monétaire international, ces événements, quoique souvent

fort éloignés géographiquement, ont fortement influencé tous les grands marchés financiers[1].

En fin de compte, la Caisse ne sera pas beaucoup affectée par la tourmente financière mondiale cette année-là. Un des éléments de sa stratégie a été de repositionner son portefeuille[2], grâce notamment à la nouvelle loi qui lui permettait de hausser la proportion de titres boursiers en sa possession. Elle allait porter ces titres à plus de 45% de son actif total à la fin de 1998. La valeur de ses placements négociés dépassait, à ce moment-là, 6,5 milliards de dollars, dans plus de 450 sociétés et fonds québécois, canadiens et étrangers.

Du côté québécois, la Caisse a investi plus de 1,2 milliard de dollars en nouveaux placements en 1998, soit plus de 800 millions dans les entreprises, et plus de 430 millions de dollars dans l'immobilier et l'hypothécaire. Le réseau Accès Capital s'est accru, par l'ouverture de trois autres bureaux en région: dans le Centre-du-Québec, en Montérégie et à Montréal. Ce réseau comptait, à la fin de 1998, onze sociétés d'investissement à travers le Québec, qui mettaient à la disposition des petites entreprises un capital de plus de 90 millions de dollars. D'ailleurs, afin d'élargir l'éventail des produits et services financiers offerts aux entreprises québécoises, la Caisse a mis en place, en association avec la Banque Nationale, une nouvelle société financière spécialisée dans le domaine du crédit-bail, Alter Moneta[3].

Et, comme rien de ce qui est financier ou commercial ne saurait lui être étranger, la Caisse s'est impliquée dans le domaine de la mode en lançant la société Montréal Mode, en juin 1999. Une filiale dotée d'un capital de démarrage de 30 millions de dollars et répartie en deux divisions: Montréal Mode International et Montréal Mode Investissements. Il faut dire que la mode et le design de mode sont particulièrement développés à Montréal, où l'on compte une centaine de designers ou couturiers indépendants, environ 1500 entreprises et quelque 72 000 employés, avec des ventes annuelles de 4,2 milliards de dollars! En lançant cette nouvelle société, qu'elle possède à 100%, la Caisse a voulu «regrouper en un seul véhicule le soutien à la mode

1. Caisse de dépôt et placement du Québec, *Rapport annuel 1998*, p. 5.

2. Selon les explications de la Caisse, «une nouvelle pondération a été mise en place dans le cadre de l'adoption d'une stratégie de diversification géographique, réalisée à la faveur de la baisse des marchés». «Bilan financier 1998...», communiqué du 8 janvier 1999.

3. Annoncée le 29 octobre 1998. La nouvelle société était dotée d'un capital initial de 20 millions de dollars.

québécoise, du financement à la mise en marché». Elle a choisi comme présidente de Montréal Mode International Chantal Lévesque, designer bien connue dans le milieu pour avoir créé la griffe Shan[4].

S'imposer dans l'arène mondiale

Tout en augmentant ses placements au Québec, la Caisse s'engageait de plus en plus sur d'autres marchés plus vastes. Un mouvement d'une importance vitale pour elle, en cette période d'accélération technologique. Car dopée par la révolution des télécommunications et le phénomène Internet, la mondialisation de l'économie se poursuivait crescendo. Les acquisitions, les fusions et les alliances se forgeaient d'un continent à l'autre. Au fond, il n'y avait plus qu'un vaste marché, et c'est dans ce monde de géants – sinon de pachydermes – que la Caisse devait tirer son épingle du jeu.

Conformément à une stratégie déjà en cours depuis 1995, la Caisse mettait tout en œuvre pour aller chercher d'autres sources de revenus que ses déposants et augmenter ainsi sa taille afin de pouvoir mieux jouer dans l'arène mondiale des gestionnaires de fond. Ces nouvelles sources de revenus ne pouvaient se trouver qu'à l'international. Les années 1998 et 1999 devaient donc voir une intensification de cette poussée vers les marchés internationaux les plus prometteurs. Ainsi, le 20 janvier 1998, une entente de partenariat était annoncée entre Capital International CDPQ et Exxel Capital Partners V, L.P., une entreprise qui gère des fonds d'investissement en Argentine et au Brésil. Cette entente avait été prise dans le cadre de la mission commerciale d'Équipe Canada en Amérique latine, à laquelle participait le président de la Caisse. Capital International, la filiale de la Caisse, plaçait 25 millions de dollars US dans le fonds Exxel, dont la stratégie d'investissement est de «prendre des participations majoritaires dans des entreprises privées d'Argentine et du Brésil». Dans la foulée de cette entente, la Caisse annonçait, le même jour, l'ouverture d'un bureau à Buenos Aires, destiné à promouvoir les exportations québécoises dans la zone de libre-échange du Mercosur, qui comprend l'Argentine, la Bolivie, le Brésil, le Chili, le Paraguay et l'Uruguay. Il s'agissait déjà du sixième bureau établi par la Caisse à travers le monde en quelques années.

4. Partie d'une excellente idée – restructurer une industrie originale à Montréal –, l'initiative Montréal Mode allait assez vite s'avérer désastreuse, à cause notamment de vives tensions dans le milieu du design de mode.

Le 26 mai 1998, de concert avec Télésystème ltée (l'entreprise de Charles Sirois), la Caisse mettait sur pied une société d'exportation, le groupe Expordev. D'autres entreprises et organismes vinrent s'y joindre avant la fin de l'année, notamment Bombardier, SNC-Lavalin, Bronterra International et la Société pour l'expansion des exportations (SEE). L'objectif visé: répondre aux besoins des entreprises québécoises en matière d'exportation, particulièrement des PME. Et la mission, «assurer, par le biais de partenariats et d'investissements, la commercialisation de produits québécois à valeur ajoutée dans des marchés ayant un fort potentiel».

Dans le même esprit, la Caisse s'associait avec le Fonds de solidarité des travailleurs du Québec, le 9 septembre 1998, afin de créer le Fonds Cadim-FSTQ, nouveaux marchés, un véhicule financier «destiné à la fois au financement de projets immobiliers, de construction et d'exportation». Doté d'un capital initial de 50 millions de dollars, investi à parts égales par le Fonds de solidarité et deux filiales de la Caisse (Cadim et Capital International CDPQ), ce fonds vise les nouveaux marchés émergents d'Europe centrale, d'Amérique latine et d'ailleurs. Jean-Claude Scraire soulignait à cette occasion les bénéfices qu'allaient en retirer les entreprises québécoises:

> Nous profitons et faisons profiter de l'expérience de la Caisse dans ces marchés prometteurs, pensons entre autres à nos démarches au Vietnam, en Pologne ou au Mexique. Cela s'inscrit parfaitement dans notre volonté d'accompagnement des entreprises québécoises dans leur démarche vers la mondialisation de façon à contribuer au dynamisme de notre économie tout en optimisant le rendement de nos placements[5].

Scraire donnait l'exemple concret d'un premier investissement de 4,3 M$ US dans le projet de construction résidentielle polonais Julianowska, à Piaseczno, en banlieue de Varsovie. Il s'agit de 312 unités en copropriété. Outre la contribution du nouveau Fonds Cadim-FSTQ, l'investissement devait se faire «en partenariat avec des entrepreneurs québécois, soit LSR Construction, J.O. Lévesque ltée et Carole Handfield/Chris Lewandowski».

Une troisième initiative financière pour soutenir l'expansion internationale des entreprises québécoises a lieu, cette année-là, avec l'instauration du Programme Accès Capital International, qui «finance la mise sur pied de sociétés québécoises à l'étranger et de coentreprises entre des sociétés québé-

---

5. «La CDPQ et le Fonds de solidarité des travailleurs du Québec (FSTQ) unissent leurs forces...», communiqué du 9 septembre 1998.

coises et des sociétés étrangères dans tous les secteurs d'activités». En outre, de concert avec Services financiers CDPQ, Capital International participe à la création de CDPQ Conseil, «société qui a pour mandat d'évaluer et de concrétiser de nouvelles occasions d'affaires permettant à la Caisse et à ses entreprises partenaires de mettre sur pied, d'administrer et de gérer des régimes de retraite ainsi que des réserves d'assurances, de placements et d'épargne pour le compte de sociétés étrangères»[6]. Le premier contrat de consultation avait été conclu avec la Caisse de Dépôt et de Gestion du Maroc.

C'est aussi en 1998, comme on l'a vu au chapitre précédent, que la Caisse a lancé un fonds d'investissement dans des projets d'infrastructure en Asie, appelé Asia Equity Infrastructure Fund.

Cet élan vers l'international s'est poursuivi de plus belle en 1999. L'une des initiatives les plus marquantes à cet égard allait être une alliance avec le géant de l'informatique Microsoft et une autre entreprise américaine (QUALCOMM) en Corée. Annoncée le 16 novembre 1999, l'entente portait sur le financement de la firme de télécommunications Korea Telecom Freetel (KTF), pour un montant total de plus de 600 millions de dollars US. Il s'agit, soulignait-on, du «plus important investissement étranger jamais enregistré dans le secteur des télécommunications en Corée». C'était là une illustration que la Caisse commençait à avoir la taille nécessaire pour s'engager dans des opérations de financement de grande envergure. L'investissement se faisait dans un secteur de pointe, le sans-fil, et dans une entreprise en pleine expansion. Car, en deux ans seulement, KTF était devenue le premier fournisseur de services de communications personnelles (SCP) en Corée, en accaparant 20% du marché.

Quand le bâtiment va…

Il n'y a pas que les fonds d'investissement et les coentreprises où la Caisse étend ses ramifications à l'international en cette fin de millénaire. Il y a l'immobilier. Déjà au bord de la saturation au Québec et au Canada dans ce secteur, elle surveille les occasions qui se présentent à l'étranger. Elle investit aux États-Unis, au Mexique, en Europe. En avril 1999, par exemple, la filiale Ivanhoé annonçait son premier investissement en Europe centrale.

6. Caisse de dépôt et placement du Québec, *Rapport annuel 1998*, p. 11.

En janvier 2000, par l'intermédiaire de sa filiale SITQ Europe, la Caisse acquérait des droits de construire sur 202 000 m² à Paris[7], y compris une tour de 35 étages avec 600 places de stationnement, la Tour Adria. En ce début de millénaire, la CDP possède déjà 25 immeubles résidentiels ou commerciaux en partenariat, à Paris seulement. D'une valeur totale de 868 millions d'euros (1,3 milliard de dollars canadiens), ce portefeuille comprend notamment six immeubles situés à La Défense, soit L'Esplanade, Le Pacifique, L'Utopia, Le Michelet, Le Diamant, Le Prisma, ainsi que deux autres de type hausmanien, soit L'Anjou et Le Friedland, situés ailleurs dans Paris. De fait, dressant un bilan de sa présence en Europe le 12 janvier 2000, la Caisse faisait état d'investissements atteignant les 10,4 milliards de dollars canadiens (7,1 milliards d'euros), en participations et placements immobiliers, boursiers et obligataires. Pour concrétiser cette présence, elle a ouvert des bureaux non seulement à Paris, mais aussi à Bruxelles, à Milan, à Bilbao, à Varsovie et à Budapest.

Il n'empêche que l'un des plus grands coups de la Caisse, du côté immobilier, s'est réalisé au Canada au début de 1999, avec le rachat par Ivanhoé de la majorité des actions des centres commerciaux Cambridge. Lancée à la fin de 1998, l'opération a été complétée le 2 mars 1999 par l'acquisition de 73% des actions de Cambridge. Plusieurs ont vu dans cette transaction importante une sorte de compensation pour la perte de Provigo, à peu près au même moment.

Un autre grand coup, même s'il ne fait pas partie à strictement parler de l'immobilier, fut la participation de la Caisse à l'acquisition, en avril 1999, de la route à péage 407, dans la région métropolitaine de Toronto. Une première au Canada. Par le biais de sa filiale Capital d'Amérique, la CDP avait formé un consortium avec le groupe montréalais SNC-Lavalin et la société espagnole Grupo Ferrovial/Cintra pour se partager l'achat et l'exploitation de l'autoroute ontarienne, dont le coût est de 4 milliards de dollars. La propriété est répartie ainsi: Grupo Ferrovial/Cintra, 61%, SNC-Lavalin, 23%, et Capital d'Amérique, 16%.

Entre-temps, poursuivant sur sa lancée au Québec, Ivanhoé devenait propriétaire de Place Montréal Trust le 7 juillet 1999. Puis, le 24 novembre suivant, elle complétait l'achat de l'édifice Eaton, au centre-ville de Montréal, à la suite de la faillite des magasins Eaton. (Moins d'un an plus tard, en juillet

7. En partenariat avec le Fonds américain Colony Capital.

2000, la filiale immobilière de la Caisse allait acquérir le Centre Eaton au terme d'un échange de centres commerciaux avec Cadillac Fairview.) Enfin, une autre acquisition d'importance à Montréal vint enrichir le portefeuille de la Caisse, en mars 2000: la Place Ville-Marie. Vous souvenez-vous d'un livre du journaliste Henry Aubin, *Les vrais propriétaires de Montréal*[8]? Cet ouvrage avait fait beaucoup de bruit dans les années 1970, parce qu'il décrivait une ville dont les plus importants immeubles commerciaux, et notamment la Place Ville-Marie, appartenaient à des intérêts étrangers. Il semble que, vingt ans plus tard, la Caisse ait complètement renversé la situation, en devenant le plus important propriétaire foncier de Montréal.

Une autre filiale immobilière de la Caisse, la SITQ, s'est associée en 1998 à l'implantation de la Cité du multimédia de Montréal, dans le quartier du Faubourg des Récollets. De concert avec ses partenaires[9], la Caisse investira à elle seule 70 millions de dollars dans ce projet, l'un des plus gros chantiers de Montréal, qui comporte un ensemble de 800 000 pieds carrés en construction ou en rénovation. La Caisse est aussi associée dans la mise sur pied d'un Centre de développement des technologies de l'information (CDTI) à Laval, un projet de 60 millions de dollars; et dans la construction du Complexe Sphèretech à Saint-Laurent, un chantier qui tourne dans les 100 millions.

Par ailleurs, l'un des projets immobiliers qui tenaient le plus à cœur aux dirigeants de la Caisse – à Scraire, en particulier, et à l'un de ses plus proches vice-présidents, Jean-Claude Cyr – le Quartier international de Montréal, s'est enfin concrétisé à la fin de 1999[10]. La Caisse s'intéresse de près à ce projet d'aménagement urbain depuis 1997. Elle a commandé des études préliminaires et a joué un rôle mobilisateur dans le milieu pour le faire aboutir. «Le projet stagnait depuis quelques années, même si un concours de design international avait eu lieu en 1989. Mais rien ne se serait passé si la Caisse de dépôt et de placement n'avait poussé tout le monde», selon Stephen Cheasley, président de l'Association des riverains du Quartier international de Montréal[11]. Cette association est d'ailleurs l'un des organismes que la

---

8. Henry Aubin, *Les vrais propriétaires de Montréal*, traduit de l'anglais par Denyse Demers-Beaudry, Éditions l'Étincelle, Montréal, 1977.

9. La Société de développement de Montréal et le Fonds de solidarité des travailleurs du Québec.

10. Annoncé le 6 décembre 1999.

11. Cité dans la revue *Forces*, dont le numéro 127 (printemps 2000) est consacré à la Caisse.

Caisse a enrôlés dans le projet de 60 millions de dollars, avec les gouvernements du Canada et du Québec et la Ville de Montréal.

Le but est de créer, à proximité du Palais des Congrès[12], un ensemble urbain attrayant pour attirer les organisations internationales, dont Montréal présente déjà la plus grande concentration au Canada: on en compte près de 60, avec des effectifs d'environ 1300 personnes. Les premiers travaux, qui s'échelonneront sur trois ans (jusqu'à l'automne 2002), porteront sur les infrastructures et le réaménagement des espaces publics, comme la création d'une nouvelle place avec arbres et espaces piétonniers. On prévoit que le nouvel ensemble entraînera des investissements immobiliers de l'ordre du milliard de dollars sur une période de dix ans. C'est d'ailleurs dans ce quartier que la CDP a décidé de déménager ses bureaux, dans un nouvel édifice de 67 260 m^2, dont la construction devrait être terminée à l'automne 2002.

Outre sa forte présence immobilière à Montréal, la Caisse possède 25 centres commerciaux répartis dans presque toutes les régions du Québec. Et, à travers le réseau de ses filiales immobilières, elle reste à l'affût de nouvelles initiatives.

En mars 1999, par exemple, sa filiale Cadim a conclu une association d'un nouveau type avec la société Intracorp Developments, en formant le partenariat Hearthstone[13]. Il s'agit d'un projet de 1,2 milliard de dollars pour la construction de communautés d'appartements en copropriété pour personnes âgées au Canada. On prévoit la construction, au cours des 6 à 8 prochaines années, de «43 communautés de retraite selon un nouveau concept unique au Canada». C'est la première fois, semble-t-il, «qu'un projet d'une telle ampleur est entrepris au Canada». Les communautés seront établies en Ontario, en Colombie-Britannique, en Alberta et dans les Maritimes. Selon le concept de Hearthstone, «les personnes âgées seront propriétaires de leur appartement en copropriété et auront accès à une gamme de services fournis par des professionnels. Ces services, livrés à la carte, pourront être augmentés au fur et à mesure de l'évolution des besoins des résidants.»

---

12. Dans le quadrilatère formé par la rue Saint-Urbain, la rue Saint-Antoine, la rue Saint-Jacques (entre McGill et University), la rue University et l'avenue Viger.

13. Hearthstone est une association à parts égales entre Cadim et Intracorp Developments de Toronto, le plus grand entrepreneur et constructeur résidentiel au Canada.

Campagne pour développer les services financiers

On l'a vu au chapitre précédent, l'une des grandes campagnes de la CDP dans ces dernières années du siècle, a été de dynamiser et développer l'industrie des services financiers à Montréal.

Ce cheval de bataille, la Caisse l'a enfourché à la suite d'une constatation navrante, faite autour de 1996. On s'est aperçu que «la gestion de l'épargne des Québécois était exportée», selon les termes de Serge Rémillard, président de Services financiers CDPQ[14]. Il faut dire que l'un des premiers à attacher le grelot à ce sujet, et de façon magistrale, a été le regretté Rosaire Morin[15], dans des études très fouillées, publiées dans la revue *L'Action nationale* en 1996 et 1997. En passant au crible tous les véhicules de placement – caisses populaires, banques, assurances, caisses de retraite, fonds communs –, Morin avait découvert, en fin de compte, que plus de 200 milliards de dollars en épargne québécoise étaient placés à l'extérieur du Québec, et surtout à Toronto[16].

En corollaire, on constatait que seulement 3,6% des fonds communs de placement au Canada étaient gérés par des sociétés québécoises! Il y avait, effectivement, beaucoup de place à prendre. Un défi d'autant plus intéressant que ce secteur est appelé à une croissance exceptionnelle dans les prochaines années. Selon une étude du cabinet Ernst & Young, l'actif net des fonds communs de placement au Canada devrait passer de 400 milliards de dollars, au début de l'an 2000, à 1000 milliards (un billion) en 2005 et 1500 milliards en 2008. L'objectif de la Caisse, selon Serge Rémillard, est «d'augmenter de 3,6% aujourd'hui à 50% en 2005 la part des fonds gérés par des sociétés québécoises. Sur le billion de dollars de fonds canadiens prévus pour 2005, le Québec investira 180 milliards: nous prévoyons donc que 90 milliards de dollars seront gérés ici. Et cela non pas en créant des produits locaux, mais en couvrant le secteur international. Nous sommes sur la bonne voie pour occuper ce créneau[17].»

La création de Fonds mutuels Cartier en mars 1998, grâce à un investissement de 13,8 millions de dollars de Services financiers CDPQ, a été un

14. Propos rapportés dans la revue *Forces*, n° 127, printemps 2000, p. 97.

15. Décédé le 14 avril 1999.

16. Rosaire Morin, «La Déportation québécoise», *L'Action nationale*, octobre 1996 et novembre-décembre 1997.

17. Revue *Forces*, *art. cit.*, p. 98.

premier jalon important dans cette voie. De fait, il s'agissait du premier investissement majeur de cette filiale de la Caisse, «créée dans le but de procurer un rendement important dont bénéficieront les déposants de la Caisse, et de favoriser la croissance au Québec d'une expertise en gestion et de la mise en marché de fonds communs de placement». L'équipe de Fonds mutuels Cartier est dirigée par Jean Dumont, qui a été président fondateur à Montréal de Gestion financière Talvest.

Trois mois plus tard, en juin 1998, la Caisse conclut deux ententes de partenariat avec des maisons de gestion de fonds. Il s'agit de deux gestionnaires de fonds établis à Montréal, Gestion de portefeuille Standard Life (GPSL) et Les Placements T.A.L. ltée. GPSL se voit confier la gestion d'un portefeuille de 100 millions de dollars en actions américaines. D'autre part, T.A.L. s'est entendue avec la Caisse pour créer «un portefeuille tactique dans les marchés obligataires de l'indice JP Morgan Broad». Placements T.A.L. est le plus important gestionnaire privé de portefeuille au Québec, avec un actif sous gestion de plus de 39 milliards de dollars. Selon le communiqué émis le 17 juin, «Les Placements T.A.L. démarre ainsi un fonds à rendement absolu (*hedge fund*) à Montréal, et la société embauchera le personnel nécessaire à la gestion d'un tel fonds. Pour la Caisse, outre que ce mandat devrait procurer un rendement intéressant, il s'agit d'un partenariat avec un grand gestionnaire privé québécois d'envergure internationale qui lance cette nouvelle activité à Montréal.»

La Caisse en profite pour dire qu'elle «appuie les efforts des maisons locales pour développer l'expertise, notamment dans la gestion de titres internationaux. La gestion d'actions américaines, européennes et asiatiques par des fonds est une activité génératrice de plusieurs millions de dollars en honoraires. Le développement de ce marché important permettra d'accroître l'expertise existante avec des retombées intéressantes pour le Québec.» La Caisse indique qu'elle «travaille depuis quelque temps avec d'autres gestionnaires à Montréal, notamment Bolton Tremblay et Montrusco et associés, des partenaires de la Caisse qui contribuent à la gestion de portefeuilles d'actions internationales pouvant atteindre 100 millions de dollars dans chaque cas. Afin de gérer ces nouvelles sommes, ces entreprises ont créé des postes à Montréal et ont convenu de contribuer à la relève financière locale.»

Dès lors, les initiatives se suivent, à un ou deux mois d'intervalle. En août 1998, Services financiers CDPQ y va d'un investissement de 1,5 million de dollars dans Gestion Courvie, une compagnie du réseau de la Financière

Courvie. Cabinet de courtage multidisciplinaire en services financiers, avec près de 450 courtiers au Québec et au Nouveau-Brunswick, Financière Courvie est l'une des trois principales maisons de courtage en assurance de personnes au Québec et l'une des deux plus importantes firmes en fonds d'investissement. Dans la même veine, en octobre, la Caisse offrait un soutien financier à Placements Courvie, une filiale de Gestion Courvie, pour acquérir une participation de 70% du capital social de la Société Financière Azura[18]. Cette société gère notamment le fonds Azura, qui investit dans les fonds communs de placement les plus performants.

Puis, à la fin de novembre 1998, la Caisse confie un mandat de gestion évalué à 50 millions de dollars US à Gestion de placements Holdun, une nouvelle société montréalaise spécialisée dans la gestion de portefeuilles d'actions américaines et que Services financiers CDPQ a contribué à créer, avec un investissement de 475 000$.

Les initiatives se poursuivent de plus belle en 1999. Le 12 janvier, la Caisse annonce une «première»: elle s'allie au Mouvement Desjardins pour offrir aux Québécois «une nouvelle gamme de fonds communs de placement». La Caisse sera gestionnaire d'une partie des Fonds Cartier, dont six composeront le Fonds Desjardins Sélection Cartier, «un produit exclusif offert sans frais aux investisseurs par le Mouvement Desjardins» et distribué à travers son réseau de caisses ainsi que par la Fiducie Desjardins. La Caisse fait remarquer que depuis qu'elle a créé Services financiers CDPQ en 1997, elle a contribué à promouvoir la gestion de fonds communs de placement au Québec, en investissant notamment dans Fonds mutuels Cartier, Gestion Courvie, Capital Teraxis et Addenda Capital.

Dans les mois suivants, les initiatives se multiplient. Le 20 janvier, la Caisse annonce la création d'une nouvelle famille de fonds communs, dans laquelle elle investit 1,5 million de dollars. Il s'agit de Fonds communs de placement Avix, une jeune société montréalaise. Les fonds Avix seront «constitués d'un fonds d'actions canadiennes, d'un fonds équilibré, d'un fonds marché monétaire, d'un fonds obligations et d'un fonds international». Selon le communiqué initial, l'administration et la commercialisation des fonds devaient être assurées par Avix, mais la gestion des portefeuilles «confiée à trois gestionnaires québécois de renom»: Addenda Capital, Jarilowsky Fraser

18. Grâce à un nouvel investissement de 1,3 million de dollars de Services financiers CDPQ.

ltée et Value Contrarian Asset Management. Deux semaines plus tard, la Caisse investit dans un autre fonds commun naissant, appelé «Caisse commune cote 100 croissance». Il s'agit d'un partenariat entre Services financiers CDPQ et le régime de retraite de la Corporation de l'École polytechnique. Services financiers y place 20 millions de dollars, et le régime de retraite de Polytechnique 12 millions en capital de départ. Ce fonds, précise-t-on, est «un nouveau produit qui vise essentiellement le marché des caisses de retraite de petite taille et plus particulièrement celles qui ne peuvent se permettre une gestion personnalisée».

Le 21 mai, Capital Teraxis, une filiale de Services financiers CDPQ, annonce une participation majoritaire dans Services financiers Tandem, une maison de courtage en épargne collective et de planification financière. Créée à Montréal en 1992, Tandem gère un actif de près de 400 millions de dollars. Le 17 août, le Groupe Nova Bancorp, dans lequel Services financiers CDPQ avait investi 11,2 millions de dollars au début de l'année, inaugurait son siège social à Montréal. Fondé en 1982 à Vancouver, le Groupe Nova Bancorp est une société de services financiers axée sur la gestion de fortunes, avec un actif de 350 millions de dollars sous gestion. Cette société offre des produits d'investissement comme des fonds communs, de même que des services de gestion de fonds et de banque d'affaires. Le président Harry Knutson expliquait ainsi les raisons qui avaient motivé l'établissement du siège social de la société à Montréal: «Il nous fallait aller vers l'Est pour réaliser notre programme d'expansion. De plus, la spécialisation de la Bourse de Montréal dans le marché canadien des produits dérivés s'inscrit parfaitement dans notre ligne d'affaires.»

Deux autres transactions notables se concluaient au deuxième semestre: le 31 août, Services financiers et Capital d'Amérique s'associaient à SIPAR, une société de gestion de portefeuille. Et le 18 novembre, Services financiers investissait dans San Roche Financial, une société qui distribue des fonds communs de placement auprès de la communauté chinoise du Canada. Mais le fait saillant de 1999, du côté des fonds de gestion, fut sans conteste l'acquisition par les Fonds mutuels Cartier de plus de 51% des actions de BRM, une société ouverte qui distribue des produits financiers par l'intermédiaire d'un réseau de 4000 représentants et dont l'actif sous gestion est de 16 milliards de dollars.

En somme, à la fin de 1999, après moins de deux ans d'activité, Services financiers CDP avait déjà investi dans 36 sociétés et placé 294 millions de dollars en participation dans 25 entreprises du secteur financier. Elle avait, en outre, confié des mandats de gestion pour une valeur de 194 millions de dollars à des firmes spécialisées en gestion de fonds. Son portefeuille atteignait presque le demi-milliard de dollars (488,2 millions), avec un rendement interne de 15,8 %. Dans la dernière année seulement, sa croissance avait été de plus de 200 % ! Nul doute, c'était là l'amorce solide d'un rattrapage dans le secteur des services financiers à Montréal. En même temps, la Caisse lançait une innovation au Canada en 1999, en émettant des titres adossés à des créances hypothécaires commerciales (TACHC). D'une valeur de 254,1 millions de dollars, la première émission de ces titres a été un succès indéniable, en trouvant preneurs partout au Canada.

Dans une perspective québécoise, il n'y eut que deux ombres au tableau en cette fin de siècle. Deux dossiers crève-cœur pour la Caisse. La vente du géant québécois de l'épicerie Provigo à l'ontarienne Loblaw ; puis, sur le plan financier, la restructuration des Bourses canadiennes, qui dépouillait la Bourse de Montréal d'une grande partie de ses fonctions. Par contre, au même moment, la Caisse contribuait à faire échouer une tentative d'acquisition non sollicitée d'Air Canada.

La vente de Provigo

On a vu que la Caisse avait joué un rôle moteur, à la fin des années 1960, pour constituer ce qui allait devenir la première grande chaîne d'épicerie de propriété francophone au Québec, Provigo. Ce fut d'ailleurs là l'une de ses premières grandes interventions économiques. Par la suite, l'institution a veillé jalousement sur les destinées de Provigo, intervenant à plusieurs reprises pour en maintenir la propriété québécoise puis en encadrer l'administration à la suite de la retraite du fondateur Antoine Turmel. Par deux fois dans les dernières décennies, la Caisse est intervenue dans le choix des dirigeants de Provigo. Ces interventions, en fin de compte, ne se sont pas révélées très heureuses. Car déjà, avec Steinberg en 1993, la Caisse avait essuyé un échec magistral dans l'épicerie, même si elle s'en était bien tirée avec l'actif immobilier de l'entreprise.

Donc, après maintes tentatives avortées de développement, de diversification et de réorientation depuis une dizaine d'années, Provigo s'était retrouvée devant une sorte d'impasse en 1998. Son rendement stagnait – ainsi que le cours de son action en Bourse. Et les perspectives de croissance n'étaient pas évidentes. À la fin de l'été 1998, le conseil d'administration de l'entreprise se penche sur trois scénarios: statu quo, fusion avec Métro-Richelieu, achat d'Oshawa... pour finir par trouver que la meilleure voie de salut serait la vente au géant ontarien Loblaw.

La Caisse, qui est l'actionnaire principal de Provigo[19], n'est pas informée de l'évolution du dossier. Elle continue d'étudier la possibilité d'une fusion avec Métro, alors même que les dirigeants de Provigo ont déjà jeté leur dévolu sur la solution Loblaw. Qui plus est, ceux-ci ont déjà pris des engagements irrévocables avec l'épicier ontarien. Celui qui pilote le dossier pour Provigo est nul autre que Guy Savard, l'ex-coprésident de la Caisse devenu directeur général de Merrill Lynch au Québec. C'est lui d'ailleurs qui met la Caisse devant le fait accompli le 30 octobre, quelques heures à peine après que les administrateurs de Provigo eurent signé une lettre d'intention de vente à Loblaw[20].

Dans les jours qui suivent, la Caisse constitue un comité de travail interne[21] afin d'analyser, avec l'aide de la firme Wood Gundy, divers scénarios d'avenir pour Provigo. De fait, on commence par passer au crible six solutions de rechange à l'offre de Loblaw: 1) fusion d'intérêt commun entre Provigo et Métro-Richelieu; 2) acquisition de Provigo par Métro-Richelieu; 3) acquisition de Provigo et Oshawa par Métro-Richelieu; 4) acquisition de Provigo et Oshawa par Sobeys; 5) vente de Provigo à un autre acheteur; 6) statu quo pour Provigo. Les trois premiers scénarios, les plus propices à la constitution d'un géant québécois de l'épicerie de taille à concurrencer Loblaw, se heurtent à divers obstacles en plus de n'être guère viables sur le plan financier. Le statu quo, c'est-à-dire le maintien de Provigo tel quel (en considérant que ce soit encore possible), n'offre rien d'avantageux vu la faible performance de l'entreprise, son niveau d'endettement qui paralyse son expansion et la concurrence déjà menaçante de Loblaw au Québec.

À partir d'analyses financières rigoureuses, le groupe en arrive donc à la conclusion que le scénario 4 – l'acquisition de Provigo et Oshawa par

19. Sa participation s'élève à 35%.

20. Et quelques heures aussi après que la haute direction de Métro présente à la Caisse, en ce 30 octobre, un scénario de «fusion d'intérêt commun entre Métro et Provigo».

21. Ce comité est composé de Jean-Claude Scraire, Michel Nadeau, Claude Bergeron, Normand Provost, Jean-Claude Cyr, Philippe Gabelier, Ghislain Gauthier et Pierre Godin. En plus de recourir aux conseils financiers de la firme CIBC Wood Gundy, le groupe a retenu les services de Robert Janody Marketing afin d'évaluer les conséquences de la vente de Provigo pour les fournisseurs agroalimentaires du Québec.

Sobeys – est le seul « qui crée de la valeur pour les actionnaires de l'acquéreur en augmentant son BPA[22] ». Ce scénario a cependant le désavantage de diluer fortement la participation d'Empire. Pour garder le contrôle de Sobeys, Empire devrait réinjecter 600 millions de dollars. Entre-temps, la Caisse a engagé diverses firmes internationales pour contacter des acheteurs possibles en Europe et aux États-Unis, une vingtaine en tout. Mais en vain. Il n'y a aucune manifestation d'intérêt aux États-Unis, et les quelques candidats qui se montrent intéressés en Europe trouvent le délai de 21 jours trop court pour étudier sérieusement le dossier. En outre, il y a peu de chiffres disponibles, la direction de Provigo étant liée, sinon ligotée, par la convention d'appui signée la semaine précédente. Comment intéresser des acquéreurs étrangers, ou faire intervenir un chevalier blanc, dans ces conditions ? Claude Bergeron, vice-président aux Affaires juridiques de la Caisse, le signalera plus tard : « Nous ne pouvions plus compter sur Provigo. Si le conseil n'avait pas signé la convention d'appui en catastrophe, nous aurions pu travailler avec eux pour trouver le meilleur scénario possible. Il aurait fallu nous laisser faire notre travail d'analyse avant de signer ce document[23]. »

De fait, pressentant les réticences de leur actionnaire principal (la Caisse), les dirigeants de Provigo se sont empressés de donner leur appui inconditionnel à l'offre de Loblaw, dans le contexte serré d'un délai de trois semaines seulement avant l'expiration de l'offre. Un délai aussi court vouait à l'échec la tentative d'intéresser des acheteurs potentiels aux États-Unis et en Europe. Le temps a fait défaut aussi pour mettre sur pied un regroupement d'intervenants québécois et canadiens. Dans les circonstances, l'offre de Loblaw ne pouvait plus être contrée. La Caisse n'avait que deux choix : refuser de déposer ses actions ou faire monter les enchères. Dans le premier cas, le milieu des affaires canadien, surtout à Bay Street, l'aurait accusée de fausser les règles du jeu économique, d'agir par nationalisme, d'être au service d'un gouvernement séparatiste, etc. (air connu). Une autre pression, bien plus considérable, venait des investisseurs spéculateurs américains, qui avaient acquis une part importante des actions de Provigo après l'annonce de la transaction et qui auraient imposé un lourd tribut aux emprunts du Québec si celle-ci ne s'était pas réalisée. Il ne restait donc qu'à faire majorer l'offre de Loblaw, tout en retardant au maximum l'échéance prévue afin que la vente

22. Bénéfice par action.

23. « Les coulisses du mariage Provigo-Loblaw », *Commerce*, février 1999.

de Provigo ne devienne un enjeu de la campagne électorale en cours au Québec.

Le 24 novembre, moins d'une semaine avant les élections au Québec, Jean-Claude Scraire rencontre le président de Loblaw, Richard Currie, afin de lui faire part de quatre grandes préoccupations de la Caisse à propos de la transaction: la date du lancement de l'offre (qui tombait mal, deux jours avant les élections); les engagements de Loblaw à l'égard des fournisseurs et employés de Provigo; les répercussions sur d'autres entreprises québécoises du secteur, notamment Métro et Couche-Tard, et enfin le prix même de la transaction (15 dollars l'action), que la Caisse juge insuffisant. C'est à partir de là que la Caisse va négocier serré avec Loblaw jusqu'aux dernières minutes de l'échéance de la transaction, le samedi 28 novembre.

La veille encore, le vendredi 27 novembre, le Conseil d'administration de la Caisse examine longuement les conclusions du comité de travail, qui lui a exposé quatre «scénarios encore possibles». Le premier, une majoration de l'offre de Loblaw qui permettrait de rallier la Caisse, en comprenant une augmentation de la portion comptant, la vente de Loeb à Métro, la vente des activités de gros à Métro ou à Couche-Tard et la protection des fournisseurs du Québec. Le deuxième, aucune amélioration de l'offre, ce qui signifierait que la Caisse accepte l'offre de Loblaw sans avoir été capable de l'améliorer. Le troisième, le retrait de l'offre, au cas où la Caisse ne dépose pas ses actions et que Loblaw décide alors de se retirer. Enfin le quatrième scénario, la Caisse actionnaire minoritaire si Loblaw renonce à sa condition d'obtenir 90% des actions et prend livraison de toutes les actions déposées; en ce cas, la Caisse demeurerait le seul autre actionnaire de Provigo.

La Caisse décide de mettre le paquet pour que Loblaw bonifie son offre. Les négociations sont intenses cette nuit-là entre trois équipes aguerries et déterminées, qui communiquent par conférences téléphoniques. D'un côté, les gens de la Caisse, rue McGill College; de l'autre, à quelques rues de là, dans la tour IBM, les gens de Merrill Lynch dirigés par Guy Savard, puis l'équipe Loblaw/RBC Dominion Securities, sur St. Clair Avenue, à Toronto. L'équipe de la Caisse, menée par Claude Bergeron, a commencé les négociations durant l'après-midi. La partie est serrée. La direction de Provigo, Loblaw et Guy Savard exercent des pressions énormes pour faire aboutir la transaction. L'échéance est fixée à minuit. On le dit, on le répète. Mais Michel Nadeau a bien lu le prospectus. C'est marqué: minuit, heure du Pacifique. Donc, trois heures, heure de Montréal. Il décide d'appliquer une vieille stratégie qu'il a apprise au syndicat des journalistes du *Devoir*, vingt ans auparavant. Il faut être en pleine forme au moment crucial de la transaction. Il s'en va donc dormir quelques heures ce soir-là, et se pointe tout guilleret en fin de soirée, au milieu de négociateurs accablés de fatigue. Minuit déjà, Savard et les autres veulent régler tout de go. Non, s'objecte Nadeau (avec l'appui de Scraire, qui surveille les opérations à distance, de New York). L'échéance est fixée à trois heures, heure de Montréal. On continue. Et c'est ainsi, cette nuit-là, que la Caisse a gagné une guerre d'usure, et obtenu, en fin de compte, à 2 h 50 du matin, un dollar de plus pour les actionnaires de Provigo, ainsi que les garanties d'approvisionnement au Québec.

L'entente finale est donc de 16,50 dollars l'action, ce qui porte la valeur de l'acquisition de Provigo à 1,6 milliard de dollars. La Caisse empoche du coup un profit rondelet de 328 millions de dollars. Un prix de consolation qu'il ne sera pas mauvais de faire valoir publiquement. Du moins, pour faire taire la critique nationaliste au Québec. Il reste à négocier le cas des fournisseurs québécois et la disposition de certains actifs de l'entreprise. Quelques jours auparavant, le 26 novembre, Métro a obtenu «un droit de premier refus sur tous les magasins Loeb situés en Ontario ainsi que sur tous les éléments d'actifs québécois dont Loblaw ne voudra pas». Il est convenu de refiler les petites surfaces, qui n'intéressent guère Métro, à Alimentation Couche-Tard, le numéro un des «dépanneurs» au Québec. L'acquisition est importante pour Couche-Tard, car il s'agit d'un «réseau multi-surfaces comptant plusieurs centaines de commerces ainsi que la structure d'approvisionnement, soit quatre entrepôts». Quant aux fournisseurs de Provigo au Québec, la Caisse obtient de Loblaw une garantie de sept ans pour leurs services d'approvisionnement.

Le lundi 30 novembre, jour de vote au Québec, la Caisse annonce à 15 h 30, en conférence de presse, sa décision de déposer ses actions. L'affaire est conclue. Provigo entre dans le giron de Loblaw, un groupe qui détient désormais 32 % du marché canadien de l'épicerie. Cette péripétie clôturait, d'une certaine façon, trente années d'intervention plus ou moins directe de la Caisse dans le domaine de la grande épicerie au Québec. Avec des résultats qui, faut-il le dire, n'avaient pas été très heureux, du moins en ce qui concerne la propriété québécoise. Les gestionnaires, qui avaient été désignés pour succéder aux fondateurs, n'avaient pas été à la hauteur. Et la Caisse peut battre sa coulpe à cet égard. À la tête de Provigo, par exemple, le tandem Pierre Michaud et Pierre Migneault n'avait pas réussi à faire décoller les ventes de l'entreprise. À leur arrivée en 1993, l'action de Provigo valait 8$ et elle valait encore 8$ à leur départ. Pas un dollar de valeur ajoutée en cinq ans! Comme les médias n'ont pas manqué de le souligner, la vente de l'entreprise, à 16$ l'action, a été une bonne affaire pour eux[24] (de même que pour tous les actionnaires de Provigo). Et la Caisse aussi, même si elle n'avait pas souhaité cette issue[25], y trouvait son compte.

Au début de 1999, dans un rapide tour d'horizon de l'année 1998, la Caisse revenait sur la vente de Provigo, en parlant du profit qu'elle avait réalisé à cette occasion. Il s'agissait bien d'un profit de 328 millions de dollars, soit «une appréciation de 121%» sur son placement initial. La Caisse mentionnait qu'avant de céder ses actions, elle avait «négocié avec succès une bonification de l'offre pour le bénéfice de ses déposants et de l'ensemble des actionnaires de Provigo. Toujours dans le cadre de ses négociations, la Caisse a obtenu que l'acheteur renforce l'engagement pris dans son offre initiale face aux fournisseurs québécois de Provigo. Ainsi, Loblaw s'est engagée à maintenir ses achats de biens et services auprès de fournisseurs québécois au même niveau que 1998, pour une période minimale de sept ans se terminant en 2007.»

Rétrécissement de la Bourse de Montréal

À l'issue de ce qu'on a appelé la «restructuration des Bourses canadiennes», en décembre 1999, la Bourse de Montréal perdait les titres des grandes entreprises au profit de Toronto, et ceux de la plupart des PME au profit de la nouvelle Bourse de l'Ouest. La Bourse de Montréal ne conservait qu'une centaine de titres de petites sociétés; par contre, sa spécialisation en produits dérivés (auxquels les courtiers canadiens, c'est-à-dire torontois, ne croient guère) s'y trouvait confirmée.

La Caisse, qui avait toujours été une championne du parquet montréalais, eut assez de mal à digérer cette restructuration, qui aurait été favorisée, semble-t-il, dès le départ (au printemps 1999) par le ministre des Finances

24. Migneault y encaissait 8 millions de dollars, et Michaud, 2 millions.

25. Le 30 novembre, en annonçant la transaction, le communiqué de l'institution mentionnait: «La Caisse eût certainement préféré que le conseil d'administration de Provigo et sa direction aient réussi à assurer aux actionnaires une appréciation normale et constante de leur investissement, dans le cadre de l'expansion et de la croissance d'une grande entreprise performante.»

du Québec, Bernard Landry[26]. Il y aurait même eu désaccord sur la question entre lui et le premier ministre Bouchard, comme on l'a laissé entendre dans les médias[27]. En tout cas, cette opération majeure pour le milieu financier québécois fut abondamment débattue et commentée durant presque toute l'année 1999.

De fait, le délestage du parquet montréalais était programmé de longue date. Depuis les années 1970, tous les francophones qui s'étaient succédé à la tête de la Bourse, de Michel Bélanger à Bruno Riverin, avaient lancé le même message: il ne faut pas compter sur la loyauté des membres de la Bourse, des courtiers dont plus de 80% habitent Toronto. Durant toutes ces années, il y avait une sorte de règle tacite qui voulait qu'une transaction sur quatre environ passe par Montréal. Mais ce *modus vivendi* ennuyait bien des courtiers, et plusieurs tâchaient d'y échapper. Les présidents de la Bourse en tenaient informée la Caisse, qui exerçait des pressions sur les courtiers fautifs. Et c'est ainsi que le parquet montréalais a pu se maintenir pendant plusieurs années, jusqu'au jour où un nouveau président de la Bourse, Gérald Lacoste, n'a plus voulu informer la Caisse sur les transactions des courtiers. C'est lui qui a sonné le glas de la Bourse de Montréal, selon Michel Nadeau[28]. Dès 1996 d'ailleurs, sous la présidence de Lacoste, il y avait déjà eu une tentative pour fermer la Bourse de Montréal. Et la Caisse avait mis tout son poids dans la balance pour empêcher ce qui devait finalement se produire trois ans plus tard.

Dans le sillage de l'événement, on comprend que la Caisse ait réclamé une remise en question de la structure de propriété des Bourses qui, pour elle, ne devraient pas appartenir aux courtiers. Comme elle l'avait déjà mentionné dans un mémoire présenté à la Commission des valeurs mobilières du Québec, le 7 juin précédent, la Caisse réaffirmait «qu'une des conditions nécessaires à la réorganisation des Bourses canadiennes devrait être l'ouverture de la propriété de ces Bourses à de nouveaux acteurs, incluant les entreprises émettrices, les investisseurs institutionnels et d'autres acteurs importants sur les marchés financiers. Cette ouverture devrait prévoir de plus une

26. Voir Robert Dutrisac, «La Bourse de Montréal abandonne le marché des actions – Landry trouve l'idée intéressante», *Le Devoir*, 16 mars 1999.

27. Dans *La Presse* du 18 juin 1999 («La CVMQ annoncera sa position sur la Bourse le 29 juin»), Miville Tremblay mentionne notamment: «Outre la Caisse, le principal noyau de résistance se trouve au bureau du premier ministre Lucien Bouchard, où l'on juge le projet trop canadian.»

28. Entrevue de l'auteur avec Michel Nadeau, février 2000.

représentation déterminée et structurée des intérêts régionaux et, à cet égard, permettre d'assurer une représentation significative des milieux financiers de Montréal et des autres régions du Canada au sein des conseils d'administration de chacune des Bourses.»

Puis, à la fin de l'année, Jean-Claude Scraire[29] de même que d'autres intervenants financiers comme le président de la SGF, Claude Blanchet, se sont mis à évoquer ouvertement la possibilité d'une implantation prochaine à Montréal du Nasdaq, la Bourse électronique américaine spécialisée en titres de nouvelles technologies. Un parquet qui offre l'avantage de se passer des courtiers traditionnels. Douce revanche en perspective! Les dirigeants de la Caisse se sont beaucoup activés pour faire aboutir ce projet, qui s'est finalement concrétisé en avril 2000, avec une entente signée en grande pompe à New York par le premier ministre Bouchard. Et le Nasdaq s'installait à Montréal à l'automne 2000.

Il faut dire qu'outre les avantages offerts par le gouvernement du Québec, le facteur décisif qui a convaincu le Nasdaq de s'établir à Montréal a été la présence de la Caisse, avec le réseau de ses contacts et son énorme influence dans le monde financier canadien. Et dès novembre 2000, au moment où le Nasdaq amorçait ses activités dans la métropole québécoise, la CDP a dû «stimuler un peu l'enthousiasme des courtiers», selon les termes de Michel Nadeau[30]. Cela se comprend, quand on sait que les firmes de courtage appartiennent aux grandes banques canadiennes dont les centres de décision sont à Toronto.

Tentative d'OPA sur Air Canada

La Caisse a joué un autre rôle important dans la bataille des lignes aériennes qui a fait rage au Canada en 1999.

En juin de cette année-là, le transporteur aérien Canadien se retrouvait de nouveau au bord de la faillite – la troisième fois en sept ans, malgré les

---

29. Jean-Claude Scraire n'a toujours pas accepté que «tant de gens éminents de la communauté financière de Montréal aient pu souscrire à cette réorganisation» où la Bourse de Montréal cédait le marché lucratif des actions en échange d'une exclusivité «limitée dans le temps» pour les produits dérivés, un marché dont le développement d'ailleurs reste incertain au Canada, surtout sans appui réel des firmes de courtages. (Confié en entrevue à l'auteur, mars 2002.)

30. Cité dans *Commerce*, février 2001, «Nasdaq débarque à Montréal».

nombreux efforts du gouvernement fédéral pour le soutenir au cours des années. Pour se tirer du pétrin, la société aérienne examinait, depuis le début de l'année, la possibilité d'une association avec sa concurrente Air Canada. Mais, au début de l'été, quand Air Canada a fait une offre formelle à Canadien pour racheter ses routes internationales, l'offre est restée sans réponse, jusqu'à son expiration le 27 juillet.

Puis, geste-surprise, Kevin Benson, le président de Canadien, demande au gouvernement fédéral de suspendre temporairement les règles de concurrence entre les deux transporteurs, afin de trouver une solution. Le gouvernement ne tarde pas à obtempérer. Le 13 août, en effet, invoquant l'article 47 de la Loi sur les transports, Ottawa suspend les règles de concurrence entre les deux transporteurs durant 90 jours, afin d'enclencher un «processus de restructuration», selon le ministre des Transports, David Collenette.

Dans les coulisses, on se demande ce qui se trame. Sans se laisser démonter, Air Canada – qui vient de se donner un jeune président de 39 ans, Robert Milton – revient à la charge auprès de Canadien le 20 août, avec une nouvelle offre d'achat de ses liaisons internationales. Canadien refuse tout net, par un simple communiqué. On sent qu'il y a anguille sous roche. Les rumeurs à propos d'un troisième intervenant sont peut-être fondées, après tout...

Quelques jours plus tard, le chat sort du sac. Il s'appelle Gerald Schwartz, le flamboyant *corporate raider* torontois. Son conglomérat Onex lance, le 24 août, une offre d'acquisition d'Air Canada et de Canadien, afin de fusionner les deux sociétés dans un holding appelé pour le moment AirCo. Cette OPA non sollicitée, donc hostile, va déclencher une véritable guerre dans le milieu aérien au pays. Car les enjeux sont lourds de conséquences. Derrière Onex, se profile la puissante American Airlines[31], qui détient déjà une part prépondérante de Canadien et qui pourrait du coup étendre son emprise à tout le ciel canadien. Des milliers d'emplois risquent de disparaître au Canada, principalement à Montréal. Le défi est d'autant plus sérieux que Schwartz, bien connu pour avoir ses entrées au Parti libéral, semble jouir non seulement de l'appui mais aussi de la complicité agissante du gouvernement fédéral dans cette affaire.

La Caisse, principale actionnaire d'Air Canada, ne peut pas rester les bras croisés. Dès le lendemain de l'annonce d'Onex, à 10 h, Jean-Guy Talbot est

31. De fait, il est prévu qu'Onex posséderait 31% de la nouvelle entreprise issue de la fusion des deux transporteurs, et AMR, propriétaire d'American Airlines, 14,9%.

convoqué par Scraire. Spécialiste en montages financiers, Talbot travaille depuis plusieurs années pour le Crédit Suisse (devenu Crédit Suisse First Boston). Depuis quelque temps, la Caisse envisage de l'engager dans ses rangs. Mais il n'est même pas encore embauché officiellement que Scraire le propulse d'emblée dans le dossier Air Canada. La Caisse compte au départ protéger son placement et voir où sont ses meilleurs intérêts dans l'OPA en cours.

Talbot pense pouvoir prendre un peu de vacances en Europe, mais il est rappelé d'urgence au début de septembre. Car, sur les entrefaites, les pièces n'ont pas tardé à bouger sur l'échiquier. Air Canada a avancé une première ligne de défense en adoptant un «régime de droits», qui permet aux actionnaires déjà inscrits d'acquérir de nouvelles actions de la société «si un individu ou un groupe achète 10% ou plus du capital du transporteur dans une transaction non approuvée par le conseil d'administration». D'abord, cette mesure vise à augmenter le nombre d'actions en circulation, donc à hausser substantiellement le coût d'une offre non désirée. Ensuite, elle permet à la société aérienne de se donner du temps. (Pour être autorisée, une offre doit être présentée par circulaire et rester valide pendant au moins 60 jours, au lieu du strict minimum de 21 jours exigé par la loi.) Une assemblée spéciale des actionnaires est même fixée au 7 janvier 2000 pour étudier les offres qui seraient déposées. Ainsi, Air Canada tient la dragée haute à Onex, une vraie «dragée toxique» comme on l'appelle dans le jargon financier.

Onex a réagi sur-le-champ, en demandant aux tribunaux de forcer la société aérienne à tenir la réunion des actionnaires avant le 8 novembre. Onex veut que les actionnaires d'Air Canada puissent se prononcer sur son offre avant qu'expire la suspension de 90 jours de la Loi sur les transports. Elle allègue qu'Air Canada va à l'encontre du «processus mis de l'avant par le gouvernement».

Pendant qu'Onex expédie aux actionnaires d'Air Canada son offre d'achat, qui se chiffre à 8,25$ par action et qui est conditionnelle au dépôt des deux tiers des actions de la société, la Caisse évalue les enjeux. Le 10 septembre, elle décide d'augmenter sa participation dans Air Canada. Elle acquiert près d'un million d'actions, portant du coup sa participation à 5,6% des actions ordinaires et 20% des actions de classe A sans droit de vote. Elle fait ainsi d'une pierre deux coups: comme investisseur, elle mise sur la valeur des actions de la société aérienne, qui a commencé à grimper en Bourse; comme actionnaire, elle augmente sa part pour peser davantage dans la balance au moment décisif.

De fait, la Caisse sera beaucoup sollicitée par les deux parties dans les semaines qui suivent. Pendant qu'une bataille publicitaire s'amorce à coups de placards dans les journaux – il s'agit d'une des transactions les plus hostiles qu'on ait vues sur le marché canadien –, Gerald Schwartz et Robert Milton, les patrons d'Onex et d'Air Canada, se succèdent dans les bureaux de l'avenue McGill. Schwartz cherche à convaincre la Caisse de déposer ses actions, tandis que Milton veut s'assurer que l'institution se rangera de son côté pour résister à l'OPA. La Caisse reste ouverte aux deux parties. D'un côté, Scraire et Talbot négocient avec Milton; de l'autre, Nadeau s'est abouché avec Schwartz, qui est un partenaire de longue date de la Caisse.

Le 15 septembre, la Caisse déclare publiquement ne pas avoir encore pris position sur l'offre hostile d'Onex. En réalité, elle commence à faire son nid peu à peu dans le sens d'un renforcement de solidarité avec la direction d'Air Canada. Mais ce n'était pas acquis au départ. Il est sûr que la Caisse n'aime pas la structure financière rattachée à la proposition d'Onex, car cette structure a pour effet de transvider beaucoup d'argent dans les poches du conglomérat, au détriment des actionnaires. Toutefois, elle n'est pas prête à appuyer aveuglément la direction d'Air Canada. Il faut que celle-ci bouge et prenne des initiatives importantes de contre-attaque pour que la Caisse embarque de son côté.

Entre-temps, les conséquences d'une fusion des deux transporteurs canadiens sous la houlette d'Onex sont de plus en plus décortiquées dans l'opinion publique. Nombreuses pertes d'emploi à Montréal, perte du siège social d'Air Canada, ou, s'il est maintenu, selon les promesses de Schwartz, on peut présumer qu'il n'aura plus qu'une valeur symbolique. Et des effets indirects, qui pourraient avoir des conséquences néfastes pour l'économie montréalaise, comme la remise en question d'un contrat important avec IBM, la fourniture d'appareils par Bombardier, etc. En outre, Onex est le cheval de Troie d'American Airlines, on le sait, mais, en arrière-plan, se joue un bras de fer entre deux grandes alliances aériennes internationales: One World et Star Alliance, dont Air Canada fait partie.

Le 20 septembre, le conseil d'administration d'Air Canada recommande aux actionnaires de rejeter l'offre d'Onex. La compagnie aérienne prépare sa contre-attaque. Elle se met en quête d'appuis financiers auprès de ses partenaires de Star Alliance. À la Caisse, Jean-Guy Talbot et son équipe commencent à concevoir un montage financier à l'appui d'Air Canada, sous forme de débentures, c'est-à-dire un prêt étalé sur un certain nombre d'années avec conditions de remboursement selon des termes convenus d'avance.

Le 19 octobre, Air Canada présente sa contre-offre. Elle compte racheter 35% de ses propres actions, un bloc suffisant pour faire échec à Onex, au prix de 12$ l'action[32]. Elle veut aussi prendre le contrôle de Canadien et, en prime, elle compte lancer un transporteur aérien à rabais à Hamilton, en Ontario[33]. L'opération est évaluée à 930 millions de dollars, dont 730 millions seraient fournis par United Airlines et Lufthansa, ses partenaires de la Star Alliance. Le projet est mal reçu par le président de Canadien, Kevin Benson, qui se prononce, le 25 octobre, en faveur de l'offre d'Onex, recommandant à ses actionnaires de rejeter celle d'Air Canada. Entre-temps, la situation de Canadien est devenue de plus en plus critique. Le temps presse, car le transporteur se retrouvera bientôt à court de liquidités.

Le lendemain, le ministre David Collenette laisse entendre qu'il pourrait rehausser le plafond de 10%, ce qui déclenche une vague d'indignation aux Communes, où bloquistes et conservateurs accusent les libéraux de collusion avec Gerry Schwartz. La bataille se corse. Le 28 octobre, les avocats d'Air Canada demandent à la Cour supérieure du Québec de déclarer illégale l'offre d'Onex, pour la simple raison qu'elle ne respecte pas la limite de contrôle de 10% stipulée dans la loi. Ils font même état de notes internes indiquant qu'Onex aurait tenté de s'assurer l'appui d'Ottawa avant de déposer son offre.

La pression se fait de plus en plus grande sur Onex, qui brandit, ce même jour, une nouvelle offre, bonifiée à 13$ l'action, et promet qu'American Airlines liquidera ses actions d'AirCo. Le 2 novembre, avec l'appui non négligeable de son plus important actionnaire, la Caisse, Air Canada réplique en haussant les enchères à 16$ l'action. En Bourse, le titre de la société aérienne dépasse les 11 dollars cette semaine-là.

Le vendredi 5 novembre, à quelques jours de la réunion cruciale des actionnaires d'Air Canada le lundi suivant, Onex lance une troisième offre, cette fois à 17,50$ l'action. Le total au comptant offert par le conglomérat de Schwartz s'élève maintenant à 1,2 milliard de dollars! Mais le même jour, coup de théâtre, la Cour supérieure du Québec rend son verdict: l'offre d'Onex est illégale. Après avoir étiré l'élastique financier au maximum,

32. Ce qui constitue une prime de 45% sur l'offre initiale d'Onex.

33. Un geste habile politiquement, puisqu'il s'agit de la circonscription de l'influente ministre du Patrimoine, Sheila Copps.

Schwartz ne s'obstine pas davantage. Il retire son offre. Et l'assemblée des actionnaires d'Air Canada est annulée par le fait même.

Ayant écarté le prédateur torontois, Air Canada poursuit ses démarches pour assurer sa mainmise sur Canadien, ce qui sera chose faite dans les semaines qui suivent. La Caisse lui offre des disponibilités financières de quelques centaines de millions de dollars, qui permettront au transporteur d'atténuer sa vulnérabilité face à d'autres offres hostiles comme celle d'Onex. En fin de compte, le montage financier conclu le 9 novembre consiste en l'émission de 150 millions de dollars en débentures convertibles, dont l'échéance est fixée en 2009. Et la possibilité de débentures additionnelles pouvant atteindre un autre montant de 150 millions de dollars. Ces sommes prêtées par la Caisse portent un intérêt annuel de 7,25 % mais elles peuvent être converties n'importe quand en actions ordinaires d'Air Canada et selon le prix convenu par Air Canada pour le rachat de ses actions, soit 16 $ l'unité. Ce qui signifie qu'en convertissant ses actions sur-le-champ, la Caisse détiendrait une participation supplémentaire de 13 % dans l'entreprise. En outre, elle obtiendra un siège au conseil d'administration d'Air Canada. Somme toute, cette saga se terminait à l'avantage de la Caisse en même temps que de la société aérienne.

Mais les liens solides que l'institution québécoise avait noués avec Onex depuis longtemps n'en sortaient pas affaiblis pour autant. La Caisse avait investi dans Onex dès 1983, alors que Gerald Schwartz n'était qu'un petit entrepreneur plus ou moins méprisé par l'establishment torontois. Une «complicité de frondeurs» s'est développée dès le départ entre le jeune Schwartz et ces francophones ambitieux qui pilotaient la Caisse. Le président d'Onex ne l'a jamais oublié. Un an et demi après l'affaire Air Canada, il déclarera à Diane Francis[34] qu'Onex (devenue l'une des sept ou huit plus grandes entreprises au Canada) ne serait jamais venue au monde sans le soutien de la Caisse.

Un levier puissant pour les nouvelles technologies

À part ces péripéties et ces bras de fer financiers, on voit déjà, à la fin de la décennie, apparaître les retombées des investissements de la Caisse dans les nouvelles technologies.

---

34. Lors de l'émission «Canada's Best Businesses», au réseau CFCF, le 22 avril 2001.

Avec sa filiale Sofinov, depuis 1995 on l'a vu, la Caisse offre du capital de risque aux entreprises d'innovation technologique, sous forme de placements ou autres, que ce soit dans les sciences de la vie et les biotechnologies, les technologies de l'information ou les technologies industrielles. En quelques années seulement, cette filiale est devenue un levier puissant pour le développement des nouvelles technologies au Québec. Ainsi, à la fin de 1999, son portefeuille comptait 134 entreprises pour une valeur de 1,1 milliard de dollars.

Les deux sociétés satellites de Sofinov, T2C2/Bio et T2C2/Info, créées en 1997 pour répondre au souci de la Caisse d'aller le plus en amont possible de l'innovation, dans les universités et les laboratoires, avaient déjà investi, en moins de deux ans, plus de 18 millions de dollars dans le démarrage de 30 entreprises, soit 20 en biotechnologie et en sciences de la santé, et 10 en technologies de l'information. L'objectif de T2C2, comme l'explique son président Bernard Coupal, est de « repérer des découvertes scientifiques prometteuses et de les accompagner dans leur cheminement vers la commercialisation. Nous ne nous basons pas sur le plan d'affaires pour investir – les scientifiques ont autre chose à faire – mais sur la qualité et les débouchés potentiels des activités de recherche[35]. » Comme exemples d'entreprises d'avant-garde que couvent T2C2 et Sofinov, mentionnons Chronogen, fondée par une équipe de l'Université McGill autour de l'identification chez le ver d'un groupe de gènes servant à régler le cycle de vie d'une cellule, et Nexia Biotechnologies, qui a conçu un procédé ingénieux pour fabriquer de la soie d'araignée, un matériau d'une grande robustesse dont le marché promet d'être gigantesque.

Un des meilleurs coups de Sofinov, en 1999, a été d'offrir le soutien nécessaire à Axcan Pharma[36], une entreprise de Mont-Saint-Hilaire, près de Montréal, pour acquérir la société américaine Scandipharm. Cette acquisition n'était pas évidente puisque l'entreprise américaine avait deux fois la taille de la québécoise. Mais il s'agissait d'un enjeu stratégique pour Axcan, car Scandipharm pouvait lui apporter un précieux réseau de distribution pour son rayonnement aux États-Unis. Et il fallait faire vite, car il y avait d'autres acquéreurs sur les rangs. Sofinov et Capital d'Amérique n'ont pas hésité à allonger des prêts-relais de 113 millions et de 35 millions de dollars respectivement, pour que la transaction puisse se réaliser au prix de 152,4 millions de dollars. Car,

35. Cité dans la revue *Forces*, n° 127, *art. cit.*, p. 113.

36. Axcan Pharma est spécialisée dans les produits pharmaceutiques en gastro-entérologie. C'est l'une des dix plus grandes sociétés publiques canadiennes dans le domaine de la santé.

en absorbant Scandipharm, Axcan se retrouvait avec une équipe de 75 vendeurs et des contacts établis dans l'ensemble du réseau hospitalier et médical américain, ce qui en faisait la première entreprise pharmaceutique québécoise à posséder son propre personnel de vente aux États-Unis.

La Caisse, par l'intermédiaire de Sofinov ou d'autres filiales, ne fait pas qu'aider au développement des nouvelles technologies, elle-même donne l'exemple d'un recours accru aux innovations technologiques. Par exemple, en septembre 1998, elle se dote d'un extranet à liaison rapide (grâce au réseau de fibre optique de QuébecTel) pour accélérer les transactions sur les marchés financiers. Cette passerelle permet dorénavant aux maisons de courtage de communiquer à la Caisse leurs positions d'offre et de demande de titres boursiers, sur une base continue. Ainsi, par le biais de ce réseau électronique privé, une cinquantaine de courtiers peuvent chaque matin informer la Caisse des blocs d'actions qu'ils ont à vendre ou qu'ils veulent acheter: une information qui était auparavant transmise par téléphone et transcrite manuellement. Du coup, cette opération de routine était passée de l'âge du téléphone à l'ère d'Internet, avec tout le gain de temps qui y est associé.

Par ailleurs, comme toute institution financière d'importance, la Caisse n'a pas voulu courir de risque avec le fameux bogue de l'an 2000. Elle a pris très tôt des mesures pour assurer une entrée sans failles dans le nouveau millénaire, notamment en renouvelant son équipement informatique comme elle l'indiquait dans le rapport annuel de 1998: «Au plan technologique, la Caisse a amorcé il y a quelques années une migration majeure vers une nouvelle génération de logiciels de gestion et d'outils de communication parmi les plus performants de l'industrie. Des phases cruciales de ce programme ont été franchies en 1998, incluant notamment des mesures destinées à assurer un passage sans heurt vers l'an 2000[37].»

Les participations rapportent de plus en plus

Le 12 avril 1999, la Caisse annonce des «résultats remarquables» pour ses participations en 1998, soit un rendement de 27,8%. Depuis la création des filiales de participation dans les entreprises en 1995, le rendement annuel moyen de ce secteur est de 25,4%. En 1998, les filiales de participation de la Caisse ont enregistré «un nombre record de placements autorisés, soit

37. Caisse de dépôt et placement du Québec, *Rapport annuel 1998*, message du président-directeur général.

229 placements pour une valeur de 4,3 milliards de dollars par rapport à 3 milliards de dollars en 1997».

En 1999, le nombre des investissements sera encore plus élevé, soit 312, pour une valeur totale de 6,9 milliards de dollars. Ainsi, au 31 décembre 1999, la valeur du portefeuille consolidé des filiales de participation de la Caisse s'élevait à 12 milliards de dollars, répartis dans 636 placements dont 388 au Québec. La croissance annuelle moyenne de ce portefeuille est de plus de 40% depuis cinq ans, soit depuis le lancement des filiales.

Par ailleurs, le réseau Accès Capital a implanté trois nouveaux bureaux: dans l'Outaouais, dans la région Laval-Laurentides-Lanaudière et au Nouveau-Brunswick, à Moncton, avec Accès Capital Acadie. Il s'agit, dans ce dernier cas, de la première extension hors du Québec de ce réseau d'affaires qui ne cesse de se ramifier.

Mais la grande nouvelle de cette dernière année du siècle est sans conteste que la Caisse a franchi le seuil symbolique des 100 milliards de dollars en actif sous gestion. De fait, l'actif total a dépassé les 105 milliards de dollars: ce qui a donné un rendement annuel de 16,5% et des revenus records de 11,3 milliards. Les dirigeants de la Caisse n'ont pas manqué de souligner que le rendement annuel était supérieur à 10% pour la cinquième année consécutive, et que le total cumulé des revenus depuis 1995 se chiffrait à 40,5 milliards de dollars. Une progression sans précédent!

L'institution lancée dans les années 1960 est cependant arrivée à une croisée des chemins. Liés à la révolution technologique et à la mondialisation des marchés, des défis inédits l'attendent. Pour y faire face, les dirigeants de la Caisse ont recommandé au conseil d'administration un plan de développement (adopté en 1999) qui s'articule autour de cinq orientations stratégiques: 1) continuer à privilégier l'approche multigestion, c'est-à-dire offrir des styles de gestion et des produits diversifiés; 2) miser davantage sur les placements privés et les secteurs de pointe; 3) accroître à la fois les activités internationales et le réseau québécois; 4) développer de nouveaux produits d'investissement; et 5) augmenter l'offre[38], principalement sur la scène internationale, de services-conseil et de gestion de fonds de régimes de retraite, de réserves d'assurances ainsi que de fonds de placement et d'épargne. Pour la CDP, ce sont là des conditions essentielles pour s'assurer «une place prépondérante parmi les grands joueurs mondiaux», selon son président Jean-Claude Scraire.

---

38. Ce qui avait été rendu possible par l'amendement à la loi constitutive, adopté à l'Assemblée nationale en décembre 1997, comme on l'a vu au chapitre précédent.

CHAPITRE 9

La saga Vidéotron

La nouvelle culture qui s'est imposée à la Caisse à la fin du XXe siècle – une culture d'entrepreneriat tournée vers le rendement, la performance, l'évolution technologique et l'internationalisation – explique, à bien des égards, les grandes décisions qui ont été prises ces dernières années. La Caisse, qui veut s'appeler désormais la CDP, s'est orientée résolument vers les impératifs pressentis du XXIe siècle. C'est sous cet éclairage qu'il faut considérer la position prise dans le dossier Provigo, par exemple, et plus récemment, dans l'affaire Vidéotron qui a tenu en haleine le milieu financier québécois et canadien durant une bonne partie de l'an 2000.

De fait, la narration détaillée des divers soubresauts de l'affaire Vidéotron fournira ici une illustration de la Caisse en action dans l'un des dossiers les plus épineux de son histoire. Elle montrera, en même temps, de façon explicite, les enjeux énormes de la convergence mondiale des technologies et des médias et de ce qu'on appelle la nouvelle économie.

Une longue histoire

Afin de mieux comprendre les tenants et aboutissants de la saga juridico-financière qu'a été l'affaire Vidéotron, et surtout pour bien saisir l'intérêt de la Caisse dans le dossier, il faut remonter près de trente ans en arrière.

Il faut aussi garder à l'esprit certains événements qui se sont produits au Québec, dans le monde des affaires, au cours des dernières années du siècle. Des événements qui n'ont pas manqué de laisser certaines frustrations à la Caisse, comme le rachat de Provigo par l'ontarienne Loblaw et la restructuration des Bourses canadiennes, qui a réduit la Bourse de Montréal à son plus petit commun dénominateur.

Comme dans le cas de Provigo et peut-être même davantage, la Caisse a contribué pour beaucoup à la naissance et à l'expansion de ce qui allait devenir Vidéotron. On sait que, dès 1971, la Caisse avait été la cheville ouvrière de la québécisation de l'industrie naissante de la câblodistribution en rachetant, avec d'autres investisseurs institutionnels québécois, dont la Laurentienne, 60% de National Cablevision qui desservait alors environ 45% des abonnés du câble au Québec. En 1980, elle avait aidé André Chagnon à en prendre possession en inscrivant une participation de 30% dans son entreprise. Même si Vidéotron s'était lancée dans l'industrie du câble dès les années 1960 et qu'elle avait étendu graduellement son réseau dans les régions de Montréal et de l'Outaouais, elle n'était encore, à la fin des années 1970, qu'une des nombreuses petites entreprises qui se partageaient la câblodistribution au Québec. Le coup de pouce qui l'a propulsée dans les grandes ligues, comme on dit, lui est venu de la Caisse à la fin de 1979, quand celle-ci s'est engagée à acheter 30% des actions de l'entreprise, ce qui avait permis à Vidéotron de faire une offre d'achat à la société Netcom, propriétaire du réseau Cablevision. Le plus drôle, c'est que Vidéotron s'était alors retrouvée en concurrence avec Quebecor pour l'acquisition de ce réseau. L'histoire a de ces ironies!

En outre, quand Vidéotron s'est retrouvée aux abois sur le plan financier, lors de la crise économique de 1981, la Caisse a encore joué les anges gardiens pour la dépanner. Et elle n'a cessé d'accompagner et de soutenir l'entreprise au cours des années d'expansion qui suivent. Bien sûr, ces investissements n'ont pas été affaire de sentiment, la Caisse y a trouvé grandement son profit au cours des années. Mais il n'empêche qu'elle a reçu comme un camouflet la décision subite de Vidéotron de se jeter dans les bras de Rogers, au début de l'année 2000.

Il y avait déjà eu des pourparlers entre Rogers et Vidéotron bien avant que le projet de fusion soit mis sur la table en janvier 2000. En mars et avril 1999, les deux entreprises de câblodistribution avaient envisagé sérieusement la possibilité d'unir leurs forces. Il y avait eu moult discussions et supputations sur une possible fusion ou alliance, mais les deux sociétés en étaient restées là, sans savoir laquelle des deux pourrait acquérir l'autre. D'ailleurs, en décembre 1999, Vidéotron signalait à Rogers qu'elle n'avait «aucun intérêt dans une éventuelle fusion»... en tout cas, selon les termes discutés au printemps 1999. Il faut dire aussi que les choses ont bougé du côté de Rogers dans les derniers mois: des investissements importants y ont été faits par Microsoft, AT&T et British Telecom. Par ailleurs, le titre de la société Rogers qui était coté aux environs de 33$ à la fin de l'année a bondi dans les 40$ dès les premières semaines de janvier.

La situation a évolué aussi du côté de Vidéotron. En décembre 1999, André Chagnon décide de passer la main à son fils Claude à la tête de l'entreprise, ce qui sera confirmé officiellement le 19 janvier suivant. Y a-t-il un lien entre cette passation de pouvoir et la décision de fondre Vidéotron dans Rogers? Il faut dire que Vidéotron avait connu certains avatars dans les dernières années, notamment avec son projet de télévision interactive UBI, un flop monumental, et son portail Internet InfiniT qui ne décollait pas. Alors, les Chagnon se voyaient-ils coincés, se sentaient-ils dépassés, dans un monde de communications globales où la concurrence devenait planétaire? On ne le saura sans doute jamais. En tout cas, dès février 2000, il est clair que les Chagnon ont décidé de mettre tous leurs œufs dans le panier Rogers. Et ils vont manœuvrer pour que rien, ni Dieu ni Caisse, ne fasse obstacle à cette volonté.

Le déclic de Californie

Le premier appel du pied, si l'on peut dire, vient de Rogers. Nous sommes dans un chic hôtel de Palm Springs, en Californie, le dimanche soir 9 janvier 2000. Un cocktail marque le lancement de la 10e Conférence annuelle des télécommunications[1], organisée par la firme d'investissement Salomon Smith Barney. Ted Rogers, le patron de Rogers Communications, évoque avec son directeur financier Alan Horn et un conseiller de Salomon, Robert Gemmell, la possibilité d'une fusion avec Vidéotron. Il est même disposé à envisager un échange d'actions sur la base une pour une. Le même soir, Gemmell parle de ce vieux projet de fusion – mais en termes plutôt vagues – à Claude Chagnon, qui vient d'arriver sur les lieux, flanqué de son directeur financier Alain Michel et d'une vice-présidente, Danielle Dagenais[2]. Les choses en restent là. Mais, le lendemain matin, annonce époustouflante au début de la

1. Appelé «Global Entertainment Media and Telecommunications Conference», l'événement se déroule du 9 au 13 janvier 2000.

2. Vice-présidente aux relations avec les investisseurs, chez Vidéotron.

conférence: AOL et Time Warner fusionnent! Cette transaction monstre, qui réunit le numéro un mondial de la distribution Internet (AOL) et un empire gigantesque des médias et du divertissement (Time Warner), retentit comme le début d'une nouvelle ère. La fameuse convergence de l'informatique, des médias et des télécommunications dont on parle depuis l'explosion d'Internet vient de trouver une application exemplaire, qui bouleverse tout le paysage de ce qu'on appelle la nouvelle économie. Tout le monde est forcé de se réaligner face à cette donne inédite. Ted Rogers et Claude Chagnon, qui ont un bref entretien ce matin-là, à Palm Springs, ont dû le sentir vivement. En tout cas, cette annonce leur a sans doute donné l'impulsion nécessaire pour reprendre les discussions sur le projet de fusion.

Car quelques jours plus tard, le 14 janvier, apparaît un premier document appelé «Project Captiva – Strategic Discussion». Sorti du chapeau de la firme Salomon Smith Barney (SSB), ce brouillon de projet parle en termes codés de développer «une structure pour permettre l'acquisition de Québec par Ontario[3]», autrement dit de Vidéotron par Rogers. À partir de là, les choses tournent rondement. Une semaine plus tard, une nouvelle version du projet Captiva est produite. Et le 24 janvier, les dés sont jetés. Le Groupe Vidéotron (GVL) donne à SSB un mandat officiel de conseillers financiers pour la transaction à venir concernant la disposition des actifs de GVL et TVA. Le lendemain matin, au Club Saint-Denis à Montréal, Ted Rogers, accompagné de son fils Edward et de sa fille Melinda, remet à Claude Chagnon une offre écrite[4] d'acquisition des actifs de GVL et de TVA, sur la base d'une action de Rogers pour une action de Vidéotron. Une offre alléchante, car l'action de Rogers vaut alors 44,15$ et celle de Vidéotron 27,50$. On donne deux semaines à Vidéotron pour y répondre, soit jusqu'au 8 février. En fin de journée le lendemain, Claude Chagnon juge bon d'informer la Caisse. Il prend rendez-vous vers 17 h avec les dirigeants de Capital Communications, Pierre Bélanger et André de Montigny. Il leur parle d'un projet alléchant avec Rogers, mais sans leur montrer le moindre document.

3. NDA: «... l'acquisition de Québec par Ontario»: l'expression a quelque chose de freudien, sortie tout droit des plus beaux fantasmes anglo-canadiens. Mais il faut dire qu'à l'époque, après l'acquisition de Provigo par Loblaw et le dépouillement de la Bourse de Montréal au profit de Toronto, on pouvait se demander si le Québec ne finirait pas par passer corps et biens à l'Ontario!

4. Intitulée *Proposal for Putting Together Rogers Communications Inc. and Le Groupe Vidéotron Ltée.*

Les représentants de la Caisse s'étonnent que les Chagnon envisagent de vendre, et aussi vite, une entreprise qu'ils bâtissent depuis plus de trente ans et qui est devenue, en outre, un fleuron de l'entrepreneuriat québécois. Ils sont surpris également d'apprendre que TVA pourrait faire partie de l'éventuelle transaction. S'agit-il encore d'un de ces nombreux projets que les Chagnon ont l'habitude de présenter à la Caisse?

Le lendemain de la visite du fils, le père, André Chagnon, se présente à son tour. On est le 27 janvier, à 17 h. Le fondateur de Vidéotron vient rencontrer les deux principaux dirigeants de la Caisse, Jean-Claude Scraire et Michel Nadeau. La rencontre est brève, une dizaine de minutes. André Chagnon leur dit tout le bien qu'il pense d'un projet de fusion avec Rogers, mais encore sans document. Scraire écoute attentivement. Il sait que la Caisse a des droits à faire valoir selon la convention d'actionnaires signée avec Sojecci (la société de portefeuille des Chagnon), et il s'attend à ce que Chagnon fasse la demande appropriée en temps et lieu, si jamais le projet se concrétise assez pour le justifier. Il s'interroge sur les options de la Caisse, le cas échéant.

— Alors qu'est-ce qui nous reste comme alternatives? demande-t-il à Chagnon.
— Je pense que vous n'en avez pas... L'offre est tellement bonne que vous ne trouverez pas quelqu'un d'autre pour l'accoter ou la dépasser.
— Bon… Est-ce qu'on pourrait quand même acheter?

Chagnon reste interloqué, manifestement surpris par la question.

— Dans mon esprit, poursuit Scraire, quand on a une offre comme celle-là, avec le type de convention qu'on a habituellement, on a le droit de premier refus, on a le droit d'acheter… On pourrait donc acheter?
— Non, répond Chagnon d'un ton catégorique.

C'est au tour de Scraire et de Nadeau d'être étonnés. Pourquoi se braquer sur ce seul projet? Ils invoquent la possibilité de bonifier l'offre, comme ce qui a été fait dans le cas de Provigo. Bill Gates lui-même pourrait arriver avec une meilleure offre, pourquoi pas? «Ce n'est pas une vente de feu, rétorque Chagnon. Vidéotron est loin d'être en difficulté financière. Le fait est que le type de synergie que nous offre Rogers ne peut se trouver nulle part ailleurs.»

Dans une stricte perspective d'affaires, on ne vend pas une entreprise de la taille et de l'importance de Vidéotron sans avoir exploré toutes les possibilités. Pour la Caisse, ce n'est pas une affaire qui se règle en deux temps, trois mouvements.

Dès lors, dans les jours et les semaines qui suivent, va se jouer un véritable jeu du chat et de la souris entre Vidéotron et la Caisse. Chacun y va de diverses feintes et manœuvres pour atteindre son but. D'une part, Vidéotron souhaite avancer rapidement le dossier. D'autre part, la Caisse ne réalise pas encore l'ampleur du projet mais elle se prépare à l'idée que Chagnon pourrait vendre. Elle commence à regarder d'autres possibilités que celles que Chagnon envisage. Qui donc pourrait être intéressé à racheter Vidéotron et en aurait les moyens?

L'entrée en scène de Quebecor

Entre-temps, les choses s'accélèrent du côté de Vidéotron. Une entente de négociation exclusive a été signée avec Rogers le 31 janvier. Le lendemain, les mandataires de Rogers présentent à Vidéotron une première esquisse de convention de soutien (*Support Agreement*) et une autre d'engagement ferme (*Lock-Up Agreement*). Mais aucun document écrit n'a encore été envoyé à la Caisse, qui ignore l'état d'avancement du dossier. Le 2 février, pour répondre aux demandes d'information de l'institution, Vidéotron lui jette en pâture une copie du projet Captiva, un document daté du 26 janvier, contenant une analyse financière de la transaction mais déjà dépassée. Quant aux modalités et déroulement de la transaction, à l'inclusion ou non de TVA, aux ajustements du prix et à l'avenir de l'entreprise et de ses composantes, motus. La Caisse reste sur sa faim.

Pendant ce temps, au cours de la semaine, Chagnon père s'entretient au téléphone avec Michel Nadeau, pour tenter de lui vendre le projet. Il ne cesse de plaider la même chose. Pour lui, c'est la meilleure oportunité possible. L'offre de Rogers lui semble imbattable, à cause des possibilités de synergie «exceptionnelles» entre les deux entreprises à travers le Canada[5] et à cause de l'échange d'actions, parce que le titre de Rogers est appelé à connaître, il n'en doute pas, «une appréciation boursière importante». Il y a

5. Le regroupement Rogers-Vidéotron toucherait 47% des foyers canadiens abonnés au câble, dont 64% en Ontario et au Québec.

quelque chose de pathétique dans le plaidoyer du vieil entrepreneur, qui donne l'impression de livrer le combat ultime de sa vie. Surtout quand il voit le projet compromis par l'exclusion de TVA.

> Il me rappelle le lendemain, découragé, raconte Nadeau, c'était un homme qui venait de voir son rêve s'effondrer, parce qu'il avait été informé que Rogers renonçait à la transaction si TVA n'était pas comprise.

Mais Rogers ne lâche pas le morceau. L'entreprise torontoise finit par accepter – à contre-cœur, faut-il le dire! – que TVA soit exclue de la transaction. On est vendredi, le 4 février, quatre jours avant l'échéance de la proposition. Vidéotron émet un communiqué de presse pour annoncer que des pourparlers sont en cours «relativement à un regroupement d'entreprises possible», mais sans mentionner Rogers. C'est la Bourse de Toronto qui a exigé un communiqué à la suite de la publication de rumeurs dans le quotidien *Globe and Mail.* En même temps, comme il est de coutume dans pareil cas, la Bourse impose un arrêt des transactions sur le titre de Vidéotron. La nouvelle est maintenant officielle. Informé de l'offre de Rogers, le conseil d'administration de Vidéotron, où siègent deux représentants de la Caisse, constitue un comité indépendant pour évaluer cette offre.

Les billes roulent de plus en plus vite. Ce premier week-end de février sera déterminant. Le samedi, Vidéotron envoie à la Caisse un document concernant l'exclusion de TVA: en fait, une simple page avec un organigramme. Le dimanche, il y a branle-bas de combat de toutes parts. Ce jour-là, Quebecor entre en scène. Pierre-Karl Péladeau, qui flairait l'affaire depuis quelque temps, part en chasse. Dès le matin, il obtient un rendez-vous avec Claude Chagnon, qu'il rencontre à son bureau de la rue Viger. Tout de go, il lui fait part du grand intérêt de Quebecor pour un regroupement avec un câblodistributeur comme Vidéotron afin de renforcer sa stratégie médias. Il demande à Chagnon de lui laisser le temps de préparer une offre en bonne et due forme avant que l'autre transaction soit bouclée. Trop tard, lui réplique le pdg de Vidéotron. C'est une fin de non-recevoir, mais PKP ne se tient pas pour battu. Connaissant les liens de Vidéotron avec la Caisse, il veut voir de ce côté. Il saute dans sa voiture et tente de joindre Michel Nadeau avec son cellulaire. Il tombe sans cesse sur un répondeur. Présumant que les dirigeants de la Caisse sont en réunion, il décide de se rendre directement avenue McGill College. Il monte à la réception du 8e étage et, par chance, il croise l'adjointe de Michel Nadeau, qui l'informe que celui-ci doit arriver dans l'heure pour une réunion. Elle le fait entrer dans l'antichambre. Une vingtaine de minutes plus tard, Nadeau arrive avec les autres cadres convoqués à la réunion : Pierre Bélanger, Jean-Guy Talbot et Claude Bergeron. Ils sont tous fort surpris de voir le patron de Quebecor sur place, une présence non prévue à cette réunion interne. Ils attendaient plutôt Ted Rogers, avec qui une rencontre est prévue dans la journée (mais elle sera finalement remise au lendemain).

Péladeau expose vite les raisons de sa présence : sa rencontre avec Chagnon (dont il est sorti déçu mais non découragé), l'avancement du dossier de son côté, les contacts qu'il a déjà pris avec ses banquiers, les démarches à venir et, surtout, le modèle qu'il entrevoit : une sorte d'AOL-Time Warner à la canadienne. Il demande si, éventuellement, la Caisse pourrait s'engager financièrement dans l'affaire[6]. Les gens de la Caisse restent évasifs sur ce point. Ils estiment qu'il faudrait lever au moins un milliard de dollars. Ils conseillent à Péladeau de se trouver un partenaire stratégique.

Dès lors, PKP va tout mettre en œuvre pour avancer ses pions. Dans les semaines qui suivent, il remuera mer et monde, activera ses contacts d'affaires, de Toronto à New York, de Londres à Paris ou ailleurs. Il ira même jusqu'à dénicher un partenaire brésilien, dont on n'a jamais su l'identité bien que des représentants soient venus à Montréal, semble-t-il. Il faut dire aussi que Péladeau a d'autres gros chats à fouetter à ce moment-là, car Quebecor est en train de boucler la vente de la papetière Donohue à Abitibi-Consolidated.

Revenons au dimanche 6 février. La Caisse ne s'en doute pas encore, mais Vidéotron et Rogers en sont à peaufiner les derniers termes de l'arrangement qui doit être annoncé le lendemain matin, avant l'ouverture des marchés. Un document intitulé *Summary of Terms*, qui précise les principales modalités de la fusion entre les deux entreprises, est finalement signé par les parties vers 18 h. En gros, la fusion est prévue par simple échange d'actions, selon un coefficient de 0,925 (1 action de Vidéotron pour 0,925 action de Rogers). Vidéotron s'engage à ne pas solliciter d'offres concurrentes et à obtenir le consentement de tous les autres actionnaires votants de la société, notamment la Caisse[7]. Et en cas de rupture ou de non-aboutissement de la

6. Il faut préciser ici que Quebecor a des liens d'affaires avec la Caisse depuis plusieurs années. En 1989 notamment, la Caisse avait aidé l'entreprise à acquérir Maxwell Graphics aux États-Unis, ce qui avait donné naissance à Imprimerie Quebecor (Quebecor Printing). Et, plus récemment, la Caisse venait de contribuer à financer l'acquisition de Sun Media par Quebecor.

7. Avec 17 % des actions de Vidéotron, la Caisse en est alors le deuxième actionnaire en importance après la famille Chagnon.

transaction (qui est évaluée à près de 6 milliards de dollars[8]), des frais de compensation de 241 millions de dollars devront être versés à Rogers. L'accord est approuvé le soir même par le conseil d'administration de Vidéotron. À l'unanimité, ce qui signifie que les deux représentants de la Caisse, Jean Campeau et Jacques Nantel, y donnent leur aval.

En fait, Jean Campeau, l'ancien président de la Caisse, ne s'est pas rallié sans réticence. D'abord, il s'est montré déçu que la Caisse «n'ait pu rencontrer Rogers». André Chagnon a souligné que la Caisse «a refusé de s'asseoir avec la compagnie pour participer aux négociations». Selon le procès-verbal, Campeau a demandé ensuite si Vidéotron «s'était assurée s'il n'y avait pas d'offres concurrentes». Ce à quoi on a répliqué qu'il ne s'agit pas de vendre l'entreprise à l'encan «puisque la famille Chagnon a informé la compagnie qu'elle n'était pas intéressée à examiner d'autres propositions, compte tenu du fait que cette transaction en était une d'alliance stratégique[9]».

Par ailleurs, ne voulant rien négliger, les dirigeants de Vidéotron sont allés ce jour-là présenter leur projet de fusion au ministre des Finances Bernard Landry et au Cabinet du premier ministre Lucien Bouchard. ils voulaient s'assurer qu'il n'y aurait pas d'obstacle du côté du gouvernement québécois, pensant par là aussi, sans doute, circonvenir la Caisse.

Mais pourquoi Vidéotron n'a-t-elle pas soumis à la Caisse l'offre écrite de Rogers avant sa signature? Voici ce qu'en dira plus tard Claude Chagnon:

> Ce qu'on a compris de la position de la Caisse entre le 26 janvier et le 6 février c'est que, d'une part, ils n'étaient pas contre la transaction dans son ensemble mais qu'ils souhaitaient que TVA demeure québécois. Devant leur refus de s'asseoir et de discuter avec nous, ce qu'on a déduit c'est qu'ils nous laisseraient finaliser les conditions de cette entente avec Rogers et que si eux pensaient qu'ils avaient un consentement à donner, qu'ils le donneraient lors du vote des actionnaires et que, entre-temps, ils se réserveraient la possibilité de négocier d'autres conditions à cette entente-là. Alors, devant leur non-disponibilité à s'asseoir et à négocier avec nous, on a pris pour acquis que c'était leur façon de voir le dossier et on a procédé pour ne pas perdre l'offre qui était devant nous[10].

---

8. En fait, Rogers a convenu de payer 5,6 milliards de dollars, soit 3300$ par abonné de Vidéotron.

9. Procès-verbal de la réunion du conseil d'administration de Vidéotron, le 6 février 2000.

10. Interrogatoire de Claude Chagnon devant la Cour supérieure du Québec, 7 avril 2000.

Malentendus, quiproquos et faux-fuyants, on se croirait dans une pièce de Marivaux! Vidéotron a parlé à la Caisse, bien sûr, mais sans lui fournir les documents pertinents au fur et à mesure de l'évolution du dossier. La Caisse, elle, attend ces documents pour se faire une idée, pour analyser le dossier sous toutes ses coutures. Sans savoir vraiment à quel point l'affaire est avancée, elle constate avec surprise la hâte des Chagnon à bâcler la transaction. Pour ne pas se retrouver prise au dépourvu, dans une transaction où elle a de gros intérêts à défendre, elle explore une autre voie possible, elle suscite la possibilité d'une contre-offre de la part d'une entreprise québécoise, Quebecor, qui en a les moyens et qui, en outre, s'intègre fort bien au fameux modèle AOL/Time Warner. Maintenant, à partir de ces prémisses, l'affrontement est devenu inévitable.

Le lundi 7 février, la transaction Rogers-Vidéotron est annoncée publiquement. Deux jours plus tard, la Caisse adresse une mise en demeure à Vidéotron, la sommant de respecter la Convention d'actionnaires qui les lie au sujet de la disposition des actifs de la société. Il est indiqué, entre autres, que l'offre de regroupement «a été annoncée sans le consentement préalable de la Caisse» et que celle-ci n'y a pas consenti «formellement ou informellement». La Caisse demande enfin qu'on lui envoie sans autre délai «copie de l'Offre ainsi que tous les documents y afférents». Vidéotron n'en continue pas moins de faire la sourde oreille et de négocier sa convention de fusion avec Rogers, négociation qui se poursuit jusqu'au dimanche 13 février. Entretemps, dans les médias, partout, la fusion entre Rogers et Vidéotron apparaît comme un fait acquis. Le 14 février, au sortir d'une conférence devant le Cercle canadien de Montréal, Jean-Claude Scraire jette un pavé dans la mare en déclarant que, «contrairement à la croyance populaire», la Caisse n'a pas encore donné son accord à la transaction. Il mentionne que l'institution «dispose encore de 25 jours pour faire valoir ses droits et bonifier la transaction. À défaut, elle pourrait acheter Vidéotron au prix de Rogers et la revendre[11].» Il indique aussi que la Caisse tient à TVA et qu'elle voudrait en assurer le développement.

Ce même lundi, jour de la Saint-Valentin, Vidéotron scelle ses conventions de soutien et de fusion avec Rogers, en fait approuver les termes par son conseil d'administration et l'annonce dans un communiqué de

11. Laurier Cloutier, «La Caisse n'a pas donné sa bénédiction à TVA», *La Presse*, 15 février 2000.

presse. Le lendemain, Chagnon père envoie copie des ententes au président de la Caisse. Et le 18 février, il fait parvenir par ses avocats un bref accusé de réception à la mise en demeure de la Caisse, la semaine précédente, se bornant à dire que le texte des ententes a été transmis. La semaine suivante, Rogers entre en rapport avec la Caisse pour trouver un terrain d'entente, notamment en ce qui concerne la participation de l'organisme au conseil d'administration de la nouvelle société issue de la fusion. Le 23 février, Ted Rogers confirme par lettre à Michel Nadeau que la Caisse aurait droit à un siège au conseil d'administration pour autant qu'elle détienne au moins 20 millions d'actions de Rogers Communications. Une semaine plus tard, il laissera tomber cette condition dans l'espoir que la Caisse endosse la fusion. Mais l'institution de l'avenue McGill College a trop investi dans Vidéotron depuis vingt ans, et par le fait même dans l'industrie québécoise de la câblodistribution, pour laisser l'entreprise se fondre purement et simplement dans Rogers.

Entre-temps, Vidéotron a obtenu une ordonnance de la Cour supérieure prévoyant la convocation d'une assemblée générale extraordinaire des actionnaires le 27 mars. L'avis de convocation est envoyé le 25 février. Le même jour, au conseil d'administration de la Caisse, on mentionne la possibilité d'une offre concurrente à celle de Rogers. D'ailleurs, des rumeurs ont commencé à circuler sur une possible contre-offre CDPQ-Quebecor. Le *National Post* en fait état dans son édition du 26 février.

Le projet Quebecor Media

Les représentants de la Caisse et ceux de Quebecor travaillent intensément à trouver la solution de remplacement. Cette solution se dessine finalement le 9 mars, au cours d'un petit déjeuner à la Caisse, où Pierre-Karl Péladeau, flanqué de ses conseillers financiers – c'est-à-dire Ogilvy Renault et Newcrest – présente un document (intitulé curieusement « Projet Voodoo ») qui esquisse la structure de ce qui deviendra Quebecor Media. La participation de la Caisse est déjà prévue à l'intérieur de ce projet. La Caisse ne s'engage pas encore mais elle constate que même si un partenaire stratégique reste souhaitable, il n'est peut-être pas nécessaire sur le plan financier. C'est à partir de ce moment que la « mayonnaise » commence à prendre entre la Caisse et Quebecor. Les deux partenaires poursuivent dès lors, avec diligence, l'étude de faisabilité de la « transaction alternative ». À cet effet, la Caisse et Capital

Communications engagent TD Securities à titre d'analystes financiers.

Le lundi 20 mars, la Caisse envoie une seconde mise en demeure aux dirigeants de Vidéotron, les avisant qu'elle refuse de «consentir à l'exercice par Chagnon et Sojecci de leur droit de vote à l'égard des opérations envisagées à la Convention de fusion et à la Convention de soutien, y compris l'Arrangement» avec Rogers. Le lendemain, la Caisse publie un communiqué pour informer le public qu'aucun consentement n'a été donné à la fusion Vidéotron-Rogers. Et, deux jours plus tard, Vidéotron en publiera un, à son tour, pour confirmer qu'aucune entente n'existe avec la Caisse concernant l'Arrangement avec Rogers.

Ce même jour, 23 mars, après d'intenses négociations, la Caisse et Quebecor signent une entente de principe sur une «proposition alternative» à la fusion Rogers-Vidéotron, ainsi qu'une convention de soutien valant jusqu'au 30 septembre 2000. On s'entend, entre autres, sur la contribution financière de chacun: 1,035 milliard de dollars pour Quebecor, et 1 milliard pour la Caisse. En soirée, les conseils d'administration de la Caisse et de Capital Communications tiennent une réunion spéciale conjointe, en majeure partie par téléphone, pour avaliser cet accord qui créerait «un leader dans le domaine des communications et de la nouvelle économie», en intégrant l'accès Internet par la câblodistribution (Vidéotron), les portails web (Netgraphe et Canoë) et le contenu (télévision, quotidiens et magazines). Après cette réunion, à 23 h 15, Michel Nadeau téléphone à André Chagnon chez lui, où il le tire du lit, pour l'informer que la Caisse déposera une offre conjointe avec Quebecor pour racheter Vidéotron. Le lendemain matin, Pierre-Karl Péladeau prend rendez-vous avec Claude Chagnon pour lui signaler que Quebecor se prépare à lui faire sous peu une offre d'achat, qui sera moitié en argent comptant moitié en actions. En même temps, la Caisse et Quebecor rendaient publique leur entente en conférence de presse.

C'est donc ce vendredi 24 mars que le conflit larvé entre la Caisse et Vidéotron se transforme en guerre ouverte. D'une part, les Chagnon envoient une lettre d'avocats à la Caisse pour contester les prétentions de celle-ci sur les droits que lui donne la convention d'actionnaires, se disant «consternés, sinon outrés» par son comportement. En même temps, ils émettent un communiqué pour réitérer leur «appui inconditionnel» à l'arrangement pris avec Rogers. D'autre part, la Caisse obtient une injonction interlocutoire provisoire pour empêcher les Chagnon et Sojecci d'exercer leurs droits de vote. L'affaire est maintenant devant les tribunaux. La Caisse a marqué son point, la balle a changé de camp.

C'est aussi une autre partie qui se joue. Une partie à quatre, où les positions sont bien définies. Primo, Chagnon n'est pas obligé de vendre. Secundo, Rogers garde par-devers lui l'exclusivité des négociations signée par Vidéotron ainsi que la lourde pénalité de rupture. Tertio, la Caisse doit présenter une offre convaincante; enfin, elle doit retenir Péladeau, le garder dans le jeu.

Le 27 mars, Vidéotron se voit obligée d'ajourner son assemblée générale à une date qui sera fixée par la Cour supérieure, pendant que Rogers accepte de reporter la date limite pour la conclusion de l'accord de fusion. Entre-temps, Claude Hélie, que Péladeau vient d'engager comme directeur financier, a négocié tout le week-end avec la Banque Royale pour mettre en place le financement requis de plus de quatre milliards de dollars. Quelques jours plus tard, le 29 mars, la Royale émet une *Highly Confidential Letter*, prévoyant un montage financier de 4,28 milliards de dollars au bénéfice de Quebecor. Tous les éléments sont désormais en place pour la contre-offre, qui est envoyée formellement à Vidéotron le 31 mars. Sojecci la rejette aussitôt, dans un communiqué émis le même jour. Elle est rejetée également, le mardi suivant, par le conseil d'administration de GVL.

Les positions sont arrêtées de part et d'autre. Une véritable guerre de tranchées devant les tribunaux s'amorce le 18 avril, avec l'audition pour l'injonction interlocutoire demandée par la Caisse. Cette guerre d'usure durera presque cinq mois. Avec des armadas d'avocats qui confronteront longuement les dirigeants des parties impliquées et leurs principaux conseillers, et scruteront à la loupe tous les documents préparés et échangés, brouillons d'entente ou autres. Au cours de ces longs mois de tension – ce «carnaval des avocats», selon l'expression d'une journaliste[12] –, les deux camps ne cesseront de s'affronter publiquement, Vidéotron accusant la Caisse d'abus de pouvoir et celle-ci accusant l'autre de manœuvres dilatoires.

Pendant ce temps, l'action de Vidéotron monte en Bourse et celle de Rogers baisse, jusqu'à ce que, au courant de l'été, les titres se retrouvent à peu près en situation inverse de ce qu'ils étaient au début de l'année, c'est-à-dire dans les 40$ pour Vidéotron et dans les 20$ pour Rogers. Autrement dit, l'offre en actions de Rogers perd de plus en plus de valeur.

12. Hélène Baril, dans *Le Devoir* du 28 mars 2000.

Le 9 août, Quebecor et Capital Communications rehaussent les enchères en lançant une offre publique d'achat de Vidéotron payable entièrement en espèces. Le prix offert est de 45$ l'action, ce qui représente une prime de 35,5% par rapport au cours de clôture du titre de Vidéotron la veille. À côté de Quebecor qui investit 1,035 milliard de dollars comptant et plus du double en valeurs d'actif, Capital Communications CDPQ s'engage à débourser 2,2 milliards comptant en plus de sa participation dans Vidéotron évaluée à 500 millions. Il s'agit d'un montant sans précédent pour un investissement privé de la Caisse. Les deux partenaires se retrouveront à hauteur respective de 54,7% et 45,3%, au sein de la nouvelle entité Quebecor Media, dont la valeur de départ est estimée à 8,7 milliards de dollars. L'offre est envoyée par la poste le 21 août à tous les actionnaires du Groupe Vidéotron.

Rogers Communications tente d'engager des procédures en Cour supérieure mais est vite déboutée. De plus en plus acculée au pied du mur et face à une offre nettement supérieure, Vidéotron n'a plus d'autre choix que de résilier son entente avec Rogers. Aussi, le 13 septembre, Quebecor et Capital Communications peuvent-ils annoncer que «les actionnaires minoritaires de Vidéotron sont maintenant libres de déposer leurs actions». La saga Vidéotron est terminée.

Cette affaire, qui aura été l'occasion du plus important investissement de la Caisse jusque-là, n'a pas manqué de susciter la controverse dans l'opinion publique. On a vu du protectionnisme nationaliste dans l'intervention de la Caisse. Mais bien des investissements ou décisions d'affaires peuvent être jugés sous cet angle; à cet égard, il y en a eu autant dans l'affaire Air Canada, par exemple. On y a moins vu le nouveau visage d'une CDP désormais tournée vers la nouvelle économie et la mondialisation, avec des moyens qu'elle n'avait jamais eus auparavant. Quoi qu'il en soit, la controverse sur cette affaire sera ravivée par la dégringolade boursière du secteur des nouvelles technologies à partir de l'automne 2000, une dégringolade qui s'accentuera en 2001, entraînant une dévaluation importante de Quebecor Media et une perte considérable pour la Caisse, comme on le verra au chapitre suivant.

Quant à Ted Rogers, il n'a pas gardé rancune à la Caisse. Quelques semaines après le dénouement de la saga, une fête intime rassemblait l'élite torontoise pour célébrer les 60 ans de vie professionnelle de celui qui avait succédé à son père à cinq ans[13]. Deux francophones seulement avaient été

13. Ted est le fils de E.S. Rogers, qui a été un pionnier de la radio au Canada.

invités: Philippe de Gaspé Beaubien, un ami de longue date, et Michel Nadeau, de la Caisse. Après un petit laïus pour remercier l'assistance, Rogers est allé tout droit vers Nadeau pour lui donner l'accolade, en s'écriant: «Our good friend from the Caisse!»

Cette accolade fermait en beauté la parenthèse d'une affaire qui avait fait grincer des dents l'establishment financier de Toronto.

CHAPITRE 10

La multinationale de l'investissement

Ce mardi matin, 11 septembre 2001, les employés de la Caisse sont entrés au travail comme d'habitude, dans la tour BNP, avenue McGill College. Dès 7 h, dans la salle d'arbitrage des marchés boursiers, au 9e étage, et dans celle des marchés obligataires et monétaires, au 8e, des arbitragistes sont postés devant leurs écrans pour surveiller les marchés internationaux et se préparer à l'ouverture des marchés nord-américains. Après 8 h 30, des transactions de plus d'un milliard de dollars sont déjà en cours, tandis que les gestionnaires et les grands décideurs de la CDP sont en réunion de comités, ici et là.

Vers 8 h 50, Luc Verville, arbitragiste du marché monétaire, voit soudain un message d'alerte clignoter sur son écran de négociation électronique. Il se demande ce qui se passe, car un calme plat règne sur le marché. Intrigué, il joint par téléphone à New York son correspondant de la Deutsche Bank, qui lui apprend qu'une explosion vient de se produire dans une tour du World Trade Center. Il en informe aussitôt ses collègues arbitragistes. On ouvre le téléviseur pour capter la nouvelle diffusée par CNN: un avion a frappé l'une des deux tours du WTC. Pas d'autres détails pour le moment, mais le système financier ne tarde pas à réagir: les prix montent, les taux baissent, le dollar US perd des plumes. Inquiets sans être alarmés outre-mesure, les arbitragistes se replient dare-dare sur leurs écrans pour assurer leurs positions et gérer les risques d'un marché devenu très volatil.

Au comité d'investissement, vers 9 h, Danielle Grégoire, l'adjointe de Michel Nadeau, vient discrètement lui remettre une feuille de papier: il s'agit, en fait, d'un imprimé du site Web de CNN sur l'accident d'avion au

WTC, avec une photo de la tour nord d'où s'échappe un panache de fumée noire. Au même moment, Catherine Sévigny joint Jean-Claude Scraire par téléphone dans sa limousine, pour lui apprendre la nouvelle. Tout le monde est éberlué, mais on ne s'inquiète pas trop, on présume qu'il s'agit d'un petit avion égaré. Une vingtaine de minutes plus tard, une autre nouvelle tombe comme un éclair d'apocalypse: un deuxième avion, un gros transporteur que les caméras ont capté cette fois sur le vif, vient de s'enfoncer dans l'autre tour du WTC. La situation est grave. On sait maintenant qu'il s'agit d'une attaque délibérée contre Wall Street, cœur économique des États-Unis. Dans le bureau de Scraire, un petit groupe se rassemble autour du téléviseur pour surveiller les événements et aviser. Les inquiétudes se portent d'abord sur les quelques employés de la CDP qui sont à New York ce jour-là: notamment un spécialiste des télécommunications de la filiale Marchés mondiaux, Philippe Capelle, et une délégation de CDP-Technologie, conduite par le vice-président Luc Charron. Il y a aussi le gestionnaire de portefeuilles américain d'actions, Paul Finkle, qui réside à New York. Vérification faite, tout le monde est sain et sauf et réussira à quitter la métropole américaine le jour même ou le lendemain.

Dans les salles d'arbitrage, les yeux sont rivés sur les téléviseurs. Les opérations ont cessé, car après une brève période d'ouverture où elle a dégringolé de près de 300 points, la Bourse de Toronto a fermé. Celle de New York n'a pu ouvrir! À partir de 10 h, quand les tours s'effondrent l'une après l'autre, toutes les communications sont coupées net sur les marchés obligataires et monétaires américains. La Bank of New York, l'un des deux grands intermédiaires du marché monétaire avec la Chase Manhattan Bank, ne répond plus, et pour cause: tous les fils de ses liaisons électroniques passaient sous le World Trade Center. La CDP, qui a déjà engagé près de deux milliards de dollars sur le marché monétaire ce matin-là, se retrouve comme quelqu'un qui aurait émis des chèques sans provision. La Bank of New York n'est plus là pour les garantir, et tous ses systèmes sont paralysés. La CDP, on s'en doute, n'est pas la seule institution à se retrouver dans cette situation inconfortable. De fait, tout le système financier de la planète vacille sur ses bases dans le contrecoup de l'effondrement du WTC.

Michel Nadeau se rend dans la salle d'arbitrage du 8e pour vérifier la situation et consulter le vice-président André Duchesne[1]. La stupeur se lit sur

1. Vice-président principal, Gestion des taux et des devises.

les visages. Les arbitragistes ont délaissé leurs écrans d'ordinateur pour regarder la télévision. « Il n'y a pas de panique, constate Nadeau, mais une sorte d'effroi glacé. Des firmes américaines avec lesquelles on transigeait sont hors circuit. » Cantor Fitzgerald notamment, dont la CDP utilise les écrans pour les obligations américaines, vient de disparaître. La firme occupait les étages 101 à 105 de la tour nord, à peu près à la hauteur où le Boeing 767 d'American Airlines a frappé comme un missile téléguidé. Près de 800 employés sont portés disparus, probablement pulvérisés par l'explosion. Le patron, Howard Lutnick, y a échappé providentiellement, parce qu'il avait dû aller lui-même conduire son fils à la garderie ce matin-là, mais son frère Gary est resté traqué dans l'immeuble. On apprendra peu à peu les détails atroces de ces tragédies humaines. Pour le moment, le système est paralysé. À New York, les gens ne répondent plus au téléphone, il n'y a plus de lignes, plus de contacts. Même si on peut encore transiger en Europe, où les Bourses n'ont pas cessé de fonctionner, les gestionnaires de la CDP préfèrent ne pas se risquer dans un marché sur lequel pèse une menace de crise sans précédent.

À la Caisse comme ailleurs, tout le monde est suspendu aux événements, dont on mesure encore mal la portée. À 9 h 40, un troisième avion de ligne est venu s'écraser sur le Pentagone, à Washington. Le Capitole et la Maison-Blanche sont évacués d'urgence. Le président Bush survole le pays à bord d'Air Force One, tandis que le vice-président Cheney est transporté dans un abri secret. Un quatrième avion est tombé quelque part en Pennsylvanie, et on parle même de quatre autres avions perdus ! L'espace aérien est fermé aux États-Unis, les avions commerciaux sont détournés sur le Canada, il n'y a plus dans les airs que des appareils militaires. Dans cette atmosphère de guerre – on parle du début de la Troisième Guerre mondiale –, la peur et la confusion alimentent les rumeurs les plus folles. À Montréal, on songe un moment à l'évacuation des gratte-ciel – la Place Ville-Marie notamment –, même si la ville n'en possède aucun qui atteigne la moitié seulement des tours jumelles du World Trade Center ou de l'Empire State Building. À la CDP, on soulève l'opportunité d'évacuer la tour BNP mais on écarte vite l'idée : le Canada n'est pas les États-Unis et Montréal n'est pas Manhattan. À vrai dire, personne à la Caisse n'a connu de situation semblable. Il y a peut-être eu – à une échelle très locale – la Crise d'octobre en 1970, mais personne n'est plus là pour s'en souvenir et la Caisse alors n'avait pas les ramifications mondiales d'aujourd'hui.

Devant l'ampleur du désastre à Manhattan, la Bourse de New York (NYSE) annonce qu'elle restera fermée le reste de la semaine. Un moment, le Nasdaq, Bourse électronique qui n'a pas les contraintes physiques du NYSE, jongle avec l'idée de rouvrir le lendemain. Son président international, John T. Wall, appelle Michel Nadeau pour avoir l'avis de la CDP. Mais un ordre péremptoire de la Maison-Blanche met vite fin au projet.

Une grande inquiétude règne sur la possibilité d'autres attentats. Tout est en suspens. À la CDP, on reste préoccupé par les deux milliards de dollars volatilisés ou bloqués – on ne sait – dans les systèmes informatiques en panne de la Bank of New York. Sur le marché monétaire, ce qu'on emprunte doit être remboursé à la fin de la journée aux banques centrales, sous peine de lourdes pénalités, car le système s'en trouve déséquilibré.

C'est alors que la Banque fédérale américaine et la Banque du Canada sont intervenus pour injecter les liquidités nécessaires au maintien du marché. Comme personne ne savait plus ce qui se passait, cette intervention exceptionnelle s'imposait pour empêcher des mouvements de panique. Ainsi, les banques centrales disaient clairement aux uns et aux autres: «Ne vous inquiétez pas, si vous devez deux milliards à quelqu'un et si quelqu'un vous doit deux milliards, nous allons assurer la couverture nécessaire aujourd'hui et durant les jours à venir.» C'est ainsi que le calme et la discipline l'ont emporté sur le désarroi et la terreur, et le système n'a pas dérapé.

L'incertitude s'est poursuivie les jours suivants, sous la crainte de nouveaux attentats et parce qu'on ne savait pas quelles répercussions les événements auraient sur l'économie. Il fallait aussi débloquer les opérations sur le marché monétaire.

> À cette époque, raconte Bertrand Lauzon (premier vice-président, Finances et technologies de l'information), on avait des rencontres du comité de direction deux fois par jour pour évaluer la situation, voir comment les marchés allaient rouvrir. La situation est restée chaotique durant quelques jours, avant que la Bank of New York reprenne les opérations sur le marché monétaire américain, ce qui s'est fait, je pense, à partir d'un centre de relève en Europe. Mais ce fut assez laborieux. Nos gens ont travaillé beaucoup avec la Financière Banque Nationale, qui est notre agent compensateur à New York, pour remonter toutes les informations avec la Bank of New York. On a travaillé tard le soir, et jusqu'à vendredi, en fin de journée. Alors, tout s'est débloqué d'un coup, le système est reparti. Et tout s'est remis en place durant le week-end, en vue de la réouverture des marchés le lundi[2].

2. Entrevue avec l'auteur, mars 2002.

Autres répercussions du 11 septembre

Avant le 11 septembre, la CDP avait des projets immobiliers en cours à New York. Ces projets se sont poursuivis par la suite, mais dans une conjoncture tout autre. Fernand Perreault, le grand patron du Groupe immobilier, a suivi les événements d'un œil particulier. Il n'a pas vraiment craint pour les immeubles que la Caisse possédait déjà à New York, car il s'agissait de bâtiments plus modestes, sans importance symbolique comme le WTC, et en outre situés hors de (Lower) Manhattan. Par contre, dans les semaines et les mois suivants, il a profité de conditions propices pour acheter de nouveaux immeubles, cette fois au cœur de Manhattan. Ainsi, au début de novembre 2001, la SITQ Immobilier s'associait avec SL Green Realty Corp. pour prendre possession d'un édifice de 39 étages sur Broadway. En même temps, la société immobilière de la Caisse faisait des acquisitions dans le quartier des affaires de Washington. Mais le grand coup a été frappé à la fin de l'hiver: en mars 2002, la SITQ acquérait un immeuble de 54 étages sur Times Square, en partenariat avec SL Green Realty Corp. Comme le mentionnait l'agence Bloomberg, cet achat évalué à 480 millions $ US constituait «la plus importante transaction immobilière à New York depuis le 11 septembre».

Du côté des placements privés, Claude Séguin[3] et son équipe ont vu rapidement le contrecoup des attentats sur certains secteurs devenus vulnérables, comme le transport aérien et l'aéronautique. L'investissement dans Air Transat, notamment, se retrouvait tout à coup en péril:

> Quand on a vu les réservations tomber de 50%, dit Séguin, on s'est posé toutes sortes de questions sur l'avenir immédiat de l'entreprise: est-elle menacée de faillite comme Canada 3000? Comment pourra-t-elle faire face à la situation? On s'est assis ensemble pour analyser la situation, et élaborer un plan de sauvetage à court terme[4].

La CDP a donc aidé la compagnie aérienne à négocier de nouvelles ententes avec les voyagistes, les locateurs d'avion, les banques et autres, puis elle a injecté des capitaux supplémentaires pour permettre à Air Transat de survoler ces temps difficiles.

Un autre cas qui s'est présenté aux placements privés dans le sillage du 11 septembre a été celui de Domtar, une entreprise dont la Caisse est

3. Président de CDP Capital Placements privés.
4. Entrevue avec l'auteur, mars 2002.

partenaire depuis longtemps, comme on sait. Le mois précédent, la papetière québécoise venait de conclure une acquisition majeure aux États-Unis : quatre usines de papier de la Georgia-Pacific, au coût de 1,65 milliard de dollars US. Et quand les attentats sont survenus, l'entreprise préparait une émission d'actions à New York pour éponger une partie du coût d'achat des usines. Le prix de lancement devait être de 14 $ à 15 $ l'action environ. Mais après le 11 septembre, les preneurs ne se bousculaient pas au portillon. L'émission n'était plus aussi assurée, le prix encore moins. Ce n'est que trois semaines plus tard, le 2 octobre, que l'opération a pu se faire, au prix de 11,44 $ l'action. En dirigeant le groupe de preneurs fermes avec Salomon Smith Barney et en prenant elle-même 20 % de l'émission, la CDP a contribué pour beaucoup au succès de l'opération qui avait alors une importance cruciale pour Domtar. Et comme l'action est montée à 19 $ dans les mois suivants, la Caisse y a vite trouvé son compte.

Une année éprouvante

Comme pour bien des institutions et fonds de placement, l'année 2001 a été éprouvante pour la Caisse, qui a connu un rendement global négatif, soit -4,99 %. La CDP n'a pas échappé au dégonflement de la « bulle technologique » et à une conjoncture récessionniste qui ont frappé les marchés boursiers partout dans le monde. La perte moyenne sur l'ensemble des marchés mondiaux a été de 14 %. Ainsi, l'indice TSE 300 de la Bourse de Toronto a reculé de 12,6 %, le S&P 500 à New York de 8,9 %, le Nikkei 225 à Tokyo, de 23,5 %, et le Nasdaq de 32,7 % ! La CDP a écopé surtout dans ses investissements technologiques, pourtant fort rentables jusque-là.

Le cas le plus spectaculaire, qui a fait les manchettes des médias, a été une dévaluation de 40 % du placement fait dans Quebecor Média en 2000 : ce qui équivalait à une perte sur papier de plus d'un milliard de dollars. Lors du dévoilement des résultats 2001 devant la presse, le 5 mars 2002, Jean-Claude Scraire a dû reconnaître que cette perte était sans précédent (en chiffres absolus dans les placements privés), depuis les débuts de la Caisse. Il faut dire que jamais la CDP n'avait investi autant dans un investissement privé. Elle n'en aurait sans doute pas eu les moyens, cinq ans seulement auparavant. Ajoutons que l'acquisition de Vidéotron s'est faite au sommet de la « bulle technologique », au moment où la fusion des géants AOL et Time-Warner avait frappé les imaginations comme le modèle de l'avenir, le début d'une nouvelle ère économique dominée par la convergence d'Internet et des médias classiques. À ce moment-là, à cette époque d'euphorie technologique, des petites entreprises Internet comme Netgraphe au Québec, dont le chiffre d'affaires n'atteignait pas un million de dollars et qui ne faisaient pas leurs frais, pouvaient lever plus d'un milliard de dollars en capitalisation boursière! Une sévère correction s'est ensuivie, un grand coup de balai dépouillant des fleurons technologiques comme Nortel, qui a perdu 75% de sa valeur en moins d'un an.

Dans la dégringolade des marchés, l'industrie des télécommunications a écopé plus que les autres. L'indice des télécoms sur Nasdaq a chuté de 46%, et toutes les entreprises du secteur y ont perdu des plumes, quand elles n'ont pas plongé tout droit dans la faillite, comme Enron et Global Crossing. Au Canada, avec une perte de 40,5%, Quebecor Media se situait dans la moyenne du secteur, car les entreprises Shaw, Rogers et Cogeco ont perdu respectivement 25%, 46% et 55% de leur valeur. Même le modèle tant cité de la convergence, AOL/Time-Warner, est passé sous le rouleau compresseur. Le groupe annonçait en mars 2002 une dépréciation de 54 milliards de dollars US depuis la fusion (soit 47% de sa valeur), du jamais vu dans les annales économiques américaines[5]. Si la Caisse avait investi ses milliards dans AOL/Time-Warner au lieu de Quebecor Media, ou encore dans Rogers, elle aurait perdu davantage. Mais ses détracteurs auraient peut-être moins crié au meurtre! De toute façon, en investissant dans Quebecor Media, la Caisse a visé le long terme, dans un secteur stratégique et porteur pour l'avenir. Il faut comparer cet investissement à celui qu'elle avait fait dans Steinberg une dizaine d'années auparavant. Cet investissement avait été fort décrié dans les années subséquentes, mais il avait entraîné, par l'acquisition d'Ivanhoé, une percée majeure dans l'immobilier[6], aujourd'hui l'une des grandes forces de la CDP. En attendant que l'autoroute de l'information redevienne plus porteuse, la Caisse se rattrapait, dès le début de 2002, avec une autoroute bien concrète, la 407 près de Toronto, dont elle revendait sa participation (acquise en 1999), avec un profit d'un demi-milliard de dollars!

5. D'autres géants mondiaux du secteur ont écopé en 2001, notamment Vivendi et France Télécom, qui ont perdu respectivement 13,6 et 8,28 milliards d'euros.

6. Comme aujourd'hui les dotcoms et les télécoms, le secteur était alors devenu pestiféré après l'éclatement de la « bulle » immobilière, qui avait eu des effets désastreux sur le système bancaire. Une des catastrophes de l'époque – un Enron en pire – avait été la débâcle des caisses de crédit Savings and Loans aux États-Unis, qui avait coûté plus de 400 milliards de dollars au Trésor américain.

Dans d'autres secteurs, les performances de la Caisse ont été souvent exceptionnelles, en cette année de tous les périls. Les titres de sociétés de petites et moyennes capitalisations québécoises, notamment, ont fourni un rendement de 31,6 %, en comparaison de 6,3 % pour l'indice de référence (le Scotia Capital Québec 60) ! Le portefeuille immobilier, avec un rendement de 13,9 %, a surpassé de plus de deux points et demi l'indice de référence AON (11,3 %). Le portefeuille d'actions américaines a supplanté de 2,9 % l'indice S&P. De fait, malgré quelques rendements négatifs liés à la conjoncture économique, la CDP a dépassé les indices de référence du marché dans six grandes catégories de portefeuilles sur huit : l'immobilier, les hypothèques, les valeurs à court terme, les obligations, les actions américaines et les actions des marchés émergents.

Le résultat global négatif de 2001 ne doit pas être l'arbre qui cache la forêt, car la CDP affiche un rendement de 7,92 % sur cinq ans, et de 10,40 % sur sept ans (depuis l'accession de Scraire à la présidence). De fait, la Caisse a connu, depuis sa fondation, six rendements annuels négatifs, répartis dans toutes les présidences : soit sous Prieur, en 1967 (-1,2) et en 1969 (-4,4) ; sous Cazavan, en 1974 (-5,6) ; sous Campeau, en 1981 (-1,9) ; sous Delorme/Savard, en 1994 (-2,1) ; et sous Scraire, en 2001 (-4,9 %). Calculé sur 35 ans, le rendement de la CDP s'établit à 9,52 %. Comme l'a souligné le chroniqueur financier Michel Girard, « si vous aviez confié la somme de 10 000 $ à la Caisse lors de sa création en 1966, vous auriez accumulé aujourd'hui un peu plus de 240 000 $. Soit 24 fois votre investissement initial. Ce qui compense allègrement, avouons-le, pour les six années de contre-performance que la Caisse a enregistrées au cours de ses 35 années d'existence[7]. »

Le soleil ne se couche plus sur la CDP

La conjoncture économique difficile de 2001 n'a pas empêché la CDP de poursuivre son expansion, car son actif total sous gestion a progressé de 6,8 % par rapport à l'an 2000, passant de 125 à 133 milliards de dollars.

Les nouveaux mandats de gestion de fonds que la Caisse a décrochés à l'international, ces dernières années, ne sont pas étrangers à cette expansion. En effet, CDP Capital gérait, à la fin de 2001, plus de 15 milliards de dollars pour de nouveaux clients répartis entre l'Asie et les Amériques.

---

7. Michel Girard, « La Caisse est-elle "poche" ? », *La Presse*, 9 mars 2002.

Une des plus récentes percées dans le domaine s'est produite dans un ancien pays du bloc communiste, la Hongrie, où la CDP a été appelée à gérer des caisses de retraite. L'entente a été signée le 27 septembre 2000, à Budapest, après un an et demi d'études et de pourparlers et surtout à la suite de la libéralisation du secteur financier entreprise par le gouvernement hongrois. Au départ, la CDP a été mandatée pour gérer des caisses de retraite de l'armée et des fonctionnaires du ministère de l'Agriculture. Des fonds relativement modestes de 60 millions de dollars US mais qui devraient atteindre les 200 millions dans trois ans. Du coup, la Caisse a pris une participation dans la nouvelle société de gestion Stabilitas, à Budapest, et y a dépêché une équipe de gestionnaires, dirigée par un Québécois. À sa première année, en 2001, Stabilitas a dégagé un rendement de plus de 11%.

En octobre 2001, la Caisse pénétrait un marché important en obtenant un mandat de gestion de 400 millions de dollars américains du groupe arabe ARIG (Arab Insurance Group), le plus grand fournisseur d'assurances et de services financiers au Moyen-Orient et en Afrique du Nord. Une société de gestion spécifique, CDP ARIG, a été créée afin de gérer, à partir de Bahreïn, des fonds institutionnels des pays de la région.

Peu de temps après, en janvier 2002, la CDP lançait un fonds de capital de risque en association avec la Caisse de dépôt et de gestion du Maroc et d'autres organismes marocains. Une équipe a été basée à Casablanca pour gérer ce fonds de 30 millions de dollars américains, appelé Accès Capital Atlantique SA (ACASA). La CDP entretient des liens d'affaires avec la Caisse marocaine depuis 1998.

Il faut dire que d'Italie en Israël, en passant par le Maroc et l'Algérie, les services et conseils de la CDP sont de plus en plus sollicités à travers le monde, pour la gestion de fonds publics et privés, la création de régimes d'épargnes et l'établissement de caisses sur son modèle. En 2001, par exemple, CDP Conseil a offert son expertise en Corée du Sud, pour un régime national de retraite; en Algérie, pour l'émission d'obligations gouvernementales; en Hongrie, pour une réforme des systèmes de protection sociale; au Yémen et en Chine, pour la réforme des caisses de retraite; en Arabie saoudite, pour une étude actuarielle sur les caisses de retraite. Au printemps 2002, elle obtenait deux nouveaux mandats, en Chine et en Russie.

En ce début du XXIe siècle, la Caisse peut compter sur des équipes de gestionnaires qu'elle a établies en Europe, en Asie et à travers les Amériques.

Elle gère des produits financiers – actions et obligations – sur tous les grands marchés de la planète et dans les pays émergents. Elle entretient des relations d'affaires avec plus de 4000 entreprises étrangères. Sa clientèle est japonaise, hongroise, israélienne aussi bien que canadienne. La CDP demeure ainsi une gestionnaire «globale», en termes de produits financiers et de diversification des placements. Mais elle gère aussi des «produits de niches», comme un portefeuille en haute technologie, des fonds en communications aux États-Unis et en Corée, des placements privés au Maroc et en Égypte, un fonds immobilier en Europe, un fonds en infrastructures dans le Sud-Est asiatique et bien d'autres. Elle gère ces fonds pour son bénéfice – c'est une activité fort lucrative – autant que pour ceux de grands investisseurs mondiaux, comme le GIC de Singapour, la CDC de France, la Banque Asiatique, la Nippon Life, Axa, etc. De fait, la Caisse a noué des partenariats avec une centaine de fonds d'investissement à travers le monde. Elle s'est inscrite, ces dernières années, au cœur d'un réseau de gestionnaires d'envergure comme Lehman en Suisse, Blackstone aux États-Unis, Group 3i en Angleterre, le groupe Concord de Boston, en Égypte, et Schroeder's dans divers pays.

La Caisse fait aussi partie d'une grande association américaine de gestionnaires institutionnels, la National Association of State Investment Officers, qui représente 50 États américains. La Caisse est la seule organisation non étatsunienne au sein de ce «club» sélect, qui brasse des billions de dollars.

Devenue désormais gestionnaire de fonds à l'échelle internationale ou, pour employer l'expression de son président, une «multinationale de l'investissement», la Caisse a mis le pied dans le nouveau millénaire avec des ambitions qui vont bien au-delà de la mission qui lui avait été confiée à l'origine. Maintenant, mondialisation oblige, elle doit aller chercher sa croissance à travers le monde, et donc penser de plus en plus international. D'ailleurs, la cour canadienne comme l'arrière-cour québécoise sont devenues trop étroites pour cette société qui peut aspirer maintenant à être une des locomotives de la gestion de fonds en Amérique du Nord, puis dans d'autres régions du monde.

Tout cela supposait un changement de paradigme, un changement d'axe, qui s'est précisé ces dernières années. Sans renier sa spécificité culturelle et ses obligations comme investisseur institutionnel de la collectivité québécoise, la Caisse devait se donner une nouvelle image et un nouveau label correspondant à ses visées internationales. Elle a adopté officiellement le sigle

CDP, une signature plus simple pour les marchés financiers où les sigles à trois lettres font florès (AXA, RBC, GIC, CDC[8], etc.).

Dans le sillage de cette transformation, un tournant majeur a été pris avec la création de CDP Capital, en août 2001. Le but était de regrouper sous une seule enseigne les activités de gestion de fonds et d'investissement de la Caisse[9]. La nouvelle société, dirigée par Michel Nadeau, chapeaute trois grands groupes d'activité: Marchés mondiaux (auparavant CDP Gestion mondiale), Placements privés (auparavant CDP Participations) et Groupe Immobilier (auparavant CDP Immobilier).

CDP Capital a lancé ses premiers fonds communs de placement, avec les composantes suivantes: actions canadiennes multi-styles, obligations canadiennes CorePlus, marché monétaire canadien, actions américaines, actions nord-américaines recherche sectorielle, actions européennes, actions asiatiques et actions EAEO (Europe, Australasie, Extrême-Orient). Destinés au départ aux déposants de la CDP, ces nouveaux produits financiers sont désormais offerts à des investisseurs institutionnels canadiens, comme les caisses de retraite. En même temps, de nouveaux portefeuilles ont vu le jour, tel un Fonds mondial de métaux précieux, qui a donné un rendement de 28,8 % en 2001.

En novembre 2001, CDP Capital ouvrait un bureau à Tokyo. Il s'agissait d'un 12e bureau qui venait s'ajouter au réseau des bureaux d'affaires de la Caisse dans les grandes capitales et places financières à travers le monde, et le quatrième en Asie, après Séoul, Hong Kong et Bangkok. C'est un fait établi désormais que le soleil ne se couche plus sur l'activité de la CDP à travers le monde.

Le huitième portefeuille immobilier de la planète

Avec une valeur de 30,8 milliards de dollars à la fin de 2001, le portefeuille immobilier de la CDP se classait premier au Canada et huitième au monde. Il a connu une progression fulgurante en quelques années, car il ne valait que 1,8 milliard de dollars en 1991 et 4 milliards en 1996. C'est aussi l'un de ceux qui affichent les meilleurs rendements pour la Caisse: 13,9 % en 2001,

8. CDC, sigle qu'a adopté la Caisse des dépôts et consignations de France.

9. Cette restructuration était d'ailleurs devenue nécessaire à des fins réglementaires et juridiques.

comme on l'a vu, et 15,3% sur cinq ans. Rassemblant quatre sociétés – Cadim, Ivanhoé-Cambridge, SITQ Immobilier et CDP Hypothèques –, CDP Groupe immobilier a maintenant des intérêts aux quatre points cardinaux: de Québec à Vancouver, de New York à Brasilia, de Paris à Tokyo.

Cadim investit surtout dans les «produits immobiliers non traditionnels». La société gère aussi pour des tiers et assume un rôle de banque d'affaires, tout en faisant des placements dans les immeubles résidentiels. Ses investissements «prennent la forme de titres d'avoir et d'emprunt négociés sur les marchés publics et privés dans les Amériques, en Europe et en Asie». En 2001, Cadim a créé le service Maestro pour veiller à l'acquisition d'immeubles, la gestion d'actif et les services-conseils. Son premier fonds d'investissement a été lancé à la hauteur de 50 M $. Cadim a, par ailleurs, fait une percée importante sur le marché asiatique, à Séoul et à Tokyo. Enfin, pendant que se poursuivait la phase V de l'ensemble résidentiel Les Jardins de Mérici, à Québec, le Fonds Cadim-FSTQ effectuait de nouveaux investissements d'une valeur de 33 M $ à l'international, notamment pour une vitrine commerciale permanente de matériaux de construction et de finition intérieure à Beijing, en Chine (en partenariat avec Suci-Décor), et pour la construction d'un complexe résidentiel de 192 appartements en banlieue de Varsovie, en Pologne (en partenariat avec Candevex et Inba).

CDP Hypothèques, le plus grand prêteur hypothécaire au Canada, a engagé des investissements de près de 2 milliards de dollars en 2001. La société a notamment consenti le plus important prêt hypothécaire jamais avancé au Canada par un seul prêteur, en finançant le Complexe Bankers Hall, à Calgary, pour un montant de 378 millions de dollars. Par ailleurs, elle a lancé avec succès sur le marché canadien sa 4e émission de titres adossés à des créances hypothécaires commerciales (TACHC).

La SITQ Immobilier, qui se spécialise dans les immeubles à bureaux et les parcs d'affaires, a effectué des transactions s'élevant à 3,6 milliards de dollars en 2001. Ses principales réalisations ont été l'acquisition de Bentall Corporation, une société immobilière de Vancouver (fort réputée) qui a été restructurée pour devenir une filiale en propriété exclusive, sous le nom de Bentall Capital, l'acquisition en copropriété d'importants immeubles à New York et à Washington et des travaux d'immobilisation à Paris et à Londres. Ivanhoé, enfin, qui détient des centres commerciaux au Canada, aux États-Unis et en Europe, a fusionné ses activités avec celles de Cambridge, pour former le groupe Ivanhoé-Cambridge. Pendant ce temps, la société poursuivait les travaux de réaménagement de l'ancien édifice Eaton, au centre-ville de Montréal.

En plus de l'édifice Eaton, la Caisse a reconquis, pour ainsi dire, des biens immobiliers qui ont une grande valeur patrimoniale, comme la Place Ville-Marie et l'édifice Eaton, à Montréal, ou l'édifice Price à Québec. Du même coup, elle a contribué à franciser en partie un très sélect club privé anglophone de Montréal, le Mount Stephen Club[10], après lui avoir fourni un financement hypothécaire au début des années 1990 et amené ses principaux dirigeants à en devenir membres.

Et, pour bien marquer sa vision planétaire, la CDP compte s'installer dans le Quartier international de Montréal en décembre 2002, dans un immeuble construit sur mesure pour ses besoins. En même temps, comme pour mieux consolider ses racines québécoises, elle a emménagé en 2001 dans un nouveau siège social à Québec, l'édifice Price. Ce gratte-ciel art déco qui, avec le Château Frontenac, domine le ciel de la Vieille Capitale depuis 1930, a été érigé à l'époque par la société Price Brothers dont l'histoire est liée étroitement au développement de l'industrie forestière et papetière au Saguenay.

Les défis de l'avenir

Dans une allocution qu'il prononçait le 15 novembre 2000 devant la Chambre de commerce du Montréal métropolitain, Jean-Claude Scraire signalait les défis qui se posent au début du XXIe siècle. Pour cette institution lancée 35 ans auparavant par une collectivité québécoise qui voulait maîtriser son développement économique, le grand défi est de conserver son identité locale tout en devenant un gestionnaire de fonds international. Dans la poursuite de cette croissance extraordinaire, qui a décuplé son actif sous gestion en vingt ans[11], elle ne doit pas perdre ce contact privilégié, cette complicité qu'elle a développée avec l'entrepreneuriat québécois et qui a permis des réussites extraordinaires au cours des trente dernières années. En tout cas, elle s'est donné les moyens d'y veiller, avec ses douze bureaux qui couvrent

10. Le club occupe, rue Drummond, l'ancienne résidence fastueuse de Lord George Stephen, président de la Banque de Montréal en 1876 et président fondateur du Canadien Pacifique en 1880.

11. Dans le même temps, le personnel aussi a décuplé, passant de 140 employés en 1981 à près de 1400 en 2001.

l'ensemble du Québec, et une extension dans les Provinces maritimes, depuis 1999. Par ailleurs, plus sa taille augmente, plus elle est en mesure de jouer le rôle de locomotive de la gestion de fonds au Québec.

Cependant, la mondialisation des activités, les nouveaux mandats à l'international, les clients qui viennent de tous les horizons et qui ont leurs exigences entraînent la CDP dans une autre dynamique, sur une autre patinoire où les règles du jeu peuvent prêter à controverse. Par exemple, dans la gestion des fonds internationaux, il est de pratique courante aujourd'hui de chercher des pays ou territoires qui offrent des exonérations fiscales, ce qu'on appelle couramment des «paradis fiscaux». La CDP elle-même n'en tire aucun avantage puisqu'elle n'est pas assujettie à l'impôt au Canada, sauf que pour être concurrentielle dans l'industrie de la gestion des fonds elle doit offrir les avantages des paradis fiscaux à ses clients, comme les autres gestionnaires le font. Il n'empêche qu'elle a été vivement critiquée, au début de 2002, pour avoir effectué un placement dans un fonds établi aux îles Caïmans[10].

En réalité, le problème qui se pose de plus en plus, dans un univers de capitalisme triomphant où la loi du profit règne sans partage, c'est celui de la responsabilité sociale des investisseurs. La Caisse, qui demeure fondamentalement la gestionnaire des fonds de retraite de la collectivité québécoise, peut-elle fermer les yeux sur les pratiques douteuses de certaines sociétés dans lesquelles elle investit? On a cité le cas de Talisman Energy, une des plus grandes entreprises pétrolières canadiennes, qui aurait profité de la guerre civile au Soudan pour ses travaux d'exploration. Or la Caisse a investi plus de 175 millions de dollars dans cette entreprise. Ce placement peut prêter à controverse sur le plan éthique. D'autres sociétés sont pointées du doigt, comme Exxon Mobil, qui s'oppose farouchement au Protocole de Kyoto, Total Fina-Elf, soupçonnée de collusion avec l'armée aux dépens des populations karens en Birmanie, Wal-Mart, au sujet des conditions de travail abusives dans ses manufactures au Honduras, etc. Ce ne sont que des exemples parmi d'autres, mais ils indiquent la pointe de ce qui pourrait devenir un iceberg difficile à contourner dans les années à venir: la question du placement éthique. Le président de la Caisse en est fort conscient. En juin 2001, à l'occasion d'une conférence à Montréal sur le thème de «l'investissement social», il a mentionné, entre autres, que la CDP s'employait à développer, à travers son réseau de gestionnaires et de partenaires, un «vaste

10. Il s'agit du Fonds Beacon, une filiale de J.P. Morgan.

réservoir d'informations... pour éviter d'être des complices involontaires de certaines entreprises socialement irresponsables».

Enfin, la CDP a pris, dans les dernières années du 20e siècle, un virage commercial qui pourrait l'amener à changer ses orientations et ses structures. La constitution de CDP Capital est un premier pas dans cette voie. Un autre serait de séparer encore plus nettement le caractère institutionnel de la Caisse des opérations courantes, notamment en changeant la structure de direction. Ainsi, il pourrait y avoir, à la tête de la Caisse, un président du conseil nommé par le gouvernement et un président-directeur général – le véritable patron au jour le jour – nommé par le conseil d'administration. Ce serait la suite logique des orientations prises depuis quelques années et qui tendent à séparer de plus en plus la Caisse institutionnelle et la CDP opérationnelle, aux méthodes et aux objectifs de plus en plus commerciaux.

En tout cas, c'était l'un des grands soucis de Jean-Claude Scraire dans la préparation de sa succession. Mais celle-ci allait arriver plus vite qu'il ne l'avait prévu, sans doute, en cette année 2001.

CHAPITRE 11

Rousseau: la grande rupture

Durant les cinq premières années de son mandat à la tête de la Caisse, Jean-Claude Scraire avait réussi un parcours qu'on reconnaissait à peu près sans faute. Menant une stratégie audacieuse, porté aussi par des marchés favorables, il avait, au cours de ces cinq ans, enregistré un rendement annuel moyen de 14,7 %. Du même coup, il avait non seulement propulsé l'actif sous gestion au delà des 100 milliards de dollars, mais il avait amené aussi le bas de laine des Québécois à devenir un joueur important dans l'arène financière internationale.

L'année 2000 avait marqué l'apogée du régime Scraire, en même temps que le sommet de la bulle technologique sur les marchés. C'est cette année-là notamment que la CDP avait été reconnue comme la meilleure gestionnaire de fonds au Canada, à la suite de l'enquête annuelle de Tempest Consultants et Reuters. Et, en avril 2001, la revue *Commerce* plaçait Scraire au premier rang du Top 50 du pouvoir au Québec[1]. (Ce qui, selon certaines sources, n'avait pas manqué de porter ombrage à plusieurs, au gouvernement et ailleurs.)

Mais, comme on l'a vu au chapitre 9, cette année 2000 avait aussi été marquée par un long bras de fer de la Caisse avec la famille Chagnon et la société ontarienne Rogers pour garder au Québec la propriété du joyau des télécommunications qu'était Vidéotron, principale entreprise de câblodistribution au Québec et propriétaire du réseau de télévision TVA. La CDP avait tiré de ses goussets plus de 2 milliards pour aider Quebecor à avaler Vidéotron. Jamais elle n'avait déboursé autant pour un seul placement.

---

1. Le numéro deux de la CDP, Michel Nadeau, s'y trouvait aussi, au 11e rang.

Les experts de la CDP étaient d'avis que la synergie de Vidéotron avec Quebecor était beaucoup plus prometteuse que celle envisagée avec Rogers, simple consolidation régionale où Montréal sortirait perdante (comme l'a montré par la suite l'acquisition de FIDO par Rogers, qui n'a laissé à Montréal que des postes de services à la clientèle). Mais, par malheur, cela arrivait au sommet d'une bulle boursière qui allait s'effondrer brutalement.

Dès 2001, le dégonflement de la bulle technologique a fait perdre bien des plumes à la Caisse. En plus de l'énorme investissement dans Quebecor Media, il y avait eu une accumulation malvenue de titres Nortel[2] (alors que le titre se transigeait encore dans les 80 $), en plus d'incursions risquées dans la mode et le cinéma, à Montréal (Montréal Mode) et à Hollywood (MGM), qui ont été interrompues avant que la stratégie ne porte ses fruits et qui ont mal tourné.

> On s'embarquait dans beaucoup d'affaires, reconnaît aujourd'hui Michel Nadeau. La culture entrepreneuriale à l'interne était peut-être poussée un peu loin[3].

Mais la participation dans Quebecor, contrairement à tout ce qu'on dit et redit depuis 2002, n'a pas été une erreur selon l'ex-numéro deux de la Caisse. « Elle est mal tombée à cause de la bulle technologique. Il fallait voir ce placement dans une perspective à long terme. Notre horizon alors était de six ans : en fait, il en a fallu huit pour qu'il se rentabilise. »

C'est donc à partir de 2001 que la pression a commencé à se faire sentir sur le président de la Caisse. La pression augmentait, et les marchés étaient négatifs. En outre, le rendement de la CDP s'étant retrouvé sous la normale des autres fonds de retraite, l'institution prêtait davantage le flanc à la critique. « C'était supérieur aux pairs américains mais inférieur aux pairs canadiens, -9 par rapport à -6, dit Michel Nadeau, beaucoup moins quand même que les résultats de 2008, avec -25 par rapport à -18. Et nous, c'étaient des pertes sur papier. » Et non sur papier commercial, devrait-on ajouter.

De toute façon, la CDP était loin d'être la seule à avoir subie une dégelée à l'époque. Il s'agissait, ne l'oublions pas, de la bulle boursière la plus impor-

---

2. Nortel comptait alors pour 34 % de l'indice TSX, à Toronto. Les déposants de la CDP souhaitaient que le titre soit à la même hauteur dans le portefeuille de l'institution, selon Michel Nadeau. On s'est entendu pour la moitié, ce qui fait que la Caisse a fait passer sa proportion de Nortel de 10 % à 17 % (ce qui représentait environ 1 milliard $), peu avant la dégringolade qu'on sait.

3. Entrevue de l'auteur avec Michel Nadeau, 20 mars 2009.

tante jusque-là la grande crise de 1929[4]. En 2002, les pertes s'étaient chiffrées à 12 % pour les fonds de retraite dans le monde, selon une enquête menée par la firme Watson Wyatt. Et Greenwich Associates avait calculé que, sur 1700 fonds de retraite américains, les pertes en valeurs d'actif étaient de 1 billion (1000 milliards) de dollars pour les années 2000, 2001 et 2002, la pire année étant 2002, qu'on qualifiait de pire dégringolade jusque-là dans l'histoire des fonds de placement américains. En 2002, les fonds de pension privés aux États-Unis avaient perdu en moyenne 14,6 % de leur valeur (10,1 % en 2001), et les fonds publics (comme la CDP) 9,3 % (par rapport à 8,9 % en 2001). Par exemple, les fonds de retraites de la ville de New York avaient perdu 15 % de leur valeur en 2002. En deux ans – 2001 et 2002 –, la valeur d'actif de ces fonds était passée de 90 à 69 milliards, soit une perte de 23 %.

Entre-temps, les relations de la Caisse avec le gouvernement québécois s'étaient dégradées. C'est un secret de Polichinelle qu'il n'y avait pas beaucoup d'atomes crochus entre Jean-Claude Scraire et Bernard Landry. Les relations étaient déjà distantes, voire tendues, quand Landry était ministre des Finances. Les deux hommes avaient eu notamment une prise de bec mémorable à Davos en 1996. En outre, Landry n'a jamais digéré la vente de Provigo à l'Ontarienne Loblaw. Alors, forcément, les relations se sont détériorées encore plus quand il est devenu premier ministre. Le courant ne passait guère mieux avec Pauline Marois, dont le mari Claude Blanchet, incidemment, avait convoité la présidence de la Caisse en 1995. Scraire ne l'avait emporté qu'à cause de l'appui de Jean Campeau, alors ministre des Finances.

Ainsi, quand Bernard Landry est devenu premier ministre, en mars 2001, et que Pauline Marois a été nommée ministre des Finances, Jean-Claude Scraire s'est retrouvé particulièrement isolé. La rémunération du président de la Caisse posait aussi un problème de plus en plus aigu. Scraire recevait un salaire de 165 000 $ par année, plus une prime de 85 000 $. Il touchait donc 250 000 $ par année en tout, et il y avait des gens autour de lui, parmi ses subalternes, qui gagnaient beaucoup plus[5]. Tout cela a contribué beaucoup à la lassitude qui a entraîné sa démission.

4. C'était aussi une époque de haute tension dans le monde, à la suite des attentats terroristes de 2001 aux États-Unis et de la guerre en Afghanistan et en Irak.

5. Le conseil d'administration à l'époque trouvait la situation inacceptable et avait mandaté un groupe de membres dirigé par le vice-président du conseil et président de la Régie des rentes, Guy Morneault, pour rencontrer le premier ministre et trouver une solution.

Le vendredi 17 mai, Jean-Claude Scraire annonce donc son départ de la Caisse. Auparavant, il avait présenté au Conseil d'administration ses recommandations sur la gouvernance de l'institution, dans un document intitulé « Moderniser pour bâtir plus fort ». Il y recommandait des modifications à la loi sur la composition du conseil d'administration pour assurer une majorité d'administrateurs indépendants, la division des fonctions de président du conseil et de président-directeur général, le raccourcissement de la durée du mandat de ce dernier, qui était de dix ans, et la dévolution au conseil de l'autorité de choisir le candidat pour le poste de pdg. Tous ces changements seront incorporés dans la refonte de la loi constituante de la Caisse en 2004.

Au printemps 2002, les critiques étaient plutôt modérées à l'égard de l'administration Scraire. On lui reprochait, tout au plus, d'avoir trop misé sur la bulle technologique. « Plusieurs reprochent en effet à l'organisation d'avoir une gestion trop conservatrice pour certains titres et trop risquée dans d'autres cas, notamment de s'être lancée tête première dans les titres technologiques », disait Valérie Dufour, dans *Le Devoir* du 18 mai.

« Le bilan des années Scraire est tout à fait remarquable », commentait quant à lui Jean-Robert Sansfaçon, dans un éditorial du même journal[6]. Et André Pratte, dans *La Presse*, n'avait pas manqué de saluer l'œuvre du président démissionnaire : « Tous reconnaissent à Jean-Claude Scraire ses qualités de travailleur acharné et de stratège, de même que son dévouement pour la Caisse et pour le Québec. Pendant ses huit années à la direction, la Caisse aura généralement joui de très bons rendements. M. Scraire aura en outre présidé à une réorientation et à une réorganisation majeures de l'organisme[7]. »

Dans cette atmosphère encore paisible, Scraire n'hésite pas à recommander Henri-Paul Rousseau pour lui succéder[8]. (On peut présumer qu'il s'en est repenti amèrement plus tard, après tout le discrédit que la nouvelle administration jeta sur lui !)

---

6. Jean-Robert Sansfaçon, « Une Caisse indépendante », *Le Devoir*, 25 mai 2002.
7. André Pratte, « Après Scraire le débat », *La Presse*, 18 mai 2002.
8. Nadeau était trop proche de lui, trop liée à son administration, pour prendre la succession. D'ailleurs, il songeait déjà à une troisième carrière, après le *Devoir* et la Caisse, et il n'en faisait pas mystère.

La nomination de Rousseau

Une dizaine de jours après la démission de Scraire, le 29 mai, Henri-Paul Rousseau, président de la Banque Laurentienne, est nommé à la présidence de la Caisse. Il avait été désigné par le gouvernement de Bernard Landry qui, manifestement, n'avait pas oublié que le banquier avait été président des économistes pour le Oui au référendum de 1980. Et comme il venait du milieu bancaire, où les traitements sont, comme on le sait, faramineux, on lui a consenti, dès le départ, une rémunération (avant bonification mais incluant son régime de retraite) qui était près de quatre fois celle de Scraire.

Henri-Paul Rousseau arrivait à la Caisse, précédé d'une réputation enviable dans le milieu des affaires[9]. C'était la première fois, en fait, qu'un banquier d'expérience accédait à la direction de la Caisse. Né dans le Bas-Saint-Laurent, à Saint-Éleuthère (aujourd'hui Pohénégamook), en 1948, dans une famille ouvrière de huit enfants, le nouveau président de la Caisse est le fils d'Yvette Boucher Rousseau, qui a joué un rôle important dans l'émancipation féminine au Québec (notamment comme vice-présidente de la CSN, présidente du Conseil consultatif canadien de la situation de la femme, puis sénatrice). Il a fait ses études en économie à l'Université de Sherbrooke puis il a poursuivi à l'Université Western Ontario, d'où il est sorti en 1973 avec un doctorat en sciences économiques. Après avoir été professeur à l'Université du Québec à Montréal, puis à l'Université Laval – où, nous l'avons dit, il a présidé le mouvement des économistes pour le Oui en 1980[10], il entre en 1986 à la Banque Nationale, comme vice-président. En 1990, il est nommé secrétaire de la Commission Bélanger-Campeau. Puis, après avoir dirigé la compagnie d'assurance Boréale, il devient pdg de la Banque Laurentienne en 1994, poste qu'il occupera jusqu'à sa nomination à la Caisse.

Rousseau n'est pas rentré en fonctions tout de suite. Il a passé une bonne partie de l'été à préparer son entrée en scène, tandis que Scraire continuait

---

9. Certains, néanmoins, disaient qu'il n'avait pas réussi grand-chose à la Laurentienne. « Pendant ses huit années à la tête de la Banque Laurentienne, Henri-Paul Rousseau a tout essayé. Il a fait des acquisitions (North American Trust, Trust Prêt et Revenu), des tentatives de vendre et de fusionner sa banque (avec la Banque Nationale et avec l'Industrielle-Alliance). Avant son départ, il tâtait du banking électronique avec B2B Trust. Rien de tout cela n'a fonctionné, constate Marcel Côté, économiste et associé de Secor. » Cité par Hélène Baril, « Un défi de taille pour un homme imposant », *La Presse*, 31 août 2002.

10. On imagine les tensions familiales, car sa mère avait été nommée au Sénat un an plus tôt par Pierre Elliott Trudeau !

d'assumer l'administration courante jusqu'à la fin d'août. Durant cette transition, il y a eu très peu de contacts entre Rousseau et l'équipe de direction de la Caisse.

Le vendredi 30 août se tient la dernière séance du conseil d'administration sous la présidence de Scraire. C'est là notamment qu'on réévalue à la baisse, soit à 1,1 milliard, le placement dans Quebecor Media. Le mardi 3 septembre (au lendemain de la fête du Travail), Rousseau arrive. Il signale vite qu'un nouveau régime s'est installé, car, deux jours plus tard, celui qui était le numéro deux de l'institution, Michel Nadeau, est remercié. « Le conseil d'administration vient d'abolir ton poste », lui signale simplement Rousseau. Nadeau avait prévu le coup. Il savait qu'il n'était pas dans les plans du nouveau président[11].

Le 9 septembre, tous les vice-présidents et principaux cadres de la Caisse – une soixantaine de personnes – se retrouvent réunis autour du nouveau président. Toute une journée à huis clos, pour passer au crible les placements et rendements de la Caisse. Jean-Claude Cyr est chargé de présenter un rapport détaillé de la situation, une sorte d'état de santé de la Caisse à ce moment-là. Le diagnostic est si peu complaisant qu'il fait même grimacer plusieurs gestionnaires. Henri-Paul Rousseau écoute sans broncher. Puis, à la fin de la journée, après tous les exposés et interventions, quand le silence est retombé dans la salle, il se lève, redressant son impressionnante stature de deux mètres, comme pour en imposer davantage. La Caisse, dit-il en substance, est « en déficit de transparence… en déficit de performance… et les choses devront changer ! » Pas un mot sur le rapport qui venait d'être présenté. « Il ne nous avait pas écoutés », rapporte Jean-Claude Cyr[12]. Tous les gens qui étaient là se sont regardés avec un mélange d'étonnement et d'inquiétude. Ils venaient de comprendre que le nouveau patron (à l'instar de Samson) allait ébranler les colonnes du temple[13].

---

11. À l'époque où Rousseau était président de la Banque Laurentienne, Nadeau se souvient d'avoir appuyé l'équipe d'obligations de la CDP, qui ne voulait pas accorder un taux préférentiel hors marché à la petite banque montréalaise. Une anecdote qu'a confirmée André Duchesne (alors vice-président à la gestion des taux et des devises), qui a ajouté que Rousseau faisait appel à la fibre nationaliste pour que la Caisse achète les obligations de sa banque. « Henri-Paul n'était pas content, dit Nadeau, mais on ne pouvait lui accorder les privilèges qu'il demandait. »

12. Entrevue de l'auteur avec Jean-Claude Cyr, 11 mars 2009.

13. On pourrait ajouter que, sept ans plus tard, à la différence de Samson, il n'a pas péri dans l'effondrement du temple ! Il s'en est tiré sain et sauf, pour entrer au paradis doré de Power Corporation.

Malgré tout, mis à part le congédiement expéditif de Nadeau, le changement de garde semblait devoir s'effectuer sans trop de heurts.

Le 25 septembre, cinq nouveaux membres entrent au conseil d'administration : Bernard Bonin, économiste qui avait été premier sous-gouverneur de la Banque du Canada ; Claudette Carbonneau, qui venait de remplacer Marc Laviolette à la présidence de la Confédération des syndicats nationaux (CSN) ; Sylvie Dillard, pdg du Fonds québécois de la recherche sur la nature et les technologies ; Duc Vu, président de la Commission administrative des régimes de retraite et d'assurances, et John T. Wall, président de la firme new-yorkaise Capital Markets Advisors et ex-président de Nasdaq International[14].

Quand le nouveau président rencontre les déposants en septembre, ceux-ci, qui ont été échaudés par les mauvais résultats de 2001, remettent à l'ordre du jour un vieux débat et insistent pour avoir le plein contrôle sur leur politique de placement. Rousseau leur répond qu'il n'y a pas de problème, que tout ce qu'il veut c'est être leur fiduciaire. Et, à sa première conférence de presse, le nouveau président insiste beaucoup sur ce terme de « fiduciaire ». Les déposants établiront leurs politiques de placement, et lui il gérera.

Rousseau parlait alors de « recentrer la Caisse sur sa mission fondamentale », mais considérer la CDP comme une simple fiducie constituait déjà une sorte de rétrécissement – à tout le moins – pour l'institution audacieuse établie par le gouvernement de Jean Lesage en 1965. Le journaliste Gérard Bérubé soulignera plus tard : « Si la Caisse veut s'en tenir au rendement, si son plus haut dirigeant ne veut plus être cet équilibriste répondant aux intérêts économiques supérieurs du Québec sans compromettre le rendement, elle n'aura d'autre choix que de se classer dans le premier quartile et de s'y maintenir. Sinon, comment justifier qu'on empêche les déposants d'obtenir une meilleure performance ailleurs[15] ? »

Par ailleurs, le nouveau président met en œuvre plusieurs initiatives louables, en réformant les comités permanents du conseil et les comités de la direction, pour mettre l'accent sur l'éthique, la régie d'entreprise et la gestion des risques. Il fait adopter un nouveau « Code d'éthique et de déontologie à l'intention des dirigeants et des employés », qui entre en vigueur dès novembre 2002.

---

14. L'arrivée de cet Américain unilingue fera que les réunions du conseil se dérouleront désormais dans un cadre bilingue, avec un système de traduction simultanée qui coûtera une fortune à la Caisse.

15. Gérard Bérubé, « À quoi la Caisse sert-elle ? », *Le Devoir*, jeudi 19 février 2004.

Il n'est peut-être pas anodin de souligner qu'à son arrivée, Henri-Paul Rousseau avait fait distribuer aux principaux cadres de la Caisse un livre qui est apparu comme la bible de la nouvelle administration. C'était le best-seller de John Collins : *From Good To Great.*

Le livre annonçait en exergue que le bon est l'ennemi du grand et il distinguait 11 entreprises modèles qui avaient passé la rampe de la grandeur, selon l'auteur. Il est assez ironique aujourd'hui de constater que plusieurs des 11 entreprises modèles distinguées par Collins ont périclité en Bourse depuis la parution du livre en 2001, et quelques-unes ont même fait faillite, comme Circuit City (en novembre 2008) et Fanny Mae (en septembre 2008). Cette dernière, l'une des plus grandes sociétés de crédit hypothécaire aux États-Unis, a succombé à la crise des *subprimes* aux États-Unis et a dû être mise en tutelle par le Trésor américain.

C'est sans doute afin d'atteindre plus vite à la « grandeur » des entreprises citées par Collins que, dès l'automne 2002, Rousseau engage la firme américaine Mckinsey au prix de plusieurs millions en honoraires pour trouver des idées de restructuration et rendre la CDP plus efficace. C'est le comportement souvent observé chez un nouveau patron qui arrive dans une entreprise dont il ne connaît pas bien les activités. Il cherche un *consultant* qui lui donnera les « best practices », qui ne sont en fait que les pratiques courantes, suivies par tout le monde et souvent tout à fait dépassées.

Puis, à la fin de novembre, le nouveau président procède à une vaste réorganisation interne, qui passe par le licenciement de la plupart des dirigeants de l'époque Scraire. Une vague sans précédent de congédiements dans l'histoire de l'institution, l'équivalent d'une grande purge… et le signal aussi d'une rupture profonde avec toute la culture développée par l'institution jusque là.

Rousseau brasse la cage

Cette grande rupture apparaît de façon spectaculaire au grand public, lors d'une conférence de presse donnée par le nouveau président le 2 décembre. Arguant qu'il vise à « recentrer les activités de la Caisse sur sa mission fondamentale de gestionnaire de fonds et sur la recherche de meilleurs rendements », Henri-Paul Rousseau annonce le congédiement de 19 dirigeants, l'abolition de 138 postes, la fermeture de 8 bureaux sur 11 à l'étranger et la suppression de 5 filiales.

Un grand titre barre la une de *La Presse* du lendemain, 3 décembre : ROUSSEAU ÉLAGUE LA CAISSE. Un second titre, en peu en-dessous : LE WATERLOO DE LA CAISSE DE DÉPÔT coiffe la chronique de Claude Picher. Pour sa part, Hélène Baril dit que le nouveau président de la CDP y est allé avec « un pic de démolisseur » : l'expression s'avérera ironiquement prophétique quand on apprendra qu'en 2008, la dernière année du règne de Rousseau, la CDP a connu la pire déroute de son histoire.

Mais, en ce décembre 2002, Henri-Paul Rousseau apparaît comme le sauveur attendu de la Caisse, et l'incarnation même de la justice punitive. L'opinion publique, déjà conditionnée depuis des mois, lui est très favorable. Les congédiements ont pourtant été faits de façon expéditive, brutale même. Et plusieurs réputations sont éclaboussées sans véritable fondement.

On fait grand cas, en cette fin d'année 2002, des pertes « énormes », « scandaleuses » de la Caisse : 30 millions dans Montréal Mode[16], un dépassement de coûts jugé excessif pour la construction du nouveau siège de la Caisse à Montréal, la dévalorisation de plus d'un milliard de dollars de l'investissement gigantesque dans Quebecor Media. D'ailleurs, Rousseau ne faisait pas mystère de son intention de se départir aussitôt que possible de cette grosse « patate chaude » qu'était devenue la participation dans Quebecor. Peu de temps après son entrée en fonction, il aurait rencontré Pierre-Karl Péladeau pour lui signaler son intention. D'après des sources bien informées, il voulait revendre Vidéotron à Rogers, ce qui n'a pas eu l'heur de plaire à PKP, qui aurait été ainsi dépossédé du joyau des télécommunications qu'il venait d'acquérir[17].

De cette opération menée tambour battant, Henri-Paul Rousseau ressort comme une sorte d'Hercule venu nettoyer les écuries d'Augias. À cor et à cri, à l'Assemblée nationale, celle qui deviendra bientôt ministre des Finances, Monique Jérôme-Forget, réclame une enquête publique au sujet de Montréal Mode. On la cite dans *La Presse* disant que Rousseau « ne doit pas croire un instant que ce qu'il a fait est suffisant[18] ».

---

16. Ce chiffre de 30 millions est le montant total qui avait été alloué pour faire plusieurs investissements dans le secteur du vêtement et de la mode ; mais les investissements faits en réalité n'ont pas atteint ce total. Par la suite, la Caisse, sous Rousseau, a revendu et n'a pas divulgué le résultat final de l'opération.

17. Voir Konrad YAKABUSKI, « How a rift developed between Rousseau and Péladeau », *The Globe and Mail*, 30 janvier 2009.

18. Denis LESSARD, « Mutisme au gouvernement ; satisfaction de l'opposition », *La Presse*, 3 décembre 2002.

En fait, ce qu'on appelle le « coup de balai » d'Henri-Paul Rousseau à la Caisse a donné le signal d'une véritable lapidation collective du régime Scraire. Et cette campagne de flétrissure se poursuivra de plus belle en 2003, atteignant des sommets d'hystérie, comme le signalera Léo-Paul Lauzon, dans un bilan des articles les plus virulents, publiés en majeure partie dans le quotidien *La Presse*. On parle de « gâchis », de « désastre », de « catastrophe ». Mais la palme appartient à Denis Lessard, qui signera, le 12 juin 2003, un article intitulé « La gestion de Scraire digne du musée des horreurs[19] ».

On peut s'interroger sur les raisons d'un tel acharnement. En août 2002, l'éditeur de *La Presse*, Guy Crevier, avait fait savoir à Jean-Claude Scraire qu'on lui en voulait au sein de Power Corporation. On le tenait responsable des 400 millions de dollars supplémentaires que Desmarais avait dû débourser pour acquérir la financière Mackenzie, en janvier 2001, parce qu'il s'était retrouvé en concurrence avec la Caisse, ce qui avait fait monter les enchères[20]. Mais il s'agissait d'un malentendu, selon l'ex-président de la CDP, parce que la Caisse croyait, de bonne foi, que Power Corporation n'était pas intéressée à acquérir Mackenzie[21]. De fait, Scraire avait rencontré Paul Desmarais fils, en décembre 2000, pour lui offrir la collaboration de la CDP si jamais Power voulait acquérir la société financière. Desmarais fils avait décliné l'offre, se contentant de dire que si Power décidait d'acheter Mackenzie, elle pourrait donner des mandats de gestion à la Caisse. « J'en ai retenu un non-intérêt de leur part, de dire Jean-Claude Scraire. Quelques jours plus tard on apprenait qu'ils [Power] étaient dans la course et chacun y est resté jusqu'à la fin. Ils ont gagné, mais ils ont dû payer 400 millions de plus. »

Pour revenir à la purge effectuée par Rousseau, à l'automne 2002, la CDP s'est retrouvée, du jour au lendemain, non seulement clouée au pilori sur la place publique, mais aussi chambardée profondément dans ses structures, ses orientations et sa culture même. En congédiant aussi précipitamment et en aussi grand nombre des gestionnaires de longue expérience et de grande expertise, qui étaient là depuis 10, 15, 20 ans, qui avaient connu plusieurs cycles financiers, avaient chevauché et surmonté plusieurs bulles

---

19. Jean Charest mériterait aussi une mention – qu'on nous excusera de ne pas qualifier d'« honorable » – pour avoir parlé, lors de la campagne électorale de 2003, du « pire désastre financier de l'histoire du Québec » !

20. Le coût d'achat était passé de 28 $ à 30 $ l'action, pour un montant total de 4,15 milliards de dollars qu'avait versé Power Corporation, par le biais de sa filiale Investors.

21. Entretien avec Jean-Claude Scraire, avril 2009.

sur le marché, des gens qui portaient la mémoire et l'information profonde de l'institution, Henri-Paul Rousseau avait vraiment fait œuvre de démolition, comme l'avait laissé entendre la journaliste de *La Presse*. Dans les devises, par exemple, comme le mentionne André Duchesne (qui était, sous Scraire, vice-président à la gestion des taux et des devises), « il avait fallu 15 ans pour mettre sur pied une équipe avec l'expertise nécessaire », et cette équipe a été sabordée du jour au lendemain[22]. Pour Duchesne, c'est « toute une génération de bâtisseurs » qui a été écartée sans ménagement ni discernement, couverte d'opprobre dans l'opinion publique, leurs réputations entachées, leur crédibilité professionnelle et personnelle minée. Jamais on n'avait vu une transition aussi brutale à la Caisse depuis sa fondation.

Henri-Paul Rousseau apparaissait comme le grand réformateur après toutes ces années d'excès, le grand justicier. Et sans doute s'est-il plu dans ce rôle puisqu'à la soirée des Fêtes des employés de la Caisse, cette année-là, il est apparu déguisé en shérif, s'amusant à tirer dans tous les coins de la salle avec ses pistolets jouets, comme s'il était l'incarnation de la justice courroucée.

Mais son zèle a peut-être entraîné le justicier au-delà de la justice. Car il a été à l'origine de manipulations de données et de chiffres qui ont jeté encore plus de discrédit sur l'administration sortante.

Dévaluation excessive d'actifs

En invoquant un recentrage sur le mandat fondamental de la Caisse, Rousseau avait, dès cette fin d'automne 2002, mis la hache dans trois éléments clés que l'administration Scraire avait développés au cours des années : la gestion pour des tiers ; les services conseils à l'international ; et la structure de l'investissement par filiales. « La Caisse doit se concentrer sur sa mission fondamentale pour mieux servir ses déposants et mieux performer », clamait le nouveau président. Le pis est que, ce faisant, il a procédé, aux dires de plusieurs, à une dévaluation des placements privés et il a accéléré les frais de réorganisation. Un tour de passe-passe qui fera apparaître les résultats de 2002 – imputables à l'administration Scraire – pires qu'ils ne l'étaient en réalité, et qui permettra, en revanche, de gonfler d'autant les résultats de 2003, la première année pleine du régime Rousseau. Par exemple, l'investissement dans Quebecor était évalué à 1,1 milliard de dollars en août 2002,

22. Entrevue de l'auteur avec André Duchesne, 3 mars 2009.

quand Jean-Claude Scraire a quitté la Caisse (selon l'évaluation qu'il avait lui-même fait faire). Or, quatre mois plus tard, au 31 décembre, Rousseau avait dévalué l'investissement à 435 millions de dollars (ce qui représentait une dévaluation de 85 %, soit beaucoup plus que celle de 65 % que Quebecor avait inscrite à la même date) ; un an plus tard, au 31 décembre 2003, la valeur du placement était remonté à 942 millions[23] dans la comptabilité de la CDP[24].

Voyons plus en détail comment s'est opéré ce genre de transsubstantiations comptables.

Du jour au lendemain donc, en cette fin 2002, toutes les filiales de participation créées par Scraire sont fermées et regroupées dans Capital d'Amérique, le groupe géré par Normand Provost. Sauf que l'opération ne se fait pas en un tournemain ni sans heurts. Elle entraîne une dépréciation importante des actifs, à la suite d'un marchandage... Car Normand Provost, se voyant obligé de reprendre les actifs de ses anciens collègues, ne l'a pas fait gratuitement (son rendement à lui serait, après tout, en fonction du prix d'entrée des titres dans son portefeuille) : il les a donc pris dans son portefeuille avec une dépréciation d'environ 25 %. En permettant à l'équipe de Normand Provost d'évaluer les actifs en fonction de leurs propres paramètres, Rousseau laissait l'acheteur fixer les prix d'acquisition. D'ailleurs, c'était aussi dans son intérêt, à la fois pour enfoncer davantage l'administration précédente et rehausser encore plus la sienne, l'année suivante.

Plusieurs placements non retenus par les nouveaux gestionnaires ont été vendus, certains en liquidation rapide, ce qui a provoqué des pertes, d'autres de façon plus ordonnée, mais à un moment inopportun dans des marchés défavorables. Et beaucoup d'actifs se sont retrouvés dépréciés outre mesure, notamment Vidéotron à la fin de 2002. Aussi pouvait-on écrire, dans le Rapport annuel de 2002 (le premier qui était présenté par Henri-Paul Rousseau) : « Des investissements dans un certain nombre de grandes entreprises du domaine des communications, dont Quebecor Media, ont subi des baisses de valeur de 2,8 G $ en 2002. »

23. Ce sera une opération inverse en 2007 pour le papier commercial : Rousseau ne l'avait pas déprécié à sa juste mesure, comme on le verra.

24. Selon Konrad Yakabuski (*op. cit.*), cette dévaluation outre mesure a permis à Rousseau d'afficher des gains plus élevés par la suite et de passer pour un champion du rendement. (« The larger writedown enabled the Caisse to record handsome gains on QMI in subsequent years – gains that helped Mr. Rousseau win kudos as an investment star. »)

Par contre, comme par magie, ces actifs sont revenus à leur juste valeur à la fin de 2003. La beauté de la chose, c'est que cela contribuait à rehausser le rendement de la première année complète de l'administration Rousseau. Le magicien du rendement était déjà à pied d'œuvre. En outre, en vertu de la nouvelle culture bancaire, fort généreuse en bonis, qui s'instaurait à la Caisse, les gestionnaires « racheteurs » d'actifs ont obtenu de belles primes sur cette « manipulation » de valeurs, qui avait été faite pour les besoins de restructuration du nouveau président.

En plus de ces dévaluations et des pertes sur des placements liquidés à la hâte, le sabordage des filiales a entraîné des « coûts de restructuration » que la direction de la Caisse a chiffrés à 37 millions de dollars, dans le *Rapport annuel* 2002 :

> Au cours de 2002, la Caisse a constitué une provision pour frais de restructuration de 37 M $, dont 29 M $ ont été imputés aux frais de gestion des placements et 8 M $ aux frais d'administration. Cette provision découle directement de la réorganisation des activités d'investissement, des fonctions de direction et des services institutionnels qui vise à recentrer les activités de la Caisse sur sa mission fondamentale. Elle prévoit les sommes nécessaires pour la réduction marquée des activités à l'étranger, incluant la fermeture de bureaux. Ces frais incluent principalement le paiement d'indemnités de cessation d'emploi au Canada et à l'étranger, l'annulation de contrats de consultants, des honoraires de services professionnels et l'annulation de baux et de contrats de location d'équipements[25].

La dévaluation a eu cours également dans l'immobilier, et notamment pour l'immeuble appelé « Centre CDP Capital », que la Caisse faisait construire dans le Quartier international de Montréal et où elle devait déménager ses bureaux à la fin de 2002.

Il faut dire d'abord qu'il y avait eu un grave malentendu, propagé d'ailleurs par le nouveau président, sur le coût de cet immeuble et les présumés excès qu'on y aurait décelés, lesquels sont devenus avec le temps des idées reçues – jamais remises en question – dans l'opinion publique au Québec. La prétendue hausse cachée des coûts de l'immeuble – passés *subito presto* de 102,5 à 362 millions de dollars[26] – avait été montée en épingle par les médias, surtout après la fameuse conférence de presse de Rousseau en décembre.

---

25. Caisse de dépôt et placement du Québec, *Rapport annuel* 2002, p. 45.

26. Selon les chiffres fournis par Rousseau et rapportés par André Noël : « Le siège de la Caisse coûtera 362 millions », *La Presse*, 3 décembre 2002.

Selon Jean-Claude Cyr, qui était responsable du dossier du nouvel immeuble à l'époque, le budget préliminaire approuvé par le conseil d'administration en 2000 était de 189 millions de dollars et comprenait le terrain, la construction, les frais de gestion, les honoraires professionnels, l'aménagement intérieur et les frais de financement. Puis, après d'autres études préliminaires, on est retourné au conseil pour faire approuver un nouveau budget de 247 millions pour une plus grande superficie. Cyr rappelle que la même hausse de coût s'était produite, à l'époque, pour le Palais des congrès, qui était passé d'une évaluation initiale de 180 millions de dollars à 240 millions. Donc, « à quelques millions près », selon Cyr, le projet de nouvel immeuble de la Caisse a été mené à terme sans dépasser le coût budgété et approuvé de 247 millions. « Il n'y avait pas eu d'augmentation de coûts : les budgets avaient été approuvés en bonne et due forme par le conseil d'administration, à toutes les étapes. »

Le problème, dit-il, c'est que « les vrais chiffres n'avaient pas été publiés ». En réalité, les chiffres reflétant l'évolution normale du dossier et les distinctions entre le nombre et la nature des immeubles des différents projets qui ont évolué simultanément dans le même quadrilatère n'ont pas été repris par les médias. Le premier chiffre communiqué, 102 millions de dollars, ne représentait que le coût de la construction, pas le coût total de l'immeuble. Puis quand ce chiffre est passé à 247 millions (175 M $ pour la construction), il n'y a pas eu de communiqués pour en faire état, ce qui a été une erreur, selon lui[27]. En septembre 2002, quand Rousseau est entré en fonction, Cyr lui a proposé d'engager une firme de relations publiques pour gérer le problème, c'est-à-dire dévoiler le véritable coût de l'immeuble, mais le nouveau président n'a pas donné suite. Puis, quelque temps après, une relationniste de la CDP a laissé échapper le chiffre de 300 millions devant un journaliste, ce qui a commencé à soulever des suspicions. En réalité, ce montant englobait des investissements afférents au Centre CDP Capital, c'est-à-dire d'autres immeubles connexes acquis par la CDP (dans le quadrilatère du Square Victoria) : le Montreal Herald, l'édifice Meco, et l'ancien édifice de la Banque du Canada (qui a été transformé pour devenir l'hôtel W[28]). Mais Rousseau laissait dire.

---

27. L'immeuble devait être construit par-dessus l'autoroute Ville-Marie et offrir un accès souterrain au centre-ville pour le nouveau Palais des congrès, ce qui a fait augmenter les coûts.

28. Cet édifice, d'ailleurs, aurait pu devenir un problème majeur pour le développement du quadrilatère, si le propriétaire privé n'avait pas consenti à le vendre pour qu'il soit incorporé dans une vision d'ensemble et avec des accès entre les édifices. Vu d'aujourd'hui, il est aisé de

À la fin de novembre, peu avant la fameuse conférence de presse, le Centre CDP Capital avait fait l'objet de vives discussions au conseil d'administration de la Caisse. Rousseau a été pris à partie par Henri Massé et d'autres, qui ne voulaient pas qu'il aille alerter la presse sur de fausses présomptions de dépassement des coûts et, surtout, qu'il aille crier sur tous les toits que l'immeuble de la Caisse était trop cher. Selon Jean-Claude Cyr, qui assistait à cette réunion, après qu'on lui eut démontré noir sur blanc que l'immeuble n'avait pas été construit avec des matériaux luxueux (« une partie des planchers est en granit, mais pour le reste c'est du bois, du béton, du métal peint et du verre »), Rousseau commente : « Mon chauffeur est allé visiter ça et m'a dit que c'était bien luxueux ! » Alors, le New-Yorkais John T. Wall, nouveau membre du conseil, ex-président de Nasdaq International, lui a fait la leçon : « What's your problem ? This will be a great contribution to Montreal. You should be proud of it ! » (« Où est le problème ? Ce sera une grande contribution à Montréal. Tu devrais en être fier ! ») Le coût élevé correspondait également au choix fait de construire un immeuble basé sur les principes du développement durable et de l'efficacité énergétique. Cette construction d'avant-garde en Amérique du Nord aurait certainement été certifiée LEED, une certification qui n'existait pas à l'époque, mais qui est de plus en plus recherchée aujourd'hui par les promoteurs et les clients.

Néanmoins, le 2 décembre, devant la presse, Henri-Paul Rousseau dénonçait le luxe de l'immeuble (« Moi, j'ai des goûts plus modestes… ») et avançait le montant de 362 millions de dollars[29] comme « le coût du siège de la Caisse », ce qu'ensuite la plupart des journalistes et faiseurs d'opinion ont tenu pour acquis… D'où le scandale, qui n'a cessé de courir depuis. Dernièrement encore, en 2009, un chroniqueur du *Journal de Québec* accolait à l'administration Scraire la tare du « pharaonique siège social de la Caisse ».

En vérité, cet investissement dit « pharaonique » – le Centre CDP Capital et les édifices connexes – était relié au grand projet de Quartier international dans le Vieux-Montréal, dont faisait partie notamment l'agrandissement du

---

constater que, si le promoteur l'avait gardé, le bâtiment aurait pris beaucoup de valeur grâce à tout le développement de la Caisse. Les personnes impliquées dans le re-développement disent que des coûts additionnels en seraient résultés pour la Caisse, en fait de normes légales et structurales à respecter.

29. En conférence de presse, à l'Assemblée nationale, le 11 juin 2003, la Vérificatrice générale par intérim Doris Paradis arrivera au chiffre de 418 millions de dollars pour « l'ensemble du complexe », c'est-à-dire quatre immeubles et un stationnement.

Palais des congrès. Il a contribué à rehausser toute une partie de la ville où il n'y avait auparavant qu'un vaste stationnement coupé par une autoroute. La qualité supérieure de la construction et de l'architecture de l'immeuble de la Caisse, de même que la restauration des édifices Montreal Herald et Meco et l'aménagement du somptueux hôtel W dans l'ancien édifice de la Banque du Canada[30], ont créé une émulation et un effet d'entraînement qui ont redonné beaucoup de valeur à ce quartier. Il n'est pas exagéré de dire que cet investissement immobilier de la CDP a été un véritable moteur de développement et de revalorisation urbaine à Montréal[31]. Car il y a eu, depuis lors, d'autres investissements s'élevant à plus de 1 milliard de dollars dans le secteur.

D'une main (celle qui était tournée vers le public), Rousseau augmentait le coût du Centre CDP Capital, mais de l'autre (celle qui était cachée), il en diminuait la valeur, pour refiler plus de pertes sur le dos de l'administration précédente. Il fut convenu, avec la vérificatrice générale, d'établir la valeur marchande de l'immeuble sur la base du marché, sans tenir compte des ententes tacites que la caisse avait prises avec sa filiale Camont. Ainsi le loyer convenu en 2001, 24 $, fut ramené au marché d'alors, soit à 21 $ le pied carré, et aucune valeur ne fut accordée aux espaces occupés par la garderie et les installations spéciales requises pour les besoins de la Caisse. En outre, on n'a pas tenu compte de la valeur d'un bail de 20 ans avec un occupant ayant une cote de crédit triple A. Tout cela aboutissait à une dévaluation de 75 millions de dollars pour le Centre CDP Capital : « un *write-off*[32] manufacturé », selon l'expression de Jean-Claude Cyr, qui tenta en vain de s'interposer.

La vérificatrice générale par intérim, Doris Paradis, suivit à la lettre les stipulations d'Henri-Paul Rousseau et approuva les dévaluations qu'il indiquait[33]. Selon Jean-Claude Cyr, « elle ne pouvait pas se permettre d'avoir dépensé autant d'argent pour dire : il n'y a eu aucun problème de gestion,

---

30. Ces réalisations architecturales de même que l'aménagement de la place Riopelle et de l'ensemble du Quartier international de Montréal ont valu de nombreux prix nationaux et internationaux à la firme d'architectes Daoust Lestage et au designer Michel Dallaire, entre autres.

31. La CDP le signale elle-même sur son site web : « L'édification du bureau principal de la Caisse est venue revitaliser le quartier en s'ajoutant à d'autres immeubles à vocation internationale. Inauguré en 2003, l'immeuble possède une architecture unique, saluée par plusieurs prix en architecture, en aménagement, en ingénierie et en design intérieur. »

32. Radiation.

33. Dans son rapport, elle chiffrait à 141millions de dollars la dévaluation pour l'ensemble des immeubles du complexe.

l'immeuble de la CDP vaut ce qu'il a coûté». Jean-Claude Scraire eut beau protester dans des notes adressées au vérificateur général[34], rien n'y fit. Le mal était fait.

Entre-temps, Henri-Paul Rousseau avait décidé de tout mettre dans le même portefeuille immobilier, en fermant une filiale à part entière de la CDP, Camont, dans laquelle se trouvaient le nouvel immeuble (le Centre CDP Capital) et l'édifice Price, siège social de la Caisse à Québec. Le groupe immobilier, à qui on demandait de reprendre le nouvel immeuble de la Caisse, a fait une offre initiale de rachat à 140 millions de dollars, pour finalement payer le montant fourni par l'évaluation ultra conservatrice du Groupe Altus : 175 millions. Au 31 décembre 2007, dans le portefeuille de la SITQ, la valeur du Centre CDP Capital s'établissait à 25 millions de dollars de plus que le coût original, «qui n'a jamais été publié» : ce qui signifie qu'en le rachetant à 175 M$ en 2002, la SITQ a tiré un bénéfice de 100 M$ avec l'immeuble de la Caisse.

Un autre «cadeau» est tombé dans l'escarcelle du groupe immobilier en cette fin d'année 2002 : le placement dans le fonds Lone Star. Au moment de l'opération Vidéotron en 2000, la CDP avait créé un portefeuille stratégique diversifié, pour y placer d'importants investissements à long terme comme celui de Quebecor Media. Elle a donc mis dans le même portefeuille un placement additionnel de 800 M$ qu'elle venait de faire dans le fonds Lone Star[35]. Ce placement était intéressant, selon Jean-Claude Cyr, car il comportait des attentes de rendement à court terme – deux ans, au maximum –, à la différence de Quebecor, qui était à plus long terme. «On

34. Voici quelques extraits de ses remarques : «Dans les faits saillants du projet de rapport (p. 4), on mentionne que les budgets approuvés pour le bureau de la Caisse sont inférieurs aux coûts prévus de 284 millions et qu'il y aurait un dépassement de 24%. Au niveau de l'exactitude du compte rendu, les faits saillants devraient mentionner le fait que la Caisse et sa direction ne partagent pas cette opinion du vérificateur. [...] On ne peut concevoir un tel projet en ne prévoyant pas d'améliorations locatives et d'équipement (27 millions pour la Caisse, plus les budgets des filiales immobilières) ; il s'agit véritablement d'une circonstance où le vérificateur devrait privilégier la substance à la forme dont il n'est pas satisfait et reconnaître que ce montant de 27 millions était budgété ; un budget spécial et substantiel d'informatique et de téléphonie a aussi fait l'objet de décisions de la part du conseil et de son comité de ressources et devrait être reconnu comme ayant été approuvé et budgété ; alternativement, les investissements afférents à ces sujets ne devraient pas être inclus dans le coût du projet. [...]»

35. Fonds de retraite texan qui, en 2001 notamment, a racheté la banque japonaise en faillite Tokyo Sowa, pour la rebaptiser Tokyo Star Bank et la revendre à grand profit cinq ans plus tard.

recherchait aussi d'autres positions stratégiques, pour diversifier le portefeuille, dit Cyr, comme dans les infrastructures, où on a commencé à investir à ce moment-là. » Quand Henri-Paul Rousseau a démantelé ce portefeuille, il a cédé le placement Quebecor à Capital d'Amérique, comme on l'a vu, et c'est le groupe immobilier qui a hérité de cette portion du placement Lone Star. Un placement qui s'est avéré vite fort payant pour la Caisse, avec des rendements atteignant 40 % par année et même 52 % une année. Et l'ironie de l'histoire, c'est qu'une partie du placement dans Lone Star avait été décidé pour faire contrepoids au placement Quebecor, pour en compenser le risque, en somme.

Fin de la gestion pour les tiers et des mandats internationaux

On a vu, dans les chapitres précédents, comment la CDP avait commencé à offrir des services de gestion à des tiers à la fin des années 1990. C'est aussi une chose que Rousseau a sabrée dès le départ.

Jean-Claude Cyr se souvient d'être allé passer « quatre jours en catastrophe » au Japon, avec François Geoffrion, pour convaincre les compagnies d'assurance d'investir dans un produit qu'on appelait « Québec mondial » (créé en 1999). Il s'agissait d'un portefeuille d'actions internationales, essentiellement en produits dérivés, et l'actif sous-jacent était investi dans les obligations du Québec et les bons du Trésor du Canada. Ce portefeuille avait trois avantages : il ne sortait pas d'argent du pays ; il ne comportait pas de risques de change ; et il était gérable dans n'importe quelle devise (seul le collatéral, la contrepartie, était dans une devise donnée).

> On avait réussi à aller chercher 100 millions de dollars au Japon, raconte Cyr. Les Japonais étaient très satisfaits. Ils envoient encore 100 millions, et là, Henri-Paul Rousseau retourne le chèque : fini ! ce n'est pas notre mission ! Les fonds qu'on était en train de lever en Asie, tout ce qu'on avait commencé à développer, fini ! Ce fut un dur coup porté à la réputation de la Caisse, et à beaucoup de partenaires avec qui on travaillait. On est passé pour des zouaves !

Le nouveau président s'est empressé aussi de mettre la hache dans une filiale de consultation internationale qui visait à exporter l'expertise unique du modèle Caisse. Cet investissement était marginal, mais les revenus qu'il produisait couvraient les frais et fournissait du travail à plusieurs Québécois ayant une expertise en gestion de fonds. « Ces mandats n'étaient peut-être pas très importants sur le plan financier, commente Cyr, mais ils apportaient une expertise internationale, créaient des contacts, des relations, un rayonnement. La Caisse avait plus de relations en Chine (comme dans plusieurs autres pays) que le ministère des Relations internationales du Québec et, à certains égards, on pouvait développer là-bas des réseaux plus étendus que ceux du gouvernement canadien. » Un peu plus tard, Rousseau s'est rendu compte que la Chine, ce n'était peut-être pas « une mauvaise idée », et il a fait machine arrière, a renoué les contacts. On verra, plus loin, dans quelles circonstances.

Les mandats de ces filiales s'étaient développés beaucoup dans les dernières années de l'administration Scraire, comme on l'a vu. En 2001 seulement, la CDP avait conclu une entente de coopération et de partenariat avec un fonds de retraite de Corée, le KNPC, qui gérait un actif de 60 milliards de dollars. Elle avait contracté des services-conseils auprès du ministère des Finances de l'Algérie, pour des émissions d'obligations gouvernementales. Elle avait obtenu un mandat d'assistance auprès du ministère hongrois des Finances. Elle prêtait main-forte à la Banque mondiale pour aider les autorités du Yémen à réformer les caisses de retraite du secteur privé et public. Elle collaborait avec le Bureau international du Travail dans la réforme des caisses de retraite en Chine. Elle avait signé une entente de coopération et de partenariat avec l'une des plus importantes compagnies d'assurance au Moyen-Orient, ARIG. Et elle réalisait une étude actuarielle pour les caisses de retraites de l'Arabie Saoudite (Saudi Pension Fund).

La Banque mondiale et des banques de développement internationales disaient que le modèle québécois était intéressant pour les pays en développement, car il permettait d'accumuler des réserves de capitaux pour réduire la dépendance au grand capital international. Bien des pays en voyaient de plus en plus l'intérêt. Et la Banque asiatique de développement poussait la CDP en Chine.

> On voyait bien, dit Jean-Claude Cyr, que le modèle CDPQ tenait bien la route face au modèle américain, dans lequel tous les fonds sont confiés à l'entreprise privée. On se disait : nous, à la Caisse, avec ce qu'on est en train de bâtir, on concurrence les plus grosses boîtes de gestion américaines, les Goldman Sachs et autres. On demande moins cher qu'eux, et on est en train de montrer à d'autres comment faire pour monter des caisses semblables, établir les politiques de placements, superviser la gestion, bâtir la reddition de compte, les mises en garde, les vérifications, etc.

La réputation de la Caisse québécoise s'étendait donc dans le monde. Et de plus en plus de pays, émergents ou non, se tournaient vers elle. Mais, pour Henri-Paul Rousseau, ce n'était pas dans le mandat de l'institution, et il a tout arrêté. Il a fermé huit bureaux de la CDP à l'étranger, n'en gardant que trois : à Paris, à Los Angeles et à Hong Kong. Et même Los Angeles et Hong Kong ont été fermés peu de temps après, le temps de liquider les placements qu'ils géraient.

La Chine devait cependant rebondir vite dans le champ de mire rétréci de la nouvelle administration. De fait, la filière chinoise s'était ouverte à la Caisse à la suite d'un exposé fait à l'Université McGill par Jean-Claude Cyr à la fin des années 1990. Dans l'assistance se trouvaient cinq représentants du gouvernement chinois qui ont pris contact par la suite avec la Caisse. Et c'est ainsi que s'est ouvert le canal de la Chine, via l'Université McGill, où on comptait beaucoup d'étudiants chinois. Plusieurs de ces ex-étudiants ont d'ailleurs été embauchés par la Caisse pour développer les relations avec la Chine. À un moment donné, dans les premiers mois de l'entrée en fonction de Rousseau,

François Geoffrion, qui était chargé du développement stratégique et du développement des nouveaux marchés, devait recevoir une délégation de Chine, dans le cadre des projets que la CDP avait en cours là-bas. On a décidé de louer une loge au Forum pour inviter les délégués chinois à voir un match de hockey et, par la même occasion, on a convié des membres de la direction de Power Corporation[36], qui ont pris conscience alors de la qualité de la filière chinoise à la CDP. La Caisse pouvait-elle devenir un outil intéressant pour le développement des affaires de Power Corporation en Chine ? Étrange coïncidence, Rousseau, quelque temps plus tard, allait changer d'idée et rouvrir un bureau en Chine.

Il n'en reste pas moins qu'avec tout ce branle-bas, avec tous les congédiements et le sabrage dans des activités importantes, la Caisse semblait, selon des observateurs avisés, revenir trente ans en arrière, à l'époque de Cazavan, dont la seule ambition avait été de gérer « en bon père de famille[37] ».

---

36. Power faisait déjà des affaires en Chine depuis quelques années, notamment grâce au soutien financier de la Caisse à l'époque de Delorme. De fait, le conglomérat de Paul Desmarais a fait ses premiers pas importants en Chine dans le cadre d'une entente où la Caisse était partenaire.

37. Le deuxième président de la Caisse avait été très ébranlé par la chute de la Bourse en 1973.

Mais Rousseau allait introduire à la Caisse une nouvelle culture bancaire, sans perspectives sociales, où seul le rendement compte, accompagné de bonis de plus en plus alléchants. Cela coïnciderait bien avec un nouveau gouvernement qui pousserait le désengagement de l'État québécois plus loin, à certains égards, que ce qui ne s'était jamais vu depuis le début des années 1960.

CHAPITRE 12

Dérive dans les produits dérivés

Henri-Paul Rousseau était arrivé à la Caisse avec une idée fixe : le rendement. « La poursuite du rendement aura priorité absolue à la Caisse », comme titrait *La Presse* en décembre 2002, et, en sous-titre : « Le mandat de développement économique mis en sourdine ». Ce seront là, effectivement, les deux axes qui définiront l'administration Rousseau dans les années subséquentes. Et qui expliquent, en somme, tout ce qui s'est produit par la suite.

En 2001 et en 2002 surtout, certains observateurs, négligeant les années antérieures, déploraient que la Caisse ne se situe pas parmi les plus forts au Canada, parmi les principaux fonds de retraite. À cet égard, le grand rival qu'on donnait souvent en exemple était Teachers, le fonds de retraite des enseignants ontariens, dont les rendements l'emportaient souvent sur ceux de la CDP et qui, en outre, était dirigé par un Québécois, Claude Lamoureux. Henri-Paul Rousseau était bien déterminé à changer cela.

De 2003 à 2007, surfant sur des marchés haussiers et grâce aux effets de levier qu'elle utilise abondamment, la Caisse réussit à afficher des rendements qui la classent dans le premier quartile des grandes caisses de retraite canadiennes. Elle dame même le pion à Teachers, en 2006, pour la première fois depuis 1998[1], puis à nouveau en 2007. En fait, pendant quatre années consécutives, de 2003 à 2006, le rendement ne passe jamais sous les 12 %[2]. Rousseau a de quoi pavoiser : ce qu'il ne manquera pas de faire en novembre

1. En 1998, la CDP avait obtenu un rendement de 10,2 % contre 9,9 % pour Teachers.

2. 15,2 % en 2003, 12,2 % en 2004, 14,7 % en 2005, 14,6 % en 2006. Par comparaison, les rendements de Teachers pour les mêmes années sont de 18 %, 14,7 %, 17,2 % et 13,2 %.

2007, à Québec, devant la comité parlementaire de l'Assemblée nationale, comme on le verra.

Bien sûr, la CDP profite amplement des marchés haussiers qui ont cours durant ces années. Mais pour multiplier ses gains, Rousseau et son équipe ont cherché des effets de leviers qu'ils ne pouvaient trouver ailleurs que dans les produits dérivés plus ou moins sûrs et, surtout, dans ce qui est apparu clairement quelques années plus tard comme les plus risqués d'entre eux : les papiers commerciaux non bancaires ou PCAA (papier commercial adossé à des actifs).

En 2003 et 2004, Rousseau est allé visiter des fondations universitaires aux États-Unis, notamment celle de Harvard. Il y a été ébloui par la quantité de produits dérivés qu'on y gérait et surtout par les modèles mathématiques très poussés qu'on employait pour les gérer : ce qu'on appelle les stress tests – *Stress Testing*, VaR (valeur à risque), simulation Monte Carlo – qui sont des méthodes de quantification du risque. Ce fut une sorte de révélation pour lui. Ces outils, surtout la VaR[3], étaient déjà utilisés à la Caisse, avant l'arrivée de Rousseau. La différence, c'est qu'ils ont pris une plus grande importance avec lui. Une importance qu'on pourrait qualifier de démesurée.

C'est ainsi qu'à partir de 2003, l'approche quantitative a primé à la CDP. On utilisait des modèles mathématiques très complexes, qui faisaient saliver les ex-professeurs, docteurs en économie et en finances qu'étaient Henri-Paul Rousseau et Richard Guay. C'était une gestion très technocratique, qui venait changer la culture entrepreneuriale qui s'était développée à la Caisse. Une gestion qui laissait moins de place à l'intuition, ou même, à la limite, au simple bon sens, comme l'ont signalé plusieurs observateurs : ce qui correspond aussi aux signaux d'alarme qui ont été lancés depuis le début de la crise financière en 2008, et qui pointaient justement les failles des modèles probabilistes utilisés. On y reviendra.

À partir de ce moment-là, la Caisse s'est mise à se comporter comme un « Hedge Fund », un fonds à risque, au lieu d'une caisse de retraite, selon André Duchesne[4]. En général, les *hedge funds* se financent par effet de levier, c'est-à-dire avec peu de capitaux et beaucoup d'emprunts.

---

3. « La VaR est une mesure probabiliste de la perte ponctuelle d'un portefeuille de composition donnée, résultant des variations futures des facteurs de risque. » Description donnée sur le portail financier de Sia Conseil (http ://finance.sia-conseil.com/).

4. Entrevue de l'auteur avec André Duchesne, 3 mars 2009.

Tout cela allait de pair avec la nouvelle culture bancaire introduite à la Caisse par l'ex-pdg de la Laurentienne : une culture où les rémunérations sont exorbitantes. Ce n'est donc pas par hasard que les primes ont littéralement explosé sous le règne de Rousseau. Elles ont atteint un sommet de 42 millions de dollars en 2007.

Une nouvelle loi pour la Caisse

Printemps 2003 : l'échiquier politique bouge au Québec. Les libéraux, dirigés par Jean Charest, sont portés au pouvoir le 14 avril. Étrangement, même si Henri-Paul Rousseau avait été nommé par un gouvernement péquiste, il se retrouvait plus en phase, si on peut dire, avec le gouvernement de Jean Charest, et la nouvelle ministre des Finances, Monique Jérôme-Forget, qui avait applaudi à tout rompre à sa nomination. Mais c'est probablement dans la façon de concevoir la contribution de la Caisse à l'essor économique du Québec que l'entente était la plus complète : loin des « folies interventionnistes » de l'administration précédente, comme Rousseau avait qualifié les interventions de la Caisse (en faisant allusion à Montréal Mode et à Vidéotron).

En tout cas, le nouveau gouvernement va vite s'atteler à la refonte de la Loi de la Caisse, ce qui sera chose faite à la fin de 2004.

Pour l'essentiel, cette loi séparait les fonctions de président du conseil et de président et chef de la direction, comme l'avait recommandé Jean-Claude Scraire. Autrement dit, le pdg de la Caisse, Henri-Paul Rousseau, ne présidait plus le conseil d'administration. En outre, pour la première fois, la loi précisait la mission de l'organisme, de la façon suivante : « La Caisse a pour mission de recevoir des sommes en dépôt conformément à la loi et de les gérer en recherchant le rendement optimal du capital des déposants dans le respect de leur politique de placement tout en contribuant au développement économique du Québec. » Cette formulation n'allait pas sans créer une certaine ambiguïté. On avait toujours dit, jusque-là, que la Caisse avait le double mandat d'obtenir le meilleur rendement de ses dépôts et de contribuer à l'essor économique du Québec. Or, avec ce « tout en » de la nouvelle définition (au lieu de « et en »), les deux actions, rendement et développement, semblaient simultanées, donc fusionnées. Et c'est bien ce que Rousseau laissait souvent entendre : si j'obtiens un bon rendement, je contribue par le fait même au développement économique du Québec. À l'Assemblée nationale, l'opposition du Parti québécois porta justement sur le fait que la nouvelle loi ne mettait pas assez l'accent sur le rôle actif que la Caisse devait jouer pour contribuer à l'économie du Québec ; elle n'en faisait plus qu'un rôle accessoire. Le gouvernement Charest dut imposer le bâillon pour faire adopter la loi le 15 décembre 2004.

Néanmoins, en séparant les fonctions de président du conseil et de chef de la direction et en limitant le mandat du pdg à cinq ans, la nouvelle loi répondait à un besoin ressenti depuis longtemps. Pour Michel Nadeau, qui dirige aujourd'hui l'Institut sur la gouvernance, cette loi a créé « le plus beau modèle de société d'État en fait de gouvernance ». Il en donne comme exemple le fait que c'est le conseil d'administration, désormais, qui nomme le pdg « après consultation du gouvernement », alors que dans les autres sociétés d'État le gouvernement nomme « après consultation du conseil ».

À la suite des changements apportés par la nouvelle loi, le 27 avril 2005, Pierre Brunet était nommé président du conseil d'administration de la Caisse. M. Brunet avait été auparavant pdg de la firme de courtage Lévesque Beaubien (devenue la Financière Banque Nationale) et président du conseil de l'Institut canadien des comptables agréés. En 2003, il avait présidé un groupe de travail qui avait recommandé de « revoir le modèle québécois d'intervention de l'État dans l'économie », pour laisser plus de place au secteur privé. Le gouvernement Charest en avait appliqué la plupart des recommandations, ce qui avait entraîné, entre autres, une diminution des interventions de la Société générale de financement (SGF) et une forte baisse du capital de démarrage disponible pour les très jeunes entreprises québécoises.

En même temps que lui, entrèrent au conseil de la Caisse Louise Charette, directrice générale adjointe à la Commission de la construction du Québec, Yvan Allaire, professeur aux HEC spécialisé en gouvernance, Claude Garcia, ancien dirigeant de la Standard Life, et A. Michel Lavigne, comptable chez Raymond Chabot Grant Thornton : ce qui portait à 15 le nombre des administrateurs de la Caisse, le maximum prévu par la loi.

Un marché haussier

Henri-Paul Rousseau a eu la chance d'arriver à la Caisse après trois années de sévères corrections boursières. De 2003 jusqu'en 2007, les marchés sont en hausse continuelle… une hausse de 15 % par année, en moyenne. L'immobilier va bien, les prix de l'énergie grimpent, les matières premières explosent. Il y a donc, durant cinq ans, une grande flambée sur les marchés financiers, et le marché boursier canadien est le plus performant de la planète, à cause des matières premières. La Caisse en tire grand profit, avec des rendements qui se situent entre 12 % et 15 %. Et pour dorer encore davantage son blason, l'administration Rousseau change quelque peu les indices de référence. Pour des fonds spéculatifs (*hedge funds*), elle prend comme références les bons du Trésor, les valeurs les plus sûres. Or il convient de prendre un indice qui reflète le risque encouru, comme l'explique Michel Nadeau : « Les bons du Trésor sont un placement sans risque, à 3 % ; si les *hedge funds* affichent du 12 %, la valeur ajoutée est de 9 %. Mais l'indice de référence aurait dû être beaucoup plus élevé, car les placements spéculatifs renferment plus de risque que les titres à court terme des gouvernements. Bien sûr, en prenant l'indice le plus bas, ça fait paraître ton rendement meilleur[5]. »

Ainsi donc, Henri-Paul Rousseau essaie de tirer le meilleur parti de la hausse des marchés. À la fin de 2006, l'actif total de la Caisse avait franchi le cap des 200 milliards de dollars (précisément 207,9). Dans les grands marchés traditionnels – actions, obligations –, on ne crée pas beaucoup de valeur, selon Nadeau. « Les indices de référence des classes d'actifs traditionnels sont souvent modifiés. Est-ce qu'à chaque fois on cherchait à élever la barre ou plutôt à dégager davantage de valeur ajoutée et offrir de meilleurs bonis ? C'est à voir. Mais les investissements dans des *hedge funds* n'ajouteront pas de valeur par rapport aux actifs traditionnels, qui performent alors très bien Les résultats de la Caisse sont fortement favorisés par les placements privés et l'immobilier, où l'essentiel avait été mis sur pied par les administrations précédentes. »

Comme on l'a vu, on avait remplacé les anciens cadres par de nouveaux qui n'avaient pas l'expérience, ni surtout la prudence instinctive acquise au fil des années. Les dirigeants se disaient sans doute que l'expérience n'était pas nécessaire, parce qu'ils avaient des modèles mathématiques impeccables pour encadrer le personnel. Tout ce qui était intuitif n'avait pas sa place dans cette gestion scientifique, technocratique. Le VaR et le Stress Testing faisait fois de tout.

Mais les rendements étaient bons, la CDP se retrouvait à nouveau dans les premiers de classe parmi les caisses de retraite. Tout semblait aller le mieux possible dans le meilleur des mondes financiers… avant que la crise du papier commercial n'éclate en 2007.

---

5. Entrevue de l'auteur avec Michel Nadeau, 20 mars 2009.

La Caisse apportait du rendement à ses déposants, et c'était, en fait, tout ce que Rousseau s'était engagé à faire. Et cela suffisait amplement, à ses yeux, pour le développement économique du Québec.

Contribution moindre à l'économie du Québec

« Plus la Caisse est performante, plus elle peut rendre disponibles des fonds pour le développement à long terme du Québec », soutenait Henri-Paul Rousseau, le 9 mars 2009, devant la Chambre de commerce de Montréal.

Il faisait valoir que de 2002 à 2006, « la valeur des investissements de la Caisse dans les entreprises du Québec a progressé plus de deux fois plus rapidement que le PIB du Québec ». Et, pour illustrer son propos, il indiquait qu'à la fin de 2007, la CPD « détenait près de 37 milliards d'actifs au Québec » qui se composaient de « 20 milliards d'obligations des secteurs public et privé, et 17 milliards répartis entre des actions dans des entreprises québécoises cotées en Bourse, environ 600 immeubles et des placements dans quelque 500 entreprises privées ».

Ces chiffres pouvaient sembler concluants. Mais détenir des obligations du gouvernement du Québec, qui rapportent plus que celles du Canada, ou des actions de la Banque Royale ou de la Banque de Montréal, qui ont des sièges sociaux symboliques à Montréal, voilà qui témoigne tout au plus d'une présence, non d'une action. Dans les faits, l'administration Rousseau n'a pas fait grand-chose pour stimuler l'entrepreneuriat québécois. Par rapport aux administrations précédentes, et même aux toutes premières, celles de Prieur et de Cazavan, son apport à l'essor de Québec inc. a été le plus faible, relativement parlant.

À son arrivée à la Caisse, en 2002, Henri-Paul Rousseau avait indiqué clairement que l'interventionnisme des administrations précédentes était chose révolue[6]. Avec lui, il n'y aurait plus d'interventions du genre Vidéotron, Provigo, Steinberg, Domtar et autres. De fait, il n'y en a eu aucune.

Comme le dit textuellement le Rapport annuel de 2007, « les rendements obtenus par la Caisse demeurent sa principale contribution au développement économique du Québec ».

---

6. Voir Sophie Cousineau, « Le Vidéotron de Henri-Paul Rousseau », *Cyberpresse*, 17 sept. 2007.

En réalité, si l'on excepte l'investissement dans Bombardier Produits récréatifs en 2003, où la CDP s'est alliée avec le fonds Bain Capital[7] de Boston, il n'y a pas eu, sous Rousseau, des placements importants dans de grandes entreprises québécoises. Encore là, on peut se demander si cet investissement dans Bombardier a vraiment aidé le Québec, à part la famille Bombardier... Car il y a eu aussitôt des transferts d'emplois vers le Mexique, 300 emplois ont été supprimés à Valcourt, des compressions ont eu lieu, et aujourd'hui l'entreprise va jusqu'à demander à ses sous-traitants de transférer leur production en Chine, selon ce que rapportait récemment un hebdomadaire de Drummondville[8].

À la fin de 2006, la CDP a mis sur pied un Fonds manufacturier québécois, doté d'une enveloppe de 100 millions de dollars, mais les deux premiers investissements de ce fonds n'ont été faits qu'en février 2008[9].

En réalité, le pourcentage des investissements au Québec a diminué de près de la moitié durant les années Rousseau. On a calculé, en effet, qu'au 31 décembre 2007, il y avait moins de 17 % de l'actif de la Caisse qui était investi au Québec, alors que la proportion était de 32 % en décembre 2002.

À la décharge de Rousseau, on peut alléguer que le déclin à cet égard avait déjà commencé avant son arrivée. Robert Laplante a calculé, en effet, que, de 1996 à 2007, le poids relatif des investissements québécois de la CDP était passé de 46,40 % à 16,94 %[10].

« Au moment où les entreprises québécoises ont besoin de financement, la CDP préfère investir à l'étranger! », lançait en mars 2009 François Legault,

7. Ce genre de fonds appelé « private equity » n'agit qu'à des fins strictement financières. « Une fois la proie entre leurs griffes, (ces sociétés d'investissement) sortent l'entreprise de la Bourse. Elles se débarrassent aussitôt du regard extérieur du conseil d'administration. Commence alors la cure minceur. Elles procèdent souvent à des mises à pied, délocalisent des emplois vers l'Asie et sabrent les avantages sociaux et les dons philanthropiques. Ces gens-là n'ont pas de cœur. Tout ce qu'ils veulent, c'est préparer la mariée; la mettre belle de façon à ce qu'elle soit désirable lorsqu'ils vont la revendre », explique Michel Nadeau. (Extrait d'un article de Dominique Forget, « Les 7 épées de Damoclès de Wall Street », *Jobboom*, avril 2008.)

8. Lise Tremblay, « Le syndicat de Créations Morin en colère contre Bombardier », *L'Express de Drummondville*, 4 avril 2009.

9. Il faut dire aussi que la Caisse, sous Rousseau, a confié des fonds substantiels à la gestion des filiales du conglomérat Power Corporation, mais il ne s'agit pas, à proprement parler, d'investissement dans l'économie québécoise.

10. Robert Laplante, « La Caisse a-t-elle largué l'économie québécoise? », *Le Devoir*, 3 mars 2009.

le critique péquiste en matière de finances. La ministre Jérôme-Forget, pour sa part, laissait entendre qu'investir dans les entreprises québécoises n'était pas assez rentable. Tous ceux qui ont bien suivi la Caisse savent pourtant que les placements privés dans les entreprises, et au Québec en particulier, ont été historiquement l'une de ses catégories d'investissements les plus rentables. Et cela s'est vérifié encore en 2008, l'année catastrophique.

On a beaucoup déploré que la Caisse n'ait rien tenté, au cours des dernières années, pour empêcher plusieurs fleurons de l'économie québécoise – notamment Domtar, Abitibi-Consol et Alcan – de passer en des mains étrangères.

L'ancien premier ministre Jacques Parizeau a fait remarquer que « la Caisse aurait eu l'importance nécessaire pour organiser un groupe qui puisse prendre un gros paquet d'actions dans Alcan, par exemple. C'est ridicule qu'on ait laissé filer le contrôle sur l'Alcan[11]. » En décembre 2007, il avait dénoncé le fait que le gouvernement québécois ait reconduit sans condition le bail d'Alcan (devenu propriété de Rio Tinto) sur la rivière Saguenay jusqu'en 2058.

Pour Michel Nadeau cependant, investir dans Alcan aurait été un risque trop grand pour la Caisse : « Si la CDP s'était lancée là-dedans elle aurait perdu gros. Rio Tinto a payé 40 milliards de dollars [pour acheter Alcan], et aujourd'hui, en 2009, ça ne vaut plus que 8 milliards. »

Par ailleurs, Nadeau reconnaissait lui-même, dans une entrevue accordée au magazine *Jobboom* en 2008, que même si le siège social restait à Montréal, Londres aurait dorénavant le dernier mot dans les grandes décisions. « Prenez une usine du Saguenay qui développe un projet de modernisation. Imaginons que l'investissement requis est de 50 millions de dollars et qu'on s'attend à une hausse des profits de 12 % une fois les travaux complétés. Est-ce que ça vaut le coup ? Désormais, c'est Londres qui va décider. Or, sur le bureau londonien de Rio Tinto, on peut très bien imaginer que la demande atterrira à côté d'une autre proposition, soumise celle-là par Rio Tinto Indonésie, promettant un rendement de 13,5 %. » Il ajoutait que, souvent, on ne peut pas « faire concurrence aux pays qui font malheureusement travailler des enfants[12]. »

---

11. « Parizeau réclame une enquête », entrevue avec Anne-Marie Dussault, Radio-Canada, 26 février 2009.

12. Dominique Forget, « Les 7 épées de Damoclès de Wall Street », *Jobboom*, avril 2008.

Et comme pour justifier toutes ces inquiétudes, on apprenait en avril 2009 que Rio Tinto s'apprêtait à supprimer 20 % de son personnel au siège social de Montréal, après l'annonce en janvier de la fermeture de l'usine d'électrolyse d'aluminium de Beauharnois.

Pour Nadeau, l'intervention dans Domtar n'aurait pas été avisée non plus, car « le papier est un secteur malade ». D'ailleurs, avec l'industrie des journaux menacée par le web, l'avenir du papier journal n'apparaît guère reluisant.

Nadeau dit qu'à l'époque où il était à la Caisse, on s'entendait sur une chose : il fallait aider à maintenir les entreprises québécoises, mais non bloquer à tout prix. « La notion de patrimoine industriel à conserver à tout prix n'est pas acceptable s'il n'y a pas un entrepreneur pour piloter l'entreprise. Il faut aider les entreprises québécoises à conquérir les marchés étrangers, à garder leurs entreprises au Québec, mais l'important c'est d'avoir un entrepreneur partenaire. »

Cependant, on peut dire que plus les centres de décision s'éloignent, plus l'emploi local est menacé. Et c'est là que la perte du contrôle des entreprises, qui semble s'accélérer au Québec depuis une dizaine d'années, devient préoccupante. Et le fait que le gouvernement Charest veuille de moins en moins que l'État s'en mêle, en désengageant des outils financiers comme la SGF et la CDP, n'aidera pas le Québec.

Pour l'ex-premier ministre Jacques Parizeau, ce noyau dynamique de grandes entreprises et d'institutions financières qui constituait une force de frappe économique au service de la province, Québec inc., est mort[13]. Le démantèlement de cette cohésion économique et financière, Parizeau comme bien d'autres le voyaient aussi dans la disparition de la Bourse de Montréal, passée corps et biens à la Bourse de Toronto en décembre 2007. « Il s'est passé quelque chose de curieux, a confié Parizeau en entrevue à Radio-Canada. Desjardins a vendu ses actions de la Bourse de Montréal et s'est mis à travailler pour la Bourse de Toronto comme conseiller financier. (La Banque Nationale conseillant la Bourse de Montréal.) Pour la première fois, on voyait un groupe de sociétés qui habituellement travaillaient ensemble, dans une optique québécoise, se déchirer. »

On a vu, au cours de ce livre, tous les efforts que la Caisse avait mis, avant Rousseau, pour soutenir la Bourse de Montréal et faire de la métropole

---

13. Josée Legault, « Le dernier des Mohicans », *Voir*, 6 février 2008.

québécoise un centre financier plus important. Après des années de tiraillements, Montréal avait finalement, en 1999, cédé le marché des actions à Toronto (contre une compensation appréciable), pour se spécialiser dans les produits dérivés[14]. Mais l'exploitation de ce marché spécialisé à Montréal portait encore ombrage à Bay Street. En mars 2007, le Groupe TSX de la Bourse de Toronto annonçait un partenariat avec la société américaine ISE (International Securities Exchange) pour lancer dans les deux ans une nouvelle Bourse canadienne de produits dérivés. C'était du bluff, car il a été prouvé plus tard que le TSX n'était pas prêt à lancer un projet de ce genre[15], mais cela a suffi pour inciter la Bourse de Montréal à accepter les offres d'achat de Toronto.

La disparition annoncée du parquet montréalais, en décembre 2007, a incité Jean-Claude Scraire à rompre pour la première fois le silence qu'il s'était imposé depuis son départ de la Caisse. Dans un texte d'opinion publié dans *Le Devoir*[16], il proposait de « convoquer une commission parlementaire qui pourrait recommander de bloquer la fusion des bourses de Montréal et Toronto ». Il invoquait le fait que les dirigeants de la Bourse s'étaient liés les mains d'avance en acceptant, « selon des circonstances qui n'ont pas encore été divulguées », de payer une pénalité excessive de 46 millions de dollars à la Bourse de Toronto si la transaction n'avait pas lieu. Pour lui, cette fusion réclamée depuis longtemps visait à « concentrer les activités primordiales et la décision à Toronto, comme l'ont fait les grandes banques canadiennes depuis 15 ans, avec pour conséquence de vider Montréal de son secteur financier ».

Et la Caisse ? Aurait-elle pu intervenir ? Scraire rappelle aujourd'hui[17] que la CDP a pris une position d'actionnaire lorsque le parquet de Montréal a été inscrit à la Bourse. Dès lors, le sort de la Bourse montréalaise était scellé, selon lui, car la Caisse, qui devait aussi respecter les intérêts des différents actionnaires, n'avait d'autre choix que de « vendre quand une offre intéressante serait faite », ce qui était d'ailleurs l'objectif de l'inscription sur le marché. Les diri-

---

14. Un comité consultatif, représentant le milieu financier et dirigé par nul autre qu'Henri-Paul Rousseau, alors pdg de la Banque Laurentienne, avait recommandé le transfert des actions à Toronto. Il y avait eu deux voix dissidentes : Jean Campeau et Jean-Claude Cyr.

15 « Marché des produits dérivés - Le Groupe TSX aurait bluffé la Bourse de Montréal », Presse canadienne et *Le Devoir*, 25 février 2009.

16. Jean-Claude Scraire, « Fusion des Bourses de Montréal et Toronto : peut-on éviter un retrait définitif de Montréal ? », *Le Devoir*, 19 décembre 2007.

17. Entretiens de l'auteur avec Jean-Claude Scraire, avril 2009.

geants ont empoché 130 millions de dollars en bénéfices sur leurs actions, dont 60 millions pour le seul président. « Il ne semble pas avoir été question d'offre d'achat inversée, dit-il, pourtant la Bourse de Montréal était plus rentable que celle de Toronto. » La décision de Rousseau d'appuyer la transaction, à la fin, aura fait pencher la balance de l'opinion publique.

À cet affaiblissement financier graduel de Montréal contribue aussi cette tendance de la Caisse, sous Rousseau, à confier la gestion de certains fonds à l'extérieur, comme, par exemple, les actions internationales à New York. Il y a eu aussi la direction de CDP Hypothèques qui est passée à Toronto après une fusion avec M4 ; mais, finalement, cette direction a été rapatriée à Montréal en 2008.

> À l'époque où j'étais à la Caisse, rappelle Michel Nadeau, j'étais convaincu que notre mission de gestionnaire de fonds à l'échelle internationale et notre contribution à l'essor économique du Québec, c'était bien lancé, c'était quelque chose d'irréversible. En deux ans, tout cela a sauté ! Lorsque des intellectuels de la finance prennent le pouvoir, on leur dit : consacrez-vous à ce que vous faites bien, la gestion d'actifs, et tout ce qui est à l'étranger, donnez-le en sous-contrats. Alors, on a fait revenir les gens de Boston, de San Francisco, de Londres. On proclame que l'essor économique du Québec, c'est faire du rendement, et on participe fort à Centraide... Nous, on définissait la participation à l'essor économique comme un effort supplémentaire. Il faut avoir des convictions. Il faut négocier le meilleur rendement financier, puis, après, ramasser encore un peu d'énergie pour que ton interlocuteur ait des avocats québécois, ait des contacts québécois, ait des relationnistes québécois, bref apporte des retombées au Québec.

En plus de ne pas avoir investi dans la grande entreprise québécoise, l'administration Rousseau a aussi pris ses distances par rapport aux placements dans les PME, en confiant des fonds à la Banque de développement du Canada (BDC) pour qu'elle le fasse à sa place[18]. Une décision qui a surpris beaucoup de monde, selon Michel Nadeau. Car maintenant « la décision de placer l'argent de nos rentes dans nos PME est prise par un organisme fédéral, qui est dirigé d'Ottawa, par des Ontariens en majorité ». Bien que l'organisme compte des employés québécois au Québec, ce sont ultimement ces dirigeants éloignés qui déterminent les stratégies et qui ont le pouvoir, en dernier ressort, de décider dans quelle région du Québec et à quelle entreprise devrait

18. Il faut croire que Rousseau a une prédilection particulière pour la BDC, parce qu'il avait conclu une entente semblable avec elle alors qu'il était pdg de la Banque Laurentienne.

aller l'argent de la Caisse. Il faut avouer que, nationaliste ou pas, il est assez dérangeant de voir le bas de laine des Québécois investir dans les entreprises du Québec par le biais d'une structure fédérale !

Par contre, en 2006, la CDP a investi 2 milliards dans les aéroports britanniques, en prenant une participation dans BAA Airports, premier exploitant d'aéroports au monde. Et en septembre 2008, à un moment critique où elle manquait de liquidités à cause du papier commercial, elle a dû rajouter 563 millions de dollars pour renflouer les finances de BAA[19].

Une frénésie spéculative sur les marchés

Dès les premières années de Rousseau, la Caisse a donné beaucoup dans les produits dérivés, dont la complexité croissante allait de pair avec des modèles mathématiques qui donnaient une caution scientifique, et donc un semblant de garantie, à des spéculations de plus en plus risquées.

En 2005 et 2006, l'ambition spéculative avait même amené les gestionnaires de la Caisse à parier sur les ouragans à venir dans le Golfe du Mexique pour les prix du gaz naturel aux États-Unis[20] ! Ils avaient été entraînés dans cette aventure par le *hedge fund* Amaranth Advisors, dirigé par le jeune Albertain Brian Hunter. Pour tout investisseur sérieux, l'élément invraisemblable de ce fonds est que tout l'argent a été mis sur un seul produit : les contrats de gaz naturel à court terme. La météo a mal tourné, il a fait moins froid que prévu… Les investisseurs qui ont suivi Hunter ont perdu 6,5 milliards de dollars ; la CDP, elle, y a laissé 60 millions[21].

Comme l'ont signalé alors plusieurs observateurs avisés, cette affaire donnait déjà un signal d'alarme au sujet des risques d'un marché financier dopé dangereusement par les spéculations des *hedge funds*.

On ne peut s'empêcher de penser que les gestionnaires de la Caisse, hantés par l'obsession du rendement et aussi, faut-il le dire, alléchés par les primes faramineuses que Rousseau avaient instaurées, se soient laissés

19. Les mésaventures de la Caisse avec ce placement ne sont pas terminées, car les autorités britanniques ont ordonné à BAA, en mars 2009, de se départir d'ici deux ans de trois aéroports sur sept. Des ventes qui risquent de ressembler à des liquidations.

20. Voir, entre autres articles, celui de Jenny Anderson, « Betting on the Weather and Taking an Ice-Cold Bath », *New York Times*, 29 septembre 2006.

21. Jean Gagnon, « Comment Amaranth a perdu 6 G $ en deux semaines », *Les Affaires*, 3 octobre 2006.

emportés par le vent de folie spéculative qui soufflait sur le monde de la finance dans la deuxième moitié de la première décennie du siècle. La CDP n'a pas été seule à avoir été prise dans une sorte de ruée vers l'or des *futures*, ces contrats à terme très spéculatifs qui pouvaient faire gagner un milliard une année – et en faire perdre le double l'année d'après.

Le marché financier ressemblait de plus en plus à un vaste un casino. Mais les contrats à terme, les *subprimes* (prêts à taux très bas), les swaps et les papiers commerciaux, entre autres produits financiers, devenaient de plus en plus les cartes vacillantes qui allaient faire s'écrouler le château mirifique des produits dérivés.

Pouvait-on avoir des assurances contre cela? Henri-Paul Rousseau se targuait d'assurer une meilleure gestion du risque que ses prédécesseurs, mais il se fiait à une science mathématique qui avait ses failles. Une science, en fait, qui allait trouver son Waterloo avec la crise du papier commercial, dit PCAA.

La crise du papier commercial

Comme les *subprimes* aux États-Unis, le papier commercial a été ici la pointe de l'iceberg vers lequel allait s'écraser le système financier…

Quand on parle de papier commercial, il faut distinguer parce qu'il y en a deux sortes: bancaire et non bancaire. Le premier est un instrument classique du marché monétaire, utilisé depuis des lustres, qui sert à convertir le trop-plein de liquidités des entreprises en titres sur le marché. En gros, quand une entreprise a trop d'argent, elle le confie à la banque, et celle-ci le re-prête sous son nom, parce que la banque a une meilleure cote que l'entreprise. C'est ce qu'on appelle les «acceptations bancaires» ou «papiers commerciaux» des banques, qui sont presque aussi sûrs que des obligations.

Tout autre est le papier commercial adossé à des actifs (PCAA)[22], qui est constitué d'un regroupement de créances et engagements divers (cartes de crédit, baux de location, hypothèques) auquel on accole un titre (par une opération appelée «titrisation») pour les offrir à des acheteurs sur le marché. Ces «paniers» de créances sont des placements très rentables, offrant des

22. On emploie aussi le terme plus exact de PCAC, papiers commerciaux adossés à des créances, car les actifs en question sont effectivement des dettes. Il s'agit, en somme, d'obligations liées à des dettes.

rendements élevés à court terme. Des banques étrangères leur avaient accordé une garantie très limitée : elles s'engageaient mollement à les racheter en cas de désir des détenteurs de les revendre. Mais lorsque la crise arriva, les banques étrangères firent savoir que leurs filiales canadiennes ne pouvaient racheter les titres faute de liquidités suffisantes.

À l'origine, quand ce produit dérivé a été lancé dans les années 1990, la composition en était assez bien décrite et connue. Mais, avec les années, les PCAA sont devenus de plus en plus complexes, hétérogènes, voire occultes, en quelque sorte, car on ne savait plus très bien ce qu'ils contenaient au juste. Et les émetteurs, à partir d'un certain temps, ne les accompagnaient plus de prospectus, comme ce qui est arrivé au Canada avant l'éclatement de la crise de 2007.

Des avertissements avaient déjà été lancés sur le marché. À partir de 2002, par exemple, la firme Standard & Poor's avait conseillé de se méfier du PCAA qui circulait sur le marché, parce que la plupart de ces papiers n'étaient pas garantis par les banques étrangères. C'était donc un produit risqué et quelqu'un aurait dû le voir à la Caisse, selon Michel Nadeau. Des investisseurs avisés avaient remarqué que seule la firme DBRS de Toronto acceptait d'évaluer ces titres étranges.

D'autres, comme Jean-Claude Cyr, constatent que les modèles mathématiques utilisés ne s'appliquaient pas seulement au PCAA, mais à tous les produits dits « de marché ». Cyr, qui fait encore partie aujourd'hui du comité de crédit d'Otéra Capital (filiale regroupant toutes les activités de financement immobilier de la Caisse), s'est toujours inquiété de la façon dont on mesurait le risque d'exposition dans les CMBS[23], ces titres adossés à des créances immobilières commerciales structurés en tranches en fonction du risque de perte. Lorsque l'on vend un portefeuille d'hypothèques, et que l'on garde les tranches subordonnées, on conserve les premiers risques de perte, mais sur un capital investi réduit au maximum. Cette façon de faire permet d'obtenir un rendement supérieur que celui obtenu par du levier conventionnel, avec un risque légèrement inférieur. Ce levier financier dit « hors bilan » (la dette inhérente n'apparaît pas au bilan) vient modifier la nature de l'actif détenu et, par conséquent, la façon de calculer le risque. Celui-ci est alors mesuré à partir des modèles mathématiques reliés aux transactions de ce type de produits. Les déposants de la CDP, selon Cyr, acceptaient

23. Commercial Mortgage Backed Security (CMBS).

qu'une partie du portefeuille soit composée de tranches subordonnées de CMBS. « Les modèles de mesure du risque, dit-il, fournissaient donc des données sur le risque des CMBS qui pouvaient être très différentes de celles du même risque mesuré à partir des hypothèques sous-jacentes : si on ne mesure pas les bonnes affaires, on n'a pas le bon portrait. » La CDP avait commencé à faire des émissions de CMBS dès 1998-1999, car c'était, en général, une manière d'augmenter les rendements. Et quand elle était émettrice, la Caisse connaissait parfaitement les produits impliqués et en acceptait les risques en pleine connaissance de cause. Par la suite, elle a acquis des titres de CMBS émis par d'autres émetteurs.

La même chose valait pour les PCAA, qui rapportaient beaucoup. La Caisse en avait donc acquis beaucoup, énormément même : en fait, plus du tiers des PCAA en circulation au Canada, pour une valeur de 12,6 milliards de dollars.

Quand la crise éclate à l'été 2007, la CDP se retrouve donc « frappée de plein fouet », selon l'expression utilisée dans le Rapport annuel de 2007.

Le 17 juillet 2007, le jour où la Bourse de New York vient d'atteindre un niveau record de 14 000 points, on annonce l'effondrement de deux fonds d'investissement de la banque américaine Bear Stearns, ce qui déclenche une crise de confiance générale. Dans les semaines suivantes, la peur se répand sur les marchés. La crise du marché hypothécaire aux États-Unis, la crise des *subprimes*, fait tache d'huile. Plusieurs banques, menacées d'être à court de liquidités, sont aux abois. Les banques centrales doivent intervenir. Dans un premier temps, le 9 août, la Fed aux États-Unis injecte 24 milliards de dollars dans le système financier, et la BCE (Banque centrale européenne) encore davantage : 94,8 milliards d'euros.

Au-delà des *subprimes*, la crise jette le doute sur l'ensemble des véhicules de titrisation de créances, tous ces instruments aux noms ésotériques comme les RMBS, CMBS, CDO, CDS, PCAC, PCAA et compagnie. On soupçonne tout le papier commercial non bancaire d'être composé de créances à risque (composantes dites « toxiques ») comme les *subprimes* et de titres « synthétiques » assez nébuleux comme les CDS (*credit default swaps*), qui reposent moins sur des actifs que sur des défauts éventuels de paiement.

C'est ce qui arrive au Canada. Soudain, le 13 août, la firme Coventree, principale émettrice de PCAA au Canada (et dont la Caisse avait été jusqu'alors un important actionnaire), ne trouve plus preneur pour des titres d'une valeur de 250 millions de dollars US arrivés à échéance. La Deutsche

Bank ne veut pas garantir ces PCAA et lui retire tout crédit. Ces titres avaient pourtant été cotés AAA par l'agence DBRS. Maintenant, ils étaient devenus intouchables.

On estime à pas moins de 32 milliards de dollars la valeur des PCAA qui se retrouvent ainsi « gelés » du jour au lendemain, « parce que certains conduits étaient dans l'incapacité de renouveler leurs effets arrivant à échéance », selon les termes du Rapport Chant[24]. Or ces « conduits », comme Coventree, représentent 27 % du marché du PCAA évalué à 117 milliards de dollars, soit 32 milliards de dollars.

Henri-Paul Rousseau se met aussitôt en mode opératoire d'urgence, car la CDP est dans l'œil du cyclone[25]. Elle a acheté de ce papier plus que tout le monde au Canada, soit près du tiers de l'encours total. Et sans doute a-t-elle eu un effet d'entraînement sur d'autres institutions qui ont avalé le produit toxique, comme la Banque Nationale et le Mouvement Desjardins, entre autres. Dans la nuit du 15 août, Rousseau convoque donc une réunion d'urgence à la Caisse avec des dirigeants du Mouvement Desjardins, de la Banque Nationale, de la Banque CIBC, de la Banque Scotia, de l'agence de notation DBRS et d'Investissements PSP (l'équivalent fédéral de la CDP)[26]. L'objectif est d'opérer une restructuration du PCAA au Canada. C'est ce qu'on appellera « l'Entente de Montréal[27] », qui donne lieu, quelques semaines plus tard, à la mise sur pied d'un comité pancanadien dirigé par Purdy Crawford (avec l'aide de la firme JP Morgan et du cabinet Goodmans). Le président de la Caisse siège à ce comité, de même que le pdg du Mouvement Desjardins, Alban D'Amours, qui est aussi membre du conseil de la CDP.

Pendant que le comité Crawford s'efforce de négocier des ententes pour dénouer l'embâcle des PCAA au Canada, l'opinion publique s'alarme, et la gent politique gronde de plus en plus à Québec. La donne politique a changé, cette année-là. Aux élections du 26 mars 2007, le Parti libéral de Jean Charest a été reporté au pouvoir, mais avec un gouvernement minoritaire. Et le parti

24. John Chant, « La crise du PCAA au Canada : incidence sur la réglementation des marchés financiers. Une étude préparée à l'intention du Groupe d'experts indépendants sur la réglementation des valeurs mobilières », janvier 2009.

25. Pour Rousseau, ce n'était tout au plus qu'un « verglas financier », comme il qualifiera la crise, quelques mois plus tard, en commission parlementaire à Québec.

26. Investissement PSP détenait pour près de 2 milliards $ de PCAA, soit 5,2 % de son actif total, ce qui se rapproche du pourcentage de 5,5 % acquis par la Caisse de dépôt.

27. Les banques Scotia et CIBC ont refusé de signer cette entente.

de Mario Dumont, l'Action démocratique du Québec (ADQ), est devenu l'opposition officielle à l'Assemblée nationale.

Au cours de l'automne, les critiques fusent. Mario Dumont trouve « difficile d'expliquer pourquoi la Caisse a acheté en masse de ces papiers commerciaux même quand leur valeur piquait du nez à compter d'août dernier[28] ». Le PQ, par la voix de son critique financier François Legault, blâme le gouvernement de ne pas être intervenu alors. Rendu plus souple par la fragilité de son pouvoir, le gouvernement Charest cède aux pressions et convoque le président de la Caisse devant une commission parlementaire.

Rousseau minimise les effets du «verglas financier»

Henri-Paul Rousseau se présente à Québec le 28 novembre et, pendant plus de quatre heures, il tient un discours rassurant devant la Commission des finances publiques de l'Assemblée nationale. Soulignant le rendement moyen de 14 % enregistré de 2003 à 2006, il assure que la Caisse est « en excellente santé financière », et que le PCAA n'y changera rien, car c'est « un produit financier de qualité ». Il précise que « 97 % de ce PCAA est constitué d'actifs de grande qualité, tel qu'établi récemment par le comité Crawford ainsi que par DBRS ».

Rousseau explique que si la CDP a acheté autant de PCAA, c'est parce qu'elle jugeait « hautement improbable » une crise de liquidité sur ce marché des titres bancaires à court terme de plus de 116 milliards de dollars. Pour trois raisons : on y voyait peu de risque de contamination de la part des *subprimes* américains ; on comptait sur le fait que les banques internationales et canadiennes fourniraient les liquidités nécessaires ; et on était sûr qu'en cas de crise la Banque du Canada viendrait à la rescousse du marché. Et c'est pourquoi aussi, sans doute, le patron de la CDP a fait fi des réticences de certaines agences de crédit, notamment Standard & Poor's, à coter les PCAA.

En tout cas, il fait valoir qu'il n'est pas resté les bras croisés devant la crise. Mais avait-il le choix ? Coincé avec le tiers de ces actifs toxiques, soit 13 milliards de dollars, le président de la Caisse devait trouver une solution. Les intervenants dans le marché financier savent qu'un joueur ne doit jamais

28. Denis Lessard, « PCAA : le témoignage d'Henri-Paul Rousseau se fera en catimini », *La Presse*, 23 novembre 2007.

avoir une aussi grosse part dans un marché : en cas de crise, il est trop lourd et ne peut s'enfuit par la porte ou la fenêtre… « Dès les premiers instants, clame Rousseau, la Caisse a pris le leadership au Canada pour réunir les investisseurs et mettre en place une solution à ce problème. La restructuration du marché est en bonne voie d'être réalisée par le comité pancanadien qui pilote le projet, ce qui assurera un règlement ordonné de ce qui était une crise et qui est en train de reprendre ses justes proportions[29]. »

Donc, ce qu'il appelle un « verglas financier » sera bientôt résorbé sans trop de conséquences, d'après ce que Rousseau laisse entendre. Et il termine en disant qu'on aurait tort de croire que la Caisse prend trop de risque. Au contraire, comparée à ses pairs, la Caisse, selon lui, a « pris moins de risque et obtenu de meilleurs résultats[30] ». Rousseau s'appuyait sur une étude de RBC Dexia, selon laquelle la Caisse était moins à risque que ses pairs. Mais cette étude, selon le journaliste Yakabuski[31], dressait un tableau incomplet de la situation, parce qu'elle ne couvrait que les années 2005 à 2007, période de faible volatilité sur le marché, donc moins risquée. Il y avait aussi le fait les PCAA étaient des instruments encore trop récents pour qu'on puisse en prédire l'évolution. Cependant, peu de temps après, en janvier 2008, la CDP a commandé une autre étude, cette fois à la firme PricewaterhouseCoopers, sur ses pratiques de gestion du risque. Cette fois, les dirigeants de la Caisse se sont bien gardés de rendre le rapport public. Et pour cause : il pointait des failles dans leur système.

De toute façon, à la fin de l'automne 2007, l'impérieuse démonstration de Rousseau en commission parlementaire avait réussi momentanément à clouer le bec à ses détracteurs. Il avait presque retourné la situation à son avantage[32].

---

29. Déclaration du président et chef de la direction de la Caisse de dépôt et placement du Québec à l'occasion de l'examen de la crise du papier commercial par la Commission des finances publiques de l'Assemblée nationale du Québec, le 28 novembre 2007.

30. « Depuis 1986, soit depuis 20 ans, la seule période de trois années consécutives au cours de laquelle cette cible de valeur ajoutée a été dépassée et où la Caisse s'est aussi classée dans le premier quartile des grandes caisses de retraite canadiennes a été la période de 2004 à 2006.[…] Cette performance historique a été atteinte tout en réduisant le niveau de risque par rapport à nos pairs. » Déclaration de Rousseau, 28 novembre 2007, *op. cit.*

31. Konrad Yakabuski, « Henri-Paul Rousseau… How his bet on the quants went wrong », *Globe and Mail*, 31 janvier 2009.

32. « Il a mis les députés dans sa petite poche. Ma foi, il fallait presque le féliciter parce qu'il avait investi dans les PCAA ! », a rappelé Jean Campeau, l'ex-président de la Caisse interviewé à Radio-Canada le 11 mars 2009.

Mais la crise n'en continuait pas moins de s'étendre, au Canada et dans le monde. À la mi-octobre, plus de 2000 milliards de dollars avaient déjà été injectés dans les institutions financières par les banques centrales de divers pays. Et à la fin de 2007, il y avait pour 1200 milliards de dollars d'équivalents des PCAA en balance sur les marchés financiers. Ces titres financiers fondés sur des dettes avaient créé une énorme bulle de liquidités virtuelles.

Le 21 février 2008, la Caisse annonce les résultats de 2007 : le rendement a été de 5,6 %.

Il aurait été de 6,9 %, dit-on, n'eût été du papier commercial qui a entraîné une moins-value de 1,9 milliard de dollars. Petite consolation en cette période difficile, la CDP a encore mieux fait que Teachers, pour une deuxième année consécutive.

Le PCAA n'est pas disparu des écrans radars. Le 25 avril, la grande majorité des détenteurs du papier commercial appuient l'entente proposée par le Comité Crawford, ce qui est considéré comme une grande étape dans le dégel du marché. Purdy Crawford dira plus tard que les PCAA « ont été transformés en titres de long terme de qualité, offrant une plus grande valeur. Et un potentiel de récupération des 32 milliards en jeu très élevé. » Pour l'avocat torontois, « ce ne sera pas 100 %, mais pas loin[33] ».

Tout le monde semble rassuré. Dans cette affaire de PCAA, même les membres du conseil d'administration de la Caisse n'y voient que du feu. En fait, ils n'ont pas été informés du tout des véritables enjeux des placements dans ce papier commercial, c'est-à-dire de la profondeur de l'intoxication de la Caisse dans des produits qui sont cotés triple A. Quand ils ont appris la paralysie du marché en août 2007, il était déjà trop tard pour intervenir, comme plusieurs l'admettront plus tard, notamment Claude Garcia, Yvan Allaire et Claudette Carbonneau.

Quant à Alban D'Amours, qui présidait le comité de gestion des risques à la CDP, il faisait sans doute autant confiance au PCAA que Henri-Paul Rousseau, puisque le Mouvement Desjardins qu'il présidait avait acquis le produit toxique et allait y perdre un milliard de dollars. Un autre ancien président de Desjardins, Claude Béland, qui a siégé au conseil de la CDP durant 13 ans, a affirmé que ce conseil « n'a jamais été guère plus qu'un comité consultatif[34] », et c'était encore plus vrai sous Rousseau, selon lui.

33. Gérard Bérubé, « Restructuration des PCAA - Crawford donne le crédit à Rousseau », *Le Devoir*, 28 février 2009.

34. Cité par Robert Dutrisac, « Une caisse ou trois ? », *Le Devoir*, 28 février 2009.

Mais le PCAA n'était encore qu'un feu qui couvait sous la cendre. Au printemps 2008, des étincelles commencent à voler. Le 6 mai, le chef de l'opposition à Québec, Mario Dumont, réclame « un portrait complet des dommages causés par le virus des PCAA » que la Caisse aurait, selon lui, transmis à divers organismes publics. « Des dizaines d'organismes, dit-il, ont été contaminés par la folie des rendements empirée par la ministre des Finances, mais le gouvernement refuse d'informer les Québécois sur la gravité de la crise. »

De fait, le verglas financier va bientôt faire place à la « tempête parfaite ». Henri-Paul Rousseau, lui, aura quitté le navire juste à temps.

CHAPITRE 13

L'année des quatre présidents

En l'espace d'un an, du printemps 2008 au printemps 2009, quatre pdg allaient se succéder à la tête de la CDP : trois de plein titre, et un intérimaire. Cette année serait, sans contredit et de loin, la plus tumultueuse dans les annales de la Caisse. Dans le contexte de la plus grave crise financière que le monde ait connue depuis 1929, elle allait révéler, dans toute leur étendue, les conséquences d'une spéculation immodérée dans de douteux produits dérivés : une véritable intoxication spéculative.

Le 30 mai, la nouvelle prend tout le monde par surprise : Henri-Paul Rousseau quitte la direction de la CDP. On apprend, avec non moins d'étonnement, qu'il joindra les rangs de Power Corporation en janvier 2009, à titre de vice-président du conseil d'administration. Et l'étonnement deviendra scandale quand on saura qu'il a touché une prime de départ de 378 750 dollars, même s'il est parti de son plein gré. C'était prévu noir sur blanc dans son contrat d'engagement.

La démission du pdg de la Caisse survient alors que l'affaire du papier commercial n'est pas encore réglée devant les tribunaux. Et la crise est loin d'être finie. Rousseau dira plus tard (le 9 mars 2009, devant la Chambre de commerce du Montréal métropolitain) qu'il n'a pas « quitté le navire en pleine tempête », car les marchés s'étaient stabilisés, selon lui. En fait, la bulle est gonflée au maximum, en ce printemps 2008. La Bourse de Toronto atteint un niveau record, les prix de l'énergie, et du pétrole en particulier, sont à des sommets historiques.

Quelques mois auparavant, en mars, l'une des plus grandes banques d'investissement aux États-unis, Bear Stearns, vient d'échapper de justesse à la faillite, en étant rachetée par JPMorgan Chase, avec le soutien de la Fed, la banque centrale américaine[1]. Et, en avril, le Fonds monétaire international (FMI) évalue déjà à 945 milliards de dollars le coût de la crise financière liée aux subprimes et aux PCAA dans le monde, un coût qui ne cesse de grimper de mois en mois.

Dans les semaines qui suivent la démission de Rousseau, plusieurs noms sont évoqués pour prendre sa succession à la tête de la CDP. Parmi les candidatures considérées au cours de l'été 2008, une a obtenu l'aval des administrateurs de la Caisse : celle de Jean-Guy Desjardins, gestionnaire de fonds, président fondateur de Fiera Capital et l'un des fondateurs de Placements TAL. Mais elle a été vite écartée par le premier ministre Charest. Desjardins était, semble-t-il, trop proche de l'ADQ, le parti de l'opposition[2].

Une autre candidature avait l'appui de la ministre des Finances, semble-t-il, celle de Christiane Bergevin. Mais on sait que la nouvelle loi adoptée en 2004 stipule que c'est le conseil qui choisit le président et consulte le gouvernement, non l'inverse. On s'est donc rabattu sur un compromis : le 5 septembre, Richard Guay, celui qu'on appelait « le dauphin » de Rousseau et qui dirigeait déjà l'institution par intérim depuis le 30 mai, est nommé président et chef de la direction de la CDP. Il était chef de la direction du placement depuis 2006 et avait été vice-président aux comptes des déposants depuis l'époque de Scraire. Docteur en économie financière, il avait enseigné aux HEC avant d'entrer à la Caisse en 1995. Avec Richard Guay, commente le président du conseil Pierre Brunet, « le conseil d'administration a fait le choix d'une solide expertise en placement et en gestion globale du risque, dans un contexte où une telle expérience est importante ».

La gestion du risque est, en effet, plus que jamais à l'ordre du jour. Mais ce sera plutôt la gestion du risque pris par la Caisse, le trop grand risque encouru, que le nouveau pdg devra assumer dans les semaines à venir. En somme, la gestion de la catastrophe.

---

1. Bear Stearns avait perdu 80 % de sa valeur avec la crise des *subprimes*. Le 17 mars, JPMorgan Chase avait offert de racheter la banque à 2 $ l'action (prix rehaussé peu après à 10 $), alors que cette action valait 130 $ en octobre 2007. L'acquisition était chose faite le 30 mai.

2. Denis Lessard, « Caisse : Québec a bloqué un candidat proche de l'ADQ », *La Presse*, 29 novembre 2008.

Du verglas à la tempête parfaite

L'automne précédent, Henri-Paul Rousseau avait parlé de « verglas financier » pour décrire la crise des PCAA. En 2009, devant la Chambre de commerce de Montréal, l'ex-patron de la Caisse emploiera l'expression « tempête parfaite » pour décrire le krach de l'automne 2008.

Manque de pot, comme on dit, cette tempête mondiale commence le lendemain de la nomination de Richard Guay à la tête de la CDP. Le 6 septembre, en effet, le Trésor américain doit mettre sous tutelle Fanny Mae[3] et Freddy Mac, deux sociétés de refinancement hypothécaire qui garantissent environ 40 % des prêts immobiliers américains. Mais, le 15, deux autres géants financiers sont au bord de la faillite : AIG, le plus grand assureur américain, et la banque d'investissement Lehman Brothers. La Réserve fédérale (Fed) renfloue AIG *in extremis* avec un prêt de 85 milliards de dollars, mais laisse tomber Lehman Brothers[4]. Cette faillite retentissante porte un coup fatal à la confiance des investisseurs, déjà fortement ébranlée par la crise des *subprimes*. Plusieurs grandes banques se retrouvent aux abois[5], non seulement aux États-Unis, mais à travers le monde. Les marchés boursiers commencent à dégringoler… et en octobre, ce sera la grande débâcle. En fait, la semaine du 6 au 10 octobre sera l'une des pires semaines de l'histoire boursière dans le monde[6].

La Caisse se retrouve vite au cœur de la tourmente. Comme la crise a provoqué un assèchement généralisé de liquidités sur les marchés, la CDP se retrouve aux prises avec un problème de liquidités sans précédent dans son histoire.

On a vu, au chapitre précédent, qu'elle avait dû allonger, en septembre, plus d'un demi-milliard de dollars pour les aéroports britanniques en difficulté. Par ailleurs, le gel des PCAA paralyse de précieuses liquidités et, en outre, il faut honorer les contrats à long terme.

La CDP doit donc, en cet automne fatidique, liquider en catastrophe des actions et d'autres actifs liquides. Elle perd des milliards dans ces opéra-

---

3. Le nom Fannie Mae vient du sigle FNMA (Federal National Mortgage Association). La société a été créée en 1938 par le gouvernement américain « pour augmenter la liquidité du marché des prêts hypothécaires », selon la définition donnée par le site Wikipédia.

4. La liquidation de cette banque fondée en 1850 et qui avait survécu à la crise de 1929 constituait, dit-on, la plus grande déroute financière de l'histoire des États-Unis.

5. Une autre grande banque, Merrill Lynch, échappera à la faillite en étant rachetée par Bank of America.

6. À Toronto, le TSX perd 16,9 % en octobre, après avoir perdu 14,7 % en septembre.

tions : presque 9 milliards sur le marché des changes (à cause d'un mauvais pari sur le dollar canadien, en chute) ; 4 milliards en couvertures de change, en plus de 1,9 milliard radié dans le papier commercial, et plusieurs autres milliards dans la vente d'actions et de contrats à terme, où elle doit liquider ses placements.

De fait, c'est le gel des PCAA qui force la Caisse à se débarrasser ainsi de précieux actifs. Une « vente de feu », en somme. Et comme elle a pris d'importantes positions dans les contrats à terme d'indices boursiers internationaux, elle doit débourser largement pour répondre aux appels de marge que la crise vient amplifier, voire décupler.

Durant le marché haussier des années précédentes, les contrats sur indices boursiers et les PCAA produisaient de meilleurs rendements que les instruments plus conventionnels, comme les actions et les obligations. Les contrats à terme, par exemple, ont des effets multiplicateurs que n'ont pas les instruments conventionnels. Durant la grande crise d'octobre, cet effet de levier a joué en sens contraire, en amplifiant les pertes.

Depuis le début du siècle et durant les années Rousseau surtout, la CDP avait augmenté fortement ses positions dans les contrats à terme. De fait, à la fin de 2007, son portefeuille de contrats à terme lié aux produits dérivés représentait 9,4 % de l'actif total (14,6 milliards $), à comparer à 3,4 % en 1999. Ces contrats permettaient d'enregistrer les mêmes gains que les indices boursiers, sans les frais de transaction qu'aurait entraînés l'achat des actions sous-jacentes et en ne versant qu'un faible pourcentage du prix. Ce montant déposé en garantie, la couverture, varie d'habitude entre 5 % à 10 % du montant d'exposition à terme (en fonction du degré de fluctuation d'une action). Mais quand les marchés ont commencé à enregistrer des fluctuations quotidiennes de plus de 10 % à l'automne, les exigences de couverture sur les contrats à terme ont augmenté. En effet, elles se sont multipliées par quatre entre le début de septembre et la fin d'octobre. La Caisse s'est ainsi trouvée prise à devoir débourser de plus en plus pour ses positions à terme. Sans compter la couverture accrue requise en réponse au déclin massif du cours des actions sous-jacent aux contrats à terme, un mécanisme appelé valorisation au prix du marché (*marking-to-market*).

Et pour comble de malheur, les grands détenteurs de PCAA comme la Caisse durent déposer des milliards en garanties supplémentaires sur les papiers bloqués, pour empêcher l'effondrement d'une restructuration complexe du marché des PCAA. En octobre, pour rester à flot, la CDP a dû liquider à la hâte des actifs d'une valeur d'environ 10 milliards de dollars[7]. Devoir larguer ces actifs en pleine chute des marchés a matérialisé des pertes qui, autrement, seraient restées théoriques.

On mesure la tempête qu'a dû affronter le nouveau capitaine de la Caisse. À la réunion du conseil d'administration à la fin d'octobre, l'atmosphère était des plus tendues. Il y a eu, à un moment donné, une vive altercation entre Richard Guay et le président du conseil, Pierre Brunet, qui lui aurait lancé d'« aller se reposer ».

Autre tuile sur la tête du nouveau pdg : à la fin d'octobre, le chef de l'ADQ, Mario Dumont révèle que les pertes de la Caisse pourraient s'élever à 30 milliards de dollars au cours de l'année. Et il somme le gouvernement d'informer la population.

Richard Guay venait justement de rencontrer le sous-ministre des Finances Jean Houde pour lui faire rapport de la situation. Selon Jean-Claude Cyr, « 25 déposants reçoivent les rapports de la Caisse vers le 15 de chaque mois. Ainsi, de nombreuses personnes au Québec avaient reçu le rapport, dont le ministère des Finances et beaucoup de sympathisants de l'ADQ sans doute ». Quand Dumont a soulevé la question à l'Assemblée nationale, la ministre Jérôme-Forget aurait appelé directement Guay : est-ce vrai ? Oui, a répondu Guay, qui supposait que Houde avait informé la ministre des Finances. Celle-ci a répliqué sèchement : « Je suis contente d'apprendre que le président de la Caisse informe l'ADQ avant sa ministre ! » Et elle lui a raccroché au nez. Richard Guay s'en est trouvé ébranlé. Il n'a pas dormi pendant plusieurs jours, et il a fini par craquer. Son médecin l'a mis au repos le 12 novembre, mais la Caisse ne l'a pas annoncé tout de suite.

Entre-temps, la situation de la CDP, qui devient de plus en plus embarrassante pour le gouvernement minoritaire de Jean Charest, n'est sûrement pas étrangère au déclenchement prématuré d'élections au Québec, le 5 novembre. Et, naturellement, la question rebondit au cœur de la campagne électorale. L'ADQ et le PQ continuent de reprocher au gouvernement de cacher à la population l'ampleur des pertes de la Caisse.

Deux semaines plus tard, quand on apprend, coup sur coup, que Richard Guay est en congé de maladie et que la Caisse a licencié 10 gestion-

---

7. Selon ce qu'a révélé le *Globe and Mail*, à la fin de novembre. Un chiffre qui n'a pas été démenti par la Caisse.

naires des portefeuilles d'actions internationales[8], la grogne monte même au sein du parti gouvernemental.

Le 21 novembre, la CDP convoque une conférence de presse en catastrophe pour expliquer le surmenage de Richard Guay et tâcher de démentir les rumeurs qui se précisent sur ses pertes sans précédent et ses problèmes de liquidités. « Il n'y a pas de problèmes de liquidités », déclare Fernand Perreault, le responsable de l'immobilier, qui remplace provisoirement Guay à la tête de la CDP. « La Caisse maintient actuellement un niveau de liquidité d'environ 20 milliards de dollars, ce qui correspond, à toutes fins utiles, à son niveau historique », précise-t-il.

Le 8 décembre, le jour même du scrutin qui reporte les libéraux au pouvoir – avec un gouvernement majoritaire, cette fois –, la CDP émet un communiqué pour dire que le congé de Richard Guay est prolongé jusqu'au 5 janvier.

Deux jours plus tard, nouveau rebondissement dans le dossier du papier commercial : on apprend que les institutions étrangères exigent plus de garanties en raison de la crise financière, ce qui remet en question l'entente sur les PCAA. En dernier ressort, le 31 décembre, les gouvernements conviennent d'offrir une garantie de 3,45 milliards de dollars pour faire passer l'entente sur les PCAA. Québec et Ottawa y contribuent pour 1,3 milliard chacun, tandis que l'Ontario et l'Alberta fournissent le reste. Mais les détenteurs de PCAA doivent aussi faire leur part. La Caisse est obligée d'ajouter 600 millions de dollars en garantie.

Révélation de l'ampleur du désastre

Les premiers mois de 2009 révéleront, dans toute leur ampleur, les conséquences de la tempête qui s'est abattue sur les marchés financiers et sur la Caisse en particulier.

À la fin de janvier, le FMI évaluera le coût de la crise financière dans le monde à 2200 milliards de dollars US. Pour la CDP, on apprendra à la fin

8. Dans son communiqué daté du 20 novembre, la CDP justifie cette décision par le fait qu'elle a adopté « une gestion indicielle plutôt qu'une gestion active » pour ces portefeuilles. En clair, une gestion calquée sur les indices boursiers. Elle précise que cette décision est « sans lien avec la crise financière en cours ou le dossier PCAA ». Il s'agissait, toutefois, d'un échec cuisant pour la Caisse qui, depuis près de 20 ans, avait développé cette expertise très rare au Québec – et au Canada – des marchés boursiers étrangers.

de février que les pertes sont évaluées à quelque 40 milliards de dollars. Ce qui envoie dans tout le Québec un électrochoc dont les effets ne feront que s'amplifier dans les semaines suivantes.

Entre-temps, le 5 janvier, on a annoncé la démission de Richard Guay. Fernand Perreault est nommé pdg par intérim pour une période de six mois en attendant la nomination d'un autre chef de la direction.

C'est donc Perreault et le président du conseil, Pierre Brunet, qui doivent livrer les résultats désastreux de 2008 en conférence de presse, le 25 février. Des résultats qui sont, et de loin, les pires que la CDP ait connus dans son histoire[9]. Les pertes de près de 40 milliards de dollars (39,8 G $) font reculer les actifs de 25 %. La Caisse s'inscrit ainsi nettement au quatrième et dernier rang quartile des grandes caisses de retraite canadiennes, dont les pertes se situent en moyenne à 18,4 %. L'avoir net de l'institution qui était de 155 milliards de dollars en 2007 recule à 120 milliards en 2008 : ce qui la ramène au niveau de 2005.

En plus de la crise économique qui a affecté la planète, la Caisse paie le prix d'une mauvaise gestion de la politique de change et surtout de ses paris dans les produits dérivés (particulièrement les PCAA), qui lui ont coûté près de 10 milliards de dollars (9,7 G $).

Cette révélation sème la stupeur puis le scandale dans l'opinion publique. Les partis d'opposition à Québec sont furieux que le gouvernement n'ait cessé de répéter qu'il ne savait pas ce qui se passait à la Caisse. La chef de l'opposition, Pauline Marois, demande une enquête publique sur la gestion de la Caisse. La ministre des Finances Monique Jérôme-Forget parle de convoquer une commission parlementaire, mais les deux partis n'arrivent pas à s'entendre sur les modalités.

Plusieurs s'inquiètent pour les rentes. Devra-t-on augmenter les cotisations pour continuer de payer les pensions, surtout face à l'afflux énorme des baby-boomers arrivés à l'âge de la retraite ? Les générations montantes devront-elles payer plus que les précédentes pour assurer leurs retraites[10] ? Comme on le fait remarquer dans *La Presse*, « avec ce résultat, sur 10 ans, la moyenne de croissance sera d'un peu plus de 4 %, bien loin de la cible à long

---

9. Le pire rendement jusque-là avait été de -9,6 % en 2002, et on a vu, au chapitre 10, comment les résultats de cette année-là avaient été empirés par des manipulations comptables.

10. Le gouvernement Charest se récrie qu'il n'y aura pas d'augmentation des cotisations, du moins à brève échéance, mais les experts savent qu'il faudra s'y résoudre tôt ou tard.

terme de 7 %, le niveau nécessaire pour faire face aux obligations des régimes d'assurance et de retraite, estimé par la CDP l'automne dernier[11] ».

La polémique fait rage pendant les semaines qui suivent. Jamais la CDP n'a autant fait parler d'elle. Le PQ exige une commission parlementaire, où il veut voir comparaître le premier ministre et la ministre des Finances, qu'il tient responsables de la politique d'investissement risqué de la Caisse sous Rousseau. « La folie des rendements à tout prix réclamés par Jean Charest a forcé les dirigeants de la Caisse à s'exposer aux risques à des niveaux nettement trop élevés », clame Pauline Marois.

Certains profitent de l'occasion pour relancer un vieux débat et réclament le démantèlement de la Caisse, son fractionnement en deux ou trois entités concurrentes. Mais tout le monde s'entend pour décrier les risques excessifs pris par la Caisse dans les PCAA. Les questions qui restent les plus lancinantes sont : les raisons qui ont amené la Caisse à détenir autant de PCAA ; les possibles conflits d'intérêt dus au fait que la CDP était actionnaire de la firme torontoise Coventreee, qui était le conduit le plus important de PCAA au Canada ; les failles de la gestion des risques à la Caisse.

Après deux semaines d'algarades sur la tenue d'une commission spéciale à l'Assemblée nationale et sur qui devrait y comparaître, la ministre Jérôme-Forget accepte finalement de répondre aux questions de l'opposition sur la Caisse, le 13 mars.

Entre-temps, Henri-Paul Rousseau sort un moment du silence d'or de Power Corporation pour livrer un discours devant la Chambre de commerce du Montréal métropolitan le 9 mars.

L'exposition excessive au risque

Ce jour-là, l'ex-président de la Caisse tire habilement son épingle du jeu devant les représentants de l'élite politique et financière du Québec. Après avoir décrit ce qu'il appelle la « tempête parfaite » qui a frappé les marchés financiers en 2008, il prend sur lui le blâme de l'achat de PCAA. Puis il fait encore valoir son rôle de sauveur de la situation au Canada en 2007. On l'ovationne.

Reprenant la déclaration du président intérimaire Perreault en février, Rousseau a répété que « l'erreur ne fut pas de détenir des PCAA ; elle fut d'en

---

11. Denis Lessard et André Noël, « La Caisse de dépôt appauvrie de 38 milliards », *La Presse*, 5 février 2009.

accumuler autant. L'accumulation a été rendue possible parce que la politique de gestion de risque de la Caisse ne comportait pas de plafond pour les produits du marché monétaire de première qualité. »

Donc, pour lui, les PCAA était des produits financiers qui ne présentaient pas de risques, de prime abord, parce qu'ils avaient une excellente cote. C'est là tout le problème : la cotation, et qui la faisait.

Dans un texte d'opinion paru dans *La Presse* deux semaines après (et répété en entrevue à TVA, le 30 mars), l'ancien sous-ministre Pierre Goyette[12] a bien démontré que la Caisse, ignorant l'avertissement des agences Moody's et Standard & Poor's (qui disaient que les banques étrangères ne garantissaient pas), avait investi dans des PCAA de mauvaise qualité[13], dont les ententes de liquidités étaient mal rédigées. Elle se fiait à la cote de la firme DBRS, qui n'évaluait pas le risque de liquidité et qui était la seule agence, depuis 2000, à évaluer les PCAA. « La crise des PCAA en août 2007, dit-il, a été déclenchée à cause d'une mauvaise rédaction des ententes de liquidité avec les banques qui devaient fournir ces liquidités, ce qui leur a ainsi permis d'échapper à leurs engagements. De plus, plusieurs milliards de dollars de PCAA n'avaient même pas d'entente de liquidité. »

Le professeur John Chant[14], qui a rédigé une étude sur la crise du PCAA pour le Groupe d'experts indépendants sur la réglementation des valeurs mobilières, pointe du doigt les agences de notation, qui ont « accordé au PCAA une note qui dispensait les conduits de l'obligation de publier un prospectus et qui rendait ce type d'instrument admissible à bien des investisseurs[15] ». Et il poursuit :

> La dispense de prospectus, qui ne devait initialement s'appliquer qu'aux types les plus simples de papier commercial, était imprudente dans le cas des conduits de PCAA dont une partie importante des activités était liée à l'émission de produits de crédit dérivés. De même, il était mal avisé d'appliquer la même échelle de notation de crédit au PCAA et aux autres types de créances. La note

---

12. Sous-ministre des Finances de 1972 à 1977 et membre à cette époque du conseil de la Caisse. Il a été aussi pdg de la Banque Laurentienne de 1984 à 1987.

13. Environ 80 % de l'investissement de la CDP dans les PCAA (plus de 10 milliards $ sur 12,8 milliards $) se trouvaient dans la catégorie synthétique, la plus toxique.

14. Professeur à l'Université Simon Fraser en Colombie-Britannique.

15. John CHANT, « La crise du PCAA au Canada : incidence sur la réglementation des marchés financiers », étude préparée à l'intention du Groupe d'experts indépendants sur la réglementation des valeurs mobilières, janvier 2009.

de crédit favorable accordée au PCAA en a fait un investissement admissible à bien des investisseurs et peut avoir apaisé les craintes de bien d'autres.

On peut se demander pourquoi il s'est retrouvé au Québec – pas seulement à la CDP mais dans plusieurs autres institutions financières[16] – plus de PCAA non bancaires que partout ailleurs au Canada. Il y en avait autour de 65 % en août 2007, au moment du gel sur les marchés. Pour Rousseau, il s'agit d'un « mystère de la vie », comme il a répondu quand on lui a posé la question en conférence de presse, le 9 mars.

Vu son importance et son prestige au Québec, la CDP a peut-être servi de locomotive. Plusieurs observateurs ont mis en cause les liens entre la Caisse et Coventree, parce que la CDP a été, à un certain moment, le plus important actionnaire de la firme torontoise, jusqu'à hauteur de 30 %. D'autres ont relevé des liens stratégiques entre Coventree et Alter Moneta, une firme montréalaise de financement d'équipement dont les principaux actionnaires étaient, jusqu'en 2007, la CDP et la Banque Nationale[17]. Y a-t-il là une filière ? En tout cas, tout cela mériterait une enquête plus approfondie, qui dépasse les limites de ce livre.

Il faut dire enfin que l'avidité particulière avec laquelle la Caisse a accumulé des PCAA dans ses portefeuilles tient à une soif obsessive de rendement et à une politique qui la favorisait. Rousseau avait établi un système de rétribution fondé sur les mesures probabilistes, comme la VaR dont on a parlé au chapitre précédent. Les gestionnaires de portefeuilles pouvaient gagner des primes plus élevées s'ils obtenaient des rendements qui surpassaient les paramètres de leurs VaRs. C'était là un incitatif suffisant pour accumuler des PCAA, qui avaient au départ obtenu des rendements plus élevés que les autres instruments financiers à court terme. Rappelons qu'en 2006, notamment, la CDP avait versé un montant record de 39,7 millions de dollars en primes de rendement, une augmentation de 55 % par rapport à l'année précédente.

Cette obsession du rendement a sûrement contribué au fait que la CDP a acheté plus de PCAA que les autres. On en accumulait de plus en plus parce que ça rapportait vite et bien, et le conseil d'administration ne voyait que les taux de rendement qui montaient. Après tout, ces instruments financiers complexes, ces produits dérivés – ces « fonds de poubelle », comme les

---

16. Mouvement Desjardins, Banque Nationale, SGF, Groupe Jean Coutu, Transat, entre autres.

17. Le 29 janvier 2007, la société américaine Bear Stearns Merchant Banking (BSMB) a pris une participation majoritaire dans Alter Moneta.

qualifie un gestionnaire de la Caisse qui tient à rester anonyme –, étaient bien cotés par les agences de notation. Cela suffisait pour rassurer les administrateurs et les déposants de la CDP.

On se demande tout de même pourquoi personne n'a tiré la sonnette d'alarme, sinon sur le produit lui-même, du moins sur le volume d'acquisitions qui ne cessait de croître. Là-dessus, on peut présumer que c'est l'expérience, la longue expérience des marchés, qui a fait défaut. Une science qui ne s'acquiert pas seulement dans les livres, mais qui découle d'années de travail à la fois dans des marchés haussiers et baissiers, quand l'instinct se conjugue au savoir. Or, à cet égard, quand Rousseau a pris la barre en 2002, on a vu qu'il a licencié un grand nombre de gestionnaires de longue expérience, dans son objectif de rationalisation de l'organisation. La CDP en payait peut-être le prix maintenant.

En tout cas, pour un Pierre Goyette notamment, le verdict est sans appel : l'accumulation de ces PCAA à la Caisse fut « une erreur d'analyse déficiente, une erreur de jugement, une erreur de concentration de risque exagéré et même une faute de dissimulation au Conseil d'administration ».

Le levier de l'emprunt

Un autre problème qu'a souligné notamment l'ex-premier ministre Jacques Parizeau – celui qu'on reconnaît à juste titre comme le père de la Caisse – est le recours abusif aux emprunts en guise de levier pour hausser les rendements à l'époque de Rousseau. Dans une entrevue à Radio-Canada et dans des propos rapportés dans *Le Devoir* à la fin de février, il a fait remarquer que la Caisse n'empruntait pas, dix ans auparavant. Les emprunts avaient commencé à progresser à la fin du régime Scraire, de 1998 à 2002. Mais ils ont connu une augmentation « exponentielle » sous le régime Rousseau, de sorte qu'en 2007, le passif de la Caisse s'élevait à 71,8 milliards, soit 46 % de son avoir net. En 2008, ce passif a baissé un peu, à 66,8 milliards, mais l'actif net de la Caisse ayant fondu de 40 milliards, la part de l'endettement a grimpé à 55,6 %. Cette fois, le levier avait joué à la baisse. « Emprunter des sommes pareilles pour les re-prêter, ça n'a rien à voir avec la gestion des pensions », s'indignait Parizeau[18].

18. Cité par Robert Dutrisac, « Quel remède pour la Caisse de dépôt ? », *Le Devoir*, 28 février 2009.

Pour Michel Nadeau, l'idée de base pour utiliser l'emprunt comme levier est simple : si la CDP emprunte à 5 %, par exemple, et que ses placements par la suite lui rapportent 8 %, cela se traduit par un gain de 3 %. Les bénéfices issus du levier de l'emprunt iront donc gonfler le rendement des actifs sous gestion des déposants. « Par contre, si les placements rapportent moins que les coûts d'emprunts, comme ce fut le cas en 2008, là il y a de gros problèmes, car le levier retranche du rendement sur les vrais actifs des déposants. » C'est là que l'abus du levier s'est retourné contre l'administration Rousseau.

Dans un article bien documenté paru à la fin d'avril, le journaliste Francis Vailles a montré comment la Caisse avait emprunté « une montagne de liquidités » dans les dernières années de l'administration Rousseau, afin de hausser ses rendements.

> À la fin de 2001, la Caisse avait 2,4 milliards sous emprunt destinés à être placés dans le marché monétaire, à court terme. Dans les années qui ont suivi, cette somme a explosé, atteignant 46,5 milliards à la fin de 2006, avant la crise du papier commercial. Aucun autre poste n'a crû autant à la Caisse pendant l'ère Rousseau, nous indiquent les rapports annuels des dernières années[19].

Ces emprunts ont servi à acquérir le PCAA non bancaire, dont le gel en août 2007 a pris la CDP de court et l'a entraînée dans une crise de liquidités sans précédent, comme on l'a vu, la forçant à liquider de précieux actifs en catastrophe à l'automne 2008.

À la sortie du *Rapport annuel 2008* de la Caisse, l'ancien banquier et sous-ministre Pierre Goyette a signalé avec pertinence que les pertes consécutives à la vente des placements en 2008 s'élevaient à 23,2 milliards et qu'il s'agissait de « pertes bien réelles ». Ces pertes, dit-il, « ont plus qu'effacé la totalité des gains, bien réels aussi, à la vente de placements en 2007, 2006 et 2005 qui s'élevaient à 21,7 milliards de dollars. En fait, la très grande partie de ces moins-values porte sur les actions et les instruments financiers dérivés. » Cela contredit, selon lui, ce qu'avait laissé entendre Henri-Paul Rousseau devant la Chambre de commerce, de même que les dirigeants de la CDP, en février, quand ils avaient évoqué des « moins-values non matérialisées ». Rousseau avait dénoncé la règle comptable – dite valorisation au prix du marché (*marking-to-market*) – qui exige d'évaluer les placements à leur valeur marchande à la fin de l'année. Mais il s'était bien gardé de le faire auparavant, dans les bonnes années (2003 à 2006),

---

19. Francis Vailles, « Caisse de dépôt : le PCAA acheté avec de l'argent emprunté », *La Presse,* 23 avril 2009.

quand cette règle avait permis d'inscrire à l'actif des « plus-values non matérialisées de 19,6 milliards $ ». Pour une raison bien simple, selon Pierre Goyette : « En période de croissance, on raffole de cette règle comptable qui gonfle la valeur des actifs et par conséquent les rendements, et donc les bonis[20]. »

La nomination controversée de Michael Sabia

L'exposé de l'ex-président Rousseau au déjeuner-causerie de la Chambre de commerce – qu'on pourrait qualifier de brillant exercice d'escamotage – n'avait pas calmé la controverse sur les résultats désastreux de la CDP, ni sur l'attitude d'autruche du gouvernement. Au contraire. Le gouvernement Charest se trouvait de plus en plus dans l'eau bouillante, sa popularité en chute libre dans les sondages, et la ministre des Finances Jérôme-Forget s'évertuait à défendre l'indéfendable à l'Assemblée nationale en tentant de minimiser les pertes de la Caisse.

Le vendredi 13 mars, le jour même où la ministre des Finances se soumet aux feux croisés des questions de l'opposition à Québec, on annonce la nomination de Michael Sabia, l'ex-patron de BCE, à la tête de la Caisse. C'est un tollé général.

Le gouvernement s'était empressé de combler les vacances à la direction de la CDP, soi-disant pour répondre aux inquiétudes de l'agence de cotation Standard & Poors, qui avait placé la cote de crédit AAA de la Caisse « sous surveillance » en février. L'agence avait invoqué non seulement les mauvais résultats de l'institution, mais aussi « une plus grande instabilité au sein de sa haute direction ».

À peine une semaine plus tôt, le 5 mars, un nouveau président du conseil avait été nommé en la personne de Robert Tessier. Ancien haut fonctionnaire à Québec – ex-secrétaire du Conseil du trésor et sous-ministre de l'Énergie et des Ressources naturelles –, Tessier était, au moment de son accession à la Caisse, président du conseil de Gaz Métro, après en avoir été le pdg. Si sa nomination n'avait guère créé de vagues, celle de Sabia a provoqué un véritable tsunami[21].

---

20. Pierre GOYETTE, « Le véritable portrait des pertes de la Caisse de dépôt », *Argent* (canoe.ca), 22 avril 2009.

21. Les titres de la presse, autant anglophone que francophone, sont éloquents : « Sabia à la Caisse : pincez-moi quelqu'un ! » (*La Presse*), « Un choix qui suscite beaucoup de scepticisme » (*Le Devoir*), « No offence, Mr. Sabia, but is this Charest's 'depoliticized' Caisse ? » (*Globe and*

Michael Sabia habite le Québec depuis 16 ans, mais il arrive avec des antécédents qui semblent le préparer assez peu à devenir le grand timonier de la Caisse. On ne reconnaît à cet anglophone (né à St. Catharines, en Ontario), qui se débrouille tant bien que mal en français, aucune expertise ni talent particulier pour la gestion de fonds – le métier de la Caisse – ou la gestion du risque. Il ne connaît guère l'institution dont il devient le président. Il n'est pas non plus particulièrement branché dans les réseaux économiques et d'affaires du Québec. Il a fait carrière dans la haute fonction publique fédérale, notamment au ministère des Finances (où il a contribué à l'instauration de la TPS) et au Conseil privé. Puis il a travaillé comme directeur financier au CN, avec Paul Tellier, et est devenu président de BCE (Bell) en 2002. Il y est resté jusqu'à l'échec de la vente de l'entreprise à la caisse de retraite Teachers en 2008.

Ce qu'on reproche le plus vivement à Sabia, c'est sa feuille de route professionnelle, surtout le fait qu'il a sabré des milliers d'emplois à la tête de BCE et contribué au déménagement du siège social de Bell à Toronto. Il est assez révélateur de constater que personne, parmi les voix influentes au Québec, ne s'est porté à sa défense de Sabia. Seul son ancien compagnon d'armes Paul Tellier a chanté ses louanges dans le *Globe and Mail*, à Toronto. Même Alain Dubuc, qu'on ne saurait suspecter de nationalisme, a écrit : « Il est difficile de ne pas percevoir un élément de calcul politique dans la nomination de Michael Sabia à la tête de l'institution et, surtout, dans la façon dont elle a été annoncée. La séquence des événements sent la manoeuvre politique à plein nez[22]. »

De fait, le matin du fameux vendredi 13, la nomination de Sabia a été bouclée en deux temps, trois mouvements. Robert Tessier a organisé une conférence téléphonique avec les membres du conseil d'administration pour leur faire avaliser – sinon avaler – une décision qui avait été prise par un petit comité de sélection de quatre personnes, dont deux, Jean-Pierre Ouellette et lui-même, n'étaient au conseil que depuis une semaine à peine. En outre, Ouellette est connu comme un ami de longue date de Sabia. On a su, peu après, que Tessier n'avait même pas pris la peine d'examiner une autre candidature, tant celle de Sabia l'avait réjoui. En voyant son nom, a-t-il dit, il a eu une « révélation » ! On en a déduit que Tessier avait été nommé à la

Mail), « The Caisse controversy just won't go away » (*The Gazette*), « Nomination étonnante, processus bâclé » (*Les Affaires*), « Vendredi 13 à la Caisse » (*Voir*), « Les critiques fusent, même chez les libéraux » (*La Presse*).

22. Alain Dubuc, « Caisse de dépôt : le mode improvisation », *La Presse*, 15 mars 2009.

présidence du conseil d'administration en sachant déjà que Sabia serait le prochain PDG de la Caisse. C'était manifestement le choix du gouvernement depuis quelque temps déjà. Pourquoi, au juste ? Cela reste à éclaircir.

La nomination expéditive de Sabia a été dénoncée même par des membres sortants du conseil, notamment Yvan Allaire, un expert en gouvernance, qui a dit qu'elle ne respectait nullement « l'esprit de la loi ». Pour lui, on aurait dû organiser « une série de rencontres avec des chasseurs de tête, des entrevues avec les candidats potentiels, et d'autres démarches ».

Dès le début de sa présidence, Michael Sabia s'est attiré des critiques en laissant entendre, en conférence de presse, que la Caisse ne bougerait pas si des intérêts étrangers mettaient la main sur une grande entreprise québécoise comme Bombardier. Ensuite, au début d'avril, on l'a vu se rendre à pied avec le président Tessier au siège social de Power Corporation, voisin des bureaux de la Caisse, pour aller casser la croûte avec Henri-Paul Rousseau et des membres de la communauté d'affaires québécoise réunis par André Desmarais. Après le Québec inc., s'est-on demandé, serait-ce le début d'un « Quebec Power inc. »[23] ?

Enfin, l'opinion publique a été tenue en haleine plusieurs jours par des révélations successives sur les dizaines de millions de dollars que Michael Sabia avaient empochés à la suite de son départ de BCE. Auparavant, la CDP avait annoncé qu'il renonçait à toute prime pendant deux ans, ainsi qu'à une indemnité de cessation d'emploi comme celle qu'avait obtenue Rousseau et même à la rente de retraite. Le président Tessier avait salué « l'altruisme » du nouveau pdg.

En tout cas, on peut dire que Sabia est, de loin, l'homme le plus riche à prendre la direction de la Caisse jusqu'ici. Ce n'est pas un mal, bien sûr, mais cela indique le renforcement d'une tendance qui avait commencé avec Rousseau. Pourrait-on appeler cela la « banquisation » de la Caisse ? Après l'époque de ceux qui se voyaient au service d'un idéal, d'une cause, d'une collectivité à promouvoir – l'époque des grands serviteurs de l'État –, voici l'époque des hommes d'argent. La question est de savoir s'il est inspirant ou non pour la masse de gagne-petit ou moyen du Québec de voir que les gérants de leurs rentes de retraite sont désormais si riches.

---

23. Dans le *Rapport annuel 2008* de la CDP, Gesca – filiale regroupant les journaux de Power, dont *La Presse* et *Le Soleil* – figurait dans les 10 principaux placements au Québec du portefeuille « participations et infrastructures ». À la fin de 2008, la Caisse détenait 3,6 millions d'actions de Power Corporation, et davantage à la fin de 2007 : 4,67 millions.

De toute façon, il apparaît assez probable que le changement fondamental imprimé à la CDP sous Rousseau se poursuivra de plus belle avec Sabia. Notamment la culture bancaire et la gestion technocratique. Il faudrait ajouter aussi l'abandon du mandat de contribution au développement économique du Québec, comme le nouveau patron l'a laissé augurer par son indifférence à un achat éventuel de Bombardier par des sociétés étrangères.

Par ailleurs, les liens qui semblent déjà bien établis avec un puissant conglomérat comme Power Corporation, qui compte maintenant à son service un ex-président de la CDP, laissent planer des inquiétudes sur l'avenir de la Caisse. On peut se demander s'il n'y a pas là un prélude à son éventuel démantèlement, au profit du secteur privé, et notamment des filiales tentaculaires de la Financière Power. Ce serait un aboutissement logique de ce qui s'est amorcé et développé sous Rousseau et qui a été encouragé par le gouvernement de plus en plus désengagé de Jean Charest. Car si seul le rendement importe maintenant, s'il n'y a plus de rôle de la Caisse dans le développement économique et le maintien des entreprises au Québec[24], il n'y a plus d'obstacle à ce que les fonds de retraite de la collectivité québécoise aboutissent entre les mains des gestionnaires de puissants intérêts privés.

C'est la question qui vient naturellement à l'esprit en considérant tout ce qui s'est passé depuis sept ans, depuis l'avènement d'une culture nouvelle qui a changé radicalement les façons de faire et les orientations que la Caisse avait développées depuis plus de trois décennies.

Plusieurs ont fait remarquer que si la Caisse demeure encore une institution solide malgré les remous et les malheurs entraînés par l'affaire des PCAA, c'est à cause surtout de ses placements traditionnels, notamment l'immobilier et les placements privés, qui ont toujours maintenu un bon rendement, bon an mal an, à travers la période Rousseau. Et, comme par hasard, ces portefeuilles ont été mis sur pied par les administrations précédentes. Ils sont l'aboutissement d'un développement ingénieux (et souvent audacieux) de la Caisse depuis ses origines.

24. Le Rapport annuel 2008, qui est sorti au moment où l'on achevait ce livre, montre que la CDP n'a investi que 9,5 % de ses fonds dans des entreprises québécoises. Un recul par rapport au pourcentage de 10,5 % en 2007.

Des pistes pour l'avenir

La tourmente qui a frappé la Caisse en 2007 et 2008, avec des pertes de quelque 40 milliards de dollars, a emporté jusqu'ici plusieurs responsables de divers niveaux : entre autres, le gestionnaire en charge des achats de PCAA, le président Rousseau puis son remplaçant qui avait été le grand responsable de la gestion du risque pendant ces années. Au moment d'écrire ces lignes, la ministre des Finances du Québec venait d'annoncer sa démission. Chacun avait ses raisons particulières, mais les faits sont là. Un tel désastre pointe des responsabilités à des échelons élevés. Il est inévitable pour ces gens d'en assumer les conséquences.

Malheureusement, la situation n'est pas pour autant encourageante. Le gouvernement actuel n'a pas démontré une compréhension du rôle et de la nature de la Caisse de dépôt. Il n'a guère, non plus, fait preuve d'initiatives en matières économiques alors que la planète est en crise. Tant à Québec qu'à Ottawa, on mise sur le fait que la reprise au Québec sera la conséquence de la reprise américaine et qu'on n'a qu'à attendre. On a dit et répété à Québec que la Caisse n'avait pas à jouer de rôle actif dans l'économie.

Dans ce contexte économique général et dans le contexte particulier de la Caisse, les nouveaux dirigeants, non préparés à ces fonctions et nommés dans des circonstances qui les handicapent, auront des preuves sérieuses à donner sur leurs capacités de vision et de gestion, autrement qu'en surfant sur les rebonds des marchés. Ils devront ajouter de la valeur. Ils devront aussi démontrer un leadership peu commun, non seulement pour conserver dans l'équipe de gestion démoralisée les éléments essentiels à la gestion optimale et professionnelle de 120 milliards de dollars, mais également pour recruter de nouveaux talents afin de renforcer une équipe décimée durant les dernières années. Ils devront aussi, tant pour les déposants que pour l'ensemble de la communauté québécoise, recréer une nouvelle fierté légitime autour d'une institution que tous les Québécois ont à cœur.

Le défi est de taille : redonner un nouvel éclat à cette Caisse qui se situe au premier rang des investisseurs canadiens en placements privés et qui gère l'un des 10 plus grands actifs immobiliers au monde. La redresser pleinement comme phare québécois de performance et d'expertise financière, d'innovation et d'éthique, au milieu de l'océan agité de la finance internationale. Sans oublier son appui nécessaire à notre économie nationale.

ANNEXES

Les annexes suivantes sont fournies à titre de références sommaires. Pour des informations détaillées et mises à jour continuellement sur tous les aspects de l'organisation et de l'activité de la CDP, et notamment sur ses groupes et filiales, la ventilation de ses placements et ses résultats financiers, on aura intérêt à consulter le site internet de la caisse à l'adresse www.lacaisse.com.

ANNEXE I

Évolution de la CDP en chiffres

1) Actif sous gestion 1966-2008 (en millions de dollars)

	Actif total sous gestion	Actif net des déposants[1]
1966	179	
1967	383	
1968	653	
1969	866	
1970	1 321	
1971	1 783	
1972	2 312	
1973	2 895	
1974	3 168	
1975	3 949	
1976	5 210	
1977	6 448	
1978	7 910	
1979	9 254	
1980	10 965	
1981	11 448	
1982	16 110	
1983	19 004	
1984	20 785	
1985	25 243	
1986	28 080	
1987	28 914	
1988	31 798	
1989	37 493	
1990	37 304	

1. Avant 1995, l'actif net des déposants à la Caisse et l'actif total sous gestion par la Caisse ne connaissent que de faibles différences. C'est avec le développement de l'immobilier (où les filiales de la Caisse gèrent en même temps que leurs propres actifs des actifs qui appartiennent à d'autres et où le financement par hypothèque est d'un usage courant) puis avec l'apparition d'une gestion de biens pour des clients autres que les déposants, et enfin avec l'usage croissant de l'emprunt (le levier) sous maintes formes que l'actif total sous gestion est devenu une donnée différente et fort pertinente. L'actif total sous gestion comprend l'actif net des déposants, le total des emprunts des portefeuilles, plus les actifs gérés pour d'autres. En 2008, par exemple, l'actif total sous gestion en fin d'année se compose de l'actif net des déposants, 120 milliards, plus le passif de 66,8 milliards. Cela donne l'actif total des déposants. À cela s'ajoutent les 33,5 milliards de biens appartenant à des clients ou partenaires autres que les déposants et qui sont gérés par les équipes de la Caisse, contre rémunération ou considérations financières.

	Actif total sous gestion	Actif net des déposants
1991	42 061	
1992	42 370	
1993	48 022	
1994	46 491	
1995	52 899	51,1
1996	61 533	57,2
1997	70 959	63,6
1998	86 695	68,5
1999	105 843	81,0
2000	124 708	88,2
2001	133,1	85,2
2002	129,6	77,6
2003	140,3	89,3
2004	175,5	102,4
2005	216,2	122,2
2006	237,3	143,5
2007	257,7	155,3
2008	220,4	120,0

Déposants

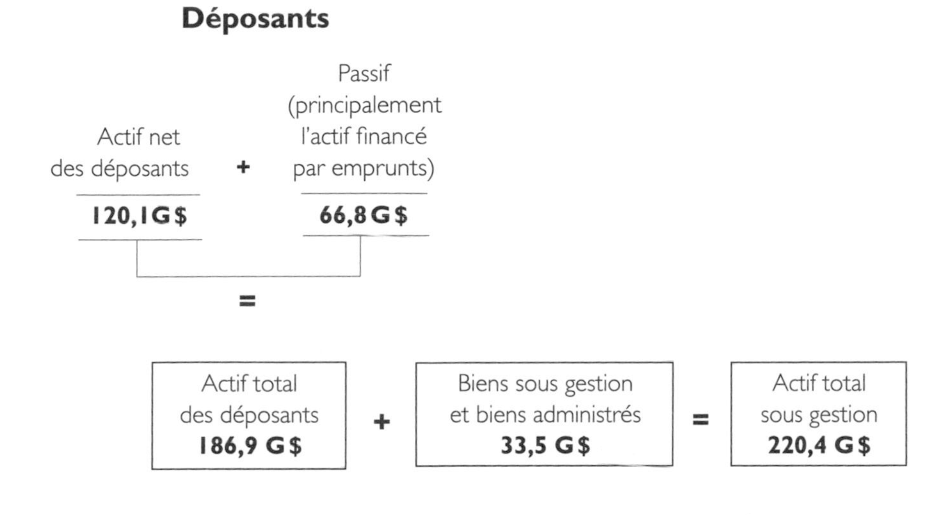

Évolutions de l'actif – 1966-2008
(au 31 décembre – en milliards de dollars)

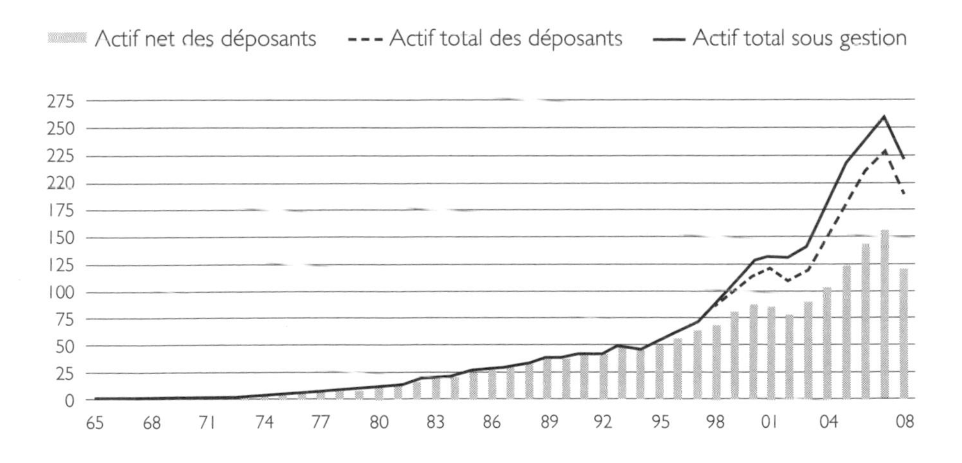

2) Rendement de la CDP 1966-2008

	Rendement global[1]	Indice des prix à la consommation en %	Rendement réel
2008	(25,0)	1,22	
2007	5,6	2,4	3,2
2006	14,6	1,7	12,9
2005	14,7	2,1	12,6
2004	12,2	2,1	10,1
2003	1,2	2,1	13,1
2002	(9,6)	3,8	(13,4)
2001	(4,9)	0,7	(5,6)
2000	**6,2**	**3,2**	**3,0**
1999	16,5	2,6	13,9
1998	10,2	1,0	9,2
1997	13,0	0,7	12,3
1996	15,6	2,0	13,6
1995	18,2	1,7	16,5
1994	(2,1)	0,2	(2,3)
1993	19,7	1,7	18,0
1992	4,5	2,1	2,4
1991	17,2	3,8	13,4
1990	0,5	5,0	(4,5)
1989	16,9	5,2	11,7
1988	10,5	4,0	6,5
1987	4,7	4,1	0,6
1986	13,5	4,2	9,3
1985	24,0	4,4	19,6
1984	10,1	3,8	6,3
1983	17,0	4,5	12,5
1982	32,8	9,2	23,6
1981	(1,9)	12,2	(14,1)
1980	9,9	11,2	(1,3)
1979	7,2	9,7	(2,5)
1978	9,9	8,4	1,5
1977	10,9	9,4	1,5
1976	18,3	5,9	12,4
1975	12,5	9,5	3,0
1974	(5,6)	12,3	(17,9)
1973	3,4	9,4	(6,0)

	Rendement global[1]	Indice des prix à la consommation en %	Rendement réel
1972	10,8	4,9	5,9
1971	14,1	5,2	8,9
1970	12,8	1,3	11,5
1969	(4,4)	4,8	(9,2)
1968	4,4	3,9	0,5
1967	(1,2)	4,1	(5,3)
1966	6,4	3,5	2,9

1. Le rendement est calculé selon la méthode pondérée par le temps en pourcentage.

ANNEXE 2

Les déposants de la CDP

La Caisse compte 25 déposants, en majorité des caisses de retraite et des régimes d'assurance publics et privés du Québec.

Sept déposants détiennent plus de 96 % de l'actif net des déposants:

- Régime de retraite des employés du gouvernement et des organismes publics (RREGOP)
- Fonds du Régime de rentes du Québec (RRQ)
- Fonds d'amortissement des régimes de retraite (FARR) et Fonds des générations du ministère des Finances du Québec
- Régime supplémentaire de rentes pour les employés de l'industrie de la construction du Québec, administré par la Commission de la construction du Québec (CCQ)
- Fonds de la santé et de la sécurité du travail de la Commission de la santé et de la sécurité du travail (CSST)
- Fonds d'assurance automobile du Québec de la Société de l'assurance automobile du Québec (SAAQ)
- Régime de retraite du personnel d'encadrement (RRPE)

Le reste de l'actif net est réparti entre 18 autres déposants. Leurs fonds ou régimes sont énumérés selon l'ordre d'arrivée à la Caisse.

- Fonds d'assurance-garantie de la Régie des marchés agricoles et alimentaires du Québec
- Fonds d'assurance-récolte et fonds d'assurance-prêts agricoles et forestiers de la Financière agricole du Québec
- Fonds d'assurance-dépôts de l'Autorité des marchés financiers
- Régimes particuliers de la Commission administrative des régimes de retraite et d'assurances (CARRA)
- Régime de retraite des élus municipaux (RREM)
- Fédération des producteurs de bovins du Québec
- Régime complémentaire de rentes des techniciens ambulanciers/paramédics et des services préhospitaliers d'urgence (RRTAP)

- Société des alcools du Québec (SAQ)
- Fonds des cautionnements des agents de voyages et Fonds d'indemnisation des clients des agents de voyages de l'Office de la protection du consommateur
- Régime de rentes de survivants
- Régime de retraite de l'Université du Québec (RRUQ)
- Fonds d'assurance parentale du Conseil de gestion de l'assurance parentale
- Régime de retraite du personnel des CPE et des garderies privées conventionnées du Québec
- Régime complémentaire de retraite des employés syndiqués de la Commission de la construction du Québec
- Régime de rentes pour le personnel non enseignant de la Commission des écoles catholiques de Montréal
- Régime de retraite pour certains employés de la Commission scolaire de la Capitale
- Régime de retraite des membres de la Sûreté du Québec
- Régime de retraite des employés de la Ville de Laval

Table des matières